變動時代的經學與經學家

——民國時期（1912-1949）經學研究

第三冊
三禮、小學研究

林慶彰　　總策畫
蔣秋華

范麗梅　　主編

總序

一　前言

　　經學史的研究本來是中國文學系的專利，但是一研究到晚清民國時期這一時段，一向擁有專利的中文人卻失去了他們的發言權，由歷史學人來主導，這個時段也被稱為「經學的史學化」，當然研究這個時段的史學家都跑來研究經學，他們用史學的眼光來探究經學，把經學問題都看成史學問題，經學的史學化也是必然的結果，但是我們不禁要問民國時期的經學著作有多少種？這些講經學史學化的學者又讀了多少種？研究經學的人，對這兩個問題沒有正確觀念，要和他談這一時段的經學也就很困難。

　　從來沒有人對民國時期的經學著作有多少種做過精確的統計，中國國家圖書館所編輯的《民國時期總書目》總計二十冊，其中並沒有經學的類目，經學的著作到處流竄，要統計它的正確數字必須二十本書全部翻完。我粗略翻閱的結果，大概有二百二十種。我所主編的《經學研究論著目錄（1912-1987）》用漢學研究中心所建置的檢索系統加以檢索約有六百六十種。我還是不相信這個時段的經學著作有這麼少，這也是激發我們執行民國以來經學研究計畫的主要原因。

二　執行「民國以來經學研究計畫」

　　我們不但質疑當時經學著作的總數，對某些圖書館處理民國文獻的方法不夠嚴謹，大陸有不少圖書館是將民國時期的文獻堆積在倉庫或走道，臺灣因為民國時期是屬於日本統治時期，要求臺灣人民皇民化，漢字寫的書看得越少越好，所以有不少民國時期的著作都流入舊書攤。要喚起學界對民國時期文獻的

重視，光是寫寫文章來呼籲，效果相當有限。我們明知要研究這個課題有許多問題亟待解決，但是如果我們不去研究它，還有誰能代我們去研究呢？所以我們經學文獻組的同仁經過幾次討論後，大家同意這六年全心全意執行民國以來經學的研究計畫。此一研究計畫是從二○○七年一月起開始執行，二○一二年十二月結束，前後六年。前四年（2007-2010）執行民國時期經學研究計畫，後兩年（2011-2012）執行新中國的經學研究計畫。

民國時期是指民國元年（1912）至民國三十八年（1949）新中國成立前的時段。這一時段就經學這一學科來說，可說是生死存亡的關頭，因此諸事百廢待舉，就連一本反映當時經學實況的書目也沒有，何況其他？為了能有效執行這個研究計畫，我們做了數項基礎工作：

（一）編輯經學家著作目錄

要了解一位學者的學說，應從閱讀他的著作入手，要比較全面的了解他的著作，應先有一份完整的著作目錄。民國時期的學者由於時局動盪不安，大都沒有較完整的著作目錄。我挑選出數十位經學家，在東吳大學中國文學系博碩士班講授「中國經學史專題研究」、「經學文獻學」的課程時，以作期末作業的方式完成了數十篇，有部分著作目錄已刊登於《中國文哲研究通訊》、《經學研究集刊》。再要求原作者修訂，然後收入《民國時期經學家著作目錄彙編》中。《彙編》的第一輯，預計二○一四年十二月底出版。

（二）編輯《民國時期經學叢書》

要執行此一研究計畫，第一就是要提供學者這個時期的經學著作，可是民國時期的經學著作從來沒有人整理過，為了順利執行此一計畫，我開始有系統的收集民國時期經學著作。先根據我所主編的《經學研究論著目錄（1912-1987）》找出一九一二到一九四九年的經學專著，計六百六十多種，編成《民國時期經學圖書總目》（初稿），再陸續增補，到目前已經有一千五百多種，根據

這個書目檢查各書典藏的所在，然後設法收集到文本，經過八年的努力，已經編成《民國時期經學叢書》六輯，每輯六十冊，六輯合計三百六十冊，每冊平均收二至三種著作，總計收錄近一千種。約民國時期經學著作的三分之二。

（三）編輯經學家著作集

許多經學家的著作當時刊載在各種報刊雜誌中，有典藏這些報刊雜誌的圖書館少之又少，如果有典藏也因為這些報刊雜誌的紙質脆弱而不准借閱，所以要從報刊雜誌中收集經學家的論文困難重重，為了讓研究計畫順利開展，選定李源澄與張壽林，為他們兩人編輯著作集，由於他們的傳記資料相當有限，要蒐集他們的經學論文有不知如何入手之感，有時只能靠運氣，其間的辛苦可參考我所發表的〈我收集李源澄著作的經過〉一文，經過兩年的努力終於完成《李源澄著作集》四冊、《張壽林著作集》六冊，為民國時期的經學研究添加了不少新的材料。

三　舉辦八次學術研討會

以上所述都是執行此一計畫的基礎工作，執行計畫的重頭戲，還是舉辦學術研討會。研討會可以匯集研究人力，提供學術交流的平臺。民國時期經學研究計畫執行四年，共舉辦八次研討會。發表論文一百四十餘篇，茲將各次研討會的時間、發表論文的篇數，臚列如下：

第一次研討會，二〇〇七年七月十二日，發表論文十三篇。

第二次研討會，二〇〇七年十一月十九至二十日，發表論文二十篇。

第三次研討會，二〇〇八年七月十七至十八日，發表論文十九篇。

第四次研討會，二〇〇八年十一月六至七日，發表論文十八篇。

第五次研討會，二〇〇九年七月十三至十四日，發表論文十六篇。

第六次研討會，二〇〇九年十一月十九至二十日，發表論文二十篇。

第七次研討會，二〇一〇年六月十至十一日，發表論文十八篇。

第八次研討會，二〇一〇年十一月四至五日，發表論文二十一篇。

第八次學術研討會，是此一研究計畫的最後一次研討會，我們安排了兩場別開生面的座談會。第一場座談會「民國經學家後代談親人」，我們邀請了顧頡剛之女顧潮女士，童書業之女童教英女士，張西堂之子張銘洽先生，聞一多之孫聞黎明教授四人。這幾位經學家的後代，對臺灣學術界仍重視他們的親人，相當感動。他們說他們在大陸是相當平凡的人，沒想到在臺灣學術界如此重視他們，可說愛屋及烏，反而有受寵若驚的感覺。第二場座談會是「紀念顧頡剛逝世三十週年」，本來安排中央研究院副院長王汎森院士主持，他臨時有事不能來，由本人代為主持。這場的引言人有丁亞傑、車行健、蔡長林、劉德明等教授，經學家的後代則邀了顧潮女士。

四　出版研討會論文集

近年，各級機關學校由於經費短缺，很多研討會都無法出版論文集。甚至於受理工科學術研討會的影響，認為研討會論文的學術水平不高，所以研討會能出版論文集者，少之又少。我個人覺得理工學界研討會發表的論文，也許僅僅是一個構想，大都未寫成完整的論文。這樣的一點構想，也許有創見，但是要和文史哲學界經過嚴格的審查，然後匯集成論文集的論文相比，恐怕不是對手。但是文史哲學界，尤其是中文學界的學者，往往缺乏自信心，一有風吹草動就棄械投降。即使有出版論文集，也不敢用論文集的名稱。辛辛苦苦撰寫的研究成果，竟無法與世人公開見面。這是中文學界最大的悲哀。我們想重建中文學人的自信心，先前發表的論文，經作者修改後，再送學者嚴格審查，審稿者同意發表的才能刊登出來。八次研討會的論文，分成七大冊，總計收入一百二十五篇。各冊之主編及所收論文篇數如下：

第一冊　周易十篇、尚書七篇。由蔣秋華教授主編

第二冊　詩經十九篇。由楊晉龍教授主編。

第三冊　三禮九篇、小學六篇。由范麗梅教授主編。

第四冊　春秋十七篇、四書八篇。由蔡長林教授主編。

第五冊　經學史二十三篇。由本人主編。

第六冊與第七冊　經學家二十六篇。由張文朝教授主編。

除了各經都有學者撰寫論文外，最重要的是屬於經學家的有二十六篇，其中有不少被遺忘的經學家，例如劉咸炘、王樹榮、唐文治、陳柱、楊筠如、蔣伯潛、龔道耕、陳鼎忠等人，都是以前研究經學的人所忽略的，現在一併把他們表彰出來，就可以知道民國時期的經學並沒有衰亡，也未必邊緣化，這是執行這個計畫最重要的目的。這個研究計畫雖然已經結束，但研究民國經學的風氣正逐漸展開，已形成經學研究最熱門的課題。中央研究院中國文哲研究所經學文獻組執行很多計畫都具有開風氣的作用，這是我們做為中國文哲研究領航者所應盡的責任和義務。

五　結語

中央研究院中國文哲研究所成立於一九八八年，至今二十五年間，執行過的計畫無數。尤其是經學文獻組所執行的計畫，對國內經學界有很深的影響。中國大陸的經學逐漸復甦，國內外學人都以為受文哲所經學文獻組的影響，我們不敢說我們有如此的影響力。但是我們已竭盡全力去執行這些計畫。

這套論文集，由此一計畫的共同主持人蔣秋華教授和本人擔任總策畫。經學文獻組六位研究人員每人負責一冊，靠大家群策群力，才能在極短的時間內，完成編輯工作。當然最辛苦的還是蔡雅如學棣，她一個人獨力完成整套論文集的體例統一與校對工作，我們深深的感謝她。也感謝百忙中撰稿參加研討會的先進朋友。

二〇一四年十月十三日林慶彰誌於

中央研究院中國文哲研究所五〇一研究室

總目次

第一冊

第二冊

第三冊

第四冊

四書研究

第五冊

第六冊

第七冊

經學家研究

本冊目次

小學研究

南菁書院與張錫恭的禮學

商瑈

長庚大學通識教育中心人文藝術科助理教授

一　前言

　　民國時期之經學詮釋，方法相當多元。民國元年至新中國成立以前的三十餘年經學發展，據林慶彰教授之研究，歸納出有堅守乾嘉漢學、延續晚清辨偽傳統解經，以及利用民俗學、社會學觀點、馬克思思想、佛洛伊德心理學、三民主義、新出土文獻解經等多種迥異之釋經門徑。[1]換言之，此時期之經學家，約略分為「傳統型」與「開明派」二大類型。[2]其中「開明派」學者，大多引進西方研究方法詮釋典籍，由於觀點新穎，早已是學界關注焦點；如郭沫若（1892-1978）以馬列思想，重新詮釋《詩經》；聞一多（1899-1946）以佛洛伊德之泛性論與潛意識理論，從男女兩性關係角度解讀《詩經》[3]，學界對其討論甚多。至於「傳統型」學者，則因種種因素，而被學界忽略。但這些堅守漢學傳統之學者，幾乎將經學視為「救民命」、

1　林慶彰：〈序〉，見林慶彰主編：《民國時期經學叢書》（臺中市：文听閣圖書公司，2008年），第二輯，冊1，書前，頁3-4。

2　林慶彰：〈林序〉，見林慶彰主編：《民國文集叢刊》（臺中市：文听閣圖書公司，2008年），第一編，冊1，書前，頁3。

3　聞一多：〈詩經的性欲觀〉，《聞一多全集》（上海市：開明書店，1948年），卷3，頁189。關於《詩經》中與男女情愛有關之隱語，如「飢」為慾未遂，「食」為遂慾之隱語；「魚」為匹偶或情侶之隱語；「打魚、釣魚」為求偶之隱語；「烹魚、吃魚」為合歡、結配之隱語；「吃魚的鳥獸」為主動一方之隱語等。詳參朱孟庭：〈聞一多論《詩經》的原型闡釋〉，《成大中文學報》第18期（2007年10月），頁77-116。

「正人心」之所繫[4]，極力捍衛與傳承儒學文化，其研究成果質量皆相當可觀，且不少為「南菁書院」後勁，張錫恭（字聞遠）即屬其一。

　　南菁書院為晚清重要之漢學傳承重鎮。清代書院，大多為士子課習制藝所設，雖兼設古學或師儒講習理學，但仍不離場屋目的，且其空疏亦屢為議者所病。直到阮元創立詁經精舍、學海堂，方以考證經史為宗，兼及天算推步實學，使書院成為「樸學家之所以養成，經師撰述賴以刊刻流傳」之重要場所。[5]阮元爰尊古學以考訂訓詁為宗之治學取向，亦成為諸多書院景從對象，「南菁書院」亦為其一。

　　「南菁書院」為光緒八年，由江蘇學政黃體芳（1832-1899）仿效詁經精舍規制，並在兩江總督左宗棠（1812-1885）支助下所創辦。經費以捐廉一千兩作為建院工料，課生膏火則奏准由朝廷提銀二萬兩發商生息支付。[6]書院以經史詞章課士，而不以制藝為目標，故雖於光緒二十七年即在清廷將全國書院一律改為中西兼習之學堂政策下，改制為「南菁高等學堂」，結束短暫二十年「專課經學、古學」之傳統書院形式，且其聲望與規模更遠不及詁經精舍與學海堂。但先後掌教之張文虎（1808-1885）、黃以周（1828-1899）、繆荃孫（1844-1919）等人，皆為碩學名儒，且入院肄業課生，亦選拔自各省菁英，加以江蘇學政王先謙（1842-1917），奏准於院中設立南菁書局，在書院諸生積極參與下，先後匯刻《皇清經解續編》、《南菁叢書》等巨編，除了傳布、保存文獻外，亦刊印院生研究成果為《南菁書院課藝》、《南菁講舍文集》，對提升課生學術研究，助益極大。

　　目前學界研究南菁書院與張錫恭之禮學，仍有不足之處。前人討論南菁書院，主要關注其創建過程、辦學理念與治學特點為多，如趙椿年（1869-

---

4　如曹元弼（1867-1953）、唐文治（1865-1954），參王爾敏：〈清季知識分子的自覺〉，《中國近代思想史論》（北京市：社會科學文獻出版社，2003年），頁81-139。

5　謝國楨：〈近代書院學校制度變遷考〉，收入胡適、蔡元培、王雲五編：《張菊生先生七十生日紀念論文集》（上海市：上海書店，1990年），頁296-297。

6　〔清〕朱壽朋編，張靜廬等點校：《光緒朝東華錄》（北京市：中華書局，1958年），總頁1636。

1942）以早期院生身份，撰寫〈覃斆齋師友小記〉[7]，記述書院之建置過程
與規制、歷任院長、經費來源、藏書狀況、課學內容、以及諸生協助匯刻
《續皇清經解》情形。後來胡適（1891-1962）撰寫〈關於江陰南菁書院的
史料〉[8]，乃摘記趙氏之文加以補述。又如趙統〈試述江陰南菁書院的治學
特點〉[9]、黃麗芬〈南菁書院的辦學特色〉[10]，主要為闡述書院辦學理念與
治學方向。然上述諸文，皆聚焦於討論「書院」，對於諸生之治學、義理取
向、學術要旨與影響，則著墨甚少。其次，張錫恭於民國以後，即以清朝遺
老自居，世人多不詳其事蹟，對其經學關注仍屬少數。如鄧聲國《清代「五
服」文獻概論》討論清後期之五服制度，列有〈張錫恭的五服研究〉一節，
比較其與吳嘉賓（1803-1864）、夏燮（1800-1875）、于鬯（1862-1919）等人
之五服詮釋異同。[11]又有曾聖益〈變儀而復禮──曹元弼與民初禮學〉一
文[12]，扼要附論張錫恭之禮學大義，可見學界對其關注，仍然有限。

　　是以本文試圖通過考察南菁書院之治學精神與張錫恭之禮學義旨，進而
探究張錫恭如何於政治上立憲變法聲浪沸騰，社會上禮制頹壞，學術界又有
國故運動與大量援引西方研究方法等時代背景下，傳承南菁書院之治經方法
與宗旨，表現與書院一脈相承之禮學研究特色。

7　趙椿年〈覃斆齋師友小記〉分上、下二期，分別刊於《中和月刊》第2卷第3期（1941
　　年3月），頁2-18；《中和月刊》第2卷第5期（1941年5月），頁33-35。

8　胡適：〈關於江陰南菁書院的史料〉，《大陸雜誌》第18卷第12期（1959年6月），頁1-
　　3。

9　趙統：〈試述江陰南菁書院的治學特點〉，《南京曉莊學院學報》第21卷第2期（2005年
　　3月），頁111-122。

10　黃麗芬：〈南菁書院的辦學特色〉，《常熟高專學報》第13卷第5期（1999年10月），頁
　　35-38。

11　詳參鄧聲國：《清代「五服」文獻概論》（北京市：北京大學出版社，2005年），頁
　　100-105。

12　曾聖益：〈變儀而復禮──曹元弼與民初禮學〉，「變動時代的經學和經學家第二次學
　　術研討會」論文（臺北市：中央研究院中國文哲研究所，2007年11月19日）。

二　南菁書院振興漢學之課藝宗旨

　　「南菁書院」之歷任院長，對諸生影響最深者，乃為經學家黃以周。據胡適〈關於江陰南菁書院的史料〉載：「書院於光緒十年秋開課，掌教為南匯張嘯山（文虎），到院兩月，以足疾辭歸，即改延定海黃元同先生以周，在院凡十五年。」[13]可知黃氏幾乎與書院相始終，故院中制度與治學取向，亦多為黃氏策定。曾課學於此之民國政要吳稚暉（1865-1953），即對黃以周書齋中「實事求是，莫作調人」座右銘，認為確係吾人行事圭臬，服膺甚深而終身奉行。[14]學術方面，黃以周畢生闡發父親黃式三（1789-1862）「重禮」思想[15]，且藉由南菁書院而光大之。是以，如張錫恭、陳慶年（1862-1929）、唐文治（1865-1954）、吳稚暉、曹元弼（1867-1953）、曹元忠（1867-1953）等南菁書院後勁，皆深受其啟導，大多能紹承書院傳統，堅持以乾嘉漢學傳統方法治經。

　　綜觀「南菁書院」之治學特點，主要有二：

（一）推尊漢學，不拘漢宋

　　南菁書院專課經義，即使旁及詞章，亦多收古體，不涉時趨。故書院於督課經藝以外，兼繼阮元學海堂《皇清經解》之業，纂刻《續皇清經解》。綜觀二部《經解》之編纂立場，李元度（1821-1887）云：「阮文達刻《皇清經解》千四百餘卷，而安溪、望溪之著述一字不收。」[16]其漢學立場，相當

13　胡適：〈關於江陰南菁書院的史料〉，頁359。

14　陳凌海：《吳稚暉先生年譜簡編》，收入羅家倫、黃季陸主編：《吳稚暉先生全集·雜著》（臺北市：中國國民黨中央委員會黨史史料編纂委員會，1969年），冊18，附錄，頁13。

15　關於黃式三之重禮思想與禮學討論，詳參拙作：《黃式三的學術思想研究》（新北市：花木蘭出版社，2011年）。

16　〔清〕李元度著，易孟醇點校：〈凡例〉，《國朝先正事略》（長沙市：嶽麓書社，1991

明顯。又,《續皇清經解》之刊行,王先謙自云為「繼文達之志」[17],是以取捨原則亦沿襲阮刻。據此,南菁書院傳承漢學之取向,亦由此可知,所以治經亦遵循乾嘉漢學以經解經、引史證經等訓詁考證門徑。

南菁書院雖推崇漢學,卻不拘守門戶,而漢宋兼學。「南菁書院」之名,乃取意於朱子〈丹陽公祠堂記〉「南方之學,得其菁華」一語[18],並崇祀鄭玄、朱熹,其漢宋兼采立場,相當明確。試觀中國書院之崇祀對象,從宋末到清初,大致皆為周、程、朱、張、陸、王等理學家[19],乾嘉雖為漢學鼎盛時期,但當時亦僅有朱筠(1729-1781)曾於紫陽書院將江永(1681-1762)、汪紱(1692-1759)奉為陪祀[20]。直到阮元詁經精舍始祭鄭玄、許慎後,其他書院方才仿效詁經成規,崇祀鄭玄。[21]是以南菁書院落成時,黃體芳為「使來者不忘其初,而祫祀漢儒鄭公及朱子於後堂,使各學其性之所近,而不限以一先生之言」[22],決議奉祀鄭玄、朱子。期間雖歷經正式立祀時,或以為當崇祀鄭玄、許慎,或主張僅崇祀朱子,或持論僅崇祀鄭玄等異議。[23]最後仍在黃以周強調「經學即是理學」,申明「奉鄭君、朱子二主為

年),書前,頁2。

17 〔清〕王先謙:〈皇清經解續編石印縮本序〉,收入王先謙編:《皇清經解續編》(南京市:鳳凰出版社,2005年),書前,頁1。

18 〔宋〕朱熹:〈丹陽公祠堂記〉,見〔宋〕范成大:《吳郡誌・縣學記》(南京市:江蘇古籍出版社,1999年),卷4,頁41。

19 孫運君、楊振姣:〈從書院祭主變化看晚清學術思想之轉圜:以詁經、南菁兩書院為例〉,《船山學刊》2006年第2期,頁80。

20 吳景賢:〈紫陽書院沿革考〉,收入《學風》(1934年9月),頁25。

21 據張鑒云:「各地之踵設書院者,自廣州學海堂同創於阮元達外,若上海之詁經精舍、龍門書院,江陰之南菁書院,武昌之經心書院,長沙之校經堂,成都之尊經書院,無不唯詁經之成規是仿。」見〔清〕張鑒:〈詁經精舍志初稿〉,收入趙所生、薛正興主編:《中國歷代書院志》,冊8,頁295。

22 〔清〕黃體芳:〈南菁書院記〉,見范當世:《范伯子先生全集》,收入沈雲龍主編:《近代中國史料叢刊續編》,第24輯,冊231,頁73。

23 據黃以周〈南菁書院立主議〉曰:「南菁書院落成,院長張歗文虎與多士奉高密鄭君、新安朱子兩賢主已有成議矣!而或者又心非之,甲議曰,南菁課士以經解古學,宜立明經之主,而以能文之士配之。乙議曰,否,阮文達建詁經精舍,亦以經解、詩

圭臬，學者各取其所長，互補其所短，以求合於聖賢經傳」之宗旨下[24]，而崇祀朱子與鄭玄，表明書院不僅維護漢學正統，亦推崇程朱理學，宣示「漢宋兼采」立場。

（二）尊經重史，歸趨於「禮」

乾嘉時期，經學鼎盛，道咸以降，則「經消史長」。道咸以後，社會問題漸次浮現，經世思潮大興，學術從取證經典、重實證方法之訓詁章句，轉向突出西漢今文經、講微言大義趨勢。是以強調具體改革之經世實學，成為嘉道時期之訴求與思想核心，故對經、史之取捨，呈現相互消長趨勢。如龔自珍（1792-1841）於〈古史鉤沉論〉說「六經者，周史之宗子」[25]，將史學提升到無以復加之地位，且自言因欲治史學，而將早年「寫定群經」之夙願捨棄[26]，此即儒者由「重經」，轉而「重史」之典型。此外，與龔自珍同時之沈垚（1798-1840），早年亦好名物訓詁，後來「自知瑣屑之非計」，以為社會風氣之敗壞，即由於此，遂轉而從漢學入手，走上側重史學之路[27]，與龔自珍一樣，皆主張「以史代經」。至於魏源（1794-1857）亦指責乾嘉漢學，由於重考據而「爭治訓詁聲音，爪剖釽析」，導致「重經而輕史」[28]，

賦並課，而立淀長、司農兩主，……宜遵之。丙議曰，否，解經自以漢儒為近古，而漢儒之能囊括大典，網羅諸家者，唯高密一人，文與藝，皆末也。淀長之主，可以立，可以不立。丁曰，否，……仲尼歿而微言絕，能紹厥傳者，北宋，諸子能集大成者，謹新安一人。見〔清〕黃以周：〈南菁書院立主議〉，《儆季文鈔》（光緒二十年南菁書院刊本），卷6，頁32-34。

24 同前註，頁33-34。

25 〔清〕龔自珍著，王佩諍校：〈古史鉤沉論二〉，《龔自珍全集》（北京市：中華書局，1959年），頁21。

26 同前註，〈古史鉤沉論三〉，頁25。

27 〔清〕沈垚：《落帆樓文集》，收入《叢書集成續編》，冊195，據《吳興叢書》排印，卷4，頁1-5。

28 〔清〕魏源：〈武進李申耆先生傳〉，《魏源集》（臺北市：鼎文書局，1978年），頁358-359。

可謂捨本逐末。故其《四洲志》、《海國圖志》、《元史新編》等書，實為激憤時艱，欲借史學挽清廷於頹敗既傾之力作。可見嘉道時期之學術趨勢，表現「經消史長」之態勢。據路新生《經學的蛻變與史學的轉軌》指出：「大略而言，赴新潮、急功利者，主以史代經；敦厚沉潛、懷舊固守者，則重經而不輕史。」[29]是以黃以周身為傳統學者，雖不同意「以史代經」，卻強調經史相成、重經不輕史。其《禮書通故》實為考訂古史名物制度之作，並撰有《史說略》，校補《續資治通鑑長編》，皆為重史之表現。繆荃孫更專於史學，故南菁書院課藝，亦主張尊經重史。

　　南菁書院之課藝內容，為經史兼重。創辦人黃體芳即揭示其旨在「專課經學、古學，以補救時藝之偏」，故由學政分經、古二場，甄別錄取，而「經學則性理附焉，古學則天文、算學、輿地、史論附焉」[30]，已確立兼重經史取向。而南菁書院初分德、行、道、義四齋，並築觀星臺一座，備諸生考察天文之用，後又增設禮、樂、詩、書四齋[31]，更可見其強調實學之治學宗旨。書院尊經重史之學習成果，從《南菁書院課藝》所收文章之標準為：

> 不關經傳子史者，黜不庸；論之無關世道人心者，黜不庸；好以新奇之說、苛刻之見，炫而乖經史本文事實者，黜不庸。[32]

可知書院堅持經史兼重，並強調徵實之目標，大致已能通過諸生撰文，獲得實踐。

　　南菁書院重視《三禮》研討，與黃以周之推闡禮學，關係極大。黃氏強調治經當以「禮」為宗，並以「禮學」通貫諸經，故畢生詳考禮制，核明古禮以釐正舊說。南菁書院課生治經，即特重「禮學」，以學禮為治學根本，黃以周〈南菁講舍論學記〉曰：

---

29 路新生：《經學的蛻變與史學的轉軌》（上海市：上海古籍出版社，2006年），頁124。

30 〔清〕陳思等修，繆荃孫等纂：《江陰縣續志》，收入《中國方志叢書》（臺北市：成文出版社，1970年），華中地方第24號，卷6，頁2-3。

31 同前註。

32 〔清〕黃以周：〈南菁講舍文集序〉，收入黃以周編：《南菁講舍文集》，書前，頁1。

> 文章者，華身之物；經濟者，澤民之具；義理者，淑性陶情之資。而
> 不以禮為權衡，文章雖工，亦鄭衛淫哇之聲也；經濟雖長，亦雜霸刑
> 法之治也；義理雖明，亦莊老虛無之談也。[33]

強調凡學文章、經濟、義理者，皆歸趨於「禮學」之教育原則。是以，諸生
亦多發憤於「禮學」，如張錫恭長於《三禮》，唐文治主張「以禮通理」建構
經學義理，闡論「禮者，天命秩序之原，民彝物則之要，人心世道，惟斯為
大」之禮學經世理想。[34] 又如曹元弼、曹元忠兄弟，亦倡議「存古復禮」，
力辨滿蒙夷夏異俗禮義，並重視時儀、禮制等禮學價值。

　　此外，南菁書院之院長授課，以解答疑惑並批閱課生日記與課卷為主。[35]
日記內容為每日學術研究心得，課生大致皆能終身不廢一日撰寫日記，記錄
其學習歷程。試觀黃以周〈答張聞遠書〉曰：「閱所著讀〈士冠禮〉日記，
申鄭闢賈說皆精彩。凡醮者不祝，指三……，賢弟覃思不輟，所造莫量，後
別有見，幸再告所共賞之。」[36] 檢閱黃以周文集中，即收錄不少與諸生討論
日記書信，可知院生離院後，仍郵寄日記請益於院長，且此一撰寫讀書日記
形式，亦為南菁書院之特色。

三　張錫恭重實用的禮學思想

　　張錫恭於民國以後，即以清朝遺老自居，隱居僻壤，後人對其生平事蹟
瞭解相當有限。除了《松江縣志》之簡要傳略以外[37]，曹元弼嘗作「〈純儒

33　〔清〕黃以周：〈南菁講舍論學記〉，《儆季文鈔》，卷6，頁22-23。

34　唐文治：《十三經提綱》，收入唐文治編纂：《十三經讀本》（臺北市：新文豐出版公
　　司，1980年），冊1，卷5，頁49。

35　詳參趙統：〈試述江陰南菁書院的治學特點〉，《南京曉莊學院學報》2005年第2期，頁
　　115。

36　〔清〕黃以周：〈答張聞遠書〉，《儆季文鈔》，卷3，頁26-27。

37　《松江縣志》載：「張錫恭，字聞遠，號殷南。清松江府婁縣人，家住西門外南埭。
　　光緒二年秀才，光緒十一年拔貢。時江蘇督學黃漱蘭建南菁書院於江陰，錫恭就學於
　　該書院，精治《禮經》。光緒十四年鄉試中舉後，益潛心研究《三禮》，以鄭玄為宗，

張聞遠徵君傳〉，記其學行」[38]，其他又如劉聲木（1876-1959）於《桐城文學淵源考》略述其家學，以及散見於張氏與繆荃孫、曹元忠等人之通信數劄，略可窺其交遊情形。

張錫恭父子皆關心國事，憂心時局，二人書齋命名亦寄託此憂國憂民之志。張父爾耆（1815-1889）專於古文，但生逢清末離亂之世，遂以《周易》〈夬〉卦「揚於主庭」，憂小人淩駕群賢之義名齋，作文則多寓傷懷時事之嘆，且關切國計民生、明辨忠奸。[39]錫恭關心時局，亦取《詩經‧谷風》「誰謂荼苦，其甘如薺」之義，名其軒曰「茹荼」，寄寓身遭亂世之感慨。張錫恭於光緒末年受任官職，為表現效忠，民國以後仍以清朝孤臣自奉，蓄長辮不剪，隱居闕壞。據曹元忠云：「張門生聞遠，寓松江小昆山，信件不能逕寄，須由松江西門內，佛寺橋源泰皮貨店其弟張梯雲收下，或松江西門外，釣橋西塘乾大布號其兄張閬峰收下。」[40]其幾乎與世隔絕情狀，由此可見。

張錫恭為示不愧清廷授官之意，民國以後仍繼續以「宣統」紀年。其著作凡遇《欽定義疏》、《大清通禮》、國朝等字，必平抬以尊清朝名諱，對於皇帝名諱，如「玄」避為「元」、「《儀禮》」則缺筆書為「《儀禮》」，表達忠

兼攻百家之說。曾在松江府中學堂執教，又在姚、韓兩大姓家坐館，以經學負盛名。光緒二十五年被聘為兩湖書院經學分教，治學嚴謹，任教三年，學生悅服。光緒三十三年北京設禮學館，纂修《大清通禮》，被徵召為纂修官，分任纂訂喪禮部份，著有〈修禮芻議〉二卷。辛亥革命後回家，築新居於小昆山東麓，與祖墓、宗祠為鄰，過隱居生活。以清朝遺老自居，留長辮不剪。為人正直，在鄉里有聲望，畢生精力用於讀書著述。」詳見上海市松江縣地方史志編纂委員會編著，何惠明等主編：〈人物傳記〉，《松江縣志》（上海市：上海人民出版社，1991年），卷31，頁992。

38 曹元弼：〈純儒張聞遠徵君傳〉，收入清代詩文集彙編編纂委員會編：《清代詩文集彙編》（上海市：上海古籍出版社，2010年），冊786，總頁142-149。

39 如《庚申紀事》一書，記咸豐十年太平天國攻克松江事；《夬齋雜著》有〈與蔡渭卿勸戒煙〉痛陳鴉片之害，其他諸文，亦多述時事與離亂。詳見〔清〕張爾耆：《夬齋雜著》，收入《北京師範大學圖書館藏稀見清人別集叢刊》（桂林市：廣西師範大學出版社，2007年），冊23。

40 見曹元忠與繆荃孫通信，收入顧廷龍校閱：《藝風堂友朋書札‧曹元忠》（上海市：上海古籍出版社，1980年），頁991。

貞臣節。張氏文集有〈宣統六年正月壬子朔口占三首〉曰：

> 家家爆竹歲新華，蠟鼓摧回萬象春。此日蓬盧獨憔悴，國危身病一孤
> 臣。國步誰云已改絃，恪遵時憲度新年。天朝正朔人人奉，知是輿情
> 愛戴堅。老農老圃信堪師，遺體王章僅保持。余髮何嫌嗟種種，新梳
> 細辮白逾絲。[41]

從其強調「恪遵時憲度新年」、「天朝正朔人人奉」，可知其對於清朝覆亡，
萬分悲慟，並抵死不願承認新政權，而稱民初政局為「觸蠻自鬩」[42]，對其
鄙視至甚。是以劉聲木《萇楚齋隨筆》讚以「睠睠不忘故主，忠愛之忱，近
時無二」[43]，對其臣節頗為稱賞。當然，清末遺民於民國以後仍以宣統紀年
者，亦大有人在；如曹元弼民國六年作文自署「宣統九年」；[44]沈曾植（1850-
1922）為曹元忠《禮議》作〈序〉，署為「宣統丙辰」，實為民國五年；[45]左
楨（1854-1937）自署「宣統避位，十有二年」。而唐文治在一九二四年馮玉
祥兵變時，其日記云：「清帝蒙塵，避日本使館，旋避天津，痛心之至。余
發二電致段祺瑞，請其保護皇室。」[46]仍尊稱退位的溥儀為帝。更有劉承幹
（1881-1963），專與清朝遺老交遊，並以豐厚財力，大量刊刻傳統派學者著
作，每刻一書，必作序跋，或抱怨天地易位、綱弛紐解，或哀嘆時局淪沒、
斯文將喪，或流露惶惶不可終日心情。[47]皆見民國以後仍念念不忘舊朝者，

---

41 張錫恭：〈宣統六年正月壬子朔口占三首〉，《茹荼軒文集》（民國癸亥〔12〕年華亭封
　　氏簣進齋刊本未印本），卷1，頁11；又收入清代詩文集彙編編纂委員會編：《清代詩
　　文集彙編》（上海市：上海古籍出版社，2010年），冊786，總頁13。
42 張錫恭：〈書近事〉，《茹荼軒文集》，卷1，頁7。
43 劉聲木著，劉篤齡點校：〈論二禮學館纂修〉，《萇楚齋隨筆四筆》（北京市：中華書
　　局，1998年），下冊，卷6，頁715。
44 曹元弼：〈序〉，《復禮堂文集》，收入林慶彰主編：《民國文集叢刊第一編》，冊101，
　　據民國六年刊本影印，書前，頁2。
45 沈曾植：〈禮議序〉，見曹元忠纂，劉承幹校：《禮議》（民國5年林劉氏求恕齋刊本），
　　書前頁2。
46 唐文治：《茹經自訂年譜》（臺北縣：廣文書局，1971年），頁95。
47 詳參項文惠：《嘉業堂主：劉承幹傳》（杭州市：浙江人民出版社，2005年），頁200-

依有甚多。

　　張錫恭為黃以周高足，其學術受黃以周啟導甚多。據孫雄〈清故翰林院編修章君琴若墓表〉指出：

> 自定海黃元同先生主講南菁書院，江左俊彥親炙門牆，達材成德不乏
> 其人，而以婁縣張聞遠孝廉錫恭，丹徒陳善餘明經慶年，太倉唐蔚芝
> 侍郎文治，江陰章琴若太史際治四君，尤為高第弟子。[48]

可知張錫恭遵循漢學訓詁之治學途徑，以及崇尚徵實並歸宿於「禮」之治學宗旨，實與黃師一脈相承。

　　張錫恭長於《三禮》，除了曾擔任兩湖書院教席教授禮學之外，並於光緒三十四年，受曹元忠推薦而入禮學館纂修《大清通禮》，纂訂喪禮。《大清通禮》五十卷為乾隆時所纂修，道光時又增修四卷，卻因社會改變，清廷慮及因時制宜，於是光緒皇帝在一片仿行立憲的改革官制奏請下，將「太常」、「光祿」、「鴻臚」三寺[49]，併入禮部[50]，並下諭：「現行學禮、軍禮、賓禮，既因時制宜，即民間喪葬冠婚器物、輿服，亦應一律釐正。前據禮部奏設禮學館，……在館人員，參酌古今，詢查民俗，折衷至當，奏請頒行。」[51]張錫恭即入館纂修禮書。

　　此次修禮，側重於釐正舊說，而非議禮。張氏自云：

> 光緒三十四年春，錫恭以纂修禮書赴禮學館，時與同館諸君子商議，

　　211。

48　孫雄：〈清故翰林院編修章君琴若墓表〉，總頁247。

49　按「太常寺」為順治元年設置，掌管廟壇祭祀禮儀。「光祿寺」順治元年設立，掌管
　　預備典禮筵席及供應官員廩餼，職官總數七十人。「鴻臚寺」順治元年設立，掌管朝
　　會與國家宴會贊導禮儀，職官計四十八人。詳參陳茂同：《中國歷代職官沿革史》（天
　　津市：百花文藝出版社，2005年），頁475-476。

50　劉聲木、勒德洪奉敕撰：《德宗景皇帝實錄》（臺北市：華文書局，1964年），卷564，
　　頁12。

51　同前註，卷575，頁2-3。

　　竊以為纂修之職，是修書而非議禮。議禮者，禮有未安而議之，《中
　　庸》所謂非天子不議禮主也。修書者，緣禮書定自先朝列聖，因時損
　　益，禮書定制與今所遵行者，微有不同，所宜斟錄以為遵行之準則
　　也。[52]

可知纂修官之職責，乃在於參酌實際民間習俗，略作修訂，使其合於民用。
張錫恭於入館二年期間，便完成凶禮纂修初稿。其嘗致書繆荃孫云：

　　錫恭至禮館已足二年，分修凶禮初稿已將粗就，尚有須請旨而後定
　　者。屬草之時，別成〈芻議〉二十一篇，〈釋服〉六篇。趙公多暇，
　　又撰《禮經宮室圖考》為撰《禮經鄭氏學》之發軔。[53]

對照曹元弼之門生王欣夫曰：「後聞復禮師言，當時全書已寫有定本，呈總
裁閩縣陳弢庵，未及付刊，後餘訪之弢庵嗣君幾次，遍尋未得，恐已付水火
不可知之劫。」[54]顯然張錫恭奉詔纂修《大清通禮》職務，因辛亥革命而終
止，而其纂修原稿，亦因遭遇時代變動，未及刊印。但張錫恭入館期間，所
纂修的禮書內容，可從其撰寫之〈修禮芻議〉二十一篇，得其議禮大綱。至
於張氏自言館課之餘，所撰著之《禮經鄭氏學》，即後來先後完成之《喪服
鄭氏學》十六卷，以及《喪禮鄭氏學》十卷，此亦張氏主要禮學研究成果。
　　張錫恭之著作，皆交由封文權（1868-1943）與王欣夫校訂出版。封文
權為張氏外甥，封氏於民國十二年刊刻《茹荼齋文集》十一卷，翌年江浙戰
起，張氏避兵亂於封家，而後病逝，手稿皆遺留於封氏寓所，由封文權輯為
《茹荼軒續集》六卷刊行。其次，張錫恭撰寫的《茹荼軒日記》手稿本（內
容為光緒十一年以後至辭世），亦由王欣夫捐贈給復旦大學圖書館，更名為
《張徵君日記》，今存。

---

52 張錫恭：〈修禮芻議一〉，《茹荼軒文集》，卷2，頁1。
53 見顧廷龍校閱：《藝風堂友朋書札‧張錫恭》，頁979。
54 王欣夫著，鮑正鵠、徐鵬標點整理：〈茹荼軒日記〉，《蛾術軒篋存善本書錄‧未編年
　　稿》，卷2，頁1340。

　　至於張氏最重要的三本禮學專書——《喪服鄭氏學》、《禮學大義》、《喪禮鄭氏學》。《喪服鄭氏學》由劉承幹於民國七年刊行，《禮學大義》由王欣夫在民國二十九年出版。而辭世前二年已完稿之《喪禮鄭氏學》十卷，其體例與《喪服鄭氏學》相同，解〈士喪禮〉、〈士虞禮〉、〈既夕禮〉，並《周禮》、大小戴記中及於喪禮者。其規模遠過於《喪服鄭氏學》，可惜未及刊印，而遭抗戰，手稿由封文權保管。王欣夫於民國二十五年推薦給中國國學會刊行，後由封文權寫定稿本，郵寄予王氏校正。然刊未及半，即因抗戰爆發，事遂中頓。之後即刊工星散，「板片寄存於塔倪巷寶積禪寺，忽傳駐兵已有斯以為薪者，亟設法搶救，移交滄浪亭圖書館。乃主者不甚措意，捆置廊下，任其日曝雨淋，後復屢經遷徙，零落湮爛，不可復問」[55]，終未能續成全書出版。而手稿則附隨王欣夫藏書一併存於復旦大學圖書館。近年北京大學吳飛教授整理張氏遺稿，據其查訪尚存四卷，約有十八萬字。

　　綜觀張錫恭之禮學大義，在於強調「實用」之旨。張氏處於國家遭受列強入侵之際，且在改革派疾呼仿效西方制度以立憲，而使禮學價值受到考驗之際，如何捍衛、保存傳統經典，並將之落實於人倫日用，即成為其終身首要課題。其禮學研究大致有以下幾項特點：

（一）以禮經為實學

　　張氏撰有《禮學大義》，鉤稽《三禮》大綱，並將《三禮》視為矩身範行、體國經野之規範，以期達到「經國家，定社稷，序民人，利後嗣」目的，亦即推尊禮學為最具實用之學。張氏《禮學大義》要旨，可掇述如下：

　　第一，《周禮》為最實用之政書。張氏申其實用之義有四：一曰君德，亦即《周官》所立百官，所以備養天子，而天子之所限制，亦在其中以彰顯君德。二曰官方，強調設置「府」、「史」、「胥」、「徒」等職，在於通過百官

---

55 王欣夫著，鮑正鵠、徐鵬標點整理：〈喪禮鄭氏學〉，《蛾術軒篋存善本書錄·未編年稿》，卷1，頁1435。

同心，達到心同而事舉目的。三曰民政，大目有二，首為定地域、任九職而助生財，繼而別地徵、口賦、力役以輕賦稅，達到養民宗旨。次則僅度國用，以富國力。四曰邦交，所重賓客與軍旅；賓客之禮強調天子當懷諸侯而使天下懼，軍旅之事則在體現六軍行伍「居同樂」、「行同和」、「死同哀」之義。

　　第二，《儀禮》宗旨在於明宮室、衣服、宗法之制，以別「親親尊尊」之差等，彰顯人倫理序。故張氏畢生究心於《儀禮》最多，尤其對於最能體現「親親尊尊」之喪服制度，用力最深。

　　第三，《禮記》為「二《禮》」之傳，治「二《禮》」當以《禮記》輔之。張氏指出《禮記》不只是存周制，又兼存夏、殷、周魯之制，故以為治《周禮》者當以《禮記》輔之。而《儀禮》僅為士禮，《禮記》則備有天子、諸侯、大夫之禮，故治《儀禮》者，當以《禮記》輔之。可知張氏亟欲以其覃思所得之禮學思想，化為實際「禮制」，以落實於倫常日用，施行於天下之用心。

（二）禮學為憲政之本

　　張錫恭處於清末的立憲改革聲浪中，故以傳統學者立場，畢生以闡揚傳承禮學為天職。晚清立憲聲浪迭起，各派主張雖然不一，如國會政治論、責任內閣、政黨政治、地方自治諸論[56]，無非都是希望藉由改革官制以救國，尤以對於「三綱」之討論最多，且有不少亟欲推翻三綱之說。社會文化方面亦然，新文化運動之思想醞釀，亦於辛亥革命前十年即已展開，如梁啟超於一九〇二年發表《中國學術思想變遷之大勢》，提出「儒教之所最缺點者，在專為君說法，而不為民說法」[57]，疾呼反對君權政治。自此以後，反對孔

---

56 詳參郭漢民：《晚清社會思潮研究·清末君主立憲思潮》（北京市：中國社會科學院，2003年），頁242-253。

57 梁啟超：《中國學術思想變遷之大勢》（臺北市：臺灣中華書局，1989年），頁55。

子禮教言論迭起，[58]如陳獨秀（1879-1942）、吳虞（1874-1939）、魯迅（1881-1936）、蔡元培（1868-1940）等人，大量發表以民主革命反君主專制，以女權革命反男權夫權，以家庭革命反族權父權之反孔、反禮教、反三綱之言論，使傳統禮學價值與地位，遭受空前撼動。儘管各方反對君權言論蠭起，清廷仍於光緒三十二年七月上諭以「大權統於朝廷，庶政公諸輿論」原則，宣佈預備「仿行立憲」。[59]但負責訂立法規之「憲政」、「禮學」、「法律」三館，卻各自行政，內閣侍讀學士甘大璋奏曰：

> 今聞禮學館但主纂書，不明修禮，憲政館但知步趨日本，不識中國數千年相承倫教之重哲學之微，與國故民風之關係。法律館專賴所聘之洋員，錄其國已成之法律，與我國倫教、官制、禮俗、民情動多鑿枘。[60]

遂於宣統元年二月，疏請三館會通，共商諮議條文。張錫恭即代表禮學館，撰寫〈修禮芻議〉，力陳「憲政必本乎禮學」立場。

張氏強調「三綱」本諸經典，亦為中國文化內蘊，且為維繫社會之重要綱紀，其地位無可撼動。主張欲規定憲法，必先修明禮教，始能據禮以為憲法之範圍。張氏曰：

> 禮學與律學原相表裡，律以正刑，首服圖以表義，固學者所共聞也。至於憲政，或疑不能與禮學相統，竊嘗反復思惟，而知憲政必本乎禮學也。……德宗景皇帝欽奉孝欽顯皇后懿旨，有曰兼采列邦之良規，

---

58 如一九〇三年《直報》有〈權利篇〉指出：「大奸巨惡，……借聖人制禮之名而推波助瀾，……禮立於中國三千年矣，而中國之文弱也幾千歲。」吳魂一九〇六年於《復報》發表〈中國尊君之謬想〉言：「君主無聖人，則其壓制臣民較難，惟有聖人而君主乃得操縱自如，以濟其奸。」其他同持此論者，尚在比比，詳參蔡尚思：《中國禮教思想史》（香港：中華書局，1991年），頁198-226。

59 〔清〕勒德洪奉敕撰：《德宗景皇帝實錄》（臺北市：華文書局，1964年），卷562，頁8-9。

60 〔清〕覺羅勒德洪等奉敕修：《大清宣統政紀實錄》（臺北市：華聯出版社，1964年），卷8，頁146。

無違中國之禮教。夫列邦之良規曰兼采，中國之禮教曰無違，則注重在禮教可知也。至其大要，上諭又曰，大權統於朝廷，庶政公諸輿論，憲政編查館大臣恭承聖旨，奏憲政大綱，曰君為臣綱，曰民為邦本。此兩言者，皆必以禮為本也。……由此言之，禮學所當務，在明綱常以成禮俗，所以與憲政貫通者也。抑更有說焉，憲政未頒，異言蠭起，禮學館既奉明詔，即有息邪說、放淫辭之責，凡陽託憲政而陰背綱常以塞禮教之路者，禮學館當辭而闢之，纂修者之職也。[61]

張氏衡量當時局勢與外國憲政，針對憲政大綱所標舉之「君為臣綱」、「民為邦本」，論證其皆以禮為本。

張氏首先指出《禮經》十七篇，〈大宗伯〉三十六目，皆經綸於三綱。是以倘夫婦之禮未備，則父為子綱之義不得完，父子之禮未備，則君為臣綱之誼不得完。可證「君為臣綱」，必本乎禮學。其次，所謂「民為邦本」者，《大學》所言「民之所好，好之，民之所惡，惡之」。《孟子》亦曰「得民心有道，所欲與之聚之，所惡弗施爾也」。可知民之所欲、所惡，皆慮於心，而宣於口，正如〈大雅〉有「詢於芻蕘」之言，〈洪範〉有「謀及庶人」之訓，其禮更可見於《周官》「鄉大夫」、「小司寇」，證明「民為邦本」皆以禮為綱紀。張氏於是強調落實「三綱」禮義，亦即實踐「君為臣綱」、「民為邦本」之宗旨。遂力闢陽託憲政，而陰背綱常以塞禮教者之非，強調禮學乃中國數千年立國之本，故刑律之源，唯有根於禮教，方不至於制定出違背實際倫常日用的非禮條文；立憲法本於禮教，亦才不會編成違背三綱而不能實行之具文。

（三）權變釋禮，以合民用

張錫恭為了避免泥古而失其情，或從俗而違其義，主張以權變原則釋禮。在他看來，「禮」之所重者，在於內心之敬謹，對於儀節與器物等外在

61　張錫恭：〈修禮芻議三〉，《茹荼軒文集》，卷2，頁8-9。

形制，則當以人民實際經濟能力，斟酌損益。如其以《儀禮・士昏禮》中的
納徵玄纁、束帛儷皮之禮為例，指出經文載「子取妻入幣，純帛無過五兩」
之制，仍只說「無過」，而容許「不及」，亦即富民不得或過，而貧民容有不
及。可見周公制禮之時，雖民力豐富，卻已能曲體民情而有權變空間，遂能
成為萬世常行之道。而後林放問禮之本，孔子要其「與其奢也，寧儉，喪與
其易也，寧戚」，可知當時民力已不逮，故強調不能盡合禮文，而重在不失
禮意。張氏據以主張禮義詮釋，當因時制宜，權變行之。故就清末社會實際
情形，言以：

> 夫禮之著於篇者，中制而已，以今日時事多艱，民無常產，財匱而事
> 劇，欲責其盡合於禮文，有以知其勢不行也。宜並發明喪主於哀，禮
> 主於敬，而器物稱家之有無，雖窮鄉瘠土，亦得申其哀敬焉，則禮意
> 皆可遵循已。在昔董子仲舒言漢繼大亂之後，宜少損周之文，致用夏
> 之忠，而朱子作《古史餘論》，尤有慨乎其言之。由今而觀，豈異乎
> 古所云耶？夫今者修禮，期於實踐，而不為空言。而實踐所重，尤在
> 內心，而不徒器物。爰以通行士庶之方，錄其管見所及者，以得總裁
> 采擇焉！[62]

此乃張氏擔任禮學館纂修官時，所上呈之建議。由此可知其禮學思想具有二
項特點，其一，重視權變精神，以求合於民用。其二，強調內心敬謹，乃為
行禮根本。張氏面對清末政治亂局，人民生活貧困之社會實況，以為倘要求
百姓完全依照禮文行儀，勢不可行。於是舉周公制禮即具有權變之作意，申
明制禮亦當遵循此一精神，對於儀式細節及相關器物，主張當以能夠表現誠
敬之心，並維護完整禮制，且有助於社會穩定和諧等前提下，考量實際經濟
狀況，並參酌時俗而因時制宜，使禮制成為確實可行之儀制。

張氏以為儒者議禮宗旨，在於使其成為實際施行之儀俗，故對於唐、明
二代之輕變古制，則深著其非，並矯其枉。如其對於出嫁之姑姑、姊妹、女

---

62 張錫恭：〈修禮芻議二〉，《茹荼軒文集》，卷2，頁4。

兒，由於其已出嫁，故降服而行「大功」之制，即遵循《開元禮》「女子兩出，不再降」，推翻《大清通禮》沿用《家禮》而主張再降服緦麻之詮釋，申以：「我朝《通禮》，因明制而損益之，而此事尚未刊正，今者重修以所宜請旨更定」，且強調「於現行喪服之通制，亦未嘗相左」。[63]可知張氏詮釋喪服，除了遵循古人制禮之意，更考察、參酌當時社會實際情形，以求為民所用之實用宗旨。

（四）特重喪禮經綸天下之義

張錫恭以為喪服為禮之本，最能彰顯親親、尊尊之人倫大義。尤以張氏目睹政治頹危，社會失序，服制紊亂，「短喪廢服之說，沸騰朝野」之際[64]，如《清實錄》載光緒三十三年七月，陸軍部上奏，欲廢止漢人「離任守制」儀節[65]，撼動固有之喪服制度與人倫大義。是以張錫恭鑒於《開元禮》以下，皆不著天子喪服，遂於〈修禮芻議八〉專論「臣民制服」，更於《喪服鄭氏學》特別設立「人君服制」一章，極力主張藉由重定「臣民」服制，以申明君為臣綱之道。張氏以為天下臣民為君服喪，當比方於父母之喪的「三年」之制，而不可有內外輕重之別。「喪君三年」之制，後儒或有主二十五月而除、二十七月而除、或「以日代月」而有二十五日、二十七日而除之等權變之議。但清代之定制，雖採用鄭《注》「二十七月而除」之說，但其對象卻僅限於「京外供職諸臣」，其餘臣民都不過「齊衰三月」而已。張氏據上古由於列國奉一共主，故諸臣可仕他國，遂於亡君有「已去」、「未去」之身分差異，因此有服喪三年、三月之別，亦即「已去」者對舊君僅服三月之權變作法。然而張氏以為，大清為一統國家，臣子僅有「去位」，而無「去國」之實，是以凡為臣民者，皆當服喪三年。否則，皇帝對於先君行喪三年，臣民對先君僅行喪三月，豈不落入晉臣傅玄所斥「有父子而無君臣」之

---

63 張錫恭：〈修禮芻議十四〉，《茹荼軒文集》，卷3，頁8。

64 王欣夫：〈禮學大義跋〉，見張錫恭：《禮學大義》，書後。

65 〔清〕勒德洪奉敕撰：《德宗景皇帝實錄》，卷577，頁7。

責[66]，致使三綱之道虧矣！於是提出「事君同於事父」，以正君為臣綱之義，認為將「為君服喪三年」禮制，纂入新修訂之禮書，乃為急務。可知張氏闡明禮教，最重視強調喪禮所體現的「親親尊尊」大義。檢閱論「服制」總義曰：

> 聖人南面治天下，必自人道始。人道者，親親也，尊尊也，長長也，男女有別也。人道者何？尊尊也，長長也，男女有別也。所不可以與民變革者也。而制服之六術，由此而生。六術之目：一曰親親。二曰尊尊。三曰名，所以著男女長幼之別也。四曰長幼，三殤之服，所以明長幼之序也，以是四者為之經。五曰出入，六曰從服，以緯之。親親有殺，尊賢有等，相愛有恩，相接有文，以經緯天下之大經，其詳在《禮經‧喪服》篇，而劉氏《別錄》序《禮經》目次，列於凶禮之首，明不止為凶禮用也。……蓋自貞觀……，此唐人之失。明太祖……，此明人之大失也。……喪服既復古經，據是以經緯萬端。[67]

張氏據《禮記‧大傳》之服制六術，對照當時社會通行服制，將古經及唐代以後喪服之變革原委，皆詳加比對，重新釐定。

再者，張氏亦試圖通過實際喪服制度，探尋禮制別親疏、定尊卑之精微大旨。其自言：「經有十三，吾所治者，唯《禮經》，《禮經》十七篇，吾所解者，唯〈喪服〉。」[68]表明專力研考喪服制度，一以闡發喪服所具之別親疏、定尊卑禮義，一以修訂諸多沿襲明制而違背古義之舊說。

四　匯歸鄭義的喪服詮釋

《喪服鄭氏學》為張錫恭喪服詮釋總結之作，指出〈喪服〉所陳之義理精深，故其所釋旨要，共有七端。第一、明黃帝之時，樸略尚質，行心喪之

---

66 張錫恭：〈修禮芻議八〉，《茹荼軒文集》，卷2，頁17-19。
67 張錫恭：〈修禮芻議五〉，《茹荼軒文集》，卷2，頁11-12。
68 劉承幹：〈喪服鄭氏學序〉，見張錫恭：《喪服鄭氏學》，書前。

禮，終身不變。第二、明唐虞之日，淳樸漸虧，雖行心喪，更以三年為限。第三、明三王以降，澆偽漸起，故制喪服以表哀情。第四、明既有喪服，須明喪服二字。第五、明喪服章次以精麤為序。第六、明作傳之人，並為傳之意。第七、明鄭氏之注，經傳兩解之，此亦《喪服鄭氏學》之詮釋綱領。[69]故全書體例，依次全錄經文、傳文、鄭《注》、賈《疏》，繼而逐一詮釋傳文，並以「某曰」方式，詳列諸說，再以案語考其得失。如卷一詮釋「斬衰」，即依次考論「喪服二字」、「衰裳」、「苴」、「二経」、「衰裳」、「首経」、「要経」、「杖」、「服」、「絞帶」、「冠」、「屨」、「初喪哭」、「初喪飲食」、「翦屏柱楣」、「既虞居處」、「既虞哭」、「既練居處」、「既練飲食」、「練後哭」、「練居處」、「受服」等二十二個議題。每個議題考釋，皆先廣引諸說詳加疏證，再作總結。

　　《喪服鄭氏學》之詮釋，可歸納出以下幾項原則，表現其申明鄭義之特點，並可尋繹其與南菁書院一脈相承之治學精神。

（一）富蒐羅——輯眾說以明鄭《注》

　　《喪服鄭氏學》蒐采古今注說，甚為宏富，並以鄭玄為宗。張錫恭雖專於經學，卻亦受書院兼習算學、輿地、史論等課程訓練，其《茹荼軒日記》於庚子四月二十三日載曰：「十小時分四等，三小時《論語》課程，三小時《周禮》課程，兩小時讀《宋史》，二小時讀《讀禮通考》。」壬寅八月初一日記云：「課徒之暇，晨治《代數備旨》。午前治《大學》，午後治《周禮》，暮則流覽《尚書集注音疏》。」丙午九月十三日記云：「每日分為四分，一《論語》、一《三禮》、三《左傳》、四《算數》。」[70]可知張錫恭博覽群經、兼重史學與算學之治學內容，故其註解經文，亦能廣引眾說以校勘異文。

　　張氏《喪服鄭氏學》雖為申論鄭義立場，但所採錄材料迴邁前儒。除了

---

69 張錫恭：〈喪服一〉，《喪服鄭氏學》，卷1，頁2。

70 王欣夫著，鮑正鵠、徐鵬標點整理：〈茹荼軒日記〉，《蛾術軒篋存善本書錄・未編年稿》，卷2，頁1338-1339。

備錄賈《疏》，對於阮元《十三經注疏》之〈校勘記〉、胡培翬、張爾岐、曹
元弼，以及歷來重要注說，皆網羅論證。如「釋初喪飲食」，《喪服鄭氏學》
即注曰：

> 甄氏鸞曰：「一溢米，一升二十四分升之一法：置一斛米，重一百二
> 十斤。以十六乘之，為積一千九百二十兩。……稱法：三十斤曰鈞，
> 四鈞曰石……。」張氏爾岐曰：「歠粥三句，三日始食後之食節
> 也。」胡氏培翬曰：「問喪雲親始水漿不入口三日，不舉火，故鄰裡
> 為之糜粥以飲食之。……粟米之法也。」錫恭按：粟米法上，甄氏說
> 是也。曹氏元弼曰：「吳氏紱雲三十兩曰溢者，與鎰同。……故刪者
> 二家說。」錫恭按：中人之搤圍二十九寸，二十兩曰溢，鄭注皆有定
> 準。先王道揆法守，固不可無定準也。後儒欲以無定者易之，如雷次
> 宗之說搤，王肅之說溢，賈氏、曹氏辨之詳矣！他若敖繼公之說升，
> 據吳人之傳言，疑鄭注之確詁，則又不足辨者也。[71]

可知張氏乃以「鄭注皆有定準」之立場，先採用北周數學家甄鸞（535-
566）的觀點為依準，由於《五經算術‧喪服制食米溢數法》為歷來多數經
學家所共推，故張氏考證諸說後，採納其說，並據以反對張爾岐、胡培翬之
論。其次，張氏又徵引曹元弼的說法反駁雷次宗、王肅二人說法，指出雷、
王二說之非。最後又論證敖繼公亦為訛誤，蒐羅甚為宏富。而其以「某曰」
詳注出處之解經方法，亦可讓讀者藉以瞭解其他經學家之詮釋觀點，頗便於
比對檢索。

　　《喪服鄭氏學》之考校方式，主要通過徵引眾說，論證其得失，再匯歸
於鄭義。檢閱全書，採用曹元弼《禮經校釋》觀點最多，次則為胡培翬《儀
禮正義》，而徵引黃以周之處亦不少。首先，《喪服鄭氏學》徵引曹元弼之觀
點隨處可見，從訓詁字義，到文字闕疑，甚至詮釋觀點，皆大量徵引曹說。
張、曹二人交情甚篤，王欣夫〈吳縣曹先生行狀〉敘二人課藝於南菁書院之

---

71 張錫恭：〈喪服一〉，《喪服鄭氏學》，卷1，頁81-83。

情形曰：「時大江南北才俊士，咸集南菁，朝夕切磋，而尤與婁張錫恭、太倉唐文治交篤，質疑問難無虛日。」[72]後又與曹元忠同入禮學館，三人釋禮觀點，相當一致。尤以曹元弼所作《禮經校釋》，於光緒三十四年由江蘇巡撫陳啟以其「疏通證明，持論頗多可採，後附禮經纂疏序，於禮學源流，言之甚詳」，而進呈禦覽，後即奉旨發交禮學館，以備參考。[73]是以張錫恭採錄《禮經校釋》極多，並常徵引曹說，論辨舊注。

張錫恭對於曹氏之說，亦非一昧盲從。如《喪服鄭氏學》卷二對於曹元弼「適孫立後之禮曰：祖在、適孫亡，無子，以庶孫之子後適孫，使持曾祖重」之說，於引文下之案語曰：「曹氏記適孫死立後一段，錫恭以為未盡然。……曹氏所云，似與《左傳》不合，俟再考。」[74]可知其議定疑義之持平態度。

其次，張錫恭《喪服鄭氏學》亦闡發黃以周之說頗多。如詮釋《儀禮》之「君」義，按〈傳〉曰：「君，至尊也」。鄭玄解釋為：「天子、諸侯及卿大夫有地者，皆曰君。」亦即凡為君之臣，居其官、食其祿、領有其地者，皆應為其服斬衰，故包含「士」。張錫恭則引李如圭曰：「士卑無臣」，故「士之官屬，為其長弔服而加麻」，不必服斬衰。張錫恭繼而又引胡培翬「地謂埰地，若《周禮》家邑小都、大都及列國卿大夫食邑之類。《禮運》曰天子有田以處其子孫，諸侯有國以處其子孫，大夫有采以處其子孫，三者皆有君誼也。馬氏融釋此傳云君一國所尊也，故曰至尊，是專據諸侯言之，不及鄭誼之稍矣！」[75]最後則引用黃以周觀點，反駁李如圭之說。指出：

> 黃先生曰，李如圭云……，以周案：凡女，行於大夫以上曰嫁，行於士庶人曰適人。不杖期章「女子子適人者為其父母」，據士庶文，以

---

72 卞孝萱、唐文權編：《民國人物碑傳集》（北京市：團結出版社，1995年），卷7，頁522。

73 〔清〕勒德洪奉敕撰：《德宗景皇帝實錄》，卷592，頁7。

74 張錫恭：《喪服鄭氏學・喪服二》，頁42。

75 張錫恭：《喪服鄭氏學・喪服二》，頁16-18。

該大夫。……以彼決此，疑竇滋益。須知〈喪服傳〉所言，原不為君之內外宗者發，不必泥也。錫恭案此駁李氏《集釋》說也。[76]

顯然黃氏的解說主要目的是為了論證李如圭之誤，故張氏引用黃師之說，證成己論。又如詮釋「為人後者。〈傳〉曰：何如而可為之後？同宗則可為之後。何如而可以為人後？支子可也」之義，張氏除了引用《通典》、夏炘、萬斯大等說之外，又以黃以周觀點總結曰：

黃先生曰張湛云……以周案：大宗無子，為之立後，為正統之重不可絕也。而小宗亦有五世宗適之重，故喪服父為長子。……鄭據〈小記〉……若身屬庶子，上不禰祖，禰亦置後，斯乃後世之失爾！黃師言小宗亦立後，錫恭案，……黃師不從張湛之說，其以是夫。[77]

從上述二例，可知張氏凡是徵引黃說之處，皆為證成己說而列論，亦見其申論師說之用意，且最終皆匯歸於鄭義。

　　綜觀張氏除了以歷來經、史舊說為主要引據之外，它如採擇地理、算學、子書等等，蒐羅相當宏富。

（二）精校訂——駁異說以申鄭《注》

　　《喪服鄭氏學》剖別異義，甚為精當，誠如劉承幹嘗評其「擇之也精，守之也約」，並非溢美。[78]如「喪服第十一」之篇名，是否加註「經傳」二字，張錫恭即以案語考證甚詳。按「喪服第十一」五字，賈《疏》作「喪服第十一」，《經典釋文》作「喪服經傳第十一」。張爾岐《儀禮鄭注句讀》、《十三經注疏本》皆與《疏》同，但胡培翬《儀禮正義》則與《釋文》同。然上述諸說，除了阮元於〈校勘記〉以為「按《隋書經籍志》馬融等注喪

76　張錫恭：《喪服鄭氏學‧喪服二》，頁18-19。
77　張錫恭：《喪服鄭氏學‧喪服二》，頁52-54。
78　劉承幹：〈喪服鄭氏學序〉，見張錫恭：《喪服鄭氏學》，卷首。

服，其題皆曰〈喪服經傳〉，則此四字，乃舊題也。」[79]其餘注本皆未解釋。張錫恭即注曰：

> 錫恭按：《禮經》者，通部大號；喪服者，分篇支目。馬氏等單解〈喪服〉，故以〈經傳〉題之，鄭君通解全經，故只標題篇目，以存全經中也。他篇無傳者，不稱經，則此有傳者，自不合稱經傳。阮氏以〈喪服經傳〉為舊題，未必然也。[80]

張氏以為若解釋單篇，則應加註「經傳」二字，倘注解全書，則「經」與「傳」皆已涵蓋其中，也就無須特別強調「經傳」，故不再加註此二字，以免煩重。

又如解釋「喪服」篇名，按《疏》云：「鄭目錄云，天子以下，死而相喪，衣服、年月、親疏、隆殺之禮。」張錫恭則參照《釋文》、胡培翬《儀禮正義》，增入「也，喪必有服，所以為至痛飾也」等十二個字，並加註案語說：

> 錫恭按：自上句「也」字，至此凡十二字，賈《疏》本無，依《釋文》錄。[81]

《喪服鄭氏學》特別標示此十二字，乃採自《釋文》，而非賈《疏》本有，讓讀者對於引文出處，一目了然。對照張爾岐並未錄存此句，倘僅讀其書，則不知有此言，顯然不如張錫恭完備。張氏繼而就《疏》言：「不忍言死，而言喪。喪者，棄亡之辭，若全存居於彼焉，已亡之耳！《大戴》第十七，《小戴》第九，劉向《別錄》第十一。」加註案語曰：

> 錫恭按：自「不忍言死」以下四十字，釋文本無，依賈《疏》、單

---

79 〔清〕阮元校勘：〈喪服十一校勘記〉，《十三經注疏·儀禮注疏》，卷28，校勘記，頁1。

80 張錫恭：《喪服鄭氏學·喪服二》，頁1。

81 張錫恭：《喪服鄭氏學·喪服二》，頁1。

《疏》錄。《單疏》本此節首有「案」字，錫恭按此節本在《疏》
中，自是疏人語氣，今既出之於《疏》，尊與注同，故從別本，不加
「案」字。[82]

《喪服鄭氏學》除了說明出處之外，又認為「案」字為作《疏》者所增入，
於是雖刪而不錄，改在案語中詳述之，使讀者知其始末，不至於誤解為張錫
恭採錄之闕漏。這種精神，正是南菁書院要求院生「非徒沿襲舊說，必求實
得於心」之體現。

（三）除門戶——宗鄭而不悖朱子

張錫恭治學遵循南菁書院實事求是，不拘門戶之教，故《喪服鄭氏學》
雖宗鄭卻也不悖朱子之義。黃以周治學，宗鄭亦尊朱，《清史稿》載「以周
篤守家學，以為三代下之經學，漢鄭君、宋朱子為最」。[83]故治經雖主於漢
學立場，卻不拘漢、宋門戶，而以求闡發經義為務。其嘗示諸生曰：

> 漢儒注書，循經立訓，意達而止，於去取異同之故，不自深剖，令讀
> 者自領之，此引而不發之道也。至宋儒，反復推究，語不嫌詳，已有
> 異於漢注。今人著書，必臚列舊說，力為駁難，心中所有之意，盡寫
> 紙上，並有異於宋人。而好學深思之士，閱宋後書而惟恐臥，日夜讀
> 漢注而不知倦者何也？譬如華盛放而姿色竭，一覽無餘；萼半函而生
> 氣饒，耐人靜玩而有味也。[84]

強調治經當實事求是，雖有宗主，卻不存門戶，且詮釋經典首要權衡眾說，
並詳辯舊說得失，方能發明經義。諸生亦謹遵師訓，王欣夫嘗述曹元弼於十

---

82 張錫恭：《喪服鄭氏學‧喪服二》，頁1。
83 趙爾巽等編：〈黃式三傳〉，《清史稿》（北京市：中華書局，1997年），卷482，列傳
　　269，頁13296。
84 黃以周：〈示諸生書〉，《儆季文鈔》，卷4，頁14。

九歲時，問學於以周，以為治學當以家法為主。豈料黃氏正之曰：「治經當以經為主。」[85]曹氏由是不敢以株守舊說為遵家法，務由注以通經，不強經以就傳，深推諸家離合異同之故，後考論得失。於是諸生對於黃以周之教誨，皆能謹記遵行之，遂治學「說字宗許，說經宗鄭，說理宗宋」，避免門戶專主之弊。

張錫恭治經雖謹守鄭學，卻也不滿漢宋門戶之見，對於胡培翬「申鄭義」，卻也「訂鄭失」之《儀禮正義》[86]，從課藝於南菁書院始，即甚為推重。張氏曰：

> 漢學家詆宋學，叫囂殊甚。敖君善之《集說》斥為似是而非，郝仲輿之《節解》詆為邪說，而淩次仲於方氏《析疑》，至訕為喪心病狂，皆門戶之習也。先生學漢學者，而此書平心持擇，未嘗黨同伐異，則門戶之見泯矣。[87]

主張治禮當摒除門戶，不可盲從鄭《注》，強調應將其置於諸說之中，藉以對比考察鄭氏詮釋之理據所在。

張氏雖宗鄭玄，亦不輕詆朱子，每以「朱子亦尊鄭注」，試圖通貫二說，並廣收眾論，以申鄭《注》。其《禮學大義》即明言：「禮注惟高密鄭子最為精。……朱子作《儀禮經傳通解》，採錄鄭注，一字不遺，而闡明鄭注之義尤多。可見朱子服膺鄭注者，甚深也。……遵朱子者，尤當以鄭注為宗矣。」[88]可知其雖以鄭玄為宗，亦主張不悖朱子之調和立場，此正與南菁書院漢宋兼采之取向一致。是以張氏對一向被視為宋學派觀點之《儀禮釋宮》一書，雖糾謬頗多，卻也徵引不少。《儀禮釋宮》作者，乾隆以前皆稱為朱

---

85 王欣夫著，鮑正鵠、徐鵬標點整理：〈未編年稿卷二・禮經大義〉，《蛾術軒篋存善本書錄》，頁1499。

86 見〔清〕李慈銘著，由雲龍輯：〈儀禮正義〉，《越縵堂讀書記》（北京市：中華書局，1963年），上冊，頁84。

87 張錫恭：〈讀胡氏儀禮正義一〉，收入黃以周編：《南菁講舍文集・文二》，頁17。

88 張錫恭：《禮學大義》，收入《叢書集成續編》（上海市：上海書店，1994年），頁1。

子所作，直到《四庫提要》考證得知：「宋《中興藝文志》稱：朱子嘗與之校定禮書，疑朱子固嘗錄如圭是篇，而集朱子之文者，遂疑為朱子所撰，取以入集。……今刻本不傳。惟《永樂大典》內全錄其文，別為一卷，題云李如圭《儀禮釋宮》，蓋其所據猶為宋本。」[89]證實《儀禮釋宮》為李如圭所著，而朱子錄之編入文集，後人遂誤以為朱子所作。幸得《四庫》館臣校對《永樂大典》後，知為李作，方奉敕更正。張錫恭雖以尊漢注、申鄭義為宗旨，卻也不廢宋學派之說，故《喪服鄭氏學》亦有多處徵引《儀禮釋宮》之處。

　　值得一提的是，張錫恭與黃以周父子釋經不同之處，在於黃氏服膺戴學，張氏卻對戴震有不少駁正。如卷一引用戴震觀點二處，目的皆為駁斥戴說。其一解釋服喪期間頭上的粗麻帶之配繫方向，傳曰「苴絰大搹，左本在下」，倘依鄭義，乃將麻根一端置於左耳上，再從額前繞至項後，復至左耳上。戴震卻認為「斬衰苴絰麻，本自右交於左而在下」，至於「齊、大功、牡麻絰，皆有本，自左加於右之上」。[90]張錫恭即糾正戴說曰：

> 繹其語意，謂先置麻末而後麻本下之上，不知古代喪服多順物之性，如杖之下，本是其類。朱子說經先置麻本，而後以麻末上之下之，順其自然之性也，即鄭君注杖下本之誼。戴氏必欲矯之，其意與敖氏矯鄭君同，且矯朱子而並戾鄭君。與敖氏殊塗而同謬，近人多糾敖而不糾戴，非公論也。[91]

張氏認同朱子註解此文，主張先置麻本，而後以麻末上下配繫，完全合於人體動作習性，且朱子之說與鄭玄同義，故戴說不僅悖於眾說，又有違人體動作本性，顯然有誤。

　　其二討論喪冠之形制，〈傳〉曰：「絞帶者，繩帶也。冠繩纓，條屬，右

89　〔清〕紀昀總纂：〈儀禮釋宮提要〉，《四庫全書總目・經部》，卷20，頁159。

90　〔清〕戴震：〈記經帶〉，《東原文集》，收入戴震撰，張岱年主編：《戴震全書》（合肥市：黃山書社，1994年），冊6，卷2，頁269-270。

91　張錫恭：《喪服鄭氏學・喪服一》，頁48-49。

縫，冠六升，外畢，鍛而勿灰。」鄭玄以為「一條繩為武，垂下為纓著之冠也。……外畢者，冠前後屈而出，縫於武也。」意謂喪冠乃以同一條麻繩，先纏繞喪冠，再用垂下部分，結繫成纓武，而喪冠前後多餘部分，則縫於武。換言之，喪冠與纓同為一條繩子。戴震反對此說，其〈記冠衰〉以為「喪冠纓武共材，餘以謂喪冠，大古冠之遺也。蓋無武，其屬之冠，以繩若布，自額而後，交於項及耳，垂為纓也。是之為纓條屬冠，前後出其下，反屈繂於外，故曰外繂，所謂厭冠者也。」[92]張氏即反駁戴說曰：

> 戴氏曰喪冠，大古冠之遺也。……錫恭按，東原之為此說，以為本《雜記》。《雜記》雲大白冠，緇布之冠，皆不蕤葳委，武元縞而後，葳因謂大白冠。緇布冠皆，無武。緇布冠，惟無武也。……東原說與《雜記》不合，且尤非鄭義也。……東原之說，顯與鄭義違也。且東原纓條屬之制，即鄭君纓武同材之制也。而必曰無武，用鄭制而易鄭義，無乃生於木，而還蝕其木乎！[93]

張錫恭認為戴震的說法乃本諸鄭玄，但詮釋卻與鄭義相悖，故予以駁正，以辨明鄭義。相較於黃以周父子之服膺鄭玄，張錫恭更能夠以「求是」立場，呈現公允之立場。

　　綜觀《喪服鄭氏學》雖為申論鄭義而作，但其條舉眾說轉相證明，立義精當，立言實事求是，不牽拘門戶，誠如劉承幹評價其「於《注》也，有申而無破；其於《疏》也，全錄而不遺。於諸儒之言發明《注》誼者，甄錄之；與《注》立異者，明辨之。《疏》亦有誤會《注》意者，雖錄其說，而必辨其非」[94]，表現匯歸於鄭義，卻也不失持平之態度。

92　〔清〕戴震：〈記冠衰〉，《東原文集》，卷2，頁269-270。

93　張錫恭：〈喪服一〉，《喪服鄭氏學》，卷1，頁72-73。

94　劉承幹：〈喪服鄭氏學序〉，見張錫恭：《喪服鄭氏學》，卷首。

五　結語

　　南菁書院為晚清傳承樸學的重要書院之一，其大量匯刻經書，並培育研經人才，對民國以後經學影響頗大。張錫恭乃為南菁院生之佼佼者，其治學方法與精神，最能闡揚書院之教，本文探究南菁書院之治學特色與張錫恭之禮學大義，有以下結論：

　　第一，南菁書院仿效詁經精舍之傳承漢學門徑，推尊鄭玄，於晚清西學東漸之時代潮流下，仍堅持以傳統漢學方法治經，展現「深訓詁」、「精考據」、「明義理」之特色。張錫恭雖處於晚清今文學風興盛之後，不少學者紛紛檢討傳統經典，且試著運用西方理論解釋經典之時期，然其禮學詮釋卻堅持以訓詁考據等傳統漢學治經門徑，闡發鄭義，並鉤稽《三禮》大義，以明禮學義理要旨，表現與南菁書院治學一脈相承之特色。

　　第二，南菁書院崇祀鄭玄、朱子，治經不拘門戶，漢、宋兼學。張錫恭雖專精鄭學，卻學無藩籬，故宗鄭而不悖朱子，立場公允。

　　第三，張錫恭重視禮學之實用價值。南菁書院針對清末激盪之社會變革，標榜不蹈空疏之學，兼以天文、算學、輿地、史論等實學課生，並歸宿於禮學，表現出尊經重史，強調徵實之特色。張錫恭亦強調以《禮經》為矩身範行、體國經野之實學，畢生探究「禮學」，並專力於最能彰顯人倫理序之「喪服」考釋。其禮學詮釋則重視權變原則，參酌時俗，以求合於民用，面對憲政改革思潮，疾呼禮學為憲政之本，力駁異說，此皆其視禮學為致用實學之思想取向。

　　第四，張錫恭採用南菁書院之治經成果甚多，如《喪服鄭氏學》大量引用黃以周、曹元弼觀點，並將之置於眾說當中，以證其是、亦校其非，雖已進入民國時期，其發揚南菁書院之教，仍不遺餘力，是民國以後堅守乾嘉漢學解經之代表學者。

晚清民初學者曹元忠（1865-1923）之禮學研探

程克雅

國立東華大學中國語文學系副教授

一 前言

　　吳縣曹元忠（1865-1923）其家族向以吳門曹氏醫儒世家而聞名，除嫻於醫術外，與從弟曹元弼同於南菁書院就學，師承管禮耕、黃以周、繆荃蓀，後捐內閣中書，歷官內閣侍讀、資政院議員；獲延於禮學館編纂《通禮》，又校書於遜清故宮文華殿。[1]曹元弼則與當時著名學者張錫恭、梁鼎芬、唐文治均為一時南菁書院雋秀，嘗客席溫州與孫詒讓論禮。復舉翰林，授編修，歷任湖北存古學堂經學掌教，後講學於蘇州存古學堂，[2]今人故以清末遺老目之，視為當時的文化保守主義人士。然而，這一標誌卻使得曹氏昆仲的著述和研究成果長期未得彰顯。曹元忠在禮學館時，與張錫恭學誼篤厚，時於《禮經》喪服鄭氏學涵義相互論究；又南北馳書，與其師黃以周縱議《司馬法》、《子思子》文獻與義理。著作包括《禮議》二卷、《箋經室所見宋元書題跋》一卷、《箋經室遺集》二十卷、《箋經室叢書》（輯有《司馬法》三卷並音注、《荊州記》三卷、《樂府補亡》一卷）及《蒙韃備錄校注》

1　見曹元弼：〈君直從兄家傳〉，收入曹元忠著，王欣夫編：《箋經室遺集》（上海市：吳縣王氏禮齋排印本，1941年）。

2　見王欣夫：〈吳縣曹先生行狀〉，並收入錢仲聯編：《〈廣清碑傳集〉補遺六篇》，《蘇州大學學報》（哲學社會科學版）（2000年2月）。

一卷等等。單篇著述有賴文獻學家王欣夫衰集刊印之《箋經室遺集》,僅存線裝本,至今仍未重印發行。時處鼎革之際,這些與曹氏同時富有著述,承襲清代乾嘉以來傳統書院考據課藝,學植深厚的人士,未曾受到應有的重視,其書久湮者,所在多見。但曹元忠及曹元弼之著作在《蘇州民國藝文志》中[3],卻受到相當的推崇和肯定,值得視為線索,重新抉發,以一窺當時相關學術社群對於經學文獻及禮學研探的脈絡。

曹元忠在禮學著述中重視文獻版本考訂基礎,主張平實治經之道,紹承清人會通經義的解經方法,對於通禮及時儀的詮說,特為著重;自清代同光之世對四裔之學研究益加重視,考辨蒙元史之風盛行,由沈垚、沈曾植、龔自珍及徐松開其端緒,而曹元忠亦考宋人孟琪之著作,董理為《蒙韃備錄校注》一卷,內容則融攝衣冠名物考證,寓經史經世之致。然而,正值時勢變亂及學風丕變,曹元忠的主要著作不僅帙少質精,得以刊印流通甚尠;而曹元弼紹承曹元忠之學的相關著作,一直到一九九五年《續修四庫全書》刊成,在其稿本著作中對其從兄之學的稱述始較易得見。本文先推究曹元忠述學的時代背景及議題淵源;進而研探其經學文獻與禮學論述特色與成就,申述其禮學詮釋、影響與評價。

二 述學的時代背景,議題淵源

在世紀之交與前朝鼎革的政治背景之下,借鑒比較宗教學、考古學和文化人類學諸學科的研究成果和思維方法,對固有古史進行驗證和系統的詮釋,從而回顧傳統經學儒學價值系譜,在變動時代研究進路實有多元化的表現。諸如劉師培《中國民族志》(1904)、日本學者谷田孝之《禮經の儀禮主義:宗教學的考察》(1915)、李安宅《〈儀禮〉與〈禮記〉之社會學的研究》(1935),皆已深入民俗學、宗教學、考古人類學與社會學的範疇,楊希枚先生認為語文學、考古學、人類學與史學的綜合,是「我國史學,尤其是古

3　見張耘田、陳巍主編:《蘇州民國藝文志》(揚州市:廣陵書社,2005年)。

史研究所應採取的途徑」。[4]這一古史研究的取徑觀點，實綜攝了二十世紀之初以來變動時代的學術研究路向，古史也就直指古代典籍制度與文化的總合，其中又以古禮制和禮典的研究尤受重視和延展。在文化陵夷的興復聲浪背景與文獻的研究發展歷程中，曹元忠的學術研究成就甚深，在《箋經室所見宋元書目題跋》、《禮議》、《蒙韃備錄》、《箋經室遺集》等著作中備見精彩。從曹元忠述學的時代背景看，雖遭逢世變，但著作富，師門弟子亦眾，其交遊師友多致力於吳楚地方上的古代典籍經義講論。故曹元忠撰《箋經室所見宋元書目題跋》方受文獻、板本、目錄學者影響，自潘祖蔭、繆荃蓀輯編黃丕烈《士禮居藏書題跋記》、顧廣圻《思適齋集》等的議題、方法、條例建立詳細描述，值得深入探析。

　　另一方面，就其議禮淵源而言，學術議論承襲其師黃以周、管禮耕及南菁書院創建者黃體芳的禮學學術脈絡，研商諸經與禮學議題，一仍鄭氏注為津梁，藉重清人傳述，強調經義會通為旨歸。回顧清人經學文獻與樸學考訂的基礎，是曹元忠在諸經著述強調的研究法則，但從社會學和法制史的角度看，《禮議》中所收入的篇章則又寓有創造性的轉化與傳統價值。今即就其述學著重議論之道的時代背景與回歸經籍文獻考訂基礎的議題淵源，以探討曹元忠的經學研究。

（一）辨滿蒙夷夏異俗禮義，學兼新舊的述學淵源

　　時制和古禮二者會通之道見於曹元忠《禮議》一書，勞乃宣《禮議·序》不僅追溯其與外祖父長洲馬遠林的習業因緣，又溯彼此於宣統年間共與為資政院議員的情誼，為述其學，曰：

> 先是法律館奏進新刑律草案下，憲政館余曾駁其有妨禮教諸條，到院復建議修正，君任法典股，亦屢作駁議，而於余說尤贊成，時流多以頑固黨訕之，不顧也。……別後書來以禮學館所作《禮議》二十五

4　見楊希枚：《先秦文化史論集》（北京市：中國社會科學出版社，1995年），頁1。

篇，附《資政院駁刑律議》四篇刊本見示，受而讀之，探源經心，博綜史志，根往聖之微言，訂昭代之彝典，中如：皇子親王親迎禮；公主釐降見舅姑禮；子為母婦為舅姑服諸議，類能於綱常之古義，抉其精微，而滿漢丁憂人員請通行三年之喪議，尤為扶持名教之大端，至駁刑律諸議，直斥之為無父無君，視吾所言更為痛切，亦足見其悲天憫人之苦心毅力矣。……君之是作藏之名山，傳諸其人，或足為撥亂反正之大用也乎。[5]

《禮議》又有沈曾植與陳寶琛兩家序，咸舉曹元忠抱遺訂禮之功，有雞鳴不已於風雨的堅持，而是書屬劉承幹刊印於求恕齋叢書，劉承幹亦撰序指出：

顧先生議禮時，天下猶未亂也，其所隱憂深計，又早若有積薪厝火之懼，至於考據經史，參酌古今，莫不曲為之防，事為之制，而仍有今日者。[6]

與封建禮法最具關聯的，則是其事原係奕劻奏報「內閣會奏德宗升祔大禮，詔穆宗毅皇帝、德宗景皇帝同為百世不祧之廟，宜以昭穆分左右，不以昭穆分尊卑。定德宗升祔太廟中殿，供奉西又次楹又五室穆位。」[7]〈德宗景皇帝升祔大禮議〉，曹元忠謂：

德宗皇帝與穆宗毅皇帝於義君臣也，於恩兄弟也，門內之治恩揜義，門外之治義斷恩，今升祔太廟之臨示天下萬世者，其亦從兄弟異昭穆之說乎，而其說之見於《左氏》、《公羊》、《穀梁傳》及《國語》者，

5　見〔清〕曹元忠：〈勞乃宣序〉，《禮議》（臺北縣：藝文印書館，1970年），卷2。

6　見〔清〕曹元忠：〈劉承幹序〉，《禮議》，收入劉承幹編：《求恕齋叢書》（吳興：劉承幹輯印本，1916年）。

7　見《清史稿·本紀》二十五，乙卯；又見：臺北故宮文獻處藏軍機處檔摺件系統號000222240，軍機大臣總理外務部事務奕劻奏報遵旨妥議德宗景皇帝升祔大禮事，宣統元年9月9日。

不待言矣。考其謂兄弟同昭穆者，則自晉元帝時賀循始其言曰：殷之盤庚不序陽甲，漢之光武不繼成帝，此《晉書》所載循議也，而《舊唐書・禮儀志》載睿宗祔廟太常博士陳貞節蘇獻等議武宗祔廟禮儀，使議，因之曰：殷人六廟，此有兄弟四人，襲為君者，便當上毀四廟乎！此則四代之親盡，無復祖禰之神矣。此《通典》所載循議也，而《宋史・禮志》載太宗祔廟禮官議，仁宗祔廟孫抃議因之。[8]

曹元忠備舉《左傳》、《公羊傳》、《穀梁傳》及《國語》禮典，說明升祔之禮法依據，此即著稱兄弟同昭穆的禮議，[9]亦即昭穆位同，不得兼毀二廟，是宗廟之禮常例。《左傳・成公十三年》謂「國之大事，在祀與戎，祀有執膰，戎有受脤，神之大節也。」因此祭祀與軍事中的典禮儀節，未能輕詆，亦未可輕言廢置。

　　至於軍禮所重視的日月蝕之因應，《禮議》中〈救護日月禮議〉一篇，曹元忠謂：

　　光緒三十三年九月，都察院代遞道員程淯呈稱救護日月神道設教，古代則然，今地文之學已大發明，率由舊章，不第眩惑學子，抑且詒笑外人云云。……時至今日中朝大官亦以此為詬病，相率告禮學館，欲出軍禮而去伐鼓，詎知救日伐鼓本於《周禮・鼓人》救日月，則詔王鼓之文，其於太祝六祈謂之攻，故唐開元禮以至我朝通禮，凡救護日月皆屬軍禮，即皆伐鼓，所不伐鼓者，有二：一則霧晦不見，如《宋史・禮志》所言是也；一則大喪方成服，如《明史・禮志》所言是也。若尋日食，無有不伐鼓者，詎能去之。……《晉書・禮志》載蔡謨

8　見〔清〕曹元忠：〈德宗景皇帝升祔大禮議〉，《禮議》上。

9　清末兄弟同昭穆抑異昭穆爭議又見《清史稿・禮志五・宗廟之制》記載宣統初集議德宗祔廟事，參加集議諸臣尚爭執不下，重宗統者以為異昭穆不便，重皇統者以為同昭穆不合。故宣統下詔謂穆、德二廟，同為百世不祧，宜守朱子之說，以昭穆分左右，不以昭穆為尊卑。禮緣義起，毋因經說異同，過事拘執。穆、德二廟乃以昭穆分左右。

議，猶日災祥之發，所以譴告人君，故用幣伐鼓，躬親而救之，又
云：敬戒之事，與其疑而廢之，甯慎而行之。[10]

在《禮議‧救護日月禮議‧下》篇，曹元忠更列舉書證，包括《周禮》、《左
傳》、《詩經》等，並通讀鄭氏注，有謂：

夫周時伐鼓於社，所以責上公，則後世伐鼓於社，所以責臣，若去伐
鼓，是臣得侵君，君不得而責臣也，……是以歌哭日食，責上公有聲
討之意，是以伐鼓，今非惟不伐鼓也，恐易之以歌哭，比諸請求上帝
之禮。[11]

救日之俗原屬古人信仰與禮俗，屬於軍禮之一環，《穀梁傳‧莊公二十五
年》有：「天子救日，置五麾，陳五兵五鼓。」《禮記‧曾子問》謂：「如諸
侯皆在而日食，則從天子救日，各以其方色與其兵。」皆屬救日伐鼓之儀。
雖是在日蝕時放爆竹、鳴鑼鼓、張救日弓以示救護太陽的舊時迷信，曹元忠
卻肯定禮俗儀式背後的意涵，請求保留伐鼓的儀式，毋使之變質，而喪古
義。伐鼓之義除了有責於君臣之道外，於日月蝕的變故，並非以迷信災異視
之，曹元忠強調日月因應於帝后與陰陽的象徵意涵，實繫於關聯天地與天子
治世，救護日月與其視為災祥，毋寧視為曹氏對朝廷國勢國祚的殷望。身處
衰亂之局勢，仍存力若有可挽之志，故力議重視歌哭日食，毋因西學外人之
訕而餒於獨特具在的思想和民族習信象徵。曹元忠專力於《禮議》，抗顏逐
一正訂，卻有「去禮早知將壞國，發言深媿是盈廷」之歎，因知曹元忠之治
禮學，實有所承於清人禮學既有的成果和考述的方法，而在其用心與考禮之
餘，又別具時世浩劫不得已之情。由以上兩例不僅可見曹元忠在既有朝廷爭
議問題方面致力於梳理糾葛，更著重從古籍古注疏的立場重新議通禮、辨時
儀，以經典不易之鴻教，融攝新學新知，在述學淵源中，達成會通禮義與重
視思想文化民族尊嚴之道。

----

10 見〔清〕曹元忠：〈救護日月禮議〉，《禮議》，下。
11 同前註。

（二）回歸經史文獻典籍考訂語文

　　秉持對經史學的重視，曹元忠在光緒丁酉年（1897）撰成《蒙韃備錄校注》，宋人孟珙《蒙韃備錄》一書卷帙雖小，但內涵實豐，加以董理，撰述校注，是當時對蒙元史的研究重視風潮下，可堪與經籍文獻考訂方法相印證的著述。在此書卷首周星詒序中即推崇曰：

> ……雄集群籍，疏證本書，兼采異文旁及音詁，此漢儒注史家法，今惟於聞喜裴氏父子《三國志》註、《史記集解》二書，藉得想見兩京授受舊制，……曹君君直劬書稽古，勤心校勘纂，前有《司馬法》注之輯收善美，編次有法，久為學人推重；近以宋孟珙《蒙韃備錄》一書，卷帙雖少，顧記載諸事，多足證補正史舛漏，因為之校注寫定，大凡一以裴氏為則，蓋漢儒家法之學也，徵繁能當，文簡得要，為藝林必傳之作。由君直專力治奇，渥溫朝一代史事，於蒙古國語合音譯語對音，妙有心得，類若人名、地名，諸書紀著，文多各別，……而君直於注文諸條一一疏通證明，令閱者渙然疑釋，從知其力勤心細矣。近更於對音之學融會貫通，以譯滿州西洋之語，嘗繕尋《元史・地理志》，得自和林通歐洲兩路，欲合古今輿地圖志，稽道裡遠近，核名字異同，譔為一書，其成也，關係有用之學尤大。[12]

曹元忠撰述此書，貫注著裴松之、裴駰父子的注史釋禮體例，又旁輔以軍禮《司馬法》校注及《元史・地理志》的功底，能將一部小書的人事、時空、地緣空間及史事、名物一一加以扣聯，交相解析，徵繁文約。《蒙韃備錄校注》跋尾，曹元忠自謂撰述始末有云：

12　〔清〕曹元忠：《蒙韃備錄校注》一卷，收入《續修四庫全書》（上海市：上海古籍出版社，1995年據上海圖書館藏清光緒二十七年（1901）刻箋經室叢書本影印），史部，雜史類，冊423，頁513。

丁酉十月，元和胡劭同年祥鑅刊漸學廬書，以泉唐汪氏振錡堂抄藏本蒙韃備錄見商，元冬修夜恆苦不寐，輒取《古今說海》及《宋人百家小說》本，為之校註，間質當世，謬謂可存，遂付寫宮。然如太祖為牌子頭結蔓之子，結蔓與勃極烈對音；勃極烈與伯裡璽對音；則西洋謂伯裡璽為總，與索倫語同。太祖長子北因與朮赤對音，四庫館臣據《蒙古源流》改《元史》朮赤為卓沁，卓沁亦與北因對音。是北因即朮赤，朮赤於攻金西京陣亡，可補史闕，又太祖國舅按赤那邪對音，亦作按陳那，蒙古語以爺為那，言按陳那猶言國舅爺矣。觀《薊門防禦考》引譯語可證，當時輕於成書，率未之，及刊成書，此有餘悔焉。[13]

史傳中以漢文記錄的各種西北民族語言譯名，其依據本難查考，到清四庫館臣具體的對譯之法是以索倫語改遼史、以滿洲語改金史、以蒙古語而改元史；但又隨意不拘成例。在上文的考論中可見據《蒙古源流》、《薊門防禦考》與《日下舊聞考》等，可資商榷重訂史傳之闕誤。事涉契丹對音最常稽考的來源則是索倫語，亦即為通古斯語族中最多人使用的語言鄂溫克語，至今仍然還在使用。《蒙韃備錄校注》祭祀「其兆圻以決大事類龜卜也」項下，曹元忠謂：

> 元忠按，《黑韃事略》云：「其占筮則灼羊之枚子骨驗其文理之逆順，而辨其吉凶。」天棄天與一決於此，信之甚篤，謂之燒琵琶。事無纖粟不占，占不再四不已。所謂燒琵琶者蓋沿遼制，宋葉隆禮，《契丹國志》記行軍云：「契丹行軍不擇日用艾和馬糞於白羊琵琶骨上炙，炙破便出行，不破則不出。」琵琶骨即羊脾骨，《元史·郭德海傳》云：「又燒羊胛（疑髀之誤）骨卜得吉兆」，耶律楚材傳亦云：「帝每征討必命楚材蔔，帝亦自灼羊脾（疑髀之誤）。」以相符應是也，又按明周恭王

〈元宮詞〉云：「凶吉占年北俗淳，旋燒羊胛問妖神」亦其事。[14]

卜筮之事，繫其吉凶，多用於軍禮。殷商史所見龜甲獸骨之占卜，每見貞人刻辭，以徵驗其事；而遼俗亦用羊頭骨與脾骨，胛骨等炙灼占卜，以求兆璺兆坼之符應，才決定是否出兵行軍。

《蒙韃備錄校注》祭祀「凡飲酒先酹之，其俗最敬天地，每事必稱天，聞雷聲則恐懼不敢行師」與「曰天叫也」兩條下，曹元忠謂：

> 元忠按：《黑韃事略》云：霆見，韃人每聞雷霆，必掩耳屈身至地，若舉避狀。又案，《燕北錄》云：戎主及契丹臣戍每聞霹靂聲，各相鈎中指，只作喚雀聲，以為攘厭也知韃靼畏雷，亦沿遼制。[15]

契丹及蒙元人皆有畏天地神靈與敬避雷霆的風俗，蒙古人於春雷初響，即殺公羊致祭，並敬獻羊肉、乳酪、火酒等祭品；更有迎雷、祭雷等形式的崇拜。

由以上所羅舉的近代語詞考述方面，在詞條方面皆攸關民族習俗信仰與禮制，在研探方法而言則是探究蒙漢對音與譯音，藉以校理書中異名同實之語加以推闡，對史籍的補訂之用與蒙元民族語言禮俗的理解尤有關鍵效應；曹元忠的論述實有其緣始，而考訂之事猶有未盡完密，以漢族人視角，觀照蒙元史考訂言語，實則寄寓以經史闡述經世之志。

三　禮學詮釋之特色與成就

曹元忠對經學文獻與語文學貫注重視，論述學術淵源時又以之為主軸，實為明確經義推闡的宗旨與方向，在此，即就曹元忠最為有成果的禮學詮釋，深究對應其重視文獻與議禮內涵，加以申說。

14　〔清〕曹元忠：《蒙韃備錄校注》，頁529-530。
15　〔清〕曹元忠：《蒙韃備錄校注》，頁530。

（一）以文獻版本校勘方法為經學考辨之基礎

　　曹元忠自選為殿前侍講，又復時時不忘與其師黃以周函劄往復討論《子思子》、《司馬法》與禮學，不僅助黃以周輯成《軍禮司馬灋攷徵》，又纂成《子思子輯解》，在在顯見其對文獻的重視，[16]此外，曹元忠嫺於辨識宋本之佳善，表現於文獻學的方法和素養方面，見諸《箋經室所見宋元書目題跋》雖僅存錄十一則，但可見其細致的題識之法，在「《後漢書》殘本十八卷□宋刻本」項下，曹元忠題曰：

> 此為北宋刻十行本，行十九字，因宋槧宋印所存無幾，以元大德本配之，而大德本亦有關佚，至不成卷帙者，約得〈齊武王縯傳〉至〈來歙傳〉，〈馮異傳〉至〈馬武傳〉，〈伏湛傳〉至〈宋弘傳〉，〈東夷傳〉至〈鮮卑傳〉，及〈律歷志〉，共十八卷，此十八卷中宋槧祗〈齊武王縯傳〉兩葉，〈東夷傳〉至〈西羌傳〉六十葉，〈西域傳〉兩葉，〈律歷志〉五十四葉，餘皆元刻配補，則宋刊僅百八十葉，其中刷印又有先後，以意度之，凡用皮紙細而薄者，北宋印本也，其稍粗厚，疑南宋矣；至竹紙闊簾者，則為南宋重修後印本，故遇高宗諱，亦缺筆作構，由出追改也。若皮紙本則缺筆祇玄桃敬驚徵竟境弘泓殷主胤 卓楨徵懲等字，而於讓頊皆不避，錢竹汀謂嘉祐以前彫本，自是堉論。實可斷為北宋所印無疑，取以校汲古閣本，殊多佳處，不獨列傳每卷有行題「〈列傳第□〉」；空一格，題范曄；又空一格，題《後漢書□》。次行題章懷太子賢注，三行以下，〈傳〉目始及〈傳〉文，〈志〉則每卷首行題「《後漢書志第□》」；空三格題「〈律曆□〉」。次行題劉昭注補三行以下，〈志〉目始及〈志〉文為異汲古閣本也。

16 見〔清〕曹元忠：〈上黃元同師論子思子書〉，卷14，頁5-7；〈上黃元同師論司馬法書〉，卷14，頁7-11，《箋經室遺集》。

該題跋後並附錢大昕跋曰：

> 《後漢書》淳化刊本，止有〈紀〉、〈傳〉，其〈志〉三十卷，則乾興元年準判國子監孫奭奏添入，但宣公誤以為劉昭所補，故云范作之於前，劉述之於後，不知〈志〉出於司馬彪《續漢書》，昭特注出之耳，彪，西晉人，乃在范前，非在范後也。
>
> 此本雖多大德補刊之板，而〈志〉第一至第三尚是舊刊，於朓、敬、桓、徵等字，皆闕末筆，而讓勗郤不回避，知實係嘉祐以前彫本，雖屢經修改，而古意猶存，斷圭零璧，終是席上之珍也。乾隆甲寅四月，嘉定錢大昕假觀並識。[17]

在《通鑑紀事本末》殘本二卷　宋刊本項下，曹元忠題曰：

> 宋袁樞編為嚴州小字本，每半葉十三行，行二十四字，板心有刻工：方忠、宋琳等姓名，每卷後皆有印書盛新四字，為他宋本所無，知選擇紙墨責有專歸，亦得附名。古人慎重如此。此乃十二、十三兩卷，於宋諱皆缺筆，如：女朗敬驚警弘泓殷匡桓貞徵樹豎昌桓垣絹皆是。而於高宗諱作太上御名四字、孝宗嫌諱慎字，皆闕末點，由是書刻於孝宗朝。《玉海》所云淳熙三年詔嚴州摹印者是也。

曹元忠題跋於宋刊宋刻殘本中抉發了目錄學版本學者最需仰賴的避諱之法，藉避名嫌名的記誌為辨識年代依據，可資賦予圖籍合理的時間座標與文獻價值。曹元忠在《樂全先生文集》殘本十八卷　宋刻本項下，有云：

> ……於宋諱避之最慎，如：詆驚警徵譚晏樹豎桓恒宇棋勝禪覯遘遘遘等字，既皆缺筆，又改高頴作高穎，貞觀作正觀，魏徵作魏成，崔蒲作崔莆；至元字三見，皆注聖祖名；頊字四見，皆注神宗廟諱；桓字九見，皆注欽宗廟諱…構字十八見，皆注太上御名；慎字二十一見，皆

---

17 〔清〕曹元忠：《箋經室所見宋元書目題跋》，收入《宋元版書目題跋輯刊》（三）（北京市：北京圖書館出版社，2003年），頁659-633。

注今上御名，其為孝宗之時刊本自無疑義。顧亦有缺筆作慎者，凡二
十六見；以慎字究為孝宗嫌名也。[18]

在《臨川先生集》一百卷目錄二卷，宋刻本項下，有云：

其為紹興臨川本可就宋諱證之：卷中凡遇宋諱，概皆闕筆，如：
眩眺桃敬儆擎驚亭境鏡殷慇匡筐耴恒徵懲譚樹瞖昺煦之類，獨桓字十
七見，皆小字雙行，書淵聖禦名而以姰洹烜垣宇莄仍闕筆避之；構
字二十六見，皆小字雙行，書禦名而於篝媾購遘覯仍闕筆避之，至
慎敦廓諸字無一處闕筆者，可定為紹興舊刊無疑，且知當時於廟諱最
謹，……於宗實皆小字雙行，書英宗舊名，可以見矣。[19]

由以上對避諱的精細比對，藉著廟諱和嫌名的各種避名形態，建立辨識版本
年代及刊本的原理與方法。再就溯源流、明優劣、辨偽撰、考闕疑，等方面
看，一書的流傳歸屬與淵源查考，也與此書的編撰和價值密不可分。更就題
識內容言，曹元忠則在題名下先述刻本、繼載序跋、書況（卷帙、版式、行
款、刻工、避諱、字體、版心高廣）、流傳始末、考證、校讎、彙輯解題、
申明該書價值等。這些題識的細項，在目錄、板本、文獻學者的方法學陳述
中，已經形成了一套專門著錄法式，《箋經室所見宋元書目題跋》因之，文
獻學家王欣夫是曹元忠與曹元弼的同鄉門人，為曹元忠身後裒集出版的《箋
經室遺集》中，錄有曹元忠考訂禮學版本之〈北宋刊大字單注本禮記跋〉、
〈宋刊殘本禮記釋文跋〉兩篇，亦依乾嘉時代以來版本題識的規例加以考
述。曹元忠〈北宋刊大字單注本禮記跋〉述其於上海藏書家韓應陛家見未刊
單注本《禮記》，加以敘錄，

此韓綠卿前輩（應陛）藏蝴蝶裝宋刊單注本《禮記》，每半葉十行，
每行大十八字；小二十五字不等，版心有刻工姚臻、毛諒、徐高等姓

---

18 〔清〕曹元忠：《箋經室所見宋元書目題跋》，頁690-694。
19 同前註，頁694-698。

名，每卷首鈐長洲顧仁效水東館考藏圖籍私印、汪士鐘讀書及趙宋本三印，卷尾有墨樵裝潢印，每葉紙背有張康印，皆朱文。後有莞翁兩跋，其云得於任蔣橋、顧月槎家。[20]

衷集並彰顯以上行之有年的識記法式，並加以對比，梳理其中異傳及扞格，在目錄學的基礎上，形成以文獻學方法解析學術文獻問題的依據。在這一版本題識來看，此宋本實為珍貴之本，今人王鍔考《禮記》版本，確認此本仍藏於中國圖書館，王鍔錄曰：

> 宋刻遞修本《禮記注》二十卷，漢鄭玄注，宋刻遞修本。半頁十行，每行十六字至十八字不等，小字雙行二十三字左右，白口，左右雙邊，九冊。存九卷（五～八，十一～十五）。據《黃丕烈書目題跋》、《寶禮堂宋本書錄》、《中國版刻圖錄》、《北京圖書館古籍善本書目》記載、此本有黃丕烈、韓應陛、張爾耆跋，原為明正德時顧仁效家藏書，至清為顧月槎所有，後於嘉慶二年（1797）為黃丕烈收得，黃氏於嘉慶二年（1797）、二十年（1815）、二十一年（1816）三次為此書寫跋；中間經汪士鐘收藏，韓應陛於咸豐七年（1857）又從汪家收得，後又歸潘宗周所有，今藏國家圖書館。[21]

然而一般著錄並未足以明該書的重要性，曹元忠比對傳世習見之相臺岳氏本，發現數處跡證，得以證明此本的價值：

> 偶取〈月令〉與他本相對，《注》「耒耕之上曲也」「耕」皆誤為「耜」，惟此不誤，迺知其佳，與《百宋一廛賦》〈月令〉第六《注》大略相同。後歸汪閬源，《藝芸書舍書目》所謂「宋版禮記鄭注存九卷」是也。所存九卷，為〈月令〉至〈內則〉；〈學記〉至〈坊記〉，其間尚有缺葉四五番。顧在宋刊《禮記》單注中無過此者，以相臺本

---

20 見〔清〕曹元忠：〈北宋刊大字單注本禮記跋〉，《箋經室遺集》，卷10，頁2上-3上。
21 見王鍔：〈《禮記注》的刻本〉，《禮記成書考》（北京市：中華書局，2007年）。

校之，如〈曾子問〉「為君使」節「自卿大夫士之家」曰私館，相臺
無「士」字，而此有之，與〈聘禮〉《疏》合。〈喪大記〉「君夫人卒
於路寢」節，「士、士之妻皆死於寢。」相臺無上「士」字，而此有
之，與〈士喪禮〉《疏》合。皆記文足證相臺之誤者。

又〈雜記〉「大夫為其父母兄弟」節，《注》「今大夫喪禮佚。」相臺
「喪」下有「服」字，而此無之，與本《疏》合。「魯人之贈」節，
《注》「玄纁束」相臺「束」下有「帛」字，而此無之，與〈既夕
禮〉經文合。〈喪大記〉「寢東首」節，《注》「或為墉下。」相臺
「為」下有「北」字，而此無之，與《釋文》所出為墉合。「熬」
節，《注》「設熬旁一筐」相臺「旁」下有「各」字，而此無之，與
〈士喪禮〉經文及《疏》合。皆《注》文足以證相臺之誤者，而〈喪
大記〉兩注且足正撫州本之誤，尤為精善。

至〈樂記〉「子貢見師乙」節，於換簡失次以及衍字，皆為移易刪
省，初疑為興國軍本，及檢〈雜記〉上篇「復內子以鞠衣」節、下篇
「期之喪」節、〈喪大記〉「君設大盤」節，皆未移改，與相臺書塾
《刊正九經三傳沿革例》脫簡篇所稱興國本依《注》、《疏》更定者不
合。非但決其非興國本也，且知此本之刻必不在興國本既出之後，或
興國本反因此本〈樂記〉移易刪省，推而及於〈雜記〉、〈喪大記〉，
亦未可知。惜相臺本《禮記》但舉興國更定者繫於各篇卷末，而不能
其所本耳。[22]

在曹元忠的細讀之下，一是「記」文足證相臺之誤；一是《注》文足以證相
臺之誤，三是《注》文且足正撫州本之誤，撫本可謂即宋本《禮記》中之極
善者，而今見此本又有可足以正之，更得以證此本之難得可貴！曹元忠更藉
其嫻熟的諱字考察此本成書年代，他說：

然此本於「玄敬警驚貞弘匡筐醇恒桓貞徵譓樹」等諱，皆缺筆；而不避頊、

---

22 見〔清〕曹元忠：〈北宋刊大字單注本禮記跋〉，《箋經室遺集》，卷10，頁2上-3上。

煦，明是神宗前以刊本，故南宋興國於氏從之，有此搞證。其為北宋
舊刊無疑義矣。顧仁效水東館，當在吾吳陽山，王文恪〈陽山草堂
記〉云：「顧仁效結廬陽山之下，棄去舉子業，獨好吟詠，兼工繪
事」；而嶽《岱陽山志‧堂墅》篇又云：「陽山草堂在大石塢下，顧大
有居也。」顧君工詩兼善繪事，其稱大有、仁效相同如此，容再考
之。癸酉上巳。[23]

在這段之中，詳察此本的成書刊成年代及流傳始末，確認從明代顧仁效、清
代顧月槎、黃丕烈、汪士鐘、韓應陛、潘宗周等人的藏書流傳，而潘氏藏書
後由其子捐贈中國國家圖書館。在另一篇文獻考述之〈宋刊殘本禮記釋文
跋〉，曹元忠考得其細節如下：

此宋淳熙撫州公使庫刊本也，每半葉十行，每行大小相間十九二十字
不等，四圍雙線邊，白口；上魚尾上記字數；下魚尾下記葉數及刻工
周忠、思賢等姓名。中間刊記音，為書名；並記刊書年歲，蓋此本刊
於孝宗淳熙四年丁酉，其云壬寅刊者，則九年也；戊申刊者，則十五
年也；壬戌刊者，則甯宗嘉泰二年也。壬申則嘉定五年也。距淳熙丁
酉相去三十五年矣，鋟版不應如此其遲，而又屢見開禧乙丑換五字，
始悟刷印既多，自易漫漶，必致隨時修補抽換，是以遇光宗諱惇、
敦，亦缺筆也。書自〈曾子問〉至〈明堂位〉；〈學記〉至〈昏義〉為
《禮記釋文》，二、三、四卷中有殘缺，惟第三卷獨完。

據知《通志堂》於《經典釋文》三十卷外，又刊《禮記釋文》四卷，
即是此本。而此本附刊單注本《禮記》二十卷之後，故卷末有「撫州
公使庫新刊注《禮記》二十卷并《釋文》四卷附校正人軍州等」一
紙，納蘭成德亦倣刻之，至嘉慶丙寅陽城張敦仁景刊小讀書堆所藏單
注本《禮記》二十卷，尚缺《釋文》四卷，迺繡刻通志堂本以足之。
而四圍雙線邊亦為單邊，已與單注本《禮記》異，又版心下魚尾下記

葉數，後亦為黑口，致刻工高安國等姓名與單注本禮記同者，皆無可
考，猶得曰行款差池，無關出入也。

此本在乍看之下，雖判為撫本，然而細察之則另有文章，實非僅可單純視之
為撫本，曹元忠藉「官館」「公館」字之誤，此本《釋文》雖有誤字，但具
存真的價值，因其誤字未改，留下可值判辨為宋本的線索，推論其為依據撫
州舊本而重刊的撫州公使庫新刊之本，不僅三禮俱全，而且取舊本附以《釋
文》，足資參證相臺書塾《刊正九經三傳沿革例》所未提及之者。曹元忠細
釋之曰：

> 獨此本〈雜記〉所出「官館」二字，在開禧乙丑所換葉中，審是高安
> 國寫刻之誤，當做「宮館」。此「宮館」即《注》文中之「離宮館」；
> 非〈記〉文「公館復，私館不復」之「公館」。故繫之所出「復」字
> 下，以明其為《注》文。而云本亦作觀，謂別本亦作離宮觀，知《釋
> 文》所據《禮記》《注》文本作「離宮館」惟附刊此本之《禮記》單
> 注尚與相同，其餘各本皆作「離宮別館」，因宮館二字不相聯屬，遂
> 於釋文所出「宮館」知其為注文者。如宋本《禮記》注疏所附釋音尚
> 去「宮」字，不知其為《注》文者，如通志堂本《禮記釋文》且改作
> 「公館」矣。亦思若是「公館」，則何不於〈曾子問〉「禮曰：『公館
> 復私館不復』」出之，恨當時辨之不早辨，以致承訛襲繆，雖《宋元
> 舊本書經眼錄》稱其末葉有「嘉慶二十五年庚辰宋本《釋文》再校修
> 訖印行」一行，本顧流傳頗少，迄未之見，尚賴此本「官館」誤字正
> 之，可見誤本猶勝後世不誤也。

此本在宋時雖不甚著，然《直齋書錄解題》禮類有《禮記注》二十
卷，次以《禮記釋文》四卷，明是單注本《禮記》並附《釋文》者，
疑此撫州公使庫新刊之本，由此類推，則陳振孫所收《古禮》十七
卷，次以《古禮釋文》一卷、《周禮》十二卷次以《周禮釋文》二
卷，亦必撫州公使庫新刊單注並附《釋文》之本，恐撫州公使庫於

《三禮》皆有新刊單注附《釋文》本矣。推求至此，並疑相臺書塾。[24]

曹元忠、莫楚生、傅增湘都申論「誤本猶勝不誤」的《禮記釋文》版本獨特之處，更可藉此一窺當時師友重視文獻基礎，也使其禮學參證，互見於往復論學的實錄，於當時學人的談辯間見其煥發與彰顯。

（二）重視時儀、禮制及禮義

在三禮之學方面，曹元忠標舉《儀禮》、《禮記》著疏，為孔氏之正傳；曹元弼與張錫恭同在蘇州存古學堂講學，時相書信往復討論得失，曹元弼更將其《禮議》佳文刊於《經學文鈔》，當作教材以教存古學堂諸生；重視清代以來能平心求是以治禮說禮的著述，點評清人於三禮之學方面的精要與得失，以此為議禮學禮門徑，曉諭其門人，曹元弼謂：

> 《儀禮》、《禮記》著疏，孔氏之正傳也，賈擇精而孔語詳。國朝張氏爾岐，江氏永，凌氏廷堪、張氏惠言、胡氏匡衷、培翬之學，精且博矣。當與注疏並治。元弼不揣固陋，覃精研思，為十七篇校釋，於初學不無小補。其他通說《三禮》之書，若朱子《儀禮經傳通解》、江氏永《禮書綱目》、徐氏乾學《讀禮通考》、秦氏蕙田《五禮通考》、金氏榜《禮箋》、孔氏廣森《禮學卮言》及段氏考《周禮》、《儀禮》漢讀。胡氏承珙《儀禮今古文》當玩索服膺者也。[25]

曹元忠在禮學館與任職資政院之時所纂輯的《禮議》一書中，重視議禮與制憲，不時藉重時禮法制與經典闡釋，援引《儀禮》古傳注，解析禮義並正定時儀，特別於曹元弼所舉的朱子以下諸家，特有參證稽考之功。《禮記·昏義》有謂：「夫禮始於冠，本於昏，重於喪祭，尊於朝聘，和於鄉射，此禮

之大體也。」。[26]是以曹元忠《禮議》的事類及序次，也分別以天子升祔、
天子冠禮、皇室昏禮、皇室朝聘及皇室喪服等制度立議。始德宗三十三年由
岑春煊與宗室溥玉岑奏請開禮學館，延曹元忠與於議禮，到清帝溥儀遜位，
只有短暫的五年時間，禮律的議辨轉瞬間為革命的風潮所襲捲，曹元忠對此
也有先見，卻仍然秉持學者風範議論，《禮議》書所收錄，均據禮典史志論
時制，如〈經筵禮議〉、〈傳心殿禮議〉，事涉帝王皇室學禮與先師奠菜致祭
之儀；〈救護日月禮議〉則尊重民間禮俗；附律議部份，〈駁刑律改易服圖
議〉、〈駁刑律刪除比附議〉則就刑律附於禮法的部份提出駁辨。撰〈禮書當
列廢禮新禮議〉重視禮之因革，呼應通禮之精神，也斤斤於釐清憲法與禮
典，在〈禮書與憲法不當合訂議〉篇中，他說：

> 憲政有修訂禮書，即參訂憲法，相助為理，且擇善而從等語，竊以為
> 為此言者，非惟不知禮也，抑且不知憲法孰甚。……《周禮》憲法專
> 屬刑禁，……故凡表縣之法，皆謂之憲，即皆屬刑禁，……與禮無
> 涉。[27]

雖錄在律議，〈駁刑律改易服圖議〉開篇之首，曹元忠即推溯《唐律疏
議》首列五服之制年月及三殤等圖，並重視元人王元亮著《唐律釋文》、《唐
律纂例五刑圖》的內在意義與《宋刑統》因革唐律的體例，[28]藉資以禮法而
明刑律著重等差、倫敍，重視禮義比附之基本原則，亟陳言清法律館之制定
不可於舊律議倫常諸條，率行變革，特舉其中父母之服一等，新律欲一律改
為「尊親屬」，曹元忠說：

> 推其用意，不過依附日本，欲改中國舊有之服制，而以尊親屬、親屬
> 之名易之，其言服圖，亦惟借期功緦麻諸服以為稱親屬者舉例爾，故
> 於尊親屬之祖父母、父母、外祖父母、親屬之夫妻，皆不言服圖，殊

---

26 見《禮記注疏》，收入《十三經注疏本》（臺北縣：藝文印書館，1983年）。

27 見〈禮書與憲法不當合訂議〉，《禮議》上，頁3下-4上。

28 見〈駁刑律改易服圖議〉，《禮議》下，頁30下-34上。

不知岡田朝太郎意導我析言破律亂名改作，以敗壞中國之人倫、故欲
去服圖，奈何修訂法律諸臣受其紿而不悟也。則試以改易服圖不利於
父母者言之，夫父母固草案所謂尊親屬也，特父母之外服圖尚有三父
八母，其服由齊衰杖期至於緦麻三月而止，豈容含混。今但言父母，
勢必三父八母概以服斬衰三年之父母為斷，輕重之閒，何所分別？

晚清民初日本法律學家岡田朝太郎（1868-1936）赴德國修得法學博士，赴
中國任京師法律學堂教習，為清廷延為修律顧問撰理〈修正刑法草案〉於一
九一〇年（宣統 2 年）十二月二十七日完成「刑事訴訟律」，該律計六編五
一四條。民國元年〈暫行新刑律〉，民國四年〈修正刑法草案〉則相繼陸續
完成，其中變法的焦點，多著重於去禮俗與刑法性質殊別的部份，在當時成
為所謂禮教派與法理派兩種壁壘分明的爭持，而曹元忠所捍衛的則為故典禮
義不可澌滅的一方，在變法派追求西方刑律，盡去禮俗故典的強勢下，一一
力陳傳統五服倫理等差，甚而被時人目而為劍拔弩張的抗爭者。他力加陳
辭，又說：

> 吾不得不正告之曰，服圖為我中國刑律所獨有，苟居中國，去人倫，
> 雖無服圖可也。顧〈刑律〉亦無所用之也！如欲以〈刑律〉治中國，
> 則服圖與禮教相輔而行，不容稍有改易，雖服圖出於明律，多非舊
> 制，故王元亮圖小功五月有女為兄弟姪之妻；即〈喪服〉夫之姊妹，
> 報、夫之姑，報也[29]，而服圖遺之；然自明至今行之五百年矣，一旦
> 因此並無斬衰齊諸服之草案遽以責備服圖，則是不能三年之喪而緦小
> 功之察也，其不知務孰甚。是故為刑律計我資政院惟有補正總則，追
> 加服圖以副皇上凡我舊律義關倫常諸條不可率行變革之諭旨，然後再
> 舉服圖所失，次第奏改，如《舊唐書·禮儀志》之右補闕。[30]

五刑與五服的爭議在因應於新變的刑律一事上，成為資政院人員爭議的重要

---

29 此例見《儀禮·喪服》見夫之姑姊妹娣姒婦報，係屬義服之一項。
30 見〈駁刑律改易服圖議〉，《禮議》下，頁33。

焦點，曹元忠一系守故典，重倫敘之論述，實有根柢，溯及《尚書・皋陶謨》有說：

> 先王之制刑法也，非好傷人肌膚，斷人壽命也；貴威姦懲惡，除人害也。故經稱「天命有德，五服五章哉，天討有罪，五刑五用哉。」[31]

「五服」在此指天子、諸侯、卿、大夫、士之服，尊卑彩章各異，所以命有德。而在刑律，則曹元忠力保刑律服圖中所謂的「五服」係指古代以親疏為差等的五種喪服。亦即《禮記・學記》：「師無當於五服，五服弗得不親。」《孔疏》謂：「五服，斬衰至緦麻之親。」；又謂：「五服、斬衰也、齊衰也、大功也、小功也、緦麻也。」《尚書・皋陶謨》《傳》，「五刑」是，墨、劓、刖、宮、大辟；因此，欲泯五服之等，僅以「尊親屬」三字代之，齊一五刑之別，僅一之以「死刑」。諸如此類都是當時篤守傳統的議者所不能容受的。這一爭議，正是曹元忠在諄諄強調禮典的同時，雖終究在時代的趨勢下未能與時俱進融於當世的刑法，但也在新變和守舊轉型的爭持中留下痕跡。

〈駁刑律刪除比附議〉一篇，在內容上，也是曹元忠依循一貫的釋禮方法標準而立論，與禮學著重的重等差、辨論敘密切扣連，重視禮義比附之基本原則，曹元忠說：

> 刑律草案之欲除比附也，於《唐律・名例》篇所云：「斷罪無正條，其應出罪者，則舉重以明輕；其應入罪者，則舉輕以明重」……《唐律》所言，乃禮家說也。〈王制〉於疑獄云：「必察小大之比以成之」為大司寇聽訟用比附之證。又云：「附從輕赦從重赦，從重者，所謂出罪，舉重以明輕也；附從輕者，所謂入罪，舉輕以明重也。」[32]

晉人劉頌嘗謂刑律「正文，名例所不及，皆勿論」；隋唐之際趙冬曦亦主張

---

31 見《尚書正義》，收入《十三經注疏本》（臺北縣：藝文印書館，1983年）。

32 見〈駁刑律刪除比附議〉，《禮議》下，頁33。

「勿用加減比附」之議，是在古人制定律法之際提出。在晚清民初刑律草案
擬定的主導者沈家本主張廢止律外科刑，雖引證古人之言，但曹元忠則在趙
冬曦輩的不足之處加以駁斥。若就實例來看，還是於親疏倫常變故之特殊罪
責休咎不能追加，曹元忠依此舉出駁之甚的罪咎，例如沈家本草案訂為「親
屬相姦」應改為「和姦本支親屬婦女」（本勞乃宣議增列，又因曹元忠駁
議，更訂為「和姦本支親屬婦女為本宗緦麻以上婦女相和姦」）事，曹元忠
期期以為不可，字句之訂議雖然訂不勝訂，但均源自於服圖不立，五服不
明，以及比附義之廢而肇致。又評論曰：

> 嗚呼，未行新律，天下猶知有服制，既行新律，迺並舊所有服制而亡
> 之，反不如草案無親屬相姦之罪，尚可用外國刑律自解，而我國二千
> 年來相傳之服制猶未亡也，是故中國服制之亡，謂亡於法律館，尚可
> 不任咎也，謂亡於憲政編查館及資政院，則不能不任其咎，蓋刑律不
> 論服制則已，若論服制必當比附。《禮·服問》篇引《傳》曰：「罪多
> 而刑五，喪多而服五，上附下附列也。」《注》云：「列等，比也」
> 《鹽鐵論·刑德》篇云：「親屬之服甚眾，上附下附，而服不過五，
> 五刑之屬三千，上殺下殺，而罪不過五。」我中國服制刑律，皆用比
> 附，最古之學說，舊律知之，故斷罪不必皆有正條，自合於議事以
> 制，不為刑辟之意用比附也。新律刪附比附，苟無正條，雖關於服制
> 之罪，亦所不顧，為新刑律及修正者，苟念服制，關係至重，即使多
> 為條文，猶恐未盡，仍以比附請之。[33]

曹元忠亟請以比附為刑律的法則，不僅是論述刑律的依據，在五服五刑的傳
統之下，其刑度是有範域的，並不具有如主事者謂律外科刑，司法者兼立法
者的疑慮。依仍舊律比附之義，禮法刑律規例才能具有一致的教化設禁的意
義和作用，雖然曹元忠的思維和現代刑法制定原則殊異，但確以當時治學背
景下呈現了禮法轉型過程的論述。

---

33 見〈駁刑律刪除比附議〉，《禮議》下，頁37-38。

　　曹元忠承其師黃以周重視學禮的議題，論述〈經筵致祭傳心殿禮議〉，強調文廟釋奠祭先師孔子用三跪九叩，與傳心殿祭帝師皇師用二跪六叩的別異，以禮容的講求，糾當時時禮跪叩之容的誤差。[34]其次，關於皇室成員的人生禮儀，諸如〈冠〉、〈昏〉、〈喪〉等，皆與《儀禮》所載係屬士階層儀式禮義有所不同，故並非在篇中一一議其正典，而是辨其特殊之義。究時儀印證禮典，〈天子冠禮議〉、〈冠禮無樂議〉、〈冠禮見母不見父議〉皆特為天子冠禮係孤子加冠的儀式和禮義，而加以申說；在皇室婚禮方面〈皇后廟見禮議〉、〈皇子親王親迎禮議〉、〈公主釐降見舅姑禮議〉、〈昏禮舅姑在無廟見禮議〉、〈昏禮加景非蓋首議〉皆分別以昏禮儀式對應於皇室昏禮，責求皇室成員依循古禮成就其成人成婦的意義。

　　在喪禮方面〈喪禮子為母婦為舅姑服議〉、〈喪禮三殤服議〉、〈滿漢丁憂人員請通行三年喪議〉。分別依據禮書古籍，辨析喪禮子為母、婦為舅姑服不至乎斬衰；古代為殤亡者居喪首舉子女，而特指未成年者，成年者不與焉，故杜佑《通典》、徐乾學《學禮通考》等不著三殤之服；並就滿漢人員服喪二十五月而祥，疏釋古禮，立通禮以順人情丁憂之常情。[35]從曹元忠纂述「通禮」看，重因革、辨別異、例時儀，是曹元忠治禮、釋禮的核心，在此中特以重視比附之道論述時儀，於古經傳注疏說師法考鏡源流，因此，釐清經義，務求以禮解經，講求會通諸經之禮義宗旨，方為鵠的。

（三）會通諸經、比附禮義、以禮解經

　　曹元忠學承元和人氏管禮耕，管氏字申季，歲貢生，其父管慶祺嘗從陳

---

34 關於釋奠祭菜之禮，又參見曹元忠：〈禮記文王世子篇經注考誤〉，《箋經室遺集》，卷4，頁12上至頁14下。

35 〔清〕朱大韶著：《實事求是齋經義‧庶孫之中殤當為下殤辨》：「蓋殤有三等服，祇有殤大功、殤小功二等。緦麻是三月本服，非殤服也。」《實事求是齋經義》二卷，收入《續修四庫全書》（上海市：上海古籍出版社，1995年據南菁書院皇清經解續編刻本影印），經部，禮類，冊176 。

奐學；禮耕篤守家學，尤長訓詁。其考據與經籍論述見《操戫齋遺書》，重訓詁又重禮例與經例的考釋，有〈享禮有四食禮有二考〉[36]，又考《禮記・內則》〈敬事袒裼解〉和《禮記・緇衣》〈民有孫心解〉等篇意時，皆從字詞訓釋以通經恉。[37]

　　在清代以降的禮經之學脈絡中，已形為禮學家致議紹繼之脈絡，為其後治三禮經籍文獻的必要門徑。曹元忠釋禮的方法原則，重視比較經義歧互，不僅訓詁字義文詞，其關懷經義之會通及大義既如前所述，而往往一字之確釋，一事例之比附，實為關鍵。由於主張禮之因革，志傳載籍中事涉攝政者，曹元忠列在《禮議》中有兩篇，一是〈攝政王攝祭南郊禮議〉、一是〈攝政王輿服議〉，這兩篇皆呈現當時因溥儀僅三歲沖齡登基，其生父醇親王載灃為攝政王輔之，合證《禮記・祭統》篇「有故使人可也」禮義，因資攝政王主祭圜丘以著代，寓崇報反始之誼；另一方面，禮服的等差也有講究，援據《儀禮・覲禮》，《禮記・明堂位》天子袞冕負斧依而南向，即如周公故事，攝政王輿服亦比照禮例，服天子之服。曹元忠《箋經室遺集》中有〈周公踐阼說〉三篇，在此三篇中，一一對於歷代周公踐阼公案爭辯的始末是非當否加以評騭，其時事背景也正呼應著宣統沖齡登基之禮制。〈周公踐阼說〉首先就〈文王世子〉、〈檀弓〉、〈坊記〉、〈曲禮〉、〈明堂位〉等篇言及阼階之相關禮制和踐阼禮義者，加以比附，疏釋新王喪滿三年除服登基時程與禮典之事。曹元忠的論點是：

---

36 在〈享禮有四食禮有二考〉一篇中，梳理《禮記・王制》篇《正義》引皇氏所說享有四種：一是諸侯來朝，天子享之；二是王親戚及諸侯之臣來聘，王饗之；三是戎狄之君使來，王享之；四是享宿衛及耆老孤子，以上皆飯食牲牢並陳，設酒；食有二種，一是禮食；二是燕食，設有飯殽，設酒不飲。並據段玉裁《說文解字注》，謂經典饗享二字通用，而饗為正字，享為假借。此段考據，亦辨饗最重，食次之，燕最次的等差，繫於禮例：饗食於廟有幣，燕於寢無幣；並駁萬斯大誤食禮視燕饗為輕之說。見管禮耕：《操戫齋遺書》，收入《叢書集成續編》（臺北市：新文豐出版公司，1970年），頁53。

37 見管禮耕：《操戫齋遺書》，收入《叢書集成續編》（臺北市：新文豐出版公司，1970年）。

〈文王世子〉何以言周公踐阼？記成王學世子之道也。古者天子崩，世子居喪，有塚宰聽政之事。……明三年之內，塚宰聽政，所有祭祀皆塚宰攝之。……顧古無稱塚宰踐阼者，踐阼乃新王即位之稱，為臣下所當辟，至於周公，獨不辟者，則以周公踐阼在於成王梁闇三年之後，非尋常塚宰聽政所可例也。雖然周公所踐之阼，即武王所踐之阼也。當是時，武王之喪既除而周公猶欲踐阼行天子之事，宜其召管蔡四國之流言，謂將不利於孺子，卒也攝政七年，功成治定，永告太平，而成王亦知世子之道，可以致政矣。此〈明堂位〉所以謂成王以周公為有勳勞於天下，而《春秋繁露》亦謂周公傳成王，成王遂及功莫大於此也，不然世子居喪，塚宰聽政，雖年長如高宗。周公作〈無逸〉亦云：「作其即位，乃或梁闇，三年不言，則百官總己之事，古人優為之，後世亦勉行之。」何以千古獨稱周公也哉。[38]

依世子居喪三年亮闇的記述，又再會通《白虎通》、《春秋繁露》等的詮解，先論證周公踐阼事義確定在成王居喪期間的輔政。再者，〈周公踐阼說〉中篇則以設問答的形式，詮解周公踐阼出於的實際教導成王之需，合證鄭玄〈王制・注〉、《尚書大傳》、《韓詩外傳》事義，曹元忠解析如下：

或曰：「周公踐阼之時，武王既崩，猶欲成王知世子之道，何謂也？」

曰：「古之王者，建國君民，教學為先，其在〈王制〉云：『小學在公宮南之左；大學在郊。』又云：『樂正崇四術立四教，順先王詩書禮樂以造士，王大子、王子、羣后之大子、卿大夫元士之適子，國之俊選皆造焉。』《尚書大傳》云：『古之帝王者，必立大學、小學、使王大子、公卿大夫元士之適子十有三年始入小學，見小節焉、踐小義焉；年二十八大學，見大節焉，踐大義焉。故入小學知父子之道，長幼之序。入大學正君臣之義上下之位。』《注》云：『《禮志》曰：周

公攝政踐阼而治，亢世子法於伯禽，使之為（當是典字）成王居。欲
使成王之知父子君臣長幼之義，，所以善成王也。」（《太平御覽皇親
部學部》引）由是觀之，古之帝王立大學小學以教世子，正欲其知父
子君臣長幼之道，所謂知為人子，然可以為人父；知為人臣，然後可
以為人君；知事人然後能使人。長養君德，必在其為世子之時。而成
王未聞世子之道，已為嗣王，故即政之初群臣進戒。……不幸武王早
崩，為成王者無復有為人子為人臣之一日；而世子之道不可不知也，
周公於是乎踐阼，是故周公之踐阼代成王，即所以代武王也，惟代武
王，故於成王可以世子代之……可知周公踐阼之時，一如武王，在位
之日。凡世子之事皆使成王行之，欲成王由為人臣為人子以至為人君
為人父；與國人交；緝熙敬止，以紹述文王之德之純也。此周公踐阼
所以繫於〈文王世子〉篇之微意也。[39]

周公踐阼之事於禮合宜得當，唯一的理據在於教輔世子之道明著禮典，故而
在此段段設問答中解析周公教成王以見大節，踐大義之道，踐阼正適教成王
之舉措，於禮無有不合，更延伸上段論述，踐阼一事出自〈文王世子〉篇，
尤足證重視教世子法的立場和重要性。至於〈周公踐阼說〉下篇則對於歷代
謬說諸如王肅偽《家語・觀周》篇《家語・冠頌》篇《呂氏春秋・慎大
覽》、《韓詩外傳》等載「周公抱成王」與「成王冠弁」、「成王服袞冕」等在
年代與事理的相違處一一駁議，同上一篇亦採取設問答之法，論述如下：

或又曰：「周公所踐之阼即武王所踐之阼，徵諸《大戴禮》武王踐阼
信矣，然則〈明堂位〉天子負斧依之言，其不足信乎？」
曰：疑〈明堂位〉者，始於王肅偽《家語・觀周》篇「孔子觀乎明
堂，覩四門墉」又有「周公相成王，抱之；負斧扆南面以朝諸侯」之
圖焉；……武王崩時，成王年已十三矣，周公攝政七年，成王適滿二
十，是周公踐阼成王已當誦《詩》舞勺之年，非孩提也。如何而抱？

況朝諸侯於明堂，據〈明堂位〉為攝政六年事，其時成王年已十九，周公何從抱之而負斧扆耶？……是成王年十四喪冠也，無論喪冠之失，譙周辨之。……

即使果冠，吾聞有冠而生子者矣，未聞已冠之子尚需保抱也。詎保之抱之，即謂之幼將貪孩童以久其政。抑明賢以專其威，如後漢女主臨朝之所為耶，則肅之誣周公罪，更不容誅矣。原肅之失殆見秦漢開述周公踐阼事，其於成王也，往往在強葆，如《呂氏春秋・慎大覽》云：「周公旦抱少主而成之」《韓詩外傳》云「周公抱成王而朝諸侯」而《漢書・霍光傳》又云「使黃門畫者，畫周公負成王朝諸侯以賜光」迺連綴其文為周公抱成王負扆南面朝諸侯圖，託於孔子觀明堂所見，以為周公既抱成王，即非踐天子之位，而負斧依之天子，可定為成王，殊未思〈明堂位〉之所記，為大朝覲禮，〈覲禮〉云：「天子設斧依於戶牖之間，左右幾，天子兗冕負斧依是也」(《周禮・司幾筵》云：「大朝覲王位設黼依，依前南鄉，設左右玉几」又〈曲禮〉云「天子當依而立，諸侯北面而見天子曰覲」皆可證。) 若以負斧依之天子為成王，則成王服兗冕矣，猶使周公抱之而見諸侯，有是理耶！是故言成王周公事者，莫善於《史記》，《史記》用《尚書》說者也。……〈周本紀〉傳成王事，故舉踐阼言之，曰行政七年，而皆謂在天子之位，願後世聞王肅之說者，毋再揚其波也。[40]

在下篇中，曹元忠對王肅矯作周公抱成王負斧依之事，實混淆了經典載記中的事義，而一逕聯成杜撰之說，在曹氏的考辨下漏洞百出，又不明〈明堂位〉所記天子負斧依之禮儀實為大朝覲禮，因此，力排王肅異說，可謂持之有據。周公居東之事向為《詩》、《書》說解中聚訟紛紜之公案，而「我之弗辟」之辟字左右著史事的確解和經義的申論。辟字釋為「避」，釋為「刑」，釋為「治」，端視《詩》、《書》等文獻的通讀及互證，曹元弼以合證推勘之法，在《古文尚書鄭氏注箋釋》，〈金縢〉篇「周公乃告二公曰：我之弗辟

（讀為避），我無以告我先王。」即其避管叔之由。而「周公居東二年」，即
其東處於商奄之時也。曹元弼稽考今古文字與經義諸說，有曰：

> 按周公居東事，惟毛氏《詩序》與鄭《書注》、《詩箋》說之最富，而
> 罪人斯得，所指不同，劉氏台拱周公居東論推闡最精，鄭義元弼嘗詳
> 論之。[41]

在文獻史證缺乏的情形下，通讀比勘，以會通《詩》、《書》、《禮》諸經前後
文，做為推證鄭注所採用避字解為確的理由。這一議論也正是采納了曹元忠
所關注的相同議題，論述周公居東與周公踐阼行誼與禮義，以求經義闡釋和
經旨會通。

四　曹元忠之禮學研究影響與評價

對於學校制度的考證，古籍經傳的異說與梳理，義理的析解，由鄉黨塾
學啟蒙子弟，一貫而上達，契接國家設立的官學授受儒學。關於學校的考述
時見清人禮書新疏，黃以周《禮書通故・學校禮》最為提綱挈領，其中舉列
異說，辨證學校制度，分列條目，梳理經傳載籍及後世傳述。更有進者，辨
別各代學校制度異義，其說直接為曹元忠所紹繼。在〈周學制鄭義通說〉一
篇中，曹元忠秉黃以周《禮書通故・學校禮》之體例，一一辨析四郊之學，
推勘虞庠為小學，上庠為大學，以申鄭玄明學校名義四代異制同實之義：

> 〈王制〉「周人養庶老於虞庠」虞庠在國之四郊（據《魏書・劉芳傳》
> 引）《注》周之小學為有虞氏之庠制是也，惟小學為虞之庠制，不得
> 如大學之兼取虞夏殷三代，故別立東膠，於大學以配四郊之虞庠，可
> 知虞庠為小學，而上庠為大學也。〈記〉文不言上庠而言成均者，猶
> 不言右學而言瞽宗，皆周時大學之制云。[42]

41　〔清〕曹元弼：《古文尚書鄭氏注箋釋》，頁116-121。
42　〔清〕曹元忠：〈周學制鄭義通說〉，《箋經室遺集》，上，卷3，頁7下-8上。

其次，曹元忠〈周學制鄭義通說〉中篇則究四郊虞庠辨其職守，有謂：

> 周時大學之制既以上庠、東序、瞽宗合東膠為四面，而四郊之小學總
> 為虞庠，是無別也。於是有東南西北之名。如《禮記・祭義》「祀先
> 賢於西學」《注》「西學，周小學也」又天子設四學，《注》「四學，謂
> 周有四郊之虞庠也」（據《通典》引）《疏》引皇氏云四郊虞庠，以為
> 四郊皆有虞庠，謹案，皇說是也。惟四郊皆有虞庠，當時以東南西北
> 別之，故有西學，特鄭君但言周小學，不言周四郊之小學，似難臆
> 說，然〈樂記〉「散軍而郊射：左射貍首，右射騶虞」《注》「郊射為
> 射宮於郊也，左東學也，右西學也」鄭君既言郊，復言東學、西學，
> 則東、西學之在郊可知。東西郊有學，則南北郊之亦有學可知，故
> 《注》謂「周有四郊之虞庠」虞庠之祀先賢者，則在西郊，〈大司
> 樂〉所謂祭於瞽宗也，於大學則曰瞽宗，於小學則曰西學，西學為虞
> 庠之一，則虞庠在國之四郊明矣。[43]

在考證四郊皆有小學時，曹元忠善用理證之法，以典籍傳注見載者對應闕如
者，建立了完整的釋禮版面，最後，在〈周學制鄭義通說〉下篇，則將清儒
最易致混淆的四學四門之辯，引〈保傅〉篇文加以釐清，曹元忠論證曰：

> 知虞庠在國之四郊，非惟通於〈祭義〉也，抑且通於《大戴記》如
> 〈保傅〉篇引「學禮」言帝入東學、南學、西學、北學大學。夫所謂
> 東學西學，……皆引鄭君注「周有四郊虞庠」為說，可知鄭義通於
> 〈保傅〉篇也。至蔡邕《明堂月令論》雖引〈保傅〉篇文，誤以四學
> 為四門之學矣。[44]

蔡邕《明堂月令論》，崔靈恩《三禮義宗》，皆采錄相同篇什依據，引
〈保傅〉篇文加以分析。曹元忠究心原典，申述大小戴《記》與諸經間的會

通合證，蓋四學祝為即四門，係唐代以後制度，見載於《貞觀政要》，非屬古制古義。凡此皆成為晚清人士重視文教，議論禮學寄寓思想的核心議題。孫詒讓《大戴禮記斠補》解周代學校制度，《大戴禮記・保傳》，詳考「小學，小者所學之宮也」與「貴賤有等而下不踰也」，指向本於〈王制〉篇的四方學校制度，區隔出四郊虞庠之學和大學有五：東序，西瞽宗，北上庠，南成均，中辟雍等兩種不同的學校規制。而曹元弼〈書孫氏周禮正義後〉亦疏釋《周官》立教立政務本與所以為學之本，在德行為先，藝能為後。同時關注「四門四學」的考辯，融曹元忠的辨說而納入其《禮經校釋》中。

　　與曹元忠與曹元弼同時之人張錫恭則深入考訂《儀禮・喪服》篇義，顧五服差等相關事義及舊有禮說之比附，專著《喪服鄭氏學》，與其《茹荼軒文集》中，多引用曹元弼《禮經學》、《禮經校釋》之外，也援引與曹元忠《禮議》相映之事義，繫於各等喪服下為說。曹元忠之學問著述與學術成就受到晚清名儒沈曾植的讚譽，相關著作得到藏書家劉承幹的支持刊印，收入求恕齋叢書。近世又得顧頡剛的崇慕和提稱，其弟子眾多，影響亦廣。其中最著者，如王欣夫早年受業於吳江金松岑（天翮），後亦從曹元忠、曹元弼學習經學，專長中國古代目錄、版本、校勘學，著有《文獻學講義》、《補三國兵志》、《藏書紀事詩補正》等。

五　結論

　　曹元忠法式漢唐舊注疏，講論三禮，詮釋禮學，引證淵源溯於清人研治三禮之學傳統，重視通禮通故，比附纂輯同異，在三禮之學的考證之道而言，並非如學界向來所認為的清學有漢宋門戶與吳皖樊籬，唯是實學。因此曹元忠撰為《禮議》，並王欣夫為其纂輯遺文為《箋經室遺集》二書，其論雖精賅短小，但涵義深刻，內容引證豐贍，駁議暢達，一方面緣滿漢蒙之權衡及新舊學術衝突，形成述學淵源；一方面又積累禮例會通時儀：德宗升祔議題因應天子兄弟同昭穆爭議中作出權衡，重視通禮俗信：主倡保留日月救護與伐鼓之禮，象徵陰陽日月之崇敬，於時勢現實之感尤為相契；再者更植

基於文獻學及清代禮學考證的深厚根柢，深入考訂禮書版本，以殘本對應今傳之本正訛；更因應於當時宣統沖齡即位，而對周公踐阼之事義與禮書史證之延用加以詮釋，紹述前人以例釋禮、以禮解經、經義會通之道。

　　曹元忠銜接延伸的議題，雖不是傳注體裁，也無長篇鴻論，卻匯集有清一代的禮學新疏議題和考據精粹。一方面能延續文獻校勘輯佚及考辨之事，挹助於師友如黃以周、曹元弼等纂述之業；又於義理詳明分疏，和當時政壇保守學者如勞乃宣、張錫恭聯合而形成實踐與教化的力量，務使學人重新分辨禮與俗、禮與刑的界限，呈現著禮經法典與現代法制精神接軌之際的銜接與差異，其謹守立場，不致因崇新而黜古、任俗信而廢古制；抗衡一昧從新求變而恐湮沒古禮精義的堅持，雖然時勢移異，卻仍然值得回顧警省。雖然曹氏著作不豐，刊成及流行又晚，今躋於清代乾嘉至辛亥革命前後的學術文化發展之列，其繼述乾嘉考據與重視古注疏，辨正經籍闡述經義的方法與目標，實值得再深入考掘。時值變動時代中經學禮學一方面朝向人類學、民俗學、禮法制度與社會學的研究之外，仍具有另一重銜接傳統研究方法的脈絡和詮釋禮意經義的價值意涵，正是曹元忠之禮學研究應受到後世突顯與肯定之處。

晚清民初學者曹元弼（1867-1953）之禮學詮釋

程克雅

國立東華大學中國語文學系副教授

一 前言

　　吳縣曹元弼（1867-1953）肄業於南菁書院，其家族向以吳門曹氏醫儒世家而聞名。曹元弼師承黃以周問故，從兄曹元忠師承管禮耕、黃以周、繆荃蓀，後捐內閣中書，歷官內閣侍讀、資政院議員；於禮學館編纂《通禮》，又校書於遜清故宮文華殿。[1]曹元弼與當時著名學者張錫恭、梁鼎芬、唐文治均為一時南菁書院儁秀，又嘗客席溫州與孫詒讓論禮。復舉翰林，授編修，歷任湖北存古學堂經學掌教，後講學於蘇州存古學堂，[2]今人故以清末遺老目之，視為當時的文化保守主義人士。然而，這一標誌卻使得曹氏的著述和研究成果長期未得彰顯。相同的，時處鼎革之際，與曹氏相同富有大量著述，承襲傳統書院肄業，學植深厚的人士，至今未經重視者尚所在多見。曹元弼之著作在《蘇州民國藝文志》中，[3]也受到相當的推崇和肯定。

　　曹元弼在禮學著述中重視語文基礎，主張平實治經之道，紹承清人以例

---

1 見曹元弼：〈君直從兄家傳〉，收入曹元忠著，王欣夫編：《箋經室遺集》（吳縣王氏學禮齋排印本，1941年）。

2 見王欣夫：〈吳縣曹先生行狀〉，並收入錢仲聯編：《〈廣清碑傳集〉補遺六篇》，《蘇州大學學報》（哲學社會科學版）（2000年2月）。

3 見張耘田、陳巍編：《蘇州民國藝文志》（揚州市：廣陵書社，2005年）。

釋禮、以禮解經、會通經義的解經方法，著重訓詁講求禮例的同時，也重視
經例的詮說。然而時勢變亂及學風丕變，曹元弼的主要著作得以刊印流通甚
晚，一直到一九九五年《續修四庫全書》刊成，其稿本著作始較易得見。本
文先究曹氏述學的時代背景，議題淵源；進而究論其禮學著述特色與成就，
申述其禮學詮釋、影響與評價。

二　述學的時代背景，議題淵源

　　從曹元弼述學的時代背景看，雖遭逢世變，但著作富，弟子亦眾，享年
壽。於光緒二十三年受張之洞之聘，任兩湖書院主講，在這段期間受命編纂
十四經學，故撰著《周易學》、《禮經學》、《孝經學》、《大學通義》、《中庸通
義》，為授學講論推闡經義之著；光緒三十四年戊申（1908）與番禺梁鼎芬
纂成《經學文鈔》並由江蘇存古學堂排印，曹元弼於晚清時期任職書院，掌
經學總教任內，主撰十四經學（一名十三經學），在其著作中與《經學文
鈔》有不少相承而且相印證的議題，自明其撰述始末云：

> 光緒戊戌，元弼應閣師南皮張相國聘，主講兩湖書院經學，與摯友梁
> 節盦先生慨論此事，不勝斯文墜地之懼。節盦以為不興其藝不能樂學，
> 造就人才自正人心始，正人心自明經術始，明經術自深通文義、好之
> 樂之始，因撰集自漢以來經師指說大義之文，足以羽翼聖經、扶持名
> 教、感發人之善心者，彙為一編。淺闇一得，亦蒙采錄，復屬元弼更
> 加蒐補。其明年，元弼以南皮師命編《十三經學》，辭講席歸，杜門著
> 書。去年又以師命總教湖北存古學堂。至鄂，與節盦商量舊學，重將
> 此編審定。今年我省中丞陳公先各省放立存古，朱竹石師主持其事，
> 以紹吳中鄉先輩之絕學，挽近來士習之披猖，元弼復承乏為總教，因
> 將此編就蘇學印行，印成以授鄂學。俾吳楚英髦，咸誦習焉。[4]

4　見曹元弼：《經學文鈔·序》，收入《經學文鈔》十五卷卷首三卷，清光緒戊申（三十
　　四）年（1908）江蘇存古學堂三十冊排印本。

曹元弼之經學著述與當時教化實為一體，藉著書院與嗣後存古學堂的設立，曹氏講於湖北武昌、安徽安慶、蘇州等地，是十四經學（一名十三經學）與《經學文鈔》著成的背景，其後又撰《周易鄭氏注箋釋》、《禮經校釋》及《古文尚書鄭氏注箋釋》等箋釋與校注，其中以《禮經校釋》成書最早，於光緒三十四年戊申（1908）奏進南書房，賞以編修；是書在經義的申明和古注的訂訛整理上，奠基於古注，從鄭玄注的董理和校釋，為其禮學詮釋及經義申述的依據。

在《禮經學》一書伊始，曹元弼即列〈尊尊長長賢賢男女有別五大義例〉為明例一節之開篇；是依《儀禮》一書十七篇逐一論列其義例與要旨，並就禮文考述，標列清人的成果。有謂：

> 若夫節文等殺器服之例，則莫詳於凌氏廷堪《禮經釋例》；宮室之例，則莫詳於李氏如圭《儀禮釋宮》；職官之例則莫詳於胡氏匡衷《儀禮釋官》；經注疏立文之例及讀經例，則莫詳於陳氏澧《東塾讀書記·儀禮》篇。[5]

由以上因知曹元弼之治禮學，實有所承於清人禮學既有的成果和考述的方法，再就其議題淵源而言，承襲從兄曹元忠及其師黃以周，南菁書院創建者黃體芳的禮學學術脈絡，研商諸經與禮學，一仍鄭氏注為津梁，藉重清人傳述之以例釋禮、以禮解經為法則；強調經義會通為旨歸。回顧清人經學樸學考訂的基礎，是曹元弼在諸經著述強調的研究法則。今即就其述學著重敦學之道的時代背景與回歸經籍文獻考訂基礎的議題淵源，以探討曹元弼的經學研究。

（一）述學著重敦學之道

重視敦學之禮，是自乾嘉時代以來，學者任教治學共同的志業，光緒年

5　見曹元弼：《禮經學》，卷1，頁六上-下。

間張之洞，黃體芳主學政，興立恢復洪楊之亂以來的江南書院，扶植學術，講論經義。延及晚清，曹元弼更寄經世之意於蒙養之道於存古學堂敦學述學要旨，見於其《復禮堂文集》多篇，語兩湖書院諸生傳述各經源流，在〈述學〉一篇中，再度為存古學堂學生說釋各經研讀取徑與應注意別擇的要領：

> 學莫大乎經，經之所重者道也，所以明其道者辭也。文字聲音訓詁名物制度者也。局於文字聲音訓詁名物制度，而不求道者，陋也。求道而不由文字聲訓詁名物者，亦非也。……如之何而審別之？曰：得孔氏之傳者為是，背孔氏之傳者為非。
>
> 《易》自商瞿傳至田王孫，而有施孟梁丘之學；京氏出於孟氏，費氏獨傳古文，施孟梁丘京費得孔氏之傳者也。虞氏傳孟氏學，荀氏傳費氏學，而出入孟氏，鄭君先通京氏，後傳費氏。則鄭荀虞得孔氏之傳者也，唐李氏集解以荀虞為主。國朝惠氏棟《周易述》精發古義，張氏惠言獨攻虞學，……

在易學的流傳和治易的途徑方面，曹元弼主倡古義，重視虞氏易的系譜脈絡。

> 今治《書》者當由胡、江、王、段、孫、陳，以達伏、孔、鄭氏。道光咸豐之間，治今文學者，往往蔑棄古文家，因而蔑棄經文，猖狂怪誕，流毒無窮。惟陳氏為善，《詩》齊、魯、韓、毛皆孔氏之傳，而毛義尤正，《鄭箋》宗毛為主。而兼采三家，又能溯四家之說所自來，善推明孔氏之傳者也王肅名為申毛，實以私意難鄭，背孔氏之傳者也。幸鄭學之徒辭而闢之，……國朝陳氏啟源、戴氏震、段氏玉裁之書，發疑正讀，亦信多善；陳氏奐訓詁致精，而言禮多誤，夫禮是鄭學，言禮不本鄭，非孔氏之傳也。當分別觀之。胡氏承珙、馬氏瑞辰、瑜不揜瑕，陳氏喬樅則存亡繼絕有功矣，今治《詩》當以孔《正義》為主，以各家輔之。

再者，述明治《書》、《詩》當重古注：如伏生《傳》、毛《傳》；鄭玄

《注》、孔穎達《疏》，並推崇古文學家之治經，強調釋《詩》以禮，當本諸鄭、孔，輔以今文。

> 《周禮》杜子春創通大誼，先後鄭以經書記轉相證明，紹孔氏之絕學者也，賈疏確守鄭氏家法。國朝江氏永、戴氏震、鄭氏珍之書，雖非訓釋全經，而剖析疑惑、發揮旁通，可謂能致其精。……他若沈氏彤之考祿田，王氏鳴盛之說軍賦，墨守而誤，而程氏瑤田《考工創物小記》故與鄭立異，尤失平心求是之旨，以子尹之法，箴其膏肓可也。
>
> 《儀禮》、《禮記》著疏，孔氏之正傳也，賈擇精而孔語詳。國朝張氏爾岐，江氏永，淩氏廷堪、張氏惠言、胡氏匡衷、培翬之學，精且博矣。當與注疏並治。元弼不揣固陋，覃精研思，為十七篇校釋，於初學不無小補。其他通說《三禮》之書，若朱子《儀禮經傳通解》、江氏永《禮書綱目》、徐氏乾學《讀禮通考》、秦氏蕙田《五禮通考》、金氏榜《禮箋》、孔氏廣森《禮學卮言》及段氏考《周禮》《儀禮》漢讀。胡氏承珙《儀禮今古文》當玩索服膺者也。

在三禮之學方面，首先標舉《儀禮》、《禮記》著疏，為孔氏之正傳；其次重視清代以來能平心求是以治禮說禮的著述，點評清人於三禮之學方面的精要與得失。

> 《春秋左氏》、《公羊》、《穀梁》皆本孔子之傳，張蒼賈誼，得《左氏》之正傳者也，後漢賈景伯、服子慎治之尤精。服注半本鄭注，杜預因賈服而增損之，雖有更定，大恉不殊。觀各書所引賈服舊義，多與杜同。洪氏亮吉《左傳詁》輯賈服注，每云杜本此可證也。孔氏《正義》發揮詳明，杜注時有乖謬。光伯規過多見《正義》。國朝顧氏炎武、惠氏棟、沈氏欽韓、劉氏文淇、李氏貽德、辨正尤多，今治《左氏》，宜以注疏為主，而以各家疏通證明之。
>
> 《公羊》漢世最盛，何氏《解詁》雖病專己，要其大義，得孔氏之傳者也。國朝孔氏廣森《通義》推而廣之，約而精之，有功經傳甚大，陳氏立以禮說《公羊》，尤為平實，今治《公羊》當以注、疏、孔、

陳為主。國朝為《公羊》學者，惟二家無弊，餘率詆訶《周禮》，譏
訕康成，侮慢宋賢。目無法紀，群不逞之徒，或藉漢人推衍，依託黜
周王魯等語，文其姦言，冒上無等，非聖無法，蓋經學之敗類。……[6]

在《春秋》三傳之學方面，一仍前面諸經以漢唐舊注疏的津梁，亦標舉平實
治經說經的研究之道，點評清人於三傳之學方面的精要與得失。重視《周
禮》，而辨駁晚清今文家《公羊》學說的論點，在當時今文經學大昌之際，
對其中學說的取決，除認可孔廣森、陳立的公羊禮學學說，其餘則力加排
撻，不啻肝膽胡越矣，正是晚清以來，由章太炎至曹元弼皆同致的治學態度
與立場。

（二）回歸經籍文獻考訂基礎的議題淵源

在曹元弼的禮學詮釋議題淵源方面，由陳澧所啟迪的經注疏立文之例及
讀經例，是回歸經籍文獻考訂時必經之道，曹元弼又撰〈與存古學堂諸生論
小學〉謂：

鄭君〈周禮序〉曰：「就其原文，字之聲類，考訓詁」，漢師發疑正讀
之要。此數語盡之。就其原文者，同一字而前後數見，義不必同，當
各順其上下文義而為之解，不泥字訓以窒辭意。所謂不以文辭也，字
之聲類者，古人字少，多假借聲近之字為之，既推尋其上下文義，凡
用此字之形，而非此字之者，必於其聲同聲通聲轉之字求之，然後知
某為某之假借。段氏《周禮漢讀考·序》云：訓詁必就其原文，而後
不以字妨經，必就其字之聲類，而後不以經妨字。此言最精明簡要，
當《周禮》古文假借尤多。杜子春二鄭及鄭君作注，言讀為讀曰，皆
順文義求聲類得之。其法實出於《詩·毛傳》。陳南園《毛詩本字借
字同訓說》言之綦詳。所以知某為本字某為借字者，就其原文考之

也。所以知某為某之假字者，就其聲類考之也。以此讀《毛傳》，遞及《鄭箋》《周禮注》與漢人一切訓詁之書，無不豁然貫通。六經周秦諸子，無不可曉之辭。即無不可達之意矣。[7]

從以上基本訓釋功夫的強調，可見到考釋經典語文之學與講求。羅振玉（1866-1940）於一九一八年與王國維書信中有謂：

> 近念本朝學術史宜早日為之，不可或緩。此書體例與歐美學術史不必相同。弟意本朝學術乃國家提倡之力居其什九，而鄉里孤學獨創於下者其什一。此書之作，宜以聖制及敕撰諸書首列之。[8]

羅氏晚年講授「本朝學術源流」以所謂「晚清遺老」身份具體地展現清學系譜。而李審言，曹元弼皆與羅、王二氏相善，思想觀點亦復近似。

曹元弼學承有自，嘗與從兄從遊於元和人氏管禮耕，管氏字申季，歲貢生，其父慶祺嘗從陳奐學；禮耕篤守家學，尤長訓詁。其考據與經籍論述見《操觚齋遺書》，常就段玉裁釋字中說經義，在〈享禮有四食禮有二考〉一篇中，梳理《禮記‧王制》篇《正義》引皇氏所說享有四種：一是諸侯來朝，天子享之；二是王親戚及諸侯之臣來聘，王饗之；三是戎狄之君使來，王享之；四是享宿衛及耆老孤子，以上皆飯食牲牢並陳，設酒；食有二種，一是禮食；二是燕食，設有飯殽，設酒不飲。並據段玉裁《說文解字注》，謂經典饗享二字通用，而饗為正字，享為假借。此段考據，亦辨饗最重，食次之，燕最次的等差，繫於禮例：饗食於廟有幣，燕於寢無幣；並駁萬斯大誤食禮視燕饗為輕之說。[9] 重訓詁又重禮例與經例的考釋，在管禮耕考《禮

7　見《復禮堂文集》，頁711-712。

8　見羅振玉：〈致王國維〉（1918年1月24日），收入王慶祥、蕭立文校注，羅繼祖審訂，長春市政協文史和學習委員會編：《羅振玉王國維往來書信》（北京市：東方出版社，2000年），頁335。羅振玉撰：《本朝學術源流概略》，收入《民國叢書》（上海市：上海書店，1989年據上虞羅氏遠居雜著乙編本1933年版影印），第一編，第六卷。

9　見管禮耕：《操觚齋遺書》卷二，收入《叢書集成續編》（臺北市：新文豐出版公司，1970年），頁53。

記‧內則》〈敬事祖禓解〉和《禮記‧緇衣》〈民有孫心解〉等篇意時，皆從字詞訓釋以通經怡。

　　曹元弼並非學術上之墨守經注與陳言者，他與梁鼎芬同編《經學文鈔》，在《公羊傳》選文中，自撰一篇《段玉裁公羊傳弑字辨誤》，[10]著重就字源字義與經傳字義用例，衡度並糾舉段說之誤，在這一議題淵源方面，在段玉裁《經韻樓集》中《公羊傳》有相關考證對殺弑二字誤用的多篇考釋和申述，諸如：〈春秋經殺弑二字辯別考〉、〈晉里克弑其君之子奚齊〉、〈君母殺君當書弑論〉、〈公羊經傳弑字辯誤〉多篇；皆細加梳理及訂誤，呈現曹元弼既重訓詁又重經例的一面。

　　又於《經學文鈔》引阮元《釋順》一篇，於《經學文鈔‧孝經類》做為參證。就上文所述存古學堂學人與教學中對經學語文學的重視，論述學術淵源時又以之為主軸，實為明確經學教習與推闡宗旨與方向。

三　禮學詮釋之特色與成就

（一）以例釋禮：經例與禮例

　　在曹元弼撰《禮經學》一書中，詳舉法則，以凌廷堪《禮經釋例》等釋禮之法為主要軌轍，依序建立明例、要旨、圖表、會通、解紛、闕疑與流別等要目，並在流別一節，詳考「禮經注解傳述人」、「禮經各家傳述要略」、「經、注、疏各本得失」，以古學古注和古籍校釋為根柢，創為通論，則與當時述禮諸家相較，內容與學脈相對豐贍而具條理。

　　在《禮經學》讀經例與注疏通例項下，強調分節、繪圖、釋例之法：其中又尤以釋例之法關係尤重，特別是關於記之發凡，鄭注發凡，鄭注不發凡而賈疏發凡，更有經是變例鄭注發凡而賈疏申之者，以及賈疏不云凡而無異

10 見曹元弼、梁鼎芬同編：〈段玉裁公羊傳弑字辨誤〉，《經學文鈔》；又段玉裁：〈公羊傳弑字辨誤〉，《經韻樓集》卷四，收入《續修四庫全書》（上海市：上海古籍出版社，1995年），集部，冊1434，頁632-633。

於發凡等；在經例、注例、疏例項下，首先推崇鄭玄，謂：凡鄭注熟經例，能於經文無字句處得經意；又在疏例項下，發明賈疏之例有二：一為據舊疏為本；二為發舊疏之失。他摘引陳澧《東塾讀書記・儀禮》說：

> 鄭、賈熟於禮經之例，乃能作注、作疏，注精而簡、疏則詳而密，分析常例、變例，究其因由，且經有不具者，亦可以例補之。朱子云：《儀禮》雖難讀，然多是重覆，倫類若通則其先後彼此展轉參照，足以互相發明（答陳才卿書），此所謂倫類即凡例也。近時則凌氏《禮經釋例》善承鄭賈之學，大有助於讀此經者矣。[11]

曹元弼《禮經校釋》後附《禮經纂疏・跋》，自明其研禮治禮次第，有言：

> 自《周官》、二《戴》，《易》、《書》、《詩》、《春秋》三傳、《國語》、《論語》、《孝經》《孟子》、《荀子》、《爾雅》、《說文》、《鄭志禘祫議》以及愍《緯》、逸《書》，周秦兩漢至唐以前古籍，列代禮書，《禮樂志》、《通典》、《玉海》等，篤實可據之書，有涉此經一字一義為賈氏胡氏所未及引者，搜輯靡遺，以經證經，以注證注，補凌氏之例，正張氏之圖，博采通人，稽譔其說，於經之正例變例，注之曲達經意，迥異俗說之處，精思以詳辨之。一器物陳設，一行禮節次，必推求其義，以合乎人心之所同然，由訓詁名物以達聖人作述之原，……大意既定，戶先為十七篇釋疑，備引各家之說，別其是非，為《禮疏長編》。以〈喪服〉一篇，五禮之本，聖人精義之學，彝倫攸敘於是乎在，賈胡疏義亦最精詳，首從事焉。……《禮經校釋》始于光緒九年，成於十七年十有一月，《禮經纂疏》始於十三年二月。……[12]

11　見曹元弼：《禮經學》，卷1，頁14下。

12　見曹元弼：《禮經校釋》，頁540-541。

以經證經，以注證注，實曹元弼釋禮經歷來注疏的優先原則。禮學為曹元弼主要且最受稱道的學術成果，在南書房翰林覆奏有言：

> ……（《儀禮》）至咸平景德中，始行合刻，最稱古本，然脫文誤句，往往有之，是不校正其訛，無由心通其義，曹元弼所著，名曰校釋，校者，校經注疏之訛文，釋者，釋經注疏之隱義，體例較為明晰。其治經壹以鄭賈為宗，而兼采唐宋諸儒及國朝諸家之說，折衷以求其是，略無門戶之見。間有於義難明者，一一疏通證明，持論頗多可採，後附《禮經纂疏序》，於禮學源流，言之纂詳。[13]

曹元弼《禮經校釋》卷四，〈鄉飲酒〉篇第四，先開宗明義釋此篇與《禮記·鄉飲酒義》之不同，曰：

> 鄉飲酒義六十者三豆云云，明與此經不同，此尊賢非常禮，彼尚齒常禮也，此經賓介，是賢愚皆以齒序者，以賓介為主，特尊之眾賓，則循尚齒之常，亦鄉莫如齒之意。《禮記目錄》，於冠、昏、鄉飲諸義，皆云別錄，屬吉事。案冠禮注云，古者有吉事，是以冠為吉事也。[14]

〈鄉飲酒〉篇「乃席賓主人介」下，曹元弼曰：

> 「眾賓之席皆不屬焉，不屬者，不相續也。皆獨坐明其德各特。」釋曰：「乃席賓主人介」句，言為賓主人介布席也。「眾賓之席皆不屬焉」句，言為眾賓布席，其席皆不相屬也。……屬者，繼也，〈鄉射〉云：眾賓之席，繼而西，亦謂眾賓自相繼，非與賓相繼。彼云繼，此云不屬；明其禮殊。所以然者，彼習眾庶示以親睦之風，不為殊別，此實賢能取各自成德之義，使之獨坐明其道明德立，不流不倚，此禮家微言，不可易也。此經不屬與〈鄉射〉之繼正相對文，不屬即不繼也。後人歧屬與繼為二義，反謂不屬即繼，顯與經背，由不知不屬與

13　見曹元弼：《禮經校釋》，頁114。

14　見曹元弼：《禮經校釋》，頁154。

> 繼之皆專屬眾賓耳。至繼公繆說，褚氏已辨之。〈鄉射〉繼而西，與
> 此皆不屬文義相對，此皆不屬非謂與賓不屬，則彼繼而西也亦非繼賓
> 而西明矣。[15]

禮書中重視向位之儀，曹元弼引述褚寅亮《儀禮管見》，對敖繼公《儀禮集
說》一書誤釋之處加以釐清，結合釋「繼」「屬」二字本經之內證，藉字義
及文例的運用印證禮例，方得順解。

另外，曹元弼也繼其所言於經之例校訂經文，例如：〈鄉飲酒〉篇「尊
兩壺節」下，曹元弼辨賈疏「士用椸禁」曰：

> 校曰：《禮記校勘記》云，惠棟云：椸字衍。按惠說是也。弼案，孔
> 《正義》無椸字，於義順，賈此疏引有椸字，故其說迂曲。
> 《疏》云：鄭以大夫士雙言也者，雙言猶互言。目下所引〈禮器〉注
> 也，言大夫士並有禁名，故鄭以大夫士雙言，是以〈玉藻〉云：「大
> 夫用椸，士用禁」注以椸為斯禁，是大夫士禮異也。……惟祭與大夫
> 同名椸，其餘不用此名，但稱禁爾。雖云椸禁，仍不得與大夫同名斯
> 禁。……故〈禮器〉總名椸禁也，弼按，賈以大夫士同名禁，同得稱
> 椸，揆以各經注本，文多牽強，其誤在不知〈禮器〉注椸禁之椸為衍
> 字，因以大夫士椸禁為一物；不知大夫士椸禁，猶言大夫士禁耳。與
> 〈玉藻〉文無不合，亦無所謂互至。〈特牲〉記之椸禁，則與〈禮
> 器〉不同。[16]

曹元弼辨賈疏此條，實為破疏，而且在前此除阮元用惠棟說校「士用椸禁」
之「椸」為衍字外，更無他說；曹氏羅列各篇，詳比異同，加以勘正，務求
訓釋文例禮例文從義順。在篇末更自記：俟質通人正之，可見其平正的治學
態度。在〈鄉飲〉一篇中，實事求是，多處正訂駁議盛世佐《儀禮集編》誤
說，可見其學植有據之處。

---

15 見曹元弼：《禮經校釋》，頁154-155。
16 見曹元弼：《禮經校釋》，頁157-158。

曹元弼門人王欣夫《禮經校釋·跋》文中亦承此書校讎之役，推重其書，曰：

> 此書……可與張氏圖，淩氏《釋例》、阮氏《校勘記》、胡氏《正義》相伯仲，治《禮經》而不由此以求門徑，冥行摘埴涂之從乎！[17]

曹元弼釋禮的方法原則，在清代以降的禮經之學脈絡中，已形為紹繼之脈絡，為其後治三禮經籍文獻的必要門徑。

（二）以禮解經

曹元弼在《禮經校釋》卷一，首釋賈公彥《儀禮疏·序》所謂理有終始分為二部之說，並訂正孔穎達《禮記正義》，解析孔穎達以禮履二分，認為《周禮》為禮之綱領，《儀禮》為禮之條目之說，錯體鄭玄意；故主張因《詩》釋《禮》申鄭，據清人胡培翬所立研禮四注之條例，推闡之曰：

> 胡氏培翬《儀禮正義》，有四例，曰申注、補注、附注、訂注，案，胡氏先治詩，四例暗合鄭氏箋詩之例。

鄭玄先注《禮》而後箋《詩》，因此禮注中若有與詩箋違異，多為後世關注，致意考辨。這一線索也成為胡培翬貫串《詩》箋之釋例與《禮》注用以申補附訂於鄭玄說的法則。曹元弼在《禮經校釋》更述明承自胡培翬的方法來源：

> 《鄭志》云：「注《詩》宗毛為主，毛義若隱略則更表明，如有不同，即下己意」，此鄭自述箋詩之例。宗毛為主，申傳也；隱略更表，明補傳附傳也；補者，毛所未釋，經旨未顯，則補釋之，附者齊、魯、韓三家。義雖不如毛之得其正，然皆有師承不可廢，毛但舉其本義，而餘義未備，則附載之，仍以毛為主也。下己意，易《傳》也，申者十之四，補者十之二，附者十之三，易者十之一而已。惟易

者與毛不同；附則不過兼存異義，仍以傳為不易之正訓，後儒誤以附為易，又不考其所附之皆本三家，乃謂箋不得傳意，不知鄭與毛未嘗歧也（元弼特作《詩箋釋例》明之）。胡氏得其四例可謂善讀箋者，然後儒之異於鄭者，必不能如三家詩之確有師承，則不必附鄭義。廣大精微，非後人所當輕議，則無容訂。元弼作纂疏，竊欲精研鄭注，以上達周公孔子之神恉，諸家善者則贊而辨之。[18]

由附鄭一法來看，由於禮說師法未能考源，其流衍也未必如同《詩》說有齊魯韓毛等四家，必為附諸鄭玄，因此，可看釐清經義，以禮解經，講求大恉，方為鵠的。

（三）會通諸經

曹元弼也以同樣的方法應用於《周易學》的纂著，〈周易學目錄〉依序為明例、要旨、圖表、會通、解紛、闕疑與流別等要目，並亦在流別一節，詳考「周易注解傳述人」、「周易各家傳述要略」、「經、注、疏各本得失」，亦以漢易古學、古注和古籍校釋為根柢，在明例一項之下，又分通例和別例，著重傳述漢儒治易例的家數與比較；在會通之部，又舉易理與禮例相應的原則，解析《周禮》、《儀禮》、《禮記》等書徵引《周易》相關內容，會通說解。清遜位後，曹元弼退居研《易》，撰《周易鄭氏注箋釋》，據諸家訓釋，逐一對校會勘經義，以證歧互，例如「旁徵」之部，有言：

> 〈緇衣〉，子曰：「南人有言曰：人而無恆，不可以為卜筮。古之遺言與，龜筮猶不能知也，而況於人乎。《易》曰：『不恆其德，或承之羞；恆其德偵，婦人吉夫子凶』。」《注》：「羞，猶辱也，偵，問也」問正為偵，婦人從人者也，以問正為常德則吉，男子當專行幹事，而以問正為常德，是亦無恆之人也。《釋文》，「德偵，音貞」《周易》作

---

18 見曹元弼：《禮經校釋》，頁114-115。

貞，《易注》云：「以和說幹其家事」，不訓貞為問。《禮注》云：「問
正為貞」，不訓貞為幹事，此言男子當專行幹事者。此因《象傳》夫
子制義言之，非既訓為問正，又訓為幹事，自歧其義也。[19]

「恆其德偵」的偵字，或有貞問，貞正義和偵幹義，其義互歧；徵之於易
注，有「以和說幹其家事」解；徵之於禮注，有「問正為貞」解，是以訓詁
法則會勘注例，藉禮以旁通他經，此語於《論語・子路》篇中又有相關引
述：子曰：「南人有言：人而無恆，不可以作巫醫。」因諸經之義會通與各
種解釋紛陳的抉擇，曹元弼乃勘正貞與偵二字各有用例，在此當訓為偵幹義，
意謂男子當專行幹事，吉凶之辨，禮注之例皆順是而解，方符合諸經之旨。

　　曹元弼晚年撰《古文尚書鄭氏注箋釋》，僅得稿本，亦延續前所著書體
例、方法，有謂：

> 古人說經至慎，孔君之以今文讀古文也，每字比勘，反覆全經，知古
> 科斗文某字，即今隸書某字，其有絕然字異及字句多少者，乃就古文
> 立訓，又當時故書雅記並出，如《毛詩》、《周官》、《逸禮》、《春秋左
> 氏傳》之等，參互考訂，核其典章事實，以補今學之不逮，口說相
> 傳，別起家法，而平文常義，則皆如今文家說。蓋如後人補注之例，
> 不別為解經全書，其中漆書竹簡，悉上之秘府，所謂中古文，更如伏
> 書之例。隸寫經文，並逸二十四篇，傳授弟子，以其字說多與今學
> 異，故別為古文學……據古文經本損益今義為之傳訓，至鄭君而其義
> 大備，鄭君於各經皆先通今文後注古文。

《古文尚書鄭氏注箋釋》由經籍文字議題為發端，在三禮注之例而言，鄭玄
立下用今文，古文出注；用古文，今文出注之例，就古文立訓或今文家說，
釐然不紊，而又能使經義齊備。清人考訂今古文，同樣在《尚書學》也有其
淵源：

---

19 曹元弼：《周易鄭氏注箋釋》十六卷，收入林慶彰主編：《民國經學叢書》（臺中市：
　　文听閣圖書公司，2008年影印民國15年（1926）吳縣曹氏刊本），頁4909-4910。

段氏玉裁聲音訓詁之學探賾窮源，分別古今文異字異說，平心核實，
名論確當，足為後學準繩；孫氏星衍據《大傳》、《史記》，馬鄭注，
更網羅天下，放失舊聞，今古文異義，各如其說以通之，微言大義美
哉備矣！古文馬鄭之說，諸家搜采既備，陳氏壽祺喬樅父子，更考
《兩漢書》及諸古籍詳推今文源流，捃摭逸說，一一分析同異是非，
為《尚書大傳定本》及《今文尚書經說考》，平直精善，絕無爭門戶
執意見之弊，嗟乎，經學盛衰，與世運隆污，民生休戚相維
繫。……[20]

　　曹元弼訂定《古文尚書鄭氏注箋釋》凡例計共十五項，重視六藝之總
會，此書撰成，已然耄耋之年，序言之末有言曰：

余自宣統辛亥遭乾綱絕紐，坤軸奔騰，閉門避世，獨抱遺經，與天為
徒，與古為徒。……潛心治《易》十七年，成《周易鄭氏注箋釋》、
《周易集解補釋》二書，……又閱十餘年，世事日非，慼慼靡騁，獨
居深念，撰《孝經鄭氏注箋釋》，以舉六藝總會，感發人心天性良
知……歲在辛巳四月，始撰此書，至今年而始成，出入十一年，而吾
年八十五矣……書既成，當以授高材博學王欣夫弟為我詳校而寫副，
以求理董於達者，而傳諸其人。[21]

曹元弼重視經義的歧互，不僅訓詁字義文詞，其關懷經義之會通及大義既如
前所述，而往往一字之確釋，實為關鍵。《古文尚書鄭氏注箋釋》〈金縢〉篇
「周公乃告二公曰：我之弗闢（讀為避），我無以告我先王。」即其避管叔
之由。而「周公居東二年」，即其東處於商奄之時也。此段向有歧解，曹元
弼釋曰：

---

20 曹元弼：《古文尚書鄭氏注箋釋》四十卷，收入《續修四庫全書》（上海市：上海古籍
　　出版社，1995年據復旦大學圖書館藏稿本影印），經部，書類，冊53-54，頁453
21 曹元弼：《古文尚書鄭氏注箋釋》四十卷，收入《續修四庫全書》，經部，書類，冊53-
　　54，頁461

周公將避居以釋王疑，且密邇商奄以防亂作，乃以國事屬二公，而告以不得不避之故。曰：我之弗辟，則心迹不明，無以告我先王，非敢舍孺子而負武王之付託也。此鄭義讀辟為避，於理最順，《偽孔傳》讀辟為刑辟字，謂誅管、蔡等，江氏、王氏說，一聞流言，即往征而誅之，必無此事。……必待風雷之感，〈金縢〉之啟，始釋然乎。……字說文作𨋖，今本云治也，段氏據《說文》改治為法，謂𨋖字从井，井，法也，此字之本義。……鄭君以不避為不避去，據今欲出居東都言，兩說不同，而義可相兼。史公言三王之憂勞天下云云，則固古文說大義，班氏謂，遷書〈金縢〉多古文說，此其彰著者。但以居東為即東征，則仍用今文義，揆之經文事理，未免抵悟耳今本《說文》𨋖訓治，則當為治，流言所自來，而備豫不虞，亦通。按周公居東事，惟毛氏《詩序》與鄭《書注》、《詩箋》說之最富，而罪人斯得，所指不同，劉氏台拱周公居東論推闡最精，鄭義元弼嘗詳論之。[22]

周公居東之事向為《詩》、《書》說解中聚訟紛紜之公案，而「我之弗辟」之辟字左右著史事的確解和經義的申論。辟字釋為避，釋為刑，釋為治，端視《詩》、《書》等文獻的通讀及互證，曹元弼即以此法，在文獻史證缺乏的情形下，推證鄭注所採用避字解為確的理由。

四　禮學研究影響與評價

敦學之禮與古代學校制度，在清代以詁經精舍為核心的學者研究中，具有重要的意義和份量，雖然不同地域的學人，也都頗有考述，但探研古禮學之志，倡議復禮之說，發端於江浙學者，詁經注字與學術論述實踐中，特別講求禮典與啟蒙化育。

關於學校的考述時見禮書新疏者，例如黃以周《禮書通故・學校禮》，

22　曹元弼：《古文尚書鄭氏注箋釋》，頁116-121

辨說學校制度，分列條目，梳理經傳載籍。更辨別各代學校制度異義，其說直接為曹元弼所紹承。孫詒讓《大戴禮記斠補》解周代學校制度，《大戴禮記・保傅》，詳考「小學，小者所學之宮也」與「貴賤有等而下不踰也」，指向本於〈王制〉篇的四方學校制度，區隔出四郊虞庠之學和大學有五：東序，西瞽宗，北上庠，南成均，中辟雍等兩種不同的學校規制。而曹元弼〈書孫氏周禮正義後〉亦疏釋《周官》立教立政務本與所以為學之本，在德行為先，藝能為後。在著重化育之禮來看，《管子・弟子職》第五十九，更是啟蒙幼儀需注重的教導之則，有云：

> 先生施教，弟子是則。溫恭自虛，所受是極。見善從之，聞義則服。溫柔孝悌，毋驕恃力。赤毋虛邪，行必正直。游居有常，必就有德。顏色整齊，中心必式。夙興夜寐，衣帶必飾。朝益暮習，小心翼翼。一此不解，是謂學則。……凡言與行，思中以為紀。古之將興者，必由此始。後至就席，狹坐則起。若有賓客，弟子駿作。對客無讓，應且遂行。趨進受命，所求雖不在，必以命反。反坐復業，若有所疑，奉手問之。師出皆起。至於食時，先生將食，弟子饌饋。攝衽盥漱，跪坐而饋。置醬錯食，陳膳毋悖。凡置彼食，鳥獸魚鱉，必先菜羹。羹胾中別，胾在醬前。其設要方，飯是為卒。左酒右醬，告具而退。奉手而立，三飯二斗。左執虛豆，右執挾匕。周還而貳，唯嗛之視，同嗛以齒。周則有始。柄尺不跪。是謂貳紀。……切相磋，各長其儀。周則復始，是謂弟子之紀。[23]

《管子・弟子職》向來被認為是最早的蒙育幼儀，也是後來書院門塾學約規章的典型，而在《管子》書中賴以保存，與儒家之教同受注重，明人朱長春《管子榷》評云：

> 弟子職是古塾師學規，以養蒙求者，故韻格相葉，便於童兒課讀。不知何代何師所著，其辭文近二《禮》中祝銘之體，意成周設鄉學須定

---

23 參《管子・弟子職》，卷59。

靜儀，管子書中存之，以教五鄉之士之子耳。〈少儀〉小學雜述禮
節，而此專為書堂教條，子遊示灑掃應對進退，此之略具格式矣。

江蘇存古學堂策程教材《經學文鈔》中，以洪亮吉〈弟子職箋釋序〉附載於
孝經類，故曹元弼題曰：《弟子職》小學皆孝經之階梯，故附於此。對於學
校制度的考證，古籍經傳的異說與梳理，義理的析解，均有助於一實現的場
域，就是由啟蒙子弟，鄉黨塾學一而直契接國家設立的官學儒學。

　　另一方面，《尚書・周書・顧命》解，曾在孫鏘銘《禮記集解》序，與
《尚書顧命解・跋》文中，用以申「故君將崩，新君繼立」介於凶禮與嘉禮
之間的禮典與意涵。這一禮典意涵，不僅具政權興替，宗法承傳的意義，同
時也令處在世變氛圍下的晚清學人，在抉擇釋禮議題時投注予特別的重視。
是以曹元弼從兄曹元忠專力於《禮議》，有「去禮早知將壞國，發言深媿是
盈廷」之歎，而曹元弼門人張錫恭專研《喪服鄭氏學》，在其《茹荼堂文
集》中也深入考訂《尚書・顧命》，撰《釋同》（即王國維所撰之《書同瑂
考》相同課題），一方面深入於當世舊君遜位，政權改易的文化語脈，一方
面又對現實的政治形勢，寄予文史學者之洞察與殷望。

　　曹元弼之學問著述與學術成就受到顧頡剛的稱揚；弟子眾多，影響亦
廣，其中最著者，如沈文倬先後師從沈昌直、金天翮、姚廷傑三先生受文史
之學，最後則師事曹元弼先生專攻三禮，由三禮研究和考訂圖籍為嚆矢，著
有《菿闇文存》等。王欣夫早年受業於吳江金松岑（天翮），後亦從曹元弼
學習經學，專長中國古代目錄、版本、校勘學，著有《文獻學講義》、《補三
國兵志》、《藏書紀事詩補正》等。

五　結論

　　曹元弼法式漢唐舊注疏，講論三禮，詮釋禮學，可以上溯於清人研治三
禮之學，在三禮之學的考證之道而言，並非如學界向來所認為的清學有漢宋
門戶與吳皖藩籬，唯是實學。因此曹元弼撰為《禮經校釋》與《禮經學》二

書，先為禮學長編，又輔以鄭玄《毛詩箋》釋例；學承張爾岐之句讀、分節；淩廷堪胡培翬之釋例；聶崇義與張皋文之繪圖；自朱子至陳澧之研讀法。紹述前人以例釋禮、以禮解經、經義會通之道。曹元弼銜接延伸的議題，不僅是晚清民國學術再為難得的傳注體裁，匯集有清一代的禮學新疏和考據成果；也使學人重新分辨禮與俗的界限，表示著禮經法典與現代法制精神接軌，不致因俗信而廢古禮之制，一昧從新求變而湮古禮之義。

　　雖然曹氏著作豐，但刊成及流行晚，今躋於清代乾嘉至辛亥革命前後的學術文化發展之列，其繼述乾嘉考據與重視古注疏，辨正經籍闡述經義的方法與目標，實值得再深入考掘，在變動時代經學禮學一方面朝向人類學、民俗學與社會學的研究之外，仍具有另一重銜接傳統研究方法的脈絡和詮釋禮意經義的價值意涵，值得突顯與肯定。

清末民初的復禮主張

——曹元弼、曹元忠與張錫恭禮說要義

曾聖益

輔仁大學中國文學系副教授

前言

　　晚清到民初的數十年間，是我國亙古以來未有的巨變時代，不僅是國家命運發生前所未有的變化，文化思想也有異於傳統的發展。自鴉片戰爭開始，西方世界隨著堅船利炮而來的，不僅是武器科技，更有文化宗教，其影響所及，幾乎徹底改變我民族的傳統文化。

　　傳統文化核心的經學，在東西方不同知識的比較與競爭中，也幾乎與傳統武備遭遇同樣的命運。經學是支持傳統文化的理論，其核心內容即是禮儀制度，此是清代學者普遍的觀點；禮儀制度的考訂與其精神的論述，不僅是乾嘉考據學中最重要的成就，同時也是清代義理學者探討性理內容時異於宋明學者的重要觀點。

　　晚清經學盛行的是西漢的今文經世經學，盛行於乾嘉時期的東漢考據經學，自道光以後已被視為逐漸沒落。然不可否認的，清代禮學的代表性著作，多數完成於晚清，如胡培翬（1782-1849）的《儀禮正義》、孫詒讓（1848-1908）的《周禮正義》及黃以周（1828-1899）的《禮書通故》等書，此在今文經世經學盛行的學術風氣中，不僅顯得獨特，實亦別具深刻的意義。

　　傳統經學的發展隨著中國最後一個王朝的結束與民國政府的成立，有著重要的轉變，盛行於晚清的經世經學幾乎隨清代政府一併結束，各經的發展

亦各自有不同的轉變。但特別的是，禮學的研究，不僅未隨清政府覆亡而衰退，在民初仍有不少學者藉以闡發傳統學術的內涵與精神，此正顯示禮學與我民族的密切關係，不會因改朝換代而　消滅殆盡。

民初著名的禮學學者，如劉師培（1884-1919）、章太炎（1869-1936）等人，因為參與政治活動之故，向來是學術研究關注的焦點，其學術行誼亦為人所熟知。而在清亡後，遁跡山林，以遺老自居的曹元忠（1865-1923）、曹元弼（1867-1953）[1]、張錫恭（1958-1924）[2]等人，則學界鮮知其行跡，於其學思，更無所述及。但今大陸學界著名的禮學研究者，多受其影響，如錢仲聯（1908-2003）、沈文倬等禮學名家，皆出曹元弼門下，文獻學家王大隆（欣夫，1901-1966）則受學於曹元忠、曹元弼及張錫恭，故曹氏被視為民國以來研究禮學的重要代表人物。

曹元忠、曹元弼兄弟及張錫恭皆為黃以周的弟子，三人的也同時參與晚清廷禮儀修訂的工作，既在禮學觀點上有許多相同之處，同時也是將積極想在禮儀變易中賦予新的含義，以適應世界的變化，在晚清民初精研禮學的學者中，極具代表性。

本篇論述以曹元弼、曹元忠及張錫恭為中心，[3]蓋其說對現代中國的禮學有深刻影響，呈現當時學者強調改變儀式同時，必須重視傳統禮文精神的觀點。

1　本文徵引曹元弼生平相關資料，據王大隆〈吳縣曹先生行狀〉，原稿藏上海圖書館。

2　張舜徽《清人文集別錄・茹荼軒文集》云張錫恭「沒於一九二四年，年六十七」。本文徵引張錫恭事蹟，係依據上海市松江縣地方史志編纂委員會編纂《松江縣志》（上海市：上海人民出版社，1991年），卷31，第1章〈人物傳記〉。

3　與曹元忠、曹元弼及張錫恭同為黃以周門下學禮者，尚有唐文治，唐氏雖與曹元弼交好，且重視經學，畢生講經，闡發義理，但所論述以四書義理為主，《茹經堂文集》中述及禮者，僅寥寥若干篇，故此不論其說。

一　曹元弼的經學思想

（一）曹氏生平及禮學著述

　　曹元弼字穀孫，又字師鄭，一字懿齋，號叔彥，晚號復禮老人，又號新羅仙吏，[4] 江蘇蘇州吳縣人，生於清同治六年（1867），卒於西元一九五三年，是晚清民初著名的經學家。[5] 民國後歸居蘇州故里，以遺老自命，終其一生不剪長辮，杜門不出四十年，故世人多不詳其行跡。[6] 茲據王大隆所撰行狀及相關記載，略述其生平及禮學著作。

　　光緒十一年（乙酉），曹元弼肄業江陰南菁書院，從黃以周問故，[7] 並與張錫恭、唐文治交游，質疑問難，於禮義多所體會，同年選為拔貢生第一，旋舉人中式，次年應禮部試，於瑞安客座識孫詒讓，論禮甚相得，父事之。光緒十五年，居母喪期間，將歷年讀禮條記，整理成《禮經校釋》二十卷，十八年刊成。[8]

4　曹元弼字號多有異說，如「叔彥」或作「彥叔」，學者或稱此為曹元弼字，或稱此為其號。茲據王大隆〈吳縣曹先生行狀〉。

5　陳剩勇〈當代治禮經之第一人——沈文倬先生學術傳略〉稱曹元弼「是與孫詒讓同時的禮學家，被譽為清代最末的一個經學家」。見《禮學與傳統文化：慶祝沈文倬先生九十華誕國際學術研討會論文集》（北京市：中華書局，2006年），頁573-574。

6　《續修四庫全書總目提要·經部》吳廷燮撰〈禮經校釋提要〉誤稱曹元弼「入民國卒」，足見其入民國後遠離政學，故除其友人弟子外，多不詳其行跡。柴慶翔〈遺老舊事〉（《蘇州雜志》2001年5期，總第78期，2001年10月）略記其事。據謝巍《中國近代人物年譜考錄》（北京市：中華書局，1992年），王大隆編撰《曹元弼年譜》，然不知其下落。（頁731）上海圖書館所藏王大隆〈吳縣曹先生行狀〉，作於一九五四年，不知是否即謝氏所稱的年譜。

7　曹元弼《禮經校釋·序》云：「其中稱此本者，張氏敦仁所刊注疏。往時從管氏禮耕假讀其書，為注疏本之最善者。」（《續修四庫全書》據光緒十八年刊本影印，本文徵引《禮經校釋》均此版本）頁528。於此知曹元忠、曹元弼均嘗從管禮耕讀禮。

8　王大隆〈吳縣曹先生行狀〉稱「隔年刊行」蓋指喪期結束隔年。曹元弼《禮經校釋·序》作於光緒十八年，序文稱「今年正月刊成」（頁529）。

　　光緒二十年（1894）會試中式，以目疾未與廷試，隔年補行殿試，又以字跡模糊，降列三等，以中書用。後為張之洞延攬，歷任湖北兩湖書院山長、長沙存古學堂經學總教習，於兩湖書院時，闡發張之洞《勸學篇》說，撰〈原道〉、〈述學〉、〈守約〉三篇，以道其志，亦示諸生治學方法。同時與梁鼎芬同輯《經學文鈔》，成編而未及印行。[9]未幾，張之洞命其編撰《十四經學》[10]，立治經提要勾玄之法，約以明例、要旨、圖表、會通、解紛、闕疑、流別七目。已刻者《周易學》八卷、《禮經學》九卷、《孝經學》七卷；刻而未竟者，《毛詩學》、《周禮學》、《孟子學》各若干卷。其《論語學》則改題《聖學挽狂錄》，見其欲以孔學挽救世道於既倒者也。光緒三十三、三十四年（1907、1908），湖北、江蘇分設存古學堂，並延曹氏任經學總教。

　　宣統三年（1911），清帝遜位，其亦隨以致政，從此閉戶絕世，殫心著述。[11]所往來者，葉昌熾、鄒福保、張錫恭、朱祖謀、王季烈、劉錦藻、劉承幹數人而已。

　　曹氏以維護禮教自期，民初，孔林被兵燹，清東陵被盜，其竭蹶文以貲修之。致政後，為諸弟子講授經義，毅然以闡發聖道，提倡綱常，恢復名教自任。其學術以《易》、《禮》、《孝經》為重心，以會通為原則，《復禮堂文集》卷二〈周易會通大義論略〉、卷四〈禮經會通大義論略〉、卷六〈孝經會

9　《經學文鈔》卷首下目錄末有民國六年（曹氏作宣統九年，1917）曹元弼題記，云：「《經學文鈔》印未成，江蘇存古學堂為惡其害己者之所去。尋大亂起，三綱絕紐，八表同昏，餘痛憤餘生，苟延喘息，忽忽至今。今姑取舊已印者編次成書，其所闕漏，俟後人補之。」知今存《經學文鈔》十五卷，蓋非全帙。

10　曹元弼《復禮堂文集・經學文鈔序》（臺北市：文史哲出版社，1973年）稱「明年，元弼以南皮師命編《十三經學》，辭講習歸，杜門著書」（卷1，頁64）。其所云《十四經》者，或於《十三經》之外，另加《大戴禮記》，此合於其特別重視禮之學術觀點。又江蘇巡撫陳啟泰薦舉《禮經校釋》劄云：「曹元弼篤志經學，尤精於禮，撰《禮經校釋》二十二卷，其他所著《孝經學》、《周易學》、《三禮學》、《論語學》、《孟子學》及《詩箋釋例》，亦以卒業，《詩》、《書》、《春秋三傳》、《國語》各學，尚待復校。」（《禮經校釋》卷首）則其《十四經》，有《國語》而無《大戴禮記》。

11　曹氏於民國後，仍以宣統年號紀元，如《復禮堂文集》刊於民國六年，曹氏序末題「宣統九年」即是。

通大義論略〉，[12] 均是其欲貫通諸經於一體的學術觀點。曹氏將三書中的會通卷裁出，收入其文集中，正可見其論述的重心所在。

　　民國二十八年（己卯，1939）後，曹氏為弟子講說禮經，以為威儀三千，乃政教典則之詳，人倫日用之實，上下通行，師儒講習，《禮記》則其傳。冠昏諸義，皆七十弟子會通經文，親受聖旨，提綱挈領，為後人舉隅，乃引而申之，觸類而長之，為《禮經大義》二卷。

　　曹氏雖生晚清，但其論學以力行治事為先，頗有兼容漢宋之意，〈述學〉論為學之要，論云：

> 漢之許、鄭，宋之程、朱，得孔氏之傳者也。背許、鄭、程、朱者，
> 背孔氏者也。由許、鄭、程、朱以通孔、孟大義，實事求是，身體力
> 行，為子則孝，為弟則弟，為臣則忠，為友則信，則儒者之能事畢，
> 而宇宙之患氣無不可消矣。（《復禮堂文集》卷 1）

於此見曹氏經學思想之主旨，其既以孝悌忠信作為問學目的，故頗斥劉逢祿、康有為等改革變法言論，以其背離聖道，且背離西漢今文家言。[13]

　　曹元弼的禮學著作，以《禮經校釋》、《禮經學》、《禮經纂疏》、《禮經大義》四部最為重要。《禮經大義》及《禮經纂疏》，今未見，或未刊行。以《禮經校釋》、《禮經學》及《復禮堂文集》相關論述，略述其禮學要旨。

12　張舜徽《清人文集別錄》卷二十四〈復禮堂文集〉（北京市：中華書局，1963年）稱此「會通」三篇「蓋即當日從事編述之初稿，然皆言之平平，無甚心得」，頁654。

13　〈述學〉：「國朝為《公羊》學者，惟二家（孔廣森、陳立）無弊，餘率詆訶《周禮》，譏訕康成，侮慢宋賢，目無法紀。群不逞之徒，或借漢人推衍，依託黜周王魯等語，文其姦言，冑上無等，非聖無法，蓋經學之敗類，聖世之賊民而已，今宜一切屏絕之。」（《復禮堂文集》卷1，頁40）又卷二、〈論王弼注例〉：「近世言《公羊》學者，好古好異，取漢儒有為言之之說，如黜周王魯，素王改制之等，力為申述，張大以競勝於鄭學、朱學，而不覺其言之有弊，數傳之後，遂為姦人藉口，成犯上作亂、靡爛生民之禍。」（頁98）

（二）以禮教大義為群經主旨

　　曹元弼自號「復禮老人」，蓋深刻體會經學要旨在於禮，而平復喪亂，復興國家之道亦在於禮，故其一生，以維護名教綱常，闡發禮文義理自任，〈禮經纂疏序〉云：

> 六經同歸，其指在禮；禮者，天地之經緯，民之所生也。《書》曰：
> 「天敘有典，天秩有禮。」《傳》曰：「民受天地之中以生，所謂命
> 也。是以有動作禮義威儀之則以定命也。」聖人承天之道，因人之
> 情，而為之節文，作為父子君臣以為綱紀，教之以孝弟忠順慕友子
> 愛，習之進退容止，觀之揖讓酬酢，範之服物采章，使尊卑上下內外
> 粲然有文以相接，驩然有恩以相愛，放心邪氣，不使得接。臻仁壽而
> 去鄙夭，天地位，萬物育，故曰「安上治民，莫善於禮」《孝經》言
> 禮者三章，《論語》言禮者四十餘章，自視聽言動，與凡事親教子，
> 事君使民，使民為國，莫不以禮。周公所制《曲禮》正篇也。[14]

其所謂《孝經》言禮三章，殆指〈廣要道〉、〈感應〉及〈喪親〉三章，此不僅論禮儀細節，而是闡明藉禮儀以表現孝思。曹元弼雖稱此禮即指周公所制《曲禮》，而孔子於《論語》、《孝經》闡釋其說，但其更近一步將孔子倡言之仁與周公制作之禮相結合，〈周易會通大義論略・論語〉云：

> 仁以孝弟忠信為本，則言思可道，行思可樂，德義可尊，作事可法，
> 容止可觀，進退可度，是謂之禮。禮者，愛敬之極則，故克己復禮為
> 仁……仁著為禮，自視聽言動與凡事親教子，事君使臣，為民為國，
> 莫不以禮，故曰嘉會足以合禮，極之動容周旋中禮，盛德之至……禮
> 之所以為禮，禮以義起，義者因時，〈鄉黨〉一篇，言孔子行禮要節

---

14 《復禮堂文集》，卷4，頁448。

　　之妙，而終以時哉。所謂孔子聖之時，君子而時中；中，元也，禮所以制中也。[15]

此將孔子思想中心的仁，轉化為禮。其意禮既是「愛敬之極則」，又是「盛德之至」，而孔子「聖之時」乃由於行禮要節之妙，其重視禮不言而喻；而其所謂之禮則不僅治身修養，而是「凡治天下之道，皆謂之禮，禮樂刑法政俗，備物典冊，君舉必書，無非禮也」。[16]曹氏依循《禮記・大傳》及《中庸》所述，強調禮的內容，蓋以人倫為中心，具體行之，則表現在「親親、尊尊、長長、賢賢、男女有別」五者，[17]而「長長統於親親，賢賢統於尊尊」，故「親親、尊尊、男女有別」，為禮之綱要；冠昏喪祭、聘覲射鄉與服物采章、節文等殺，互為經緯，構成禮制禮文之全體，亦構成經學及教化之全部內涵。曹元弼《禮經學・明例》云：

> 禮之所尊尊其義，三代之學，皆所以明人倫天經地義。民行得之則
> 生，失之則死，為之則人，舍之則禽獸。知者知此，仁者體此，勇者
> 強此，刑者刑此，樂者樂此。聖人之所以作君作師，生民之所以相生
> 相養，皆由此道出也。[18]

禮即人倫，曹元弼此說雖本凌廷堪《禮經釋例・復禮》為說，[19]但其特別強調其重要性。曹元弼不僅將此觀點用於釋注《三禮》，於相關論述中亦特強調此要義，如〈江蘇存古學堂經學策程說二南備禮教大義〉、〈江蘇存古學堂

---

15 見〈周易會通大義論略・論語〉，《復禮堂文集》，卷2，頁184-185。
16 見〈周易會通大義論略・穀梁〉，《復禮堂文集》，卷2，頁174。
17 《禮記・大傳》：「親親也，尊尊也，長長也，男女有別，此其不可得與民變革者也。」《中庸》：「親親之殺，尊賢之等，禮所生也。」曹元弼蓋合此二者而成「親親、尊尊、長長、賢賢、男女有別」五者。
18 《禮經學》卷1，《續修四庫全書》，頁545-546。
19 《禮經釋例・復禮上》：「聖人之道，一禮而已矣……自元子以至於庶人，少而習焉，長而安焉。禮之外，別無所謂學也。」根據彭林點校：《禮經釋例》（臺北市：中央研究院中國文哲研究所，2002年）。

經學策程說先君之思〉均申衍此說，[20]闡述尊尊賢賢大義，而亦歸結於「明人倫」，足見曹氏強調經學的教化功能，視禮為經學主要內容的觀點。

（三）釋禮以鄭玄為宗，以朱熹為輔

漢代稱禮，包含各種禮儀制度，《漢書‧藝文志》稱高堂生所傳《士禮》十七篇，即流傳至今日的《儀禮》。漢代注釋《儀禮》以鄭玄、王肅二家最著名，但至唐代，以立於學官故，唯存鄭玄。[21]至唐，賈公彥依據南朝齊黃慶、隋李孟悊二家義疏，作《儀禮疏》五十卷，[22]即今《十三經注疏》中的《儀禮注疏》。

《儀禮》名物制度與後世不盡相同，學者病其難讀，故唐宋學者多避之，復經熙寧變法王安石改試廢罷，宋代士人僅讀《禮記》而不讀《儀禮》，「故不能見其本末，場屋中《禮記》義，格調皆凡下」[23]。

曹元弼尊崇孔子，而歷代學者中，其認為漢之許慎、鄭玄，宋之程頤、朱熹四家闡述經傳，最得孔子意旨。其並認為鄭玄注禮，深得孔意，故六朝喪亂之際，周孔聖道，賴鄭注以存，〈禮經纂疏序〉云：

> 當時南國清談，墮壞名教，北郊戎馬，蕩覆典文，人臣反顏事讎，習為故事。文章綺靡，階屬淫昏，三綱淪，九法斁矣。而守道諸君子，說經鏗鏗，風雨如晦，雞鳴不已，以綿絕學於一線，其餘儒者議禮之文，亦根據經注酌理準情，足為典要。先儒謂魏晉以後，天下大亂，而聖人之道不絕，唯鄭氏禮學是賴，豈不信哉！（同上，頁442）

20　《復禮堂文集》，卷3，頁249-266。

21　王肅注見《隋書‧經籍志》，但《隋書‧經籍志》云：「唯鄭注立於國學，其餘並多散亡，又無師說。」

22　見〈儀禮疏序〉，收入阮刊《十三經注疏》本《儀禮注疏》（臺北縣：藝文印書館，1979年），卷1，頁2。

23　見王星賢點校：《朱子語類》（北京市：中華書局，1986年），卷84，頁2187。

其推崇鄭玄傳緒聖人之學，有功聖道。於朱熹，則推崇其遠紹鄭玄復興禮學，〈禮經纂疏序〉下續云：

> 朱文公以上賢純德，紹鄭君於百世之上，知治天下知必本於禮，而《儀禮》為禮之本經，《周官》其綱領，《禮記》乃其義疏，深忿安石遺本宗末，博士諸生於儀法度數之實，咸幽冥而莫知其源，上疏乞修《三禮》不果行，乃與弟子編《儀禮經傳通解》……自文公作《通解》後，鄭氏禮學復興。

曹元弼自云「嘗於先聖前自誓，願為《禮疏》（《禮經纂疏》）、《孝經纂疏》、《歷代經儒法則篇》三書，闡明聖道於萬一」，據此而論，其著作自是以鄭玄、朱熹為宗，兼取賈公彥疏及胡培翬《儀禮正義》說，而辨正胡氏徵引的敖繼公及郝敬說。

曹元弼推崇鄭玄、朱熹，《禮經校釋》、《禮經學》二書採即承從其說而無違背者以成之。《禮經纂疏》亦依此而作，並取清人張爾歧、胡培翬等考辨成果，欲求「一器物陳設、一行禮節次，必推求其義以合乎人心之所同然，由訓詁以達聖人作述之原」。然今未見其書，或未刊成，殊為可惜。

二　曹元忠《禮議》相關問題

曹元忠字夔一，號君直，晚號凌波居士，江蘇吳縣人，曹元弼從兄。光緒二十年（1894）舉人，屢試進士不第，捐內閣中書，歷官內閣侍讀、資政院議員等，民國後以清遺老自命。著有《箋經室遺集》二十卷、《禮議》二卷。曹元弼〈誥授通議大夫內閣侍讀學士君直從兄家傳〉云：

> 戊申（光緒三十四年，1908），朝廷立禮學館，修《大清通禮》，溥玉岑尚書奏派兄為纂修，規畫條例，延請師儒，悉咨訪焉。兄由是薦林晉霞大令頤山、張聞遠同年錫恭、錢復初孝廉同壽及余。余以蘇鄂存古學堂事，未能京。林、張、錢三君並入館為纂修。時禮教陵夷，

邪說蠭起，裂冠毀冕，拔本塞源，有岌岌不可終日之勢。兄以亂之所
生，惟禮可以已之，館中諸友有持異議，欲亂舊章者，兄與張、錢兩
君正言力辯，援據古今，申明大義，以合乎天則民彝之正，著《禮
議》數十篇，聞遠亦著「芻議」若干篇。總理陳文忠公寶琛、于文和
公式枚皆深韙之。歷三年，《通禮》成，未及奏上，而亂做矣。[24]

曹元忠承其家學之醫理、詞章，又與曹元弼俱問禮於黃以周，而校讎目
錄則受之於繆荃孫，故淵雅篤實，博學多聞，過於元弼。[25]蓋為近代著名詞
人，亦是著名藏書家及校讎學者，輯錄《司馬法古註》、《荆州記》、《桂苑珠
叢》、《兩京新記》等佚籍多種。自著有《箋經室所見宋元書題跋》、《箋經室
遺集》等書。

曹元忠既與曹元弼同問學於黃以周，故其禮學思想亦尊崇鄭玄，唯其所
論及僅〈喪服〉數篇，見於《箋經室遺集》卷二，此外未有禮學著述。張舜
徽就其卷三〈周學制鄭義通說〉三篇，稱「知其研精鄭學，功力深厚」。

曹元忠《禮議》二卷及《箋經室遺集》卷二中收錄之禮學論述合計四十
五篇，主要以帝王后妃及皇族之禮儀為主，《議禮》後附《律議》三篇，蓋
回應法律館之罰則，稱其應以參酌傳統禮制。此問題在當時奏摺中，頗見討
論者，蓋沈家本總理之法律館據日本法律而修訂，唯內閣官員多不能同意其
條文。

光緒三十三年（1907），清廷設禮學館，編纂通禮，曹元忠與張錫恭、
錢同壽等具任禮學館纂修，《禮議》二卷二十五篇，即其於禮學館所撰錄
者，亦是今僅存的曹元忠禮學論述，其中多據鄭玄注說以辨正前人禮說及行
禮儀節之失當者，如〈冠禮見母不見父議〉云：

---

24 《箋經室遺集》，收入《清代詩文集彙編》（上海市：上海古籍出版社，2009年影印禮
　　學齋本），卷首。
25 張舜徽語。張氏又稱：「清末士夫讀書，多浮而不實，若元忠根柢經史，博究眾藝，
　　冥索覃思，各有孤詣，信可謂一時之佼佼者也。」見〈箋經室遺集〉，《清人文集別
　　錄》，卷24，頁653-654。

〈士冠禮〉:「冠者見母而不見父。」……蓋冠者禮成見母,有敬告之意焉……晉俗去漢未遠,已不能會先王制禮之意。或以為見母而不見父,似非心之所安,於是增拜父、父起之文,然於母猶云答拜也。至唐時,又以為母之於子何庸答拜,於是復改母起立不拜之文。宋政和議禮局諸臣不免流俗之見自必,誤以為漢唐冠禮當於人心而毅然從之。殊未思禮之近人情者,必非其至惟。經義重在成人而與為禮,故雖母子,亦用〈曲禮〉男女相答拜之義。鄭注:「婦人於丈夫,雖其子猶俠拜。」是也。

起立不拜已失禮意,而且冠者取脯為見母也,故母不在則使人受脯,今因見父并見母亦不取脯,是再失禮也。又見母之時,冠者爵弁、纁裳、韎韐,未嘗易服也,至見君始易玄冠玄端爵韠,今因見父并見母,亦復易服,是三失禮,合之見父,則為四失。《魏書・禮志》稱高祖曰:「昔裴頠作冠儀,不知有四。」今《政和禮》以誤從漢唐之故,其失亦有四,而《家禮》、《明集禮》不知其四失多從「見父而起也」,而猶襲之。今奉敕補定冠禮,或恐不察,反據「拜父母,父母為之起」諸文,以見母不得不見父相難焉,故揭〈士冠禮〉見母不見父,由於冠本父命之義,俾後世得知其義而敬守之也。[26]

冠者成禮後見母,〈士冠禮〉有明文,後人以其僅見母而未見父,似有未妥,故增擬若干細節,使見母、見父成為冠禮完成後的另一重要細節。曹元忠就冠禮的行禮過程及各細節所彰顯的意義,而辨正前人制禮見父一節實屬不必,且與冠禮禮義多扞隔不諧,故其禮議中擬恢復古人儀節,而刪去見父一節。

又其〈冠禮無樂議〉辨正冠禮自天子以至庶民皆無樂,〈皇子親王禮應親迎〉、〈昏禮舅姑在無廟見議〉各條,均指出時行的禮儀中與古禮不合,且違背人倫義理之事,故應修訂而後行之。

---

26 《禮議》,收入《叢書集成續編》(臺北市:新文豐出版公司,1991年影印《求恕齋叢書》),卷上,頁30-31。

　　曹元忠所論辨禮文儀式諸事，明確有據，信實可採，雖謹此寥寥二十餘條篇，然其中精闢之論，頗能匡正時行禮節的缺失。

三　張錫恭禮說

（一）張錫恭之生平與禮學

　　張錫恭（1858-1934），字聞遠，一字殷南，號炳燭，江蘇婁縣人。其與曹元忠、曹元弼知交，於民國後，均以滿清遺老自居，遺世獨立，故後人亦多不詳其學術。其事蹟略見於曹元弼〈純儒張聞遠徵君傳〉，主要亦為禮學館修禮之事，傳云：

> 初，余與君並治《禮經》，同受學於南菁院長定海黃元同。先生尊聞行知，觸類變通，由後師之說以深探先師碩意。以為漢代經師家法不同，而莫純於高密鄭君，宋代理學宗派不同。而莫正於新安朱子。說禮皆一以鄭義為宗。
>
> 丁未、戊申間，朝廷開禮學館，徵天下有道之人修《大清通禮》，溥玉岑尚書奏保君與復初、君直及余，余以方任湖北、江蘇存古學堂事，未能應徵，三君子並為纂修，分編《禮書》，君任凶禮。[27]

曹元弼稱張錫恭特重喪禮，蓋以「人倫之規矩準繩在禮，禮之本在喪服。喪服雖禮經中之一篇，而實五禮之綱領，群經之本源。五禮之有喪服，猶《六經》之有《孝經》，所謂天秩天敘，至德要道。」[28]《松江縣志‧人物傳記》載云：

> 張錫恭，字聞遠，號殷南。清松江府婁縣人（今上海市松江縣），家住西門外南埭。光緒二年（1876）秀才，光緒十一年拔貢。時江蘇督

---

27 見《茹荼軒續集》（《雲間兩徵君集》本，1949年），卷首。

28 曹元弼：〈純儒張聞遠徵君傳〉。

學黃體芳建南菁書院于江陰，錫恭就學於該書院，精治《禮經》。光緒十四年鄉試中舉後，益潛心研究三《禮》，以鄭玄為宗，兼攻百家之說。曾在松江府中學堂執教，又在姚、韓兩大姓家坐館，以經學負盛名。光緒二十五年被聘為兩湖書院經學分教，治學嚴謹，任教三年，學生悅服。光緒三十三年北京設禮學館，纂修《大清通禮》，被徵召為纂修官，分任纂訂喪禮部份，著有《修禮芻議》二卷。[29]

辛亥革命後回家，築新居於小昆山東麓，與祖墓、宗祠為鄰，過隱居生活。以清朝遺老自居，留長辮不剪。為人正直，在鄉里有聲望，畢生精力用於讀書著述。民國十三年（1924）江浙戰起，避兵亂至其甥張澤封文權家。九月，病逝于封家。

著有《禮學大義》一卷、《茹荼軒集》十二卷、《茹荼軒續集》六卷附《秉燭隨筆》一卷、《喪服鄭氏學》十六卷等，均有刊印；又著《喪禮鄭氏學》，因該書卷帙浩繁，刊未及半，抗戰爆發而中止（原注：稿藏吳縣王欣夫處）。[30]

張錫恭生平事蹟，今可見者寥寥僅若此耳。曹元弼盛讚其禮學諸說，稱「先生之學，囊括大典，網羅眾家，廣大精微，直與鄭、賈並重，其至理名言，足以感發人心，有功名教」[31]。張舜徽則稱其：「與曹元忠、元弼交最密，同為禮經之學。元忠著有《禮議》，元弼著有《禮經校釋》、《禮經學》，而皆不及錫恭之精。」[32]

張錫恭自云：

> 經有十三，吾所治者唯《禮經》，《禮經》十七篇，吾所解者，唯喪服。注喪服者眾矣，而吾所守者，唯鄭君一家之言。吾於學可謂隘矣，雖然，由吾書而探鄭君之誼，其於鄭君《禮注》之意庶幾其不倍

29 按：《修禮芻議》收入《茹荼軒文集》，卷2、卷3。

30 見《松江縣志》（上海市：上海人民出版社，1991年），卷31，第1章，〈人物傳記〉。

31 見王大隆：〈禮學大義跋〉，《禮學大義》（《庚辰叢編》本），卷末，頁11。

32 見張舜徽：〈茹荼軒文集〉，《清人文集別錄》，卷24，頁650。

乎；由注誼以探《禮經》，其於周公制服禮注之心庶幾其不倍乎；由
制服以觀親親尊尊之等殺，於聖人之盡倫，或可窺見萬分之一乎！[33]

其意謂周公孔子制禮之要，在於尊尊親親，而喪服等差，最能彰顯尊尊親親
的不同，且為人道之常經，[34] 故專就此而論之。然喪服論述，見於《隋書．
經籍志》者眾，其所以專主鄭玄一家者，蓋承陸德明《經典釋文》所云：
「以鄭注為宗，庶可上契周公制作之心法。」故劉承幹又稱其「篤守鄭君家
法，無一語出入」，其篤志精研，宗法鄭玄禮學之意，不難得見，而其論述
及思想的特色，亦由此可知，無怪乎張舜徽稱其精審過於曹氏兄弟。

（二）掇述《三禮》要義，總歸於鄭玄

張氏既精禮學，且以鄭玄為宗，故於宋明儒者之說，多不採論，其論及
朱熹《儀禮經傳通解》，即強調其從遵從鄭注之特色。《禮學大義》云：

> 朱子作《儀禮經傳通解》採錄鄭注，一字不遺，而闡明鄭注尤多，可
> 見朱子服膺鄭注甚深也……《經傳通解》之例目，皆朱子所手定，其
> 編輯者皆出自親炙朱子之門人，其書採錄《小戴記》，皆全錄鄭注，
> 然則遵朱子者，尤當以鄭注為宗矣。[35]

相較於曹元弼兼用鄭玄、朱熹禮說，張錫恭則堅守鄭玄。其《喪服鄭氏學》
中，於宋元諸家論述，如李如圭、吳澄、陳澔、敖繼公等各說，多據清人闡
發鄭玄說者以駁之。

---

33 見劉承幹：〈喪服鄭氏學序〉轉引，《喪服鄭氏學》（臺北市：新文豐出版公司，1989
　年影印求恕齋刊本），卷首。
34 《禮經大義》：「漢魏以降，典禮蕩然，惟喪服之期尚沿古制，雖以唐高宗、明太祖之
　變亂，而大體終不改，豈非人道之常經，而天秩之不可泯滅者哉！」（《庚辰叢編》，
　頁90）
35 《庚辰叢編》本，頁73。

（三）禮時為大，損益變革以合民用

　　張錫恭雖尊崇鄭玄禮說，但於禮儀的儀節，則能體會其與時俱變的必要性，其於晚清修禮時稱「大綱固無變更，而禮時為大，則夫文章制度，豈能無所損益」[36]，故其亟欲改變因儀式的繁文縟節而造成的財物負擔，強調禮文精神，使百姓可以遵循，〈議禮芻議二‧總論〉云：

> 士昏禮納徵玄纁、束帛儷皮，固周公所手訂者也。而於〈媒氏職〉曰：「凡嫁子取妻入幣，純帛無過五兩，夫祇曰無過不曰無不及者，明富民不得或過，而貧民容有不及也。以周初民力豐富，而周公猶曲體民情如此，所以立萬世常行之道也。爰迨春秋，林放問禮之本，夫子曰：「禮，與其奢也，寧儉；喪，與其易也，寧戚。」……蓋當時民力以不逮矣，容不能盡合禮文，而重在不失禮意。
>
> 夫禮之著於篇者，中制而已，以今日時事多艱，民無常產，財匱而事劇，欲責其盡合禮文，有以知其事不行也。宜併發明喪主於哀，禮主於敬，而器物稱家之有無，雖窮鄉瘠土，亦得申其哀敬焉，則禮義皆可遵循已……今者修禮，期於實踐而不為空言，而實踐尤在內心而不徒器物，爰以通行士庶之方。[37]

古代雖謂「禮不下庶人」，但隨著時代變易，大夫而為庶人，禮儀制度行於天下，婚喪的儀式及儀節，雖官員百姓隨其職位身分而有不同，但禮儀行於天下，既是倫理綱常的表現，同時也成為社會制度的部分。張錫恭考量晚清時期國勢積弱不振，戰亂頻仍，人民生活普遍窮困，故強調禮意的精神及其重要性，對於儀式細節及相關器物，則視百姓能力而損益之，如此既可以使人表現其誠敬之心意，亦維護禮制的完整，有助於社會的穩定和諧。

36　〈修禮芻議一‧總論〉，《茹荼軒文集》（民國十二年華亭封氏簣進齋刊本），卷2，頁1。
37　《茹荼軒文集》，卷2，頁4。

（四）喪服等差，彰顯人倫精神

《中庸》稱「親親之殺，尊賢之等，禮所生也」，禮的儀節繁瑣多端，要以能顯示行禮者之間的親疏遠近為主要目的，張錫恭〈修禮芻議五·服制〉云：

> 聖人南面治天下，必自人道始。人道者？親親也，尊尊也，長長也，男女有別也。人道者何？尊尊也，長長也，男女有別也所不可以與民變革者也。而制服之六術由此而生。六術之目：一曰親親，二曰尊尊，三曰名，所以著男女長幼之別也；四曰長幼，三殤之服，所以明長幼之序也，以是四者為之經。五曰出入，六曰從服，以緯之。親親有殺，尊賢有等，相愛有恩，相接有文，以經綸天下之大經，其詳在《禮經·喪服》篇。而劉氏《別錄》序《禮經》目，列於凶禮之首，明不止為凶禮用也。……
>
> （明）太祖……舉凡尊親之信區，適庶之貴賤，一掃而盡空之，而刪三殤之服，以廢長幼之節者，尤其次焉者已。泯泯棼棼，禮法大亂。曾何異屬王之制法則，而詩人刺之，目為憲憲泄泄也。（頁 11-12）

張錫恭本此原則，在修訂禮制時，面對古人紛紜之喪服眾說，一以人倫為考量，如〈為人後者之子為父之本宗服〉云：

> 統有尊卑，則降有等級，天子諸侯當別論矣。大夫之尊，有降而無絕，則大宗之尊，亦當有降而無絕，降服一等，以足明所後者之親矣，奚必絕其恩於彼，乃始明其親於此。[38]

〈女子兩出不再降〉云：

> 《開元禮》曰：「出降者，兩女各出，不再降。」錫恭嘗讀而善之，

---

38 〈修禮芻議十三〉，《茹荼軒文集》，卷3，頁6。

以為唐人雖紊古制，而於此尚合乎《禮經》……至明人大亂舊章，乃
於緦麻章著嫁女為同堂姊妹之出嫁者而兩出，於是有再降之明文，而
從祖姊妹有相視同路人者。嗚呼！何其薄也。

錫恭嘗以《開元禮》之說，徵之於經，而得一證焉，一參證焉……古
人風俗敦龐，兩出不再降，習為固然，經傳不待明言，世衰俗薄，始
有疑及再降者，《開元禮》於是乎著之。然經傳雖不明言，尊同不降
者，如是不當明言矣！[39]

此二者一方面訂正明代修訂的禮制不合於古禮之處，一方面就人倫天性之親
恩而論，說明時行的禮制中，頗多沿襲明制而違背古義者，正宜修訂以合於
人倫精神。

（五）教民之要在於禮

張錫恭稱「教民之要有三：家庭之教、禮俗之教、庠序之教。」三者的
要旨均在於禮，其論云：

家庭之教，詳在《儀禮》、《禮記》，至於禮俗之教，鄉遂大夫以至於
比鄰之長，皆其師也。其民皆所教之人也。其具則冠昏、喪、祭、相
見之禮，歲時所讀之法也。而其要歸在使人父子有親、君臣有義、夫
婦有別、朋友有信也……禮俗之教立，而無一人不被教澤已。[40]

張錫恭受命為禮學館纂修官，亟欲將其覃思所得的禮學思想化為禮儀制度以
施行於天下，而禮儀的變革增損自須於教育中推行，故其強調家庭教育及學
校教育皆以禮俗教育最為重要，蓋禮教深入民心，則庶民百姓進退動靜合乎
儀節，而民德自是歸於淳厚。

---

39 〈修禮芻議十四〉，《茹荼軒文集》，卷3，頁7-8。
40 《庚辰叢編》本，頁80。

四　結語

　　曹元忠、曹元弼、張錫恭在民初均以滿清遺老自居，對傳統禮制的維護不餘餘力，視其為文化表徵。三者均受禮學於黃以周，對鄭玄禮學有深刻的認識，故對當時禮學傳授有重大的影響。其中曹元弼、張錫恭以禮學名家，曹元忠廣博多方，而不以禮著稱，但曹元忠與張錫恭曾入禮學館，故能發揮其對禮制的了解與體會，對當時的禮儀議論頗有影響。

　　晚清民初，因西方風俗制度的傳入，政治及社會制度面臨重大的改變，禮儀制度的改變已是不可阻擋的趨勢，其中婚禮、喪禮、相見朝見等儀式，最難以維持舊制。婚禮儀式在清中葉隨著西方宗教的傳入，宗教儀式的典禮以逐漸被國人接受，與傳統婚禮並行。喪服隨著社會經濟的變革，不論是喪期制度或是喪禮儀式，均難以盡從古禮。而友朋相見、朝儀形式的改革，以鞠躬握手取代跪拜，更是當時學者有志一同的主張。

　　曹元弼、曹元忠及張錫恭均是精研古禮的學者，謹守鄭玄、朱熹的觀點，對於禮儀制度及喪服的考辨均深有所得，然就其論述而言，卻不難考見，其強調禮教的大義，大於對儀節的堅持，強調禮制中因人倫親疏而有的差異，及與時俱進的儀節，方是禮的核心精神。就此而言，曹元弼等人雖以遺老自命，卻非不知朱熹「古禮於今實難行」之理，故推崇鄭玄、朱熹者，欲以維護名教綱常，以求斯文不墜之義耳。

　　清末，朝廷為回應社會變遷，清光緒三十四年（1908）設立禮學館，籌畫國家禮儀制度的改革，配合學校教育、法律制度，期能制定適合國民之禮儀制度，使傳統禮儀制度可以賡續不墜，此亦其應乎民情的措施，曹元忠及張錫恭即為禮學館之主要纂修，曹元弼雖未親預其事，然名列顧問，於修禮過程，多所提議，為曹元忠、張錫恭所參酌。

　　禮學館修禮之事雖未竟全功，然曹元忠、張錫恭等人藉由儀式修訂以存傳統禮義之作法，實深具時代意義。

黃侃禮學論著初探

陳韻

國立中正大學中國文學系教授

一　緒言

　　時間的流轉，世代的更迭，刻劃出環環相扣的歷史階段，也為人類社會營造出各種發展環境。在各種發展狀態之間，不論同異的差距如何，都和當時的制度、風尚、習性等人類作為有著密切關係，而人類制度、風尚、習性所建構的世界中，每每以「禮」為核心，食衣住行因「禮」而井然有序，物我群己因「禮」而情理兼融，具有規範性與自覺性的「禮」，不僅是時代主軸，更導引著時代脈動，因此，古人認為：禮以時為大[1]，堯、舜、禹、湯，代表著相續相銜的不同時代；「大道之行」與「大道既隱」顯示著「大同」、「小康」的時代特徵[2]，「先王」與「後聖」早已從禮的初始到大成[3]，

1　《禮記・禮器》，《十三經注疏附校勘記・禮記注疏》（臺北縣：藝文印書館，1976年），頁450：「禮，時為大，……堯授舜、舜授禹、湯放桀、武王伐紂，時也。」

2　《禮記・禮運》，《十三經注疏附校勘記・禮記注疏》，頁412：「昔者仲尼與於蜡賓，事畢，出遊於觀之上，喟然而嘆。仲尼之嘆，蓋嘆魯也，言偃在側，曰：『君子何嘆？』孔子曰：『大道之行也，與三代之英，丘未之逮也，而有志焉。大道之行也，天下為公，選賢與能，講信脩睦，故人不獨親其親，不獨子其子，使老有所終，壯有所用，幼有所長，矜寡孤獨廢疾者，皆有所養。男有分，女有歸。貨惡其弃於地也，不必藏於己；力惡其不出於身也，不必為己，是故謀閉而不興，盜竊亂賊而不作，故外戶而不閉，是謂大同。今大道既隱，天下為家，各親其親，各子其子，貨力為己，大人世及以為禮，城郭溝池以為固，禮義以為紀，以正君臣，以篤父子，以睦兄弟，以和夫婦，以設制度，以立田里，以賢勇知，以功為己，故謀用是作，而兵由此起。

見證了人類文化與時變遷的傳承軌跡。然而所見證的種種實況，每每因為年代遠渺而影像模糊；禮的形式轉換與內涵精髓，也往往隨著時間推移，而難以追尋，以致禮學研究大為不易，曾將三《禮》鄭《注》及孔、賈《疏》韋編三絕[4]的黃侃（字季剛，1886-1935）先生說：

> 「古禮自孔子時而不具，班爵祿之制，孟子已不聞其詳。《周禮》，僅存五篇；其中全職亡失者，則有司祿、軍司馬、輿司馬、行司馬、掌疆、司甲、掌察、掌貨賄、都則、都士、家士。其他闕捝廢滅，猶不計焉。」[5]

又說：

> 「禮學所以難治，其故可約說也：一曰，古書殘缺；一曰，古制茫

禹、湯、文、武、成王、周公，由此其選也，此六君子者，未有不謹於禮者也，以著其義，以考其信，著有過，刑仁講讓，示民有常，如有不由此者，在埶者去，眾以為殃，是謂小康。』」

3　《禮記・禮運》，《十三經注疏附校勘記・禮記注疏》，頁416：「夫禮之初，始諸飲食，其燔黍捭豚，汙尊而抔飲，蕢桴而土鼓，猶若可以致其敬於鬼神。及其死也，升屋而號，告曰：皋某復。然後飯腥而苴孰，故天望而地藏也，體魄則降，和氣在上，故死者北首，生者南鄉，皆從其初。昔者先王未有宮室，冬則居營窟，夏則居橧巢，未有火化，食草木之實、鳥獸之肉，飲其血，茹其毛；未有麻絲，衣其羽皮。後聖有作，然後脩火之利，范金合土，以為臺榭宮室牖戶；以炮以燔，以亨以炙，以為醴酪；治其麻絲，以為布帛，以養生送死，以事鬼神上帝，皆從其朔。故玄酒在室，醴酸在戶，粢醍在堂，澄酒在下，陳其犧牲，備其鼎俎，列其琴瑟管磬鍾（韻按：阮元校勘記：「閩監毛本鍾作鐘」）鼓，脩其祝嘏，以降上神與其先祖，以正君臣，以篤父子，以睦兄弟，以齊上下，夫婦有所，是謂承天之祜。作其祝號，玄酒以祭，薦其血毛，腥其俎，孰其殽，與其越席，疏布以冪，衣其澣帛，醴酸以獻，薦其燔炙，君與夫人交獻，以嘉魂魄，是謂合莫。然後退而合亨，體其犬豕牛羊，實其簠簋籩豆鉶羹，祝以孝告，嘏以慈告，是謂大祥。此禮之大成也。」

4　高師仲華：《禮學新探・弁言》（香港：中文大學聯合書院中文系，1963年），頁1，引述季剛先生談話：「侃……惟三《禮》之學，嘗於鄭君之《注》，孔、賈之《疏》，韋編三絕，或可為子導夫先路也。」

5　黃侃：《禮學略說》，《黃侃論學雜著》（北京市：中華書局，1964年），頁444。

　　昧；一日，古文簡奧；一日，異說紛紜。」[6]

被尊為國學大師[7]的民初碩儒季剛先生，透過古今觀照，明白提示了：禮文
禮制等禮學主體的時代特質；也清楚揭示了研治禮學的重重困難，然而季剛
先生無懼於艱難，以自身傳承的學術素養為根柢，長期不懈的精研各種相關
典籍，累積出既博且深的智慧，真誠的堅守核心價值、強調文化延續，不
過，季剛先生生前不肯輕易著書，規劃「年五十當著紙筆矣」[8]，猝然而逝
之後，經過彙集整理的傳世著作，以小學為主；歷來對於季剛先生學術成就
的研究，也偏重於小學，鮮少專門討論禮學部分的作品，而研究季剛先生禮
學的第一大挑戰，便是相關資料的搜集整理，極為不易，如何從分散各處的
片斷訊息之中，尋覓季剛先生的禮學識見，促使原本已屬極高難度的禮學研
究，具備較佳基礎，將是學者首要任務。

二　黃侃禮學的學術淵源與治禮態度

　　季剛先生生命歷程裡所淬煉出的淵博才學，來自於聰穎敏慧，來自於勤
學不倦，更來自於師長教誨、友朋切磋，而禮學卓見尤其與師友的學術造詣
有著不容忽視的淵源。幼承父學[9]的季剛先生，弱冠之年前往日本[10]後，追

6　同前註。

7　柯淑齡：《黃季剛先生之生平及其學術（中）》（臺北市：中國文化大學中國文學研究所
　　博士論文，1982年），頁257：「先生歿之翌日，國民政府明令褒揚，謂其學識深邃，
　　信無溢詞，世推國學大師，洵無愧也。」

8　章太炎：〈黃季剛墓志銘〉（原載《制言》第5期，1935年。此處引自程千帆、唐文
　　編：《量守廬學記：黃侃的生平和學術》（北京市：生活、讀書、新知三聯書店，2006
　　年），頁2：「季剛諱侃……始從余問，后自為家法，然不肯輕著書，余數趣之，曰：
　　『人輕著書，妄也。子重著書，吝也。妄不智，吝不仁。』答曰：『年五十當著紙筆
　　矣。』」

9　劉禺生：〈記黃季剛趣事〉，《世載堂雜憶》（臺北市：長歌出版社，1976年），頁397：
　　「季剛為黃雲鵠先生幼子，雲鵠吾鄂宿儒，湛深經學，季剛齠年受學之始，即授以許
　　慎說文解字部首，故於聲韻、訓詁之學，早具根柢。」。

隨國學名家章炳麟（號太炎。1868-1936）學習小學、經說[11]，極受讚賞[12]。
太炎先生深研古文經學，師承清末著名樸學大師俞樾（1821-1906），在兼重
傳統經學與新式實學的詁經精舍求學時，充分領略乾嘉學風，頗受啟發，而
俞樾所著《群經平議》，以嚴謹態度審定經義，正展現出當時的學術趨向。
此外，集《周禮》研究大成的孫詒讓（1848-1908），是太炎先生請益的樸學
大師；而研治禮學卓然有成的黃以周（1828-1899），也是太炎先生問學的樸
學大家。禮學的理論與實務研究，為太炎先生的深厚學養，注入豐沛能量，
也為高足季剛先生的儁逸才情，開展出宏遠氣象。

　　在國步艱難、救亡圖存的時代，求學精進唯恐不及的季剛先生，於太炎
先生座上，結識出身經學世家的劉師培（字申叔，1884-1919）[13]，從日
本，到北京，歷經往來論學之後，自覺經學造詣不如申叔先生，於是，北大

---

10 晚香：〈黃侃先生二三事〉，《民族晚報》（民國六十四年一月廿五日），第九版「東籬
　　野語」：「生十餘齡，於蘄春集孝義會，每就深山中講述民族大義，聽者累千人，環蘄
　　春八縣皆絡繹赴，眾至數萬，擁以為魁，署將吏官屬名號，清廷聞之大駭，命兩湖總
　　督張之洞查辦。之洞故與黃氏有舊，乃紿季剛至署，別遣人解散其眾。事定，以查無
　　事實奏聞，而遣送季剛赴日，時才逾弱冠耳。」。

11 （1）劉禺生：〈記黃季剛趣事〉，《世載堂雜憶》（臺北市：長歌出版社，1976年），頁
　　　　397：「時餘杭章太炎先生因提倡革命，避地東京，群請講學，季剛亦同居民報
　　　　社，往問業焉。」

　　（2）章太炎：〈墓誌銘〉，《量守廬學記——黃侃的生平和學術》（北京市：生活、讀
　　　　書、新知三聯書店，1985年），頁1：「余違難居東，而季剛始從余學。年逾冠
　　　　耳，所為文辭已淵懿異凡俗，因授以小學經說，時亦賦詩唱和。」

12 劉禺生：〈記黃季剛趣事〉，《世載堂雜憶》（臺北市：長歌出版社，1976年），頁398：
　　「季剛朝夕研討，然於章氏之說，仍多膠滯，固未敢非也。未幾，發其舊篋，得番禺
　　陳蘭甫切韻考，由是轉治陳氏之書。因陳氏清濁音之說，上溯桂、段、錢、王之論，
　　參互研究，古音大明，乃創為古音二十八部，因持其說，以問太炎。師弟之間，往復
　　辯詰，幾達旬日，章先生卒是其說，於是喜曰：歷來治小學者，未若汝之精深也。嘗
　　見太炎先生所著各書，廣徵群說，而殿以吾弟子黃侃所云如何，以為定論，其推服可
　　以見矣。」

13 黃焯：〈記先從父季剛先生師事餘杭儀徵兩先生事〉，《量守廬學記——黃侃的生平和
　　學術》（程千帆、唐文編，北京市：生活、讀書、新知三聯書店，1985年，第一版），
　　頁137：「從父始於章君座上遇之，遂與訂交。」

同事成為傳為佳話的師與弟[14]，衷心服膺[15]。曾獲得申叔先生「春秋周禮殘

14　（1）虎思：〈記黃季剛先生　上〉，《中央日報》（民國四十八年十一月二十九日（星期
　　　　日）），第七版「蕉陰雜話」：「儀徵劉師培，為師十餘年之摯友，同掌教北京大
　　　　學，年齒相若，名望相並；自以經術不及，聞劉君病革，乃退而北面師事之。其
　　　　時師正壯年氣盛，譏評人物，不妄許可，並世宿儒，多憚服之，而終身獨於劉
　　　　君睠懷不已，盛讚其學。」
　　　　又見於虎思：〈博通經史的黃季剛〉，《湖北文獻》三十五期（1975年），頁58：
　　　　「儀義（韻按：「義」字應為衍文）徵劉師培，為師十餘年之摯友，同掌教北
　　　　京大學，年齒相若，名望相並，自以經術不及，聞劉君病革，乃退而北面師事
　　　　之。其時師正壯年氣盛，譏評人物，不妄許可，並世宿儒，多憚服之，而終身
　　　　獨於劉君睠懷不已，盛讚其學。」（韻按：《湖北文獻》三十五期，民國六十四
　　　　年四月十日出版，頁五八，正文之前有《湖北文獻》編者按語：「湖北蘄春黃十
　　　　公子──季剛，為民初宿儒，文章典雅，詞旨深邃，經學精深，博窮典籍，誠
　　　　一代國學大師也。辛亥首義，氏曾親臨武昌前線，民國成立，退而治學。先後
　　　　執教於北京大學，北京師範大學，武昌高師，東北大學、（韻按：「、」號依照
　　　　原文）中央大學等校，其弟子虎思先生著文發表於中央日報（四八、一一、二
　　　　九）現經其族孫黃祝卿君交付某君轉載，特搜集於此以實文獻。」）
　　　（2）黃焯：〈記先從父季剛先生師事餘杭儀徵兩先生事〉，《量守廬學記──黃侃的生
　　　　平和學術》（程千帆、唐文編，北京市：生活・讀書・新知三聯書店，1985年，
　　　　第一版），頁13：「君是時病瘵已深，一日，淒然為從父曰：『余家四世傳經，不
　　　　意及身而斬。』從父傷其無子，強慰之曰：『君今授業於此，勿慮無傳人。』君
　　　　曰：『諸生何足以當此！』曰：『然則誰足繼君之志？』曰：『安得如吾子而受
　　　　之。』從父蹵然起曰：『願受教。』翌日往，執贄稱弟子，扶服四拜，劉君立而
　　　　受之。」
　　　（3）柯淑齡：《黃季剛先生之生平及其學術（上）》（臺北市：中國文化大學中國文學
　　　　研究所博士論文，1982年），頁48：「溯先生之師事申叔先生也，傳聞各異。時先
　　　　生與申叔先生同為北大教席，素相狎善。先生因王夫人已歿，百般無聊，常攜子
　　　　念田至申叔先生寓屢探視晤談，商量學術，昕夕不倦，甚為契合。時申叔先生宿
　　　　疾纏綿，常臥床榻，喜與先生論學，以念田年幼，恐不耐久坐，故常備糖菓、點
　　　　心以與之，俾能得先生長談也。一日，先生復至，偶詢及傳人得否，申叔先生廢
　　　　然長歎云：『學生中，資質多平庸，無有可傳者。』先生復問：『何等資質方可得
　　　　傳先生絕學。』申叔先生云：『若汝之資即可。』先生素雅重申叔先生才學，心
　　　　折已久，自以經術不及，遂表示願拜師問學，申叔先生喜甚，隨即問定日期，先
　　　　生乃訂禮拜日行禮。是日，先生執贄至，申叔先生居所張綵設宴，若有喜慶，先
　　　　生遂拜，申叔先生坐而受之。」「淑齡案：先生……上述拜師之事係先生親語石
　　　　禪師者，石禪師轉告於予。今特誌之。」

稿」等[16]的季剛先生，將申叔先生列為清代輩出的禮家之一，並認為申叔先生的論著足以成為準的[17]。

因緣於時代際會，季剛先生敬謹篤實的承傳了蘊涵著禮學精華的經學脈絡，如果以章太炎先生為清代古文經學的最後大師，那麼，季剛先生是最受器重的繼起之秀；如果以劉申叔先生為家傳絕學的交棒者，那麼，薪火也在季剛先生的手中延續了不滅的希望。

然而，季剛先生一生，從晚清到民國，五十年歲月所遭逢的，正是中國近代史上變動最劇、變化極大的時代，政治體制、民生樣貌固然直接展現出改變的狀態，但是，真正的影響來自於觀念的銜接與轉換。對於觀念，或者標示新與舊，或者高舉傳統與反傳統，都希望有所建樹，也都希望挽救社稷於不安。

在這情勢複雜、思潮澎湃的時代，「禮」，成為各方拉扯的焦點，儒家、

---

15 （1）黃焯：〈記先從父季剛先生師事餘杭儀徵兩先生事〉，《量守廬學記——黃侃的生平和學術》（程千帆、唐文編，北京市：生活、讀書、新知三聯書店，1985年，第一版），頁137：「後章君聞之，曰：『季剛小學文辭，殆過申叔，何遽改北面？』惟從父嘗曰：『余於經學，得之劉先生者為多。』」

　　（2）虎思：〈博通經史的黃季剛〉，《中央日報》（民國四十八年十一月二十九日（星期日）），又見《湖北文獻》三十五期：「一日太炎謂曰：『現子之學已超過劉君遠矣。』師默然退言。『設申叔師尚在，豈可望其項背邪？』人皆稱其難能。」

16 （1）柯淑齡：《黃季剛先生之生平及其學術（上）》（臺北市：中國文化大學中國文學研究所博士論文，1982年），頁50：「申叔先生歿，先生終身睠懷不已，感讚其學。先生撰『先師劉君小祥會奠文』中有云：『君之絕業，春秋周禮，纂述未竟，以屬頑鄙。』知先生嘗得申叔先生所予之《春秋周禮殘稿》也。」

　　（2）錢玄同：〈禮經舊說後記〉，《劉申叔先生遺書（一）》（臺北市：華世出版社，民國六十四年），〈禮經舊說後記〉頁1：「劉申叔之禮經舊說，當廿三年春間南佩蘭君聘鄭友漁君編印其遺書時，鄭君與余僅於國故雜誌中得不全之士冠一卷，即據以錄印。其後，鄭君又向蒙文通君借得傳抄本之喪服一卷，此卷曾入國學厄林而未全。廿五年秋，余又於制言雜誌中得士喪既夕虞三卷，係孫鷹若及沈延國兩君據黃季剛君所藏申叔君之手稿而校印者，此四卷亦已繼續錄印。」

17 黃侃：《禮學略說》，《黃侃論學雜著》（北京市：中華書局，1964年9月），頁452：「清世禮家輩出，日趨精密，……先師德清俞君、儀徵劉君，此皆有成書，可以為埤。」

孔子、經典、倫常等等與禮有關的，紛紛承受著不同的詮釋——極度尊孔尊聖的組合[18]裡，有著轉向[19]；在保存國粹[20]的主張中，有著反孔[21]；廢除祀孔讀經[22]與尊孔讀經[23]相對抗，乃至於必須毀孔廟、焚經書，才足以保國[24]，而五四的波瀾，更將不同的聲浪推向最高點，「吃人的禮教」[25]強化了「打

---

18 如：廖平（1852-1932）、康有為（1858-1927）、梁啟超（1873-1929）。

19 如：梁啟超於變法失敗後，在日本接觸了不同於康氏系統的觀點，一九○二年提出「吾愛孔子，吾尤愛真理」的想法：「嗟乎嗟乎！區區小子，昔也為保教黨之驍將，今也為保教黨之大敵。嗟我先輩，嗟我故人，得毋有惡其反覆，誚其模棱，而以為區區罪者。雖然，吾愛孔子，吾尤愛真理！吾愛先輩，吾尤愛國家！吾愛故人，吾尤愛自由！吾又知孔子之愛真理，先輩、故人之愛國家、愛自由，更有甚於吾者也。」（梁啟超：〈保教非所以尊孔論・結論〉，《飲冰室全集》，臺南市：大孚出版社，1999年）。

20 代表人物如：章太炎、劉師培、黃侃、黃節（1873-1935）、陳去病（1874-1933）等。

21 如：南社的寧調元（1873-1913），提出「張樸學於中原，共存國粹」，但在〈孔子之教忠〉一文中，認為孔子是民賊，貽毒中國，導致民族衰弱：「古之所謂至聖，今之所謂民賊也，……孔子者，蓋馴謹成性者也。……致貽中國二千年專制之毒、民族衰弱之禍。」（見於楊天石、曹景忠所編：《寧調元集》，長沙市：湖南人民出版社，2008年）。

22 如：一九一二年，教育總長蔡元培宣布停止祭孔，中小學及北大廢除讀經科。

23 如：一九一二年四月，袁世凱就任臨時大總統後，尊孔讀經的呼聲逐漸響起，各地並有各種組織，如北京的「孔社」、揚州的「尊孔崇道會」等。一九一三年二月，張勳有〈上大總統請尊孔教書〉，六月，袁世凱發布「尊崇孔聖令」。一九一四年，北京「孔社」舉辦「信古傳習所」，以經學為主；另有人在北京組成「庚子拜經會」，更有人向政治會議提議設立經學館，流布五經於歐美，甚至有人推動在憲法中明定孔教為國教。詳見劉志琴主編，羅檢秋編：《近代中國社會文化變遷錄》（杭州市：浙江人民出版社，1998年），卷3，頁1-256。

24 如：陳獨秀〈答錢玄同（世界語）〉，收入任建樹、張統模、吳信忠編：《陳獨秀著作選》（上海市：上海人民出版社，1993年），卷1，頁320：「全部《十三經》，不容於民主國家者蓋十之九九，此物不遭焚禁，孔廟不毀，共和招牌，當然掛不長久……。」

25 （1）發表於一九一八年五月《新青年》第四卷第五號，首次使用「魯迅」筆名所完成的第一篇白話小說《狂人日記》，藉由「狂人」所見，反映作者（周樹人，1881-1936）對於禮義的觀感：「我翻開歷史一查，這歷史每頁上都寫著『仁義道德』幾個字。仔細看了半夜，才從字縫裡看出字來，滿本都寫著兩個字，是『吃人』。」

倒孔家店」[26]的衝擊力,「德先生」(民主 Democracy)與「賽先生」(科學 Science)領軍的文化運動迅速擴展,白話文學一日千里的傳播著[27],疑古辨偽也颳起陣陣旋風[28]。

　　在排山倒海而來的時代思維裡,季剛先生其實是掌握著時代的脈動的,並不排斥白話文學[29],更以「學術但論是非」[30]面對滔滔論辯,同時,以真

（2）一九一九年十一月,吳虞在《新青年》第六卷第六號發表〈吃人與禮教〉:「我們如今應該明白了!吃人的就是講禮教的!講禮教的就是吃人的呀!」「孔二先生的禮教講到極點,就非殺人吃人不成功,真是慘酷極了!一部歷史裡面,講道德、說仁義的人,時機一到,他就直接間接的都會吃起人肉來了。」

（3）周作人:《知堂回想錄》(蘭州市:敦煌文藝出版社,1998年),頁225:「如眾所周知,這篇《狂人日記》不但是篇白話文,而且是攻擊吃人的禮教的第一炮,這便是魯迅、錢玄同所關心的思想革命問題,其重要超過於文學革命了。」

26 五四時期,為徹底反對儒家思想體系,謔稱孔孟之道為「孔家店」。

27 胡適:〈五十年來中國之文學〉,《胡適文存》(臺北市:遠東出版社,1975年),第二集,頁255:「民國八年以後,白話文學的傳播真有『一日千里』之勢。」

28 一九二三年五月,顧頡剛(1893-1980)在《努力周報》增刊《讀書雜志》上發表〈與錢玄同先生論古史書〉之後,學界熱烈討論相關問題,自一九二六年《古史辨》第一冊出版,到一九四一年,《古史辨》共出版七冊,計有論文三百五十篇,約三百二十五萬多字。

29 陸宗達:〈黃季剛先生詩文鈔序〉,《黃季剛詩文鈔》(武漢市:湖北人民出版社,1985年),〈黃季剛先生詩文鈔序〉,頁4:「一九二七年,我隨季剛先生到瀋陽時,他便懇切地對我說:『你要學習白話文,將來白話文要成為主要形式,不會作是不行的。我只能作文言,絕不改變,但你一定要作白話文。』我一直記著老師這些話。」

30 黃侃:〈漢唐玄學論〉,《黃侃論學雜著》(北京市:中華書局,1964年9月),頁482:「書籍有真偽,學術但論是非。今之檢覈偽書者,往往并其中藏而一概末殺之,甚無謂也。論吾土中世玄學之書,以三偽書為最懿。其思想突駕前人,而啟闢後來之途徑者,不可忽也。魏晉間著作最大者,無如列子、偽古文尚書、孔叢子三書。列子之書,從不見漢人稱道,而忽見於金行之世,雖未必即為處度所造,然其言皇子不信火浣布,乃依約魏文帝故事,知成書必在正始後矣。其書建理立論,乃以融通佛老之為,陳義極為閎遠。然亦言太易,言神仙,與王何之論又異。相其論旨,可為中國之婆羅門。而依託重言,真名不顯,惜乎!偽古文尚書,行之垂二千年,直至清儒惠閻二君,始確斷為偽作。然其中精理名言,紛紜揮霍,未可庋置而不談也。作者迄不定其為何人,或言王肅,而偽傳與肅齟齬者甚眾,師說以為鄭沖為之,亦難質言也。人心惟危四語,出偽書大禹謨,宋世儒者,則以為堯舜相傳之心法,近人則以為不過剿

誠的行動，實踐禮學精義，禮學不只著錄於竹帛之中，也不只存在於鼎磬之間，還映現在真實生活與具體言行之上，形式與內涵相互依託，或者表裡如一，或者內外相悖，或者是「患邪淫之人」[31]，或者是「脩飾之君子」[32]，不過，情意的真偽，舉措的收放，才是德與業之間契合程度的表徵。季剛先生雖然才高氣盛，但是以孝事親，真情至性，不棄不移[33]，並且勸孝於世[34]，

襲荀卿，要之謂心法者，推之過隆；謂剽襲者，傷於太直；若以為偽作者思想敏銳，直湊單微，亦非溢量之譽也（原注：書意與荀卿本意實不盡同，試取兩書對繹自知。）孔叢子者，或疑為子雍所造，較之尚書出自肅手者，略為的當。其中最精一言云：『心之精神是謂聖。』蓋本之伏生書傳，宋世楊慈湖最重之，以此下開心學一派，其關係亦奇矣！借如論者之言，偽書、孔叢子皆出肅手，則子雍非鹰經儒，又為玄學鉅子，此足以對抗康成，平其宿忿者也。」

31 《禮記・三年問》，《十三經注疏附校勘記・禮記注疏》（臺北縣：藝文印書館，1976年），頁961：「將由夫患邪淫之人與？則彼朝死而夕忘之，然而從之，則是曾鳥獸之不若也，夫焉能相與群居而不亂乎！」

32 《禮記・三年問》，《十三經注疏附校勘記・禮記注疏》（臺北縣：藝文印書館，1976年），頁961：「將由夫脩飾之君子與？則三年之喪，二十五月而畢，若駟之過隙，然而遂之，則是無窮也。」

33 柯淑齡：《黃季剛先生之生平及其學術（上）》（臺北市：中國文化大學中國文學研究所博士論文，1982年），頁205：「先生十三而孤，……戊申光緒三十四年（一九〇八年）二月，生母周太夫人病革，自日趣歸侍疾，是歲六月十九日周太夫人卒，先生抱痛終天，哀毀幾絕，營葬事畢，已病莫能興，因念身負重責，弗節則減性，將無以對先人，杜門養痾期間，日必強起徘徊墓側，每至萬山含暝，尚不欲歸，孝思殷摯，哀慕不已。時兩江總督端方嚴捕革命黨人，……先生倉皇東渡……心情甚哀，遂請蘇君曼殊為畫『夢謁母墳圖』，並撰成一篇題記，……太炎先生復題其後曰：『昔阮籍不循禮教，而居喪有至性，一慟失血數升。侃之念母，若與阮公同符焉。』」
又，頁206：「先生奉嫡母田太夫人如母，而有過之。……一是以田太夫人之意為依歸，挈家南北，處顛沛而孝敬無缺，即雲鵠公所遺楠柎亦輒隨之，蓋田太夫人不忍或離也。承顏養志，有美食必先奉母，嘗在京兆，召賓客會食，北方重蟹羹，庖人奉羹前，先生自垣一方問母得蟹羹不？母無以應，即召庖人痛責之。世以比茅容、阮籍。……民國八年七月去北京大學教職，應鄂中武昌高等師範之聘者，乃以田太夫人年逾八十，從太夫人歸鄉之志也。……民國十一年五月田太夫人卒，十月奉柩還葬蘄鄉先塋，先生悲傷逾平生。」
又，頁207：「先生早孤，未得親承庭訓，然對雲鵠公之追念，無時稍減。當其聞王君伯沆之述雲鵠公生前諸事跡，自以負先人之德，悚然而傷，……平日與子女等言及先人勤劬恩德，未嘗不淚涕被面……其純孝性成，篤厚人倫備見於此。」

在倡議「非孝」[35]的時代裡，對比是強烈的。事親至孝的季剛先生，對於師長，也是至恭至敬，「一依師法，不敢稍失尺寸，常告弟子輩，應謹守師法。」[36]與太炎先生久違初見或年節相見，必行稽首禮，晚年在中央大學講學時，每逢歲暮，太炎先生生日，必率門人前往上海祝壽，時時感念師恩[37]。而在北京大學任教時，不僅拜師同事劉師培先生，虛心服膺，始終不衰（詳前文），對於陳漢章（字伯弢，1863-1938）等先生，也謙謹的尊為老師[38]。在不屑於倫理道德的時代，尊師的季剛先生，色彩尤其鮮明。

　　季剛先生這一份不盲從於風潮的堅毅，來自理性的服膺，不是賣弄才情；對於禮學精髓的體悟，不是故作姿態，而是經由積極詳細的精密閱讀，千錘百鍊所成的紮實功夫。季剛先生閱讀禮書、研治禮學的情形，部分保存在後人所輯的年譜之中，例如柯淑齡所撰的〈先生年譜〉[39]，在民國十一

---

34 柯淑齡《黃季剛先生之生平及其學術（上）》（臺北市：中國文化大學中國文學研究所博士論文，1982年），頁209：「先生孝親非獨行於己，且推及它人，生平對事親不能逾於古，非孝無親之言益滋則甚忌之，欲勸孝於世間，故有能求文為其文（韻按：「文」字疑為「父」字之誤。）母壽者，必為之不倦，先生曰：『歲必為人作壽文數首。以為人能為親稱壽，未必遂為敬愛其親，而終不得斬以敬愛之名，敬愛其親者一日不絕於世間，則非孝無親之言，終不得大行而抉意，故文之偽者，莫逾於壽文，而文士未嘗廢之者，以其可以勸孝也。』」

35 如：稱吳虞是「隻手打倒孔家店的老英雄」的胡適，在《吳虞文錄》序中，認為吳虞思想重點之一，是指出孔子之道不合於現代生活，並主張「非孝」。（參見王汎森：《中國近代思想與學術的系譜・思潮與社會條件——新文化運動中的兩個例子》（臺北市：聯經出版公司，2003年），頁256。

36 潘師石禪：〈黃侃〉，《中國文化綜合研究》，1971年。

37 劉太希：〈黃季剛文采風流〉，《中外雜誌》第45卷第4期，頁28。

38 （1）柯淑齡：《黃季剛先生之生平及其學術（上）》（臺北市：中國文化大學中國文學研究所博士論文，1982年），頁219：「先生始與象山陳漢章伯弢先生同充教授，言小學不相中，互執己見，至攬袖掄拳，欲以刀杖相決，後又善遇焉。伯弢先生論學，精麤不耦，乃服其博，贊不容口……先生日記中言伯弢先生多以師稱之，足見先生亦曾待之以師禮也……世多怪先生矜克，其能下人又如是。」

　　（2）念遐：〈黃季剛與黃際遇〉，《聯合副刊》（民國五十三年九月五日至十日「煙雲璅語」）：「民國初年，任北京大學教授，……事陳先生介石以師禮，尤謙謹。」

39 柯淑齡：《黃季剛先生之生平及其學術（上）》（臺北市：中國文化大學中國文學研究所博士論文，1982年），頁77。

年、十七年、十八年、二十一年、二十四年等資料中，描繪了季剛先生研讀
禮書的身影；另外，黃焯敬述的〈黃季剛先生年譜〉[40]，也在民國八年、十
八年、十九年、二十年、二十一年等資料中，勾勒出季剛先生研治禮學的情
形。雖然一鱗半爪的訊息不夠完整全面，但是多少可以具體呈現季剛先生孜
孜於禮的真實樣貌，即使季剛先生感嘆「三禮紛紜，實甚足以疲人」[41]，仍
然「按日程功」，以季剛先生研讀《周禮正義》為例，當時的情況是：

> 先生讀孫詒讓《周禮正義》時，按日程功，總共費了一百八十天方始
> 讀完。先生採用的是湖北楚學會排印本，讀完之後，先生寫了「讀經
> 已恨二毛衰」的絕句一首。[42]

不只「按日程功」，而且「勾玄索隱」「毫髮必究」：

> 先生用功既勤，鑽研彌細，凡涉疑難，毫髮必究，勾玄索隱，細大無
> 捐。讀孫詒讓《周禮正義》，則見先生驗算推衍，無不妥貼周詳，經
> 十八月始就。[43]

毫髮必究的嚴謹態度，按日程功的認真精神，辨證是非的堅定毅力，超脫俗
媚的無畏氣魄，都使得季剛先生前有所承的禮學造詣更為深厚，也在那極力
詆謷禮義的時代裡，留下獨特的價值。

40　（1）手寫本見於黃侃、黃焯：《蘄春黃氏文存》（武昌市：武漢大學出版社，1993年）。
　　（2）排印本見於黃侃：《黃侃日記》（南京市：江蘇教育出版社，2001年）。

41　柯淑齡：《黃季剛先生之生平及其學術（上）》（臺北市：中國文化大學中國文學研究
　　所博士論文，1982年），頁63：「先生致書女及婿論讀書次序曰：『……春秋文簡義
　　豐，尋玩有味，三禮紛紜，實甚足以疲人。』」

42　殷孟倫：〈憶量守師〉，收入程千帆、唐文 編：《量守廬學記──黃侃的生平和學術》
　　（北京市：生活、讀書、新知三聯書店，1985年，第一版），頁140。

43　殷孟倫：〈憶量守師〉，收入武漢老齡科學研究院、武漢成才大學主編：《黃侃紀念文
　　集》（武漢市：湖北人民出版社，1989年），頁14。

三　黃侃禮學論著舉隅

　　季剛先生辭世後，在留下的大量批校文字裡，只有《三禮通論》具有眉目，章太炎先生歎息道：

> 今正五十，而遽以中酒死，獨《三禮通論》聲類目已寫定，他皆凌亂，不及第次，豈天不欲存其學耶！[44]

這一浩歎，將「天不欲存其學耶」的遺憾，化為後人救贖的力量，民國二十五年（1936），中央大學《文藝叢刊》為紀念季剛先生逝世周年，匯集遺著十九通，編印《黃季剛先生遺著專號》，其中包含《禮學略說》（上篇）一種。自此，學術瑰寶獲得保存，而其他未及整理的遺稿文件，歷經烽火危急、世道變亂等等磨難，在子嗣門人艱辛的全力護持之下，雖有殘缺，光華不減，倍受世人重視，其中，與禮學相關而有目可尋的資料，根據黃建中所撰〈黃季剛先生著作分類錄〉[45]，約有下列數種：一、手寫《周禮故書最錄》黃焯先生云：已整理交上海古籍出版社。二、手寫《儀禮古文最錄》黃焯先生云：已整理交上海古籍出版社。三、孫詒讓《周禮正義》批點（殘存四冊）存湖北省圖書館。四、胡培翬《儀禮正義》批點（殘存十四冊）存湖北省圖書館。五、手批《禮書通故》存湖北省圖書館。六、手圈《周禮注疏》（殘存三冊）存湖北省圖書館。七、手圈《儀禮正義》（殘存十四冊）存湖北省圖書館。

　　另外，季剛先生手批《十三經》（白文本、注疏本）、日記、論文、書信、講義、詩文等等，也都是接觸季剛先生禮學內涵的重要憑依，然而尋覓不易，匯整亦難，為充實底蘊，深入研究，謹將目前有限所知，分項陳述於

44　章太炎：〈黃季剛墓志銘〉（原載《制言》第五期，1935年。此處引自程千帆、唐文編：《量守廬學記——黃侃的生平和學術》（北京市：生活讀書新知三聯書店，2006年，北京第二版），頁2。

45　《中國海峽兩岸黃侃學術研討會論文集》（武昌市：華中師範大學出版社，1993年，第一版），頁6。

後，以請益於方家。

（一）《禮學略說》

《禮學略說》，只有上篇[46]，不見下篇。章太炎先生在〈黃季剛墓誌銘〉中所說的《三禮通論》[47]，學者認為，就是《禮學略說》[48]。

《禮學略說》最早刊載於民國二十五年（1936），中央大學《文藝叢刊》第二卷第二期《黃季剛先生遺著專號》之中。民國五十三年（1964），上海中華書局據以編輯的《黃侃論學雜著》，將《禮學略說》保留其中[49]，而後，《禮學略說》便一直收錄於各種刊行的文集之中，未曾單行。目前所知《禮學略說》的版本大約如下（依出版先後為序）：

1　《文藝叢刊》，二卷二期，《黃季剛先生遺著專號（上）》，南京：中央大學，民國二十五年（1936）。

2　《黃侃論學雜著》，頁四四四至四八一，上海：中華書局上海編輯所 編輯；北京：中華書局 出版。一九六四年（民國五十三年）九月第一版，上海第一次印刷。

---

46 根據全部正文之末，有「右上篇」三字。

47 章太炎：〈黃季剛墓志銘〉，原載《制言》第5期，1935年。此處引自成千帆、唐文編《量守廬學記——黃侃的生平和學術》（北京市：生活、讀書、新知三聯書店，2006年，北京第二版），頁2：「獨《三禮通論》聲類目已寫定……」。

48 黃建中：〈黃季剛先生著作分類錄〉按語，《中國海峽兩岸黃侃學術研討會論文集》（武昌市：華中師範大學出版社，1993年），頁6。

49 張世祿：《黃侃論學雜著·前言》（上海市：中華書局上海編輯所編輯；北京市：中華書局出版，1964年），頁1，敘述本書內容說：「他的論學著作，生前發表的很少。死後，前中央大學出版的《文藝叢刊》特為編印《黃季剛先生遺著專號》，收錄的有十九種。這裏編印的《黃侃論學雜著》，就是從原印的十九種當中，抽出《文心雕龍札記》一種作為單行，並刪去《馮桂芬說文段注考正書目》一種，共為十七種。因為其中絕大部分是關於語言文字學的，尤其是音韻方面的論著佔著半數；所以就依據『小學』分類上的『形體』、『音韻』、『訓詁』三門來編次；屬於『小學』以外的，列在最後；總稱為《黃侃論學雜著》。」

3　《黃侃論學雜著》，頁四四四至四八一，臺北：學藝出版社，民國五十八年（1969）五月初版。

4　《黃侃論學雜著》，頁四四四至四八一，臺北：臺灣中華書局，民國五十八年（1969）八月臺一版。

5　《黃季剛先生論學名著》（目次頁題名：黃侃論學雜著），頁四四四至四八一，臺北：九思出版社，民國六十六年（1977）九月一日臺一版。

6　《黃侃論學雜著──《說文略說》《音略》《爾雅略說》十七種》，頁四四四至四八一，上海：上海古籍出版社，一九八〇年（民國六十九年）四月，新一版第一次印刷。[50]

7　《黃侃論學雜著》，頁四四四至四八一，臺北：漢京文化事業公司，民國七十三年（1984）七月一日初版。

8　《中國現代學術經典・黃侃 劉師培卷》（簡體字），劉夢溪主編，頁三五六至三八四，石家莊：河北教育出版社，一九九六年（民國八十五年）第一版。

9　《二十世紀中國禮學研究論集》（簡體字），陳其泰、郭偉川、周少川編，頁一三至三八，北京：學苑出版社，一九九八年（民國八十七年）六月，北京第一版第一次印刷。

10　《黃侃國學文集》，頁四四九至四八六，新竹：花神出版社（扉頁為：理藝出版社）出版；凡異文化事業有限公司 發行。民國九十一年（2002）八月初版。[51]

50　原中華書局上海編輯所，一九六四年版，更正後重版。

51　本《黃侃國學文集》，頁495，有黃延祖〈《黃侃國學文集》重輯後記〉說明正名一事：「一九三六年中央大學《文藝叢刊》為紀念黃侃季剛先生逝世週年而編印了《黃季剛先生遺著專號》。一九六四年，上海中華書局以此為據，將《文心雕龍札記》另列單行本，刪去《馮桂芬說文段注考正書目》一篇後，以《黃侃論學雜著》之書名出版。……一九六四年版《雜著》之名極為不當。若依此見，則任何人之任何文集，多只得稱為雜著。《遺著專號》並不雜，主論國學，即文字學，聲韻學，訓詁學。將先生《遺著專號》更名為《雜著》，不過是時人矮化國學之偏見。因此這次重輯正名為《黃侃國學文集》。《遺著專號》原有太炎先生所寫序。再附什麼前言似有續貂之

11 《黃侃國學文集》，黃侃著，黃延祖重輯，頁三四〇至三七七，北京：
中華書局 出版發行，二〇〇六年（民國九十五年）五月第一版，北京
第一次印刷。[52]

12 《黃侃經典文存》（簡體字），洪治綱主編，頁二六五至二九一，上海：
上海大學出版社，二〇〇八年（民國九十七年）四月第一版第一次印
刷。

13 《新輯黃侃學術文集》，滕志賢編，頁三六一至三八四，南京：南京大
學出版社，二〇〇八年（民國九十七年）十一月第一版第一次印刷。

14 《民國期刊資料分期彙編・三禮研究（全三冊）》，晁嶽佩選編。（《三禮
研究》第三冊。耿素麗、胡月平選編），頁一八五四至一八八六，北
京：國家圖書館出版社，二〇〇九年（民國九十八年）五月，第一版。

（二）〈釋公士大夫〉

季剛先生〈釋公士大夫〉一文，發表於民國九年（1920）五月付印、六
月發行的《國學厄林》第一卷。第九十三頁至九十四頁。

目前可見的《國學厄林》第一卷為複印本，收錄於《民國珍稀期刊》叢
書之中的《民國珍稀短刊斷刊・湖北卷・十一》（北京：全國圖書館文獻微
縮復制中心出版，新華書店發行，二〇〇六年），頁五〇二五至五二一三。

嫌。……因此六四年版前言此次重輯即刪去。六四年中華版之錯誤多至近百處，……
由於六四年上海中華版，及隨後之上海古籍版，臺灣中華版，長期為可得之唯有版
本，其謬誤流傳甚廣，因此此次重輯時於書末附以中華版之主要勘誤。」

52 本《黃侃國學文集》於〈章太炎先生序〉後，有黃延祖按語：「延祖按：一九三六年
中央大學《文藝叢刊》於先生逝世周年之紀念專號原印十九通。一九五九（韻按：此
原文，存疑）年，在刪去《馮桂芬說文段注考正書目》一篇，將《文心雕龍札記》抽
出單印後，以《黃侃論學雜著》之名由中華書局出版。此次重輯時，更刪去曾誤作先
生之文《說文說解常用字》和《說文聲母重音鈔》二篇，以《黃侃國學文集》之名再
次由中華書局出版。」

（三）〈〈士喪禮〉不績〉[53]、〈〈既夕禮〉商祝免袒〉[54]

〈〈士喪禮〉不績〉、〈〈既夕禮〉商祝免袒〉兩則文字，是季剛先生日記殘葉，首見於黃焯敬述的〈黃季剛先生年譜〉[55]，「一九一九年　民國八年己未　三十四歲」「四月十五日記」之後的黃焯案語：

> 日記殘葉僅存四月十五、十六兩日所記，謹錄於下方。
>
> 士喪禮不績。注績讀為⋯⋯。以上儀禮卷三十七
>
> 十六日記云，既夕禮商祝免袒。執工布入。⋯⋯乃假借耳。[56]

一九一九年四月十五日的「士喪禮不績。⋯⋯以上儀禮卷三十七」，計六百四十三字（含大小字）；一九一九年四月十六日的「既夕禮商祝免袒。⋯⋯乃假借耳」，計三百二十二字（含大小字），都是研究季剛先生禮學的珍貴資料，黃焯在這兩則殘葉之末並有案語說：

> 先生說禮之作，存者唯禮學略說一種，故於此記具錄之。觀四月十五日所記，有去年十二月始溫七經之語，則其前或有易、書、詩、周禮劄記可知，今俱不得見矣。[57]

目前，幸而保存並見記錄的這兩篇殘葉，所知版本如下：

1　《蘄春黃氏文存・黃季剛先生年譜》（句讀，手寫本），頁一五一至一五四，黃侃、黃焯撰，武昌：武漢大學出版社，一九九三年（民國八十二年），第一版。

53　此標題為陳韻依據本段文字首句，初步試擬，猶待商榷。

54　此標題為陳韻依據本段文字首句，初步試擬，猶待商榷。

55　黃侃、黃焯：〈黃季剛先生年譜〉，《蘄春黃氏文存》（武昌市：武漢大學出版社，1993年），頁122-229。

56　黃侃、黃焯：《蘄春黃氏文存》（武昌市：武漢大學出版社，1993年），頁151。

57　黃侃、黃焯：《蘄春黃氏文存》（武昌市：武漢大學出版社，1993年），頁154。

2　《黃侃日記・黃季剛先生年譜》（使用現代標點符號，排印本），頁一一
　　一二至一一一四，黃侃著（黃焯敬述），南京：江蘇教育出版社，二○
　　○一年（民國九十年），第一版。

3　《黃侃國學文集・禮學略說・附》（句讀，排印本），頁三八五至三八
　　七，黃侃著、黃延祖重輯，北京：中華書局，二○○六年（民國九十五
　　年），第一版。

（四）〈論「周公之籍」、「周公之典」即《周禮》〉[58]

　　季剛先生曾有一段關於《周禮》成書時代的論證，見於范文瀾《群經概
論・第五章周禮・第三節周禮不偽證》[59]的引述：

> 黃師季剛復發明一條，證《周禮》為周公手定，孔子復親見《周
> 禮》，其說曰：
> 《國語・魯語》仲尼曰：「先王制土，籍田以力，……則有周公之籍
> 矣。」……又《左傳》哀公十一年……仲尼曰：「……則有周公之典
> 在。」據此則《國語》所謂周公之籍，即周公之典，典籍一也，此周
> 公之典，即《周禮》矣。[60]

范文瀾《群經概論》目前可見的版本約有以下數種：

1　《群經概論》，北平市：樸社，民國二十二年（1933）。

2　《群經概論》，臺北市：學海出版社，民國七十四年（1985）。

3　《群經概論》，上海市：上海書店，一九九○年（民國七十九年）。

4　《范文瀾全集・第一卷》，石家莊市：河北教育出版社，二○○二年
　　（民國九十一年）。

5　《群經概論》，臺中市：文聽閣圖書公司，民國九十七年（2008）。

58　此標題為陳韻初步試擬，猶待商榷。

59　范文瀾：《群經概論》（北平市：樸社，1933年），頁183。

60　范文瀾：《群經概論》（北平市：樸社，1933年），頁183。

（五）〈記蘄春黃先生講三禮〉

〈記蘄春黃先生講三禮〉一文，作於一九八四年四月，記錄作者錢玄[61]
在南京就讀中央大學時，聆聽季剛先生講授《三禮通論》的內容，包括學禮
的宗旨、方法等：

> 一九三〇年，玄肄業於南京中央大學，得聆蘄春黃先生講《三禮通
> 論》。先生提綱挈領，述三禮傳授源流，啟示治禮學之途徑及方法。[62]

〈記蘄春黃先生講三禮〉一文，收錄於《量守廬學記──黃侃的生平和學
術》，版本如下：

1　《量守廬學記──黃侃的生平和學術》，程千帆、唐文 編，北京：生活
　　讀書新知三聯書店，一九八五年（民國七十四年），第一版。

2　《量守廬學記──黃侃的生平和學術》，程千帆、唐文 編，北京：生活
　　讀書新知三聯書店，二〇〇六年（民國九十五年），北京第二版。

（六）〈量守廬講學二記〉

〈量守廬講學二記〉一文，是閔孝吉[63]與黃席群在南京問道於季剛先
生的筆記：

61　錢玄（1910-1999），字小云，江蘇吳江同里人。民國二十三年（1934）畢業於中央大
　　學中文系。畢生從事古文獻研究，著有《三禮通論》、《三禮名物通釋》、《三禮辭典》
　　等。

62　錢玄：〈記蘄春黃先生講三禮〉，(1)《量守廬學記──黃侃的生平和學術》（程千帆、
　　唐文編，北京市：生活、讀書、新知三聯書店，1985年，第一版），頁152。(2)《量
　　守廬學記──黃侃的生平和學術》（程千帆、唐文 編，北京市：生活、讀書、新知三
　　聯書店，2006年，北京第二版），頁137。

63　閔孝吉（1908-1999），字肖伋，江西九江人。民國二十三年（1934）夏，問學黃侃先
　　生。民國三十六年（1947）至臺灣，曾任教於政治大學、東吳大學等校。

　　一九三四年，閔孝吉偕同年友黃席群赴南京問道黃季剛侃先生，先生
分兩日為授國學四部，二人詳加筆錄，即為是記。[64]

記中所述「讀經之法」、「基本書籍」，都與研治禮學有關。

　　〈量守廬講學二記〉一文，見於《南京師範大學文學院學報》二〇〇二
年第一期。

（七）「喪[65]服經舊說集證」提要

　　「喪服經舊說集證」，是季剛先生在金陵大學國學研究班[66]的講目，並
有提要：

　　　　《儀禮》以喪服為最要最精，今取宋以前先儒之說悉為疏解，以求經
　　　　文之真相。[67]

金陵大學國學研究班的講目，是季剛先生晚年致力的部分，隻字片語，都足
以呈現最高的學術精華。這份資料，見於劉建宣〈季剛先生手擬金陵大學國
學研究班學程提要跋〉一文，該文收錄於《量守廬學記——黃侃的生平和學
術》（程千帆、唐文 編，北京市：生活讀書新知三聯書店，一九八五年，第

---

64 黃席群、閔孝吉記：〈量守廬講學二記・小引〉，《南京師範大學文學院學報》2002年
　　第1期，頁152。

65 韻按：《量守廬學記——黃侃的生平和學術》，頁38所刊，此字空缺，據其正文，宜
　　補上「喪」字，的當與否，猶待檢視原載《金陵大學校刊專號》（1935年11月4日）
　　（典藏於北京大學圖書館）原文。

66 西元一九一〇年，美國基督教會在中國創辦金陵大學。西元一九二七年，陳裕光當選
　　長後，運用美國工業家霍爾的捐款，開辦中國文化研究所。西元一九三四年，金陵大
　　學成立國學研究班，國學導師有：胡小石、胡翔冬、黃侃、吳梅、汪辟疆、商承祚等
　　人。

67 劉建宣：〈季剛先生手擬金陵大學國學研究班學程提要跋〉，收入程千帆、唐文編：
　　《量守廬學記——黃侃的生平和學術》（北京市：生活、讀書、新知三聯書店，1985
　　年，第一版），頁38。

一版）之中。

（八）《黃侃手批白文十三經》

　　《黃侃手批白文十三經》，於一九八三年（民國七十二年），由上海古籍
出版社，以季剛先生手稿[68]影印出版。程千帆勾勒本書概況說：

> 此書係先師以商務印書館排印白文《十三經》為底本，施以朱筆句
> 讀，並加朱墨符識多種，前有先師手書《手批白文十三經提要》，今
> 悉依原本，用二色套印，由黃焯教授作簡短前言，略述先師對經學及
> 句讀之見解，本書批校之經過，復就所知，將符識四十餘種加以說
> 明，不知則缺。[69]

黃焯在本書〈前言〉說明季剛先生批校的時間：

> 本書底本為一九一四年商務印書館鉛印本。先生之批校，約於一九二
> 六年至一九三〇年進行，一九三二年又改正一遍。在此之前，尚有一
> 部初校本，約於一九一六年至一九二一年批校，一九三〇年冬復閱改
> 正。兩本斷句相同，其他符識稍異，現特附記說明。[70]

季剛先生用功於經學的精勤，是罕見的[71]；對於群經的解讀，是極其嚴謹
的，透過分析章句的句讀方式，反復推尋，不斷修正。《三禮》方面，依據
鄭玄注，認為：

---

68 黃焯：《黃侃手批白文十三經‧前言》（上海市：上海古籍出版社，1983年），頁5：
　　「《十三經》白文斷句，係黃侃先生手稿。」
69 程千帆：〈黃先生遺著目錄補〉，《量守廬學記——黃侃的生平和學術》，頁214。
70 黃焯：《黃侃手批白文十三經‧前言》（上海市：上海古籍出版社，1983年），頁5。
71 黃焯：《黃侃手批白文十三經‧前言》（上海市：上海古籍出版社，1983年），頁4：
　　「先生治學精勤，嘗謂子姪曰：『汝見有勤學如我者否？』誦群經義疏及《四史》皆
　　十餘過。蓋自三十以後二十年中，其精力多萃於經傳注疏及《說文》中。」

> 古籍中難於斷句者，以《儀禮》、《尚書》為最。《儀禮》自韓愈已苦
> 難讀，……故解經獨本漢唐傳注正義為說。[72]

又主張治經應先以一家之說為主，再兼通眾家：

> 故於《爾雅·釋畜》「騜牝驪牡玄駒褭驂」之文，依郭注於「騜牝玄
> 駒」下注點，「驪牡褭驂」下注圈，實則應依鄭玄《周禮·夏官·廋
> 人》引《爾雅》讀「騜」為句，「牝驪牡玄」各為句，先生雖知鄭義
> 為長，然於句讀則仍從郭，良以治經先宜以一家之說為主故爾。[73]

更強調必須審度辭氣、探究文理，才能真正瞭解其中涵義：

> 其於諸經傳圈點，雖云根據舊注，然舊注簡略，如《儀禮》鄭注字數
> 反較經文為少，徒據注文，嘗不能確知句讀斷限，須深究古訓，審度
> 經文辭氣，探其義旨，始得明古人用意所在。[74]

季剛先生手批白文十三經，在句與讀之間，蘊涵的是責己求是的治學態度，以及精密深刻的理論思維，平凡的面貌，卻有著不凡的智慧；純熟的終點心得[75]，為深奧的禮學研究鍛造了厚實的力量。

《黃侃手批白文十三經》的版本有：

1　《黃侃手批白文十三經》，黃侃校點，上海市：上海古籍出版社，一九
　　八三年（民國七十二年），第一版。

---

72 黃焯：《黃侃手批白文十三經·前言》（上海市：上海古籍出版社，1983年），頁2。

73 黃焯：《黃侃手批白文十三經·前言》（上海市：上海古籍出版社，1983年），頁3。

74 黃焯：《黃侃手批白文十三經·前言》（上海市：上海古籍出版社，1983年），頁4。

75 陸宗達：〈季剛先生與手批白文十三經〉，《黃季剛先生逝世五十週年誕生一百週年紀
　　念集》，頁47-51（轉引自司馬朝軍、王文暉合撰：《黃侃年譜》，武漢市：湖北人民出
　　版社，2005年，頁279）：「一九八三年元月，《黃侃手批白文十三經》由上海古籍出
　　版社出版。這部批校本，初一見之，似乎僅為句讀校勘等經學之初階，但它卻在季剛
　　先生治經已相當純熟之后所為，反映的不是季剛先生經學的起點，而是終點。季剛先
　　生以一代國學大師，將多年治經之心得，以句讀校勘的初階形式記錄下來，這正是
　　《手批白文十三經》的可貴之處。」

2　《黃侃手批白文十三經》，黃侃校點，上海市：上海古籍出版社，一九
　　八六年（民國七十五年），第一版。

3　《黃侃手批白文十三經》，黃侃著，新竹市：理藝出版社，民國八十七
　　年（1998），初版。

4　《黃侃手批白文十三經》，黃侃批校，北京市：中華書局，二〇〇六年
　　（民國九十五年），第一版。

5　《黃侃手批白文十三經》，黃侃校點，上海市：上海古籍出版社，二〇
　　〇八年（民國九十七年），第二版。

（九）《圈點十三經白文》

　　《圈點十三經白文》，收在潘師石禪所編《黃季剛先生遺書》[76]第九、
第十兩冊。所用底本，也是商務印書館《白文十三經》。卷首《周易》題下
有一行署記：

　　　　量守師圈點《十三經》，潘重規過錄。

下有陰文小篆「重規」二字印。潘師石禪《黃季剛先生遺書影印記》敘述原
委說：

　　　　民國十六年（一九二七年）先師南下，開設講席，重規得側門牆，先
　　　　師首命圈讀《十三經注疏》，故得過錄先師圈點《十三經》白文。[77]

又說明《遺書》本的重要性：

　　　　先師既以所批註《說文》、《爾雅》二書相授，命之迻錄，又時過宿
　　　　舍，檢視作業，因與劇談。闡發新義，有出批註之外者，輒筆錄口

---

76 《黃季剛先生遺書》（臺北市：石門圖書公司，1980年）。

77 《圈點十三經白文》，《黃季剛先生遺書》（臺北市：石門圖書公司，1980年），冊9、
　　10，頁1。

義，附識書端。是此影印過錄本所載，不盡同於原本，將來原本影印
行世，《遺書》本仍不可廢也。[78]

《圈點十三經白文》，目前所知，只有臺北石門圖書公司，民國六十九年
（1980）的版本。

（十）〈周禮行於春秋時證〉

　　「黃侃」〈周禮行於春秋時證〉一文，見於《國學卮林》第一卷（民國
九年五月付印，六月發行），第七十頁至第七十六頁。目前可見的《國學卮
林》第一卷為複印本，收錄於《民國珍稀期刊》叢書之中的《民國珍稀短刊
斷刊・湖北卷・十一》（北京：全國圖書館文獻微縮復制中心出版，新華書
店發行，二〇〇六年），頁五〇二五至五二一三。

　　「季剛」〈周禮行於春秋時證〉一文，見於《華西學報》第一期（民國
二十二年）。北京大學圖書館典藏有該期刊物。

　　〈周禮行於春秋時證〉一文的作者問題，目前疑雲重重，幾部重要資
料，都把《華西學報》第一期中，署名「季剛」的〈周禮行於春秋時證〉，
歸屬於「黃季剛」，如：《經學研究論著目錄（1912-1987）下冊》「（六）周
禮研究史」「先秦」之部[79]的資料是：

　　　　08673　　黃季剛　　周禮行於春秋時證
　　　　　　　　　華西學報　1 期　頁 171—180　1933 年 9 月

《三禮研究論著提要》[80] 所登錄的是：

---

78 黃侃：《圈點十三經白文》，《黃季剛先生遺書》（臺北市：石門圖書公司，1980年），
　　冊9，頁1。

79 林慶彰編：《經學研究論著目錄（1912-1987）》（臺北市：漢學研究中心，1989年），下
　　冊，頁515。

80 王鍔編：《三禮研究論著提要》（蘭州市：甘肅教育出版社，2001年），頁486。

2707　《周禮行於春秋時證》　黃季剛　《華西學報》1933
年 9 月 1 期　頁 171—180

《六十年來之國學（一）‧經部第四篇‧六十年來之禮學》於「六、存目」
之下[81]收錄此條資料作：

周禮行於春秋時證　季剛　（華西學報一期）

而把《國學厄林》第一卷中，署名「黃侃」的〈周禮行於春秋時證〉，與見
於《華國》（《華國月刊》）[82]第二期第一冊，署名「陳漢章」的〈周禮行於
春秋時證〉，共同歸屬於「陳漢章」，如：《經學研究論著目錄（1912-1987）
下冊》「（六）周禮研究史」「先秦」之部[83]的資料是：

08672　陳漢章　周禮行於春秋時證
　　　　　　　國學厄林 1 卷 1 期　1920 年
　　　　　　　華國 2 卷 1 期　頁 1—11　1924 年 11 月

《三禮研究論著提要》[84]所登錄的是：

2685　《周禮行於春秋時證》　陳漢章　《國學厄林》1920 年
　　　　　　　　　　　　1 卷 1 期；
　　　　　　　　《華國》1924 年 11 月 2 卷 1 期　頁 1—11

《六十年來之國學（一）‧經部第四篇‧六十年來之禮學》[85]收錄此條資料
作：

---

81 程發軔編：《六十年來之國學（一）》（臺北市：正中書局，1972 年），頁 368。

82 目前所見原刊影本有二：一、《華國》（臺北市：文海出版社，民國六十年（1971）。
　二、《中國近現代文史期刊匯編（一）》（北京市：線裝書局，2006 年）。扉頁作「華
　國」，目錄頁及雙頁書邊作「華國月刊」。

83 林慶彰編：《經學研究論著目錄（1912-1987）》（臺北市：漢學研究中心，1989 年），下
　冊，頁 515。

84 王鍔編著：《三禮研究論著提要》（蘭州市：甘肅教育出版社，2001 年），頁 485。

85 程發軔主編：《六十年來之國學（一）》（臺北市：正中書局，1972 年），頁 388。

　　周禮行於春秋時證　　陳漢章　（華國月刊：二卷一號，國學厄林第一
　　　　　　　　　　　　　　　　期）

　　此外，《中國古籍整理研究論文索引》所收兩則資料[86]、《齊魯文化研究論著
目錄》所收三則資料[87]，也都標列載於《國學厄林》與《華國》的〈周禮行
於春秋時證〉，作者為「陳漢章」；載於《華西學報》的〈周禮行於春秋時
證〉，作者為「季剛」。

　　至於范文瀾（1893-1969）所著《群經概論・第五章周禮・第三節周禮
不偽證》，徵引學者見解時，更說：「陳師伯弢亦作〈周禮行於春秋時證〉一
篇」[88]，而且引文內容與《華國月刊》的〈周禮行於春秋時證〉、《國學厄
林》的〈周禮行於春秋時證〉，完全一致，因此讀者認為：〈周禮行於春秋時
證〉的作者，只能是陳漢章（陳伯弢），而《華西學報》上「季剛」的署名
是「張冠李戴」[89]。

　　比對「黃季剛（季剛）」與「陳漢章」同題之作所出現的刊物，「黃季剛
（季剛）」只有一種：《華西學報》一期（一九三三年）；「陳漢章」有兩種：

86　（一）東北師大古籍整理研究所辭書編輯室編著：《中國古籍整理研究論文索引（清末
　　　　　～一九八三年）》（南京市：江蘇古籍出版社，1990年），頁227。
　　（二）所收兩筆資料為：
　　　　　①《周禮》行于春秋時證　陳漢章　華國2:1　1924。
　　　　　②《周禮》行于春秋時證　季　剛　華國學報1　1933
87　（一）張成水主編；山東師範大學齊魯文化研究中心編：《齊魯文化研究論著目錄》
　　　　　（北京：中國社會科學出版社，2003年），頁994-995。
　　（二）所收三筆資料為：
　　　　　①《周禮》行于春秋時證　陳漢章　《國學厄林》1卷1期（1922）
　　　　　②《周禮》行于春秋時證　陳漢章　《華國》2卷1期（1924）
　　　　　③《周禮》行于春秋時證　季　剛　《華西學報》1期（1933）
88　范文瀾：《群經概論》（北平市：樸社，1933年），頁183。
89　許子濱：〈陳漢章《〈周禮〉行於春秋時證析論》，《人文中國學報》第16期（香港浸會
　　大學《人文中國學報》編輯委員會編）（上海市：上海古籍出版社，2010年9月），頁
　　435。（韻按：文題「陳漢章《〈周禮〉行於春秋時證》中，書名、篇名符號的位置，
　　悉依原刊，未作更動。下同。）

《國學卮林》一卷一期（一九二○年）、與《華國》(《華國月刊》)二卷一期
（一九二四年）。三種不同刊物之中，以一九二○年的《國學卮林》一卷一
期為最早，應是追本溯源的重要線索。

　　檢視首先登載〈周禮行於春秋時證〉一文的《國學卮林》[90]第一卷，全
卷僅有作者為「黃侃」的〈周禮行於春秋時證〉[91]（內容是以魯國與諸國共
六十例考證周禮行於春秋當時），並沒有作者為「陳漢章」或「陳伯弢」的
〈周禮行於春秋時證〉，也就是：在《國學卮林》第一卷之中，只有一篇題
為〈周禮行於春秋時證〉的文章，而作者是「黃侃」。綜觀《國學卮林》第
一卷的整體情況，就出版事宜而言，根據〈國學卮林雜誌編輯暫行條例〉、
〈國學卮林雜誌投稿細則〉、與封底版權頁的資料[92]，《國學卮林》雜誌由
「武昌高等師範學校國文歷史地理學會全體會員組織之」，「暫定年出二卷，
五月底出一卷，十二月底出一卷」，職員包括「（一）主任一人（二）編輯兼
收發幹事四人（三）校讎幹事四人」，「主任由本會特別會員中推任」，而
《國學卮林》第一卷的編輯主任，正是「黃侃」；總發行所是「國立武昌高
等師範學校國文歷史地理學會」，於「中華民國九年五月付印，六月發行」，
「各省各大書坊」代售，另有特別加框文字一方：「如蒙轉載，請注明轉載
國立武昌高等師範國學卮林第幾卷」。看來，《國學卮林》中的文章是可以轉
載的，《國學卮林》雜誌應該也不打算只有這一期而已。

　　再就全卷內容而言，本卷包含「通論」、「專著」、「雜纂」、「文藝」等
部[93]，而首有發刊題辭，尾有會員錄，除「通論」之外，每一部都有「黃
侃」的作品：發刊題辭中有〈國學卮林付刊感題二首〉；「專著」中有〈音
略〉、〈周禮行於春秋時證〉；「雜纂」中有〈釋公士大夫〉；「文藝」中有〈訊

---

90 陳湛綺編：《民國珍稀短刊斷刊　湖北卷　十一》，收入《民國珍稀期刊》（北京市：
　　全國圖書館文獻微縮複製中心，2006年），頁5025-5213。

91 《國學卮林》，卷1，頁70-76，收入《民國珍稀期刊》，總頁5098-5104。

92 見《國學卮林》，卷1封底，收入《民國珍稀期刊》，總頁5213。

93 〈國學卮林雜誌編輯暫行條例〉第四條：「本雜誌內容暫分左之六部：一通論、二專
　　著、三雜纂、四藝文、五校讎、六通信」。

班賦〉等二十一篇；會員錄中「黃侃」屬於特別會員。季剛先生在《國學卮林》第一卷中的作品，只有〈音略〉一篇以「蘄春黃侃季剛纂」的方式署名[94]，其餘都是以「黃侃」二字為作者名，而此處署名「蘄春黃侃季剛纂」的〈音略〉，應即日後傳誦於時，而季剛先生不以為篤意之作[95]的最早版本。在《國學卮林》第一卷「專著」中，〈音略〉（頁五七-七〇）一文之後，緊接著就是「黃侃」的〈周禮行於春秋時證〉（頁七〇-七六），而「黃侃」作品前後相銜出現在《國學卮林》第一卷中的例子，在「文藝」部中頗多，如頁一四〇至一四二，有「黃侃」的〈訊班賦〉、〈南歸賦〉、〈牡丹賦〉連續三篇；頁一五一至一五二，有「黃侃」的〈至武昌寄北京大學文科同學〉、〈燕薊〉、〈風〉、〈漫成〉、〈又成〉、〈遊仙〉、〈九日游洪山〉、〈始聞劉先生凶信為位而哭表哀以詩〉、〈雜詩〉連續九篇；頁一五七至一六一，有「黃

94　《國學卮林》第一卷中，共有五篇文章作此類署名，「專著」部有三：一、〈毛詩韻例〉「日照竹筠丁以此纂」；二、〈喪服經傳舊說〉「儀徵劉師培申叔纂」；三、〈音略〉「蘄春黃侃季剛纂」。「雜纂」部有二：一、〈漢書十二記鉤沉〉「奉化沈昌佑纂」；二、〈阮王兩刻經解纂人小傳〉「衡陽王凝度亮儀纂」。

95　柯淑齡：《黃季剛先生之生平及其學術（上）》（臺北市：中國文化大學中國文學研究所博士論文，1982年），頁53：「民國十二、三年間先生將所撰『音略』上半刊載于『華國雜誌』，一時傳誦，然先生以為非篤意之作。△乙亥（民國二十四年）孟冬，先生弟子殷君孟倫將先生所撰『音略』一卷刊於『制言』第六期，有『題音略後』云：『右蘄春先生譔「音略」一卷，乃得之傳抄者，文雖省易，而指意塙然，可闡發學者不少，闇嘗請於先生，欲一觀其真，先生謙讓未遑，以為少作不足存，已而先生持說，一改其故，析「廣韻」聲類至五十一，論韻攝不以強傳「切韻」，益精湛不可及，嗚呼！何其微也。初，民國十二、三年間此卷前半，經揭載「華國」中，一時傳誦，至有萬里騰書而爭求賡續者，今忽忽又十餘年矣，終不得畢睹，無以屬學者望，而先生一旦遽歸道山，遺著留篋衍者，尚待寫完，則此炎炎一卷，流傳刊布，何可緩邪，屬同門海寧孫鷹若以奔先生喪，洎南都，因出所謹錄者貽之，鷹若持歸，將籌諸梓，用永其傳，夫如是，既足副學者景鄉之懷，而先生積苦之學，可賴以勿替，撰之先生平昔之志，似若有違，然執先生前後之說，以辨其同異，世有達者，固不難解察，則小子何說也。乙亥孟冬弟子郾縣殷孟倫謹識。』』『音略』之刊布，學子為之傳誦，然先生卻以為非篤意之作，視之如芻狗，有詢及者，則心輒不懌（註一五七）（韻按：『註一五七：據劉道平撰「章太炎師徒三代剪影」。』），足見先生責己之嚴，著述之慎矣。」

侃」的〈高陽臺〉、〈西平樂〉、〈洞仙歌〉、〈浣谿沙四首〉、〈浪淘沙慢〉、〈秋思〉、〈高陽臺〉、〈迷神引〉、〈鶯嗁序〉連續九篇；其他作者的作品也有相連的情形,「文藝」部中,如:頁一四八至一四九,有「陳延韡」的〈樓外〉、〈傳心殿清香妃戎裝像歌〉、〈倦夜〉、〈三月二十三日〉連續四篇;頁一四九至一五一,有「沔陽黃福」的〈岳忠武王墓〉、〈於忠肅公墓〉連續二篇;頁一五五至一五七,有「汪東」的〈浣溪沙〉、〈蝶戀花〉、〈西平樂〉、〈解蹀躞〉、〈高陽臺〉、〈蝶戀花〉、〈還京樂〉、〈浣溪沙〉連續八篇,但是,「文藝」部中,「劉師培」的〈答黃侃問孔子生卒月日考〉(頁一三八至一三九)、與〈老子斠補卷上〉(頁一六三至一七三)[96],遠遠相隔,看來,《國學匄林》中的作品是以類相從的。那麼,嚴於責己、慎於著述的季剛先生,身為編輯主任的「黃侃」,有無誤植可能?「專著」部所收著作,除「蘄春黃侃季剛纂」〈音略〉、「黃侃」〈周禮行於春秋時證〉兩篇之外,另有:「日照竹筠丁以此纂」〈毛詩韻例〉、「儀徵劉師培申叔纂」〈喪服經傳舊說〉、「鍾歆」〈老子舊說上篇〉三文。五篇文字的次序是:「日照竹筠丁以此纂」〈毛詩韻例〉、「儀徵劉師培申叔纂」〈喪服經傳舊說〉、「蘄春黃侃季剛纂」〈音略〉、「黃侃」〈周禮行於春秋時證〉、「鍾歆」〈老子舊說上篇〉。

　　季剛先生於民國二年(1913)至八年(1919),講學北京大學;民國八年七月,奉母還鄉,執教武昌高等師範學校[97];民國十年(1921)五月,奉母躲避武昌兵變,應聘於太原山西大學,才月餘,因遘重疾,又返回武昌高

---

96 韻按:〈國學匄林雜誌編輯暫行條例〉第四條,將雜誌內容分為:「通論」、「專著」、「雜纂」、「藝文」、「校讎」、「通信」六部,而《國學匄林》第一卷中,無「校讎」、「通信」,卻有兩「文藝」,疑此「劉師培」的〈老子斠補卷上〉應屬「校讎」,而將標目「校讎」誤植為「文藝」。

97 柯淑齡:《黃季剛先生之生平及其學術(上)》(臺北市:中國文化大學中國文學研究所博士論文,1982年),頁50:「民國八年七月,先生應鄂中聘,歸教武昌高等師範,從田太夫人還鄉之志也。念田君『先府君行述』云:『是年(民國八年)七月,應鄂中聘,歸教於武昌高等師範,以田太夫人年逾八十,常有還鄉意,從太夫人志也。』」

等師範任教[98]，而民國九年五月付印、六月發行的《國學厄林》第一卷，便是在民國八年七月還鄉、民國十年五月避難之間的短暫時光中編印的，重返武昌後，是否延續，目前資料不足，僅能見到《國學厄林》第一卷。

　　至於刊載陳漢章〈周禮行於春秋時證〉的《華國》（《華國月刊》），是「黃侃」的老師、「陳漢章」的同學——章太炎（炳麟）先生於民國十二年（1923）九月，在上海創刊後的第二期第一冊[99]，時間是民國十三年（1924）十一月，距離民國九年六月發行的《國學厄林》第一卷，晚了四年多，那麼，是不是陳漢章的〈周禮行於春秋時證〉早在《國學厄林》第一卷之前，就已完成，只不過發表得慢？目前所能見到的《華國月刊》影印版本有兩種：一是臺北文海出版社（民國六十年〔1971〕）的影本（以下簡稱「文海版」），一是北京線裝書局《中國近現代文史期刊匯編（一）》（西元二〇〇六年）的影本（以下簡稱「綫裝版」）。「文海版」在「沈雲龍」〈影印「華國」前言〉中說：

　　茲據原刊本影印。

「線裝版」在〈出版說明〉中表示：

　　原出版品部分版面因戰爭期間的出版條件限制而極度模糊，我們盡最
　　大限度地進行了清晰還原，並針對原書排印中明顯的個別錯字、標點
　　予以改正和調整。

二種版本整體而言，頗有不同，例如：「綫裝版」保留《華國月刊》的廣告頁面，而「文海版」的《華國月刊》沒有廣告頁面等等；若就〈周禮行於春

---

98 柯淑齡：《黃季剛先生之生平及其學術（上）》（臺北市：中國文化大學中國文學研究
　　所博士論文，1982年），頁52：「民國十年五月初二，王占元部譁變武昌，先生奉母偕
　　眷避兵漢皋，旋以湘鄂兵連不解，乃應太原山西大學聘，逾月，因遘重疾，復還鄂，
　　執教武昌高等師範。」

99 韻按：《華國月刊》自第一卷第一期（民國十二年九月），至第一卷第十二期（民國十
　　三年八月），都以「卷」、「期」二字區隔；之後則以「期」、「冊」二字劃分，刊載
　　〈周禮行於春秋時證〉的是《華國月刊第二期第一冊》。

秋時證〉一文而言，兩種版本最大差別在於：「綫裝版」的目錄與內文，在「周禮行於春秋時證」的標題之下，都有作者名：「陳漢章」三字；「文海版」僅目錄標題「周禮行於春秋時證」之下，有「陳漢章」三字，內文標題「周禮行於春秋時證」之下，則完全空白，不見任何署名，異於全書體例，情況極其特殊，究竟真相如何，必須進一步查考。

　　另外，在所著《群經概論》中引用〈周禮行於春秋時證〉的范文瀾，於民國二年（1913）至六年（1917），就讀北京大學，從「黃師季剛」學《文心雕龍》，從「陳師伯弢」學習史學，畢業後三年，《國學叢林》第一卷才出刊，而目前所能見到的范著《群經概論》，以民國二十二年（1933）北平樸社所出版的為最早，是否還有更早[100]的版本，尚待瞭解，不過，極可能離民國十三年十一月的《華國》月刊第二期第一冊較近，離民國九年六月的《國學叢林》第一卷較遠，而時間較近、名氣較大的刊物，或許較易接觸。檢視民國二十二年（1933），由北平樸社出版的范氏《群經概論》，自頁一八一至一九二，共引述四位學者（汪中、陳澧、黃季剛、陳伯弢）的意見，文字前後相屬，而且黃說在前，陳文緊接其後：

> 《周禮》者周代政典之綱領也。……後儒因疑《周禮》非周公之製作，或謂周公制禮而未嘗班行。要皆未知時代變遷，盛衰殊異之故，刻舟而求之，自難責其脗合無間也。汪氏中云：漢以前《周官》傳授原流，皆不能詳，故為眾儒所排。考之於古，凡得六徵，茲列其說如下……
> 汪氏以後，陳氏澧復考得四條……
> 黃師季剛復發明一條，證《周禮》為周公手定，孔子復親見周禮，其說曰……
> 陳師伯弢亦作〈《周禮》行於春秋時證〉一篇，凡列六十證，詳博閎

---

100 如「大英百科線上（臺灣）」（Britannica Online（Taiwan））所呈現的資料是：「范文瀾」「一九二五年加入文化團體樸社，在天津出版《文心雕龍講疏》；一九二六年出版《群經概論》。」

大，非他經師所能言。茲錄文如下……讀先生此文，可知春秋時諸侯雖不能共秉《周禮》，而典制之遵用者，自《左傳》一書觀知，已多至六十證，《周禮》之非偽書，的然無疑矣。

范文瀾在徵引時，並沒有說明詳細來源，究竟是聽講筆記[101]？是手稿？還是期刊論文[102]？若是期刊，刊名為何？若是手稿，原貌如何[103]？或許往來的書信可為佐證[104]，但是，「黃侃代陳漢章刊此書」[105]的緣由為何？依照黃

---

101 司馬朝軍、王文暉：《黃侃年譜》（武漢市：湖北人民出版社，2005年，第一版），頁92：「檢范文瀾《群經概論》，有二則筆記與黃侃有關，其一論證《周禮》為周公手定：『黃師季剛復發明一條，證《周禮》為周公手定……』」

102 （1）錢英才：《國學大師陳漢章、十四北大執教派系對立》（杭州市：浙江文藝出版社，2007年）：「漢章與太炎在學術上也有爭論，他在作〈周禮行于春秋時證〉一文中，對太炎懷疑他提出『春秋時不獨儀禮，還行周禮』一說時，立了『六十證明之』。此事是黃季剛告訴漢章的。此文長達四千三百餘字，……一共立了六十證。此後又作了〈儀禮行于春秋時補證〉。這兩篇文章均以大量的史實作為例證，來證實自己的觀點。……前一文載《中國學報》，後又被范文瀾《群經概論》所轉引。不過與手稿在次序上有不同。」

　　（2）錢英才：《國學大師陳漢章・附錄・一陳漢章著作年表・五十三歲（1916年民國五年丙辰歲）》（杭州市：浙江文藝出版社，2007年）：「《周禮行於春秋時證》，載武漢《國學報》。范文瀾《群經概論》一書全文轉載。」

103 （1）許子濱：〈陳漢章《〈周禮〉行於春秋時證》析論〉，《人文中國學報》第十六期（上海市：上海古籍出版社，2010年9月），頁436：「『《國學報》』與『《中國學報》』，名稱不一致，未知郭是。」

　　（2）許子濱：〈陳漢章《〈周禮〉行於春秋時證》析論〉，《人文中國學報》第十六期（上海市：上海古籍出版社，2010年9月），頁436：「錢先生似乎未見上文提及的三個本子。而他提及的兩個本手，包括手稿本及《中國學報》本，筆者皆未見。」

　　（3）許子濱：〈陳漢章《〈周禮〉行於春秋時證》析論〉，《人文中國學報》第16期（上海市：上海古籍出版社，2010年9月），頁439，注〔35〕：「查香港大學馮平山圖書館所藏《中國學報》微型膠片，雖能找到幾篇陳漢章的文章，但未見此文。《中國學報》出版地為北京，亦與武漢不符。」

104 卞孝萱：〈「魁儒」陳漢章〉，《文史知識》2008年第2期，頁110：「據陳漢章《復徐行可書》：『季剛見拙撰《周禮行于春秋時證》，謂開（韻按：「開」字疑為「聞」字誤植）所未聞，太炎言周禮成而未行。堅欲如申欲例，此向稱弟子，固不敢當。』」

侃嚴肅治學、終身尊師（如章太炎、劉師培）的謙謹態度，以己名發表所尊學者作品的機率幾何？最早刊載「黃侃」〈周禮行於春秋時證〉的，是《國學厄林》第一卷，而《華國月刊》第二期第一冊的〈周禮行於春秋時證〉，卻是「陳漢章」的著作，同一篇文章，出現了兩位不同的作者，其中癥結未明，〈周禮行於春秋時證〉的歸屬，仍待繼續探索。

三　結語

　　季剛先生的禮學論著，尚須不斷從相關論文、筆記、講義、日記、書函、詩文、批校圈點等資料之中，搜尋整理，以求明確充實。整體而言，一方面應繼續求證確認季剛先生的著作，例如〈周禮行於春秋時證〉一文的作者歸屬；另一方面廣泛爬梳勾稽、逐步建構論述系統，例如日記，即是不可忽略的重要資源。季剛先生一直非常重視日記的寫作，認為「既能留下心得，又能鍛鍊手筆」[106]，可惜所留下的日記手稿，幾乎全毀於戰火，今日所保存的抄本，也不完整連續[107]，不過，日記的內容依然十分豐富，例如在《書眉日記》十四種[108]當中，有《讀大戴禮記日記》；而自民國十一年一

---

105 卞孝萱：〈「魁儒」陳漢章〉，《文史知識》2008年第2期，頁110，倒數第六行括弧夾注。

106 陸宗達：《黃侃日記・序》（南京市：江蘇教育出版社，2001年），頁3：「一九二八年冬天，季剛先生曾對我說：『記日記是很好的方法，既可留下心得，又能鍛鍊手筆。』」

107 黃建中：〈黃季剛先生著作分類錄・九、黃侃日記〉，《中國海峽兩岸黃侃學術研討會論文集》，頁23：「一九三七年夏，黃侃次子念田先生已將全部日記交付上海開明書店出版，但由於抗戰局勢的劇變，未能印出。念田還居內地以避日寇，倉惶之中誤將日記副本當作正本帶至四川，而將正本遺留南京，經戰火後，原本已蕩然無存。又黃侃女婿潘重規教授當時參與校正錄副本，因而手頭留有原稿數十頁，抄稿一小部分，皆輾轉保存下來，并在臺灣印出。」

108 黃建中：〈黃季剛先生著作分類錄・九、黃侃日記〉，《中國海峽兩岸黃侃學術研討會論文集》，頁24：「黃侃每讀一書，即於其書書頁上逐日記讀書之心得及當日發生之事件，前後凡讀書十四種，皆有記，且首尾相連，后為潘重規另紙抄錄成冊，總題名《書眉日記》。」

月一日開始記錄的《六祝齋日記》[109]，不但引《周禮・春官・大祝之職》中的「六祝」，說明日記名稱的意義：

> 《周禮・太祝》，六祝：順祝，順豐年；年祝，求永貞；吉祝，祈福祥；化祝，弭災兵；瑞祝，逆時雨、寧風旱；筴祝，遠罪疾。侃遭逢衰亂，親老身羸，方適四方，以營祿養。歲事之始，陳辭禱先，非唯善其一身，亦欲民命皆活，爰采吉祥之語，……。[110]

更有許多閱讀《周禮》心得，如民國十一年一月一日的日記：

> 射人「以矢行告」，杜子春不知引〈大射儀〉說之，故後鄭疑其非是。然則治經雖大師亦有偶忘也。[111]

又如民國十一年一月四日的日記：

> 偶思今博局所謂彩注及五木。所謂采字，皆當為菑。〈攷工記〉：「輪人察其菑蚤不齵。」先鄭云：「菑讀如雜廁之廁。為建輻也。泰山平原所樹立物為菑，聲如裁。博立梟棋，亦為菑。」《釋文》：「菑，側吏反。」
> 《疏》：「博立梟棋者，謂博戲時，立一子於中央，謂之梟棋，云為菑，亦是樹立為菑之義。」案：菑，古音如災；采，古音如猜，聲類相近。今之所謂采，正漢人之所謂菑矣。《文字集略》云：「……摴蒲，采名也。」是采亦古語。[112]

又如民國十一年一月六日的日記：

109 黃建中：〈黃季剛先生著作分類錄・九、黃侃日記〉，《中國海峽兩岸黃侃學術研討會論文集》，頁23：「黃侃日記，每本皆有一個專名，如《癸丑日記》、《六祝齋日記》、《京居日記》、《避寇日記》、《閱嚴輯全文日記》、《量守廬日記》等，或以書，或以事，或以居，或以書（韻按：此句疑衍誤），隨意立名。」
110 黃侃：《黃侃日記》（南京市：江蘇教育出版社，2001年），頁38。
111 黃侃：《黃侃日記》（南京市：江蘇教育出版社，2001年），頁39。
112 黃侃：《黃侃日記》（南京市：江蘇教育出版社，2001年），頁39。

稱海曰洋，蓋波洋之意。《周官·萍氏》注：「備波洋卒至沉溺也。」
《音義》：「洋音翔，又音羊。」案：依《說文》當作瀁字。夜士行夜
徼候，漢之都候，今之值夜巡警也。宵行夜遊，古亦有禁，今則非值
纂嚴，不復幾苛矣。[113]

又如民國十一年一月七日的日記：

> 〈攷工記〉卅工，惟鳧栗，讀為麻調之麻（古文或作歷）；調金錫之
> 齊以為量桃，讀為搗築之搗；為劍而名桃，猶為削而名築矣。鍾者量
> 名以量量，丹秫為染羽之所必資，因以名其官。
>
> 吾鄉水中湛物，取出曬之，謂之盉出，慌（韻按：左從巾）氏。（韻
> 按：「。」宜作「：」）「清其灰而盉之」，固如此解。[114]

日記中的論述，雖然多數簡短，但是，即使三言兩語，仍然有著深刻的意
義，都是進一步研究季剛先生禮學內涵的珍寶。

季剛先生禮學論著的搜集整理，方才初步展開，所得資料即已在字裡行
間充分顯示出：季剛先生的禮學視野兼包群己物我；季剛先生的禮學襟懷是
觀照古今；季剛先生的禮學態度是與生活相結合；季剛先生的禮學方法是以
精準確實為依歸。這宏富深邃的特質，亟待學界持續關注致力，唯有以詳實
完備的文本資料做為基礎，後繼的鑽研才能真正闡發一代碩儒的學術精華。

---

113 黃侃：《黃侃日記》（南京市：江蘇教育出版社，2001年），頁40。
114 黃侃：《黃侃日記》（南京市：江蘇教育出版社，2001年），頁40。

黃侃禮學經典詮釋（一）
——《禮學略說》版本及其校勘

陳韻

國立中正大學中國文學系教授

一　緒言

　　治學精勤不輟的黃侃（季剛）先生（1886-1935），生前並不輕易著書，章太炎先生曾多次催促說：「人輕著書，妄也。子重著書，吝也。妄不智，吝不仁。」季剛先生回答老師說：「年五十當著紙筆矣。」[1]豈料，宏篇巨制還來不及完成發表，滿懷學術熱忱的生命，竟在知命之際戛然而止，太炎先生長嘆道：「今正五十，而遽以中酒死，……豈天不欲存其學耶？」[2]

　　季剛先生曾有《禮學略說》講稿[3]，也曾教授《三禮通論》[4]，在季剛先

1　章太炎：〈黃季剛墓志銘〉。原載《制言》第5期（1935年）。此處引自程千帆、唐文編：《量守廬學記——黃侃的生平和學術》（北京市：生活、讀書、新知三聯書店，2006年，北京第二版），頁2：「季剛諱侃……始從余問，后自為家法，然不肯輕著書，余數趣之，曰：『人輕著書，妄也。子重著書，吝也。妄不智，吝不仁。』答曰：『年五十當著紙筆矣。』」

2　章太炎：〈黃季剛墓志銘〉。原載《制言》第5期（1935年）。此處引自程千帆、唐文編：《量守廬學記——黃侃的生平和學術》（北京市：生活、讀書、新知三聯書店，2006年，北京第二版），頁2。

3　（1）「1928年」，「43歲」，「南下應南京中央大學聘，講章有《禮學略說》、《唐七言詩式》諸稿。」劉夢溪主編：〈黃季剛先生學術年表〉，《中國現代學術經典・黃侃 劉師培卷》（石家莊市：河北教育出版社，1996年），頁397。

　　（2）「1928年」，「受聘于南京中央大學，講章有《禮學略說》、《唐七言詩式》諸

生留下的大量批校文字裡，只有《三禮通論》具有眉目。太炎先生曾說：
「獨《三禮通論》聲類目已寫定，他皆凌亂，不及次第」[5]。為了救贖「天
不欲存其學耶」的遺憾，為了緬懷季剛先生的為學精神，民國二十五年
（1936），季剛先生逝世周年時，國立中央大學《文藝叢刊》第二卷第二
期，特別匯集遺著十九通，出版《黃季剛先生遺著專號》，其中包含《禮學
略說》（上篇）一種。學者認為，《禮學略說》又名《三禮通論》[6]。

　　一九六四年，中華書局上海編輯所[7]根據《黃季剛先生遺著專號》，將原
印十九種遺著中的《文心雕龍劄記》抽出單行，又刪除《馮桂芬說文段注考
正書目》一種，其餘十七種，編印成《黃侃論學雜著》，而《禮學略說》正
是保留的十七種遺著之一。此後，《禮學略說》便一直收錄於各種刊行的文

　　稿。」洪治綱主編：〈黃侃生平及著作年表〉，《黃侃經典文存》（上海市：上海大
　　　學出版社，2008年），頁309。
4　（1）　「1931年」，「46歲」，「于《金陵學報》、《金聲》上發表《詩音上作平證》、《章
　　　　炳麟黃侃往來論韻書》等，講《三禮通論》，批注《爾雅義疏》。」（劉夢溪主
　　　　編：〈黃季剛先生學術年表〉，《中國現代學術經典・黃侃 劉師培卷》，石家莊
　　　　市：河北教育出版社，1996年，頁397。）
　　（2）　「1931年」「在《金陵學報》、《金聲》上發表《詩音上作平證》、《章炳麟黃侃往
　　　　來論韻書》等，講《三禮通論》，批注《爾雅義疏》。」（洪治綱主編：〈黃侃生平
　　　　及著作年表〉，《黃侃經典文存》，上海市：上海大學出版社，2008年，頁309。）
　　（3）　「一九三〇（庚午）」，「民國十九年，年四十五」，「是年，任教於南京中央大
　　　　學、金陵大學。講授《三禮通論》。」（滕志賢編：〈黃侃生平著述年表〉，《新輯
　　　　黃侃學術文集》，南京市：南京大學出版社，2008年，頁414。）
5　章太炎：〈黃季剛墓志銘〉。原載《制言》第5期，1935年。此處引自程千突、唐文編：
　　《量守廬學記——黃侃的生平和學術》（北京市：生活、讀書、新知三聯書店，2006
　　年，北京第二版），頁2。
6　依據黃建中：〈黃季剛先生著作分類錄〉，《中國海峽兩岸黃侃學術研討會論文集》（武
　　漢市：華中師範大學出版社，1993年），頁6：「禮學略說按：又名《三禮通論》，湖北省圖
　　書館存移寫本上篇。」
7　中華書局上海編輯所即今日上海古籍出版社前身。上海古籍出版社最早是成立於西
　　元一九五六年十一月的上海古典文學出版社；西元一九五八年三月，與中華書局上海
　　辦事處合併，改組為中華書局上海編輯所；西元一九七八年一月，改名為上海古籍出
　　版社。

集之中，未曾單行。然而，它的重要性，經過種種的時代考驗，依舊含芬煥采，被視為經典之作。收錄《禮學略說》的《中國現代學術經典》編者，在〈編例〉中，說明選擇學者著作的原則是，「從學術本身的獨立價值著眼」——

> 「《中國現代學術經典》收清末民初以來中國現代學者的著作，以人為卷，……所收著作以典範性和代表性為基準，主要從學術本身的獨立價值著眼，雖然有的著作以前曾以不同的形式出版過，但納入經典系列，在中國現代學術特定概念籠括下出版，尚屬首次。」[8]

此外，收錄《禮學略說》的《二十世紀中國禮學研究論集》[9]編者，在〈編選例言〉中表示：

> 「學術界以近代觀點對傳統的禮學進行研究探索，恰恰是在本世紀初開始的，歷經百年的努力，業已取得了可觀的成果。本研究文集的編選、出版，即是為了較系統地反映二十世紀禮學研究的成績，予以總結，……選入本書的論文，兼顧到本世紀各個時期有獨創見解的研究成果。選入的作者，既有本世紀前半期的學術名家，……目的是保證本研究文集具有高學術品位和人們共認的代表性，……」[10]

而同樣收錄《禮學略說》的《黃侃經典文存》編者，更有著傳揚學術精華的期許：

> 「我們編選的這本《黃侃經典文存》，是從他的一些主要著述中精選出來的，偏重於訓詁、經學等方面，它可以為廣大讀者尤其是青年學

8　劉夢溪編：《中國現代學術經典‧黃侃 劉師培卷》（石家莊市：河北教育出版社，1996年），頁1。

9　黃季剛：《禮學略說》，收入陳其泰、郭偉川、周少川主編：《二十世紀中國禮學研究論集》（北京市：學苑出版社，1998年）。

10　陳其泰、郭偉川、周少川編：《二十世紀中國禮學研究論集》（北京市：學苑出版社，1998年），頁5。

生提供一面人生思考的鏡子。」[11]

跨越千禧年，進入新時代，季剛先生的《禮學略說》，在學術殿堂裡的典範性、代表性，不僅備受肯定，而且具有獨特的價值，值得深入研究。本文將先從版本與校勘兩方面，開啟研究進程。

二　《禮學略說》版本考

（一）版本種類考

《禮學略說》收錄於各種同名異版、異名同版、異名異版的文集之中，按照出版時間的先後，目前（截至二〇一三年十一月）所知的版本，約有以下十四種：

1　《黃季剛先生遺著專號（上）》（國立中央大學《文藝叢刊》第二卷第二期）。

（1）南京市：國立中央大學出版組（出版）發行。民國二十五年（1936）。

（2）依據《1833-1949 全國中文期刊聯合目錄增訂本》[12]所載資料，典藏「國立中央大學《文藝叢刊》第二卷第二期」的圖書館有兩處：

A 復旦大學圖書館。

B 廣東省中山圖書館。

（3）《大成老舊刊全文數據庫》收錄此文[13]。

11　洪治綱編：《黃侃經典文存・前言》（上海市：上海大學出版社，2008年），頁1。

12　全國第一中心圖書館委員會、全國圖書聯合目錄編輯組編：《1833-1949全國中文期刊聯合目錄（增訂本）》（北京市：書目文獻出版社出版，1981年）。

13（1）《大成老舊刊全文數據庫》收錄清末至一九四九年間，在中國出版的期刊六千餘種，包括文史地理、哲學經濟、政治軍事、天文醫藥、工農交通等二十二門類，共十二萬餘期，一百三十餘萬篇文章，其中有許多稀見珍本，全部採用原件掃描，由北京尚品大成數據公司建置，於二〇一〇年開放試用，提供「文章檢索」、「刊種檢索」等功能。

（4）正體字。直行排列，自右而左，每頁十六行，每行約三十六字。

（5）以句號（「。」）、頓號（「、」）斷句（偶有逗號「（，）」）。符號標示於所
斷文句之下，中央。

（6）隨文附注，注文以雙行小字綴於各行所注正文之下。

（7）有〈序〉（目次作「章太炎先生序」）。序末云：「民國二十五年四月章
炳麟序」。

（8）〈序〉前有插圖六幀：A 黃季剛先生遺像。B 汪旭初先生繪量守廬
圖。C 黃季剛先生集韻聲類表手稿。D 黃季剛先生批校廣韻。E 黃季
剛先生批校大徐本說文。F 黃季剛先生遺著爾雅郝疏訂補手稿。

（9）《禮學略說》所在頁面為：第一頁至第三三頁（本刊各篇文章頁碼各
自獨立編訂。《禮學略說》為〈序〉之後的第一篇文章。）。

（10）《禮學略說》正文最後有「右上篇」三字。

2　《黃侃論學雜著》。黃侃　撰。

（1）上海市：中華書局上海編輯所 編輯；北京市：中華書局 出版。一九
六四年（民國五十三年）九月，第一版，上海第一次印刷。三十二開
本。

（2）正體字。直行排列，自右而左。每頁十四行，每行約三十三字。

（3）以新式標號斷句，符號標示於所斷文句之下，右側。

（4）隨文附注，注文以雙行小字綴於各行所注正文之下。

（5）有署名「張世祿」的〈前言〉。〈前言〉中，第二段第三行有「並刪去
《馮桂芬說文略注考正書目》一種」一句，「略」字應作「段」字。

（6）有〈章太炎先生序〉，序文後附有「編者按」──「編者按：一九三

（2）《大成老舊刊全文數據庫》收錄的「國立中央大學《文藝叢刊》第二卷第二期」
為復旦大學圖書館藏書。首頁（試用版）保留「震旦大學圖書館」直式長條印章
（原為藍色），取消「复旦大學圖書館報刊室」橫式長方形有框印章（原為紅
色）。今所見首頁，「震旦大學圖書館」直式長條印章未出現於頁面，而於刊物刊
名圖示中隱約可見。

（3）韻按：《大成老舊刊全文數據庫》「分類體系」中，《禮學略說》的刊名「國立
中央大學文藝叢刊」，植為「國立中英大學文藝叢刊」，「央」字誤作「英」字。

六年原印十九通。今將《文心雕龍劄記》抽出單行，並刪去《馮桂芬說文段注考正書目》一篇，存十七種。」

（7）《禮學略說》所在頁面為：第四四四頁至第四八一頁。

（8）《禮學略說》正文最後有「右上篇」三字。

3　《黃侃論學雜著》。黃季剛 編著。

（1）臺北市：學藝出版社 出版。民國五十八年（1969）五月初版。三十二開本。

（2）依據臺灣大學圖書館「全部館藏」目錄記載，「另有題名」：「黃季剛先生論學名著」，但檢閱臺灣大學總圖書館所藏原本，並無此一題名的頁面。

（3）正體字。直行排列，自右而左。每頁十四行，每行約三十三字。

（4）以新式標號斷句，符號標示於所斷文句之下，右側。

（5）隨文附注，注文以雙行小字綴於各行所注正文之下。

（6）有〈前言〉，但沒有署名。〈前言〉中，第二段第三行有「並刪去《馮桂芬說文略注考正書目》一種」一句，「略」字應作「段」字。

（7）有〈章太炎先生序〉，但序文後無「編者按」。

（8）《禮學略說》所在頁面為：第四四四頁至第四八一頁。

（9）《禮學略說》正文最後有「右上篇」三字。

4　《黃侃論學雜著》。黃侃 撰。

（1）臺北市：臺灣中華書局 出版。民國五十八年（1969）八月臺一版。三十二開本。

（2）依據臺灣大學圖書館「全部館藏」目錄記載，「另有題名」：「黃季剛先生論學名著」，但檢閱臺灣大學總圖書館所藏原本，並無此一題名的頁面。

（3）正體字。直行排列，自右而左。每頁十四行，每行約三十三字。

（4）以新式標號斷句，符號標示於所斷文句之下，右側。

（5）隨文附注，注文以雙行小字綴於各行所注正文之下。

（6）有署名「張世祿」的〈前言〉。〈前言〉中，第二段第三行有「並刪去

《馮桂芬說文略注考正書目》一種」一句，「略」字應作「段」字。

（7）有〈章太炎先生序〉，但序文後無「編者按」。

（8）《禮學略說》所在頁面為：第四四四頁至第四八一頁。

（9）《禮學略說》正文最後有「右上篇」三字。

5　《黃季剛先生論學名著》。黃侃（季剛）著作。

（1）臺北市：九思出版社　出版。民國六十六年（1977）九月一日臺一版。「九思叢書 13」。三十二開本。

（2）本版封面題名為「黃季剛先生論學名著」，但目次頁題作「黃侃論學雜著　目次」，偶數頁書邊亦作「黃侃論學雜著」。

（3）正體字。直行排列，自右而左。每頁十四行，每行約三十三字。

（4）以新式標號斷句，符號標示於所斷文句之下，右側。

（5）隨文附注，注文以雙行小字綴於各行所注正文之下。

（6）目次中列有〈前言〉一項，但書中並無〈前言〉一文。

（7）有〈章太炎先生序〉，但序文後無「編者按」。

（8）《禮學略說》所在頁面為：第四四四頁至第四八一頁。

（9）《禮學略說》正文最後有「右上篇」三字。

6　《黃侃論學雜著——《說文略說》《音略》《爾雅略說》等十七種》。黃侃撰。

（1）上海市：上海古籍出版社　出版。一九八〇年四月，新一版第一次印刷。三十二開本。版權頁於「黃侃　撰」一行之下，以括號註記：「原中華上編版」。版權頁上方有「重印說明」：「本書據中華書局上海編輯所一九六四年版，改正少數刊誤，予以重版。」

（2）依據臺灣大學圖書館館藏記載，本書另有題名：「黃季剛先生論學名著」，但檢閱臺灣大學總圖書館所藏原本，並無此一題名的頁面。

（3）正體字。直行排列，自右而左。每頁十四行，每行約三十三字。

（4）以新式標號斷句，符號標示於所斷文句之下，右側。

（5）隨文附注，注文以雙行小字綴於各行所注正文之下。

（6）有署名「張世祿」的〈前言〉。〈前言〉中，第二段第三行「並刪去

《馮桂芬說文段注考正書目》一種」一句，已將一九六四年版「並刪去《馮桂芬說文略注考正書目》一種」中的「略」字，更正為「段」字。

（7）有〈章太炎先生序〉，序文後附有「編者按」——「編者按：一九三六年原印十九通。今將《文心雕龍劄記》抽出單行，並刪去《馮桂芬說文段注考正書目》一篇，存十七種。」

（8）《禮學略說》所在頁面為：第四四四頁至第四八一頁。

（9）《禮學略說》正文最後有「右上篇」三字。

7　《黃侃論學雜著》。【民國】黃侃　撰。總編輯：王進祥。

（1）臺北縣：漢京文化事業有限公司　出版。民國七十三年（1984）七月一日初版。「四部刊要／子部・自著類」。三十二開本。

（2）正體字。直行排列，自右而左。每頁十四行，每行約三十三字。

（3）以新式標號斷句，符號標示於所斷文句之下，右側。

（4）隨文附注，注文以雙行小字綴於各行所注正文之下。

（5）有署名「張世祿」的〈前言〉。〈前言〉中，第二段第三行「並刪去《馮桂芬說文段注考正書目》一種」一句，已將一九六四年版「並刪去《馮桂芬說文略注考正書目》一種」中的「略」字，更正為「段」字。

（6）有〈章太炎先生序〉，序文後附有「編者按」——「編者按：一九三六年原印十九通。今將《文心雕龍劄記》抽出單行，並刪去《馮桂芬說文段注考正書目》一篇，存十七種。」

（7）《禮學略說》所在頁面為：第四四四頁至第四八一頁。

（8）《禮學略說》正文最後有「右上篇」三字。

8　《中國現代學術經典・黃侃　劉師培卷》。劉夢溪　主編。吳方　編校。

（1）石家莊市：河北教育出版社　出版。一九九六年，第一版。三十二開本。

（2）簡體字。橫行排列，每行文字自左而右。每頁二十六行，每行約二十四字。

（3）以新式標號斷句，符號標示於所斷文句右下方。

（4）隨文附注，注文以單行小字綴於各行所注正文之後。

（5）《禮學略說》所在頁面為：第三五六頁至第三八四頁。

（6）《禮學略說》正文最後，無「右上篇」三字，但在《禮學略說》開始
　　頁（即第三五六頁）頁面下方有一行小字「說明」：

　　「【說明】　只存上篇，見《黃侃論學雜著》。」

9　《二十世紀中國禮學研究論集》。陳其泰、郭偉川、周少川　編。

（1）北京市：學苑出版社　出版。一九九八年六月，北京第一版第一次印
　　刷。三十二開本。

（2）簡體字。橫行排列，每行文字自左而右。每頁二十七行，每行約二十
　　六字。

（3）以新式標號斷句，符號標示於所斷文句右下方。

（4）隨文附注，注文文字大小與正文相同，但加括弧繫於各行所注文句之
　　後。

（5）《禮學略說》所在頁面為：第十三頁至第三十八頁。

（6）《禮學略說》正文最後，無「右上篇」三字。

10　《黃侃國學文集》。黃侃　著。

（1）新竹市：花神出版社（扉頁標示為：理藝出版社）出版。凡異文化事
　　業有限公司　發行。民國九十一年（2002）八月初版。

（2）正體字。直行排列，自右而左。每頁十四行，每行約三十三字。

（3）以新式標號斷句，符號標示於所斷文句之下，右側。

（4）隨文附注，注文以雙行小字綴於各行所注正文之下。

（5）A　無〈前言〉，但扉頁之後有黃延祖署名的〈申明〉：

　　「先君黃侃季剛先生為清末民初著名學者，其著作為中華文化之重
　　要遺產。海峽兩岸同為華夏子民，有權自由閱讀研習。延祖作為季
　　剛先生遺著著作權第一順序繼承人之唯一代表，今授權臺灣凡異文
　　化事業有限公司影印文心雕龍劄記、黃侃國學文集和黃侃國學講義
　　錄在臺灣發行。遵先母、先姐、先兄之囑，放棄版稅和稿酬。黃延

祖　署　西元二〇〇二年。」

　　B 又有署名「黃延祖」的〈《黃侃國學文集》重輯後記〉，說明正書
　　　名、刪〈前言〉的原由：

　　　「一九三六年中央大學《文藝叢刊》為紀念黃季剛先生逝世周年而
　　　編印了《黃季剛先生遺著專號》。一九六四年，上海中華書局以此
　　　為據，將《文心雕龍劄記》另列單行本，刪去〈馮桂芬說文段注考
　　　正書目〉一篇後，以《黃侃論學雜著》之書名出版。……一九六四
　　　年版《雜著》之名極為不當。若依此見，則任何人之任何文集，多
　　　只得稱為雜著。《遺著專號》並不雜，主論國學，即文字學、聲韻
　　　學、訓詁學。將先生《遺著專號》更名為《雜著》，不過是時人矮
　　　化國學之偏見。因此這次重輯正名為《黃侃國學文集》。《遺著專
　　　號》原有太炎先生所寫序。再附甚麼前言似有續貂之嫌。中華書局
　　　及其所請之前言作者有甚麼話要說，自可另行發表。作為前言則有
　　　違著作權法第二十條保護著作之完整性不受時間限制之規定。因此
　　　六四年版前言此次重輯即刪去。」[14]

　（6）有〈章太炎先生序〉，序文末「章炳麟序」四字之前，無「西元一九
　　　三六年四月」一句，與《雜著》本異。序文之後，附有註記文字，但
　　　無「編者按」三字，而是以「＊」形符號標示下列文字：

　　　「中央大學《文藝叢刊》特輯《黃季剛先生紀念專號》原收錄十九
　　　種。現將〈文心雕龍劄記〉抽出單印，並略去〈馮桂芬說文略目[15]考
　　　正書目〉後，定名為《黃侃國學文集》，含十七種。」

　（7）《禮學略說》所在頁面為：第四四九頁至第四八六頁。

　（8）《禮學略說》正文最後有「右上篇」三字。

11 《黃侃國學文集》。黃侃 著，黃延祖 重輯。

　（1）北京市：中華書局 出版發行。二〇〇六年五月，第一版，北京第一

---

14 黃延祖：〈《黃侃國學文集》重輯後記〉，《黃侃國學文集》（新竹市：花神出版社，2002
　年），頁495。

15 韻按：「略目」二字，疑應作「段注」二字。

次印刷。三十二開本。

（2）依據臺灣大學圖書館「全部館藏」目錄記載，有「其他書名」：「黃侃文集」。「黃侃文集」一名，見於扉頁及版權頁。

本文集頁一至頁三，有「中華書局編輯部二〇〇六年二月」的〈黃侃文集出版說明〉。

（3）正體字。直行排列，自右而左。每頁十四行，每行約三十三字。

（4）以新式標號斷句，符號標示於所斷文句之下，右側。

（5）隨文附注，注文以雙行小字綴於各行所注正文之下。

（6）無〈前言〉，但有署名「黃延祖」的〈重輯後記〉，說明正書名、刪〈前言〉的原由：

「一九三六年，中央大學《文藝叢刊》為紀念黃侃季剛先生逝世周年而編印了《黃季剛先生遺著專號》。一九六四年，上海中華書局以此為據，將《文心雕龍劄記》另列單行本，刪去〈馮桂芬說文段注考正書目〉一篇後，以《黃侃論學雜著》之書名出版。……一九六四年版《雜著》之名極為不當。若依此見，則任何人之任何文集，多只得稱為雜著。《遺著專號》並不雜，主論國學，即文字學，聲韻學，訓詁學。將先生《遺著專號》更名為《雜著》，不過是時人矮化國學之偏見。因此這次重輯正名為《黃侃國學文集》。《遺著專號》原有太炎先生所寫序。再附甚麼前言似有續貂之嫌。因此六四年版前言此次重輯即刪去。」[16]

（7）有〈章太炎先生序〉，序文末「章炳麟序」四字之前，無「西元一九三六年四月」一句，與《黃侃論學雜著》本異。序文之後，無「編者按」，但有「延祖按」——

「延祖按：一九三六年中央大學《文藝叢刊》於先生逝世周年之紀念專號原印十九通。一九五九年[17]，在刪去〈馮桂芬說文段注考正書

---

16 黃延祖：〈重輯後記〉，《黃侃國學文集》（北京市：中華書局，2006年5月），頁388。

17 韻按：此「一九五九年」疑應為「一九六四年」。

目〉一篇，將〈文心雕龍劄記〉抽出單印後，以《黃侃論學雜著》之名由中華書局出版。此次重輯時，更刪去曾誤作先生之文〈說文說解常用字〉和〈說文聲母重音鈔〉二篇，以《黃侃國學文集》之名再次由中華書局出版。」[18]

（8）《禮學略說》所在頁面為：第三四○頁至第三七七頁。

（9）《禮學略說》正文最後有「右上篇」三字。

12 《黃侃經典文存》。洪治綱主編。

（1）上海市：上海大學出版社。二○○八年四月，第一版，第一次印刷。「經典啟蒙文庫」。三十二開本。

（2）簡體字。橫行排列，每行文字自左而右。每頁二十七行，每行約二十五字。

（3）以新式標號斷句，符號標示於所斷文句右下方。

（4）隨文附注，注文以單行小字綴於各行所注正文之後。

（5）有〈前言〉，但內容不同於《黃侃論學雜著》本的〈前言〉。此版〈前言〉末尾落款題署為「編者於暨南大學」。

（6）《禮學略說》所在頁面為：第二六五頁至第二九一頁。

（7）《禮學略說》正文最後，無「右上篇」三字，但在《禮學略說》開始頁（即第二六五頁）頁面下方有一行小字「說明」：

「【說明】 只存上篇，見《黃侃論學雜著》。」

13 《新輯黃侃學術文集》。黃侃 著。滕志賢 編。

（1）南京市：南京大學出版社 出版。二○○八年十一月，第一版，第一次印刷。「南雍學術經典」。十六開本。

（2）依據臺灣大學圖書館「館藏目錄」所載，有「其他書名」：「黃侃學術文集」。

（3）正體字。直行排列，自右而左。每頁十九行，每行約四十二字。

（4）以新式標號斷句，符號標示於所斷文句之下，右側。

---

18 《黃侃國學文集》（北京市：中華書局，2006年5月），頁2。

（5）隨文附注，注文以雙行小字綴於各行所注正文之下。

（6）無〈前言〉，但有〈黃侃先生的小學成就及治學精神（代導讀）〉[19]。

（7）有〈章太炎先生序〉，但題名為：〈中央大學文藝叢刊黃季剛先生遺著專號序〉。序末「章炳麟序」四字之前，有「西元一九三六年四月」一句，與《黃侃論學雜著》小異，《黃侃論學雜著》為「公元一九三六年四月」，稱「公元」年，此則作「西元」年。

序文之後，有「【一】 編者按」——

「【一】 編者按：一九三六年原印十九通。一九六四年上海古籍出版社將《文心雕龍劄記》抽出單行，並刪去〈馮桂芬說文段注考正書目〉一篇，存十七種，成《黃侃論學雜著》。今在十七種基礎上新增六種（《復許仁書》一種，附《講尚書條例》後），為二十三種。」

（8）《禮學略說》所在頁面為：第三六一頁至第三八四頁。

（9）《禮學略說》正文最後有「右上篇」三字。

14 **《民國期刊資料分類彙編・三禮研究（全三冊）》。晁岳佩 選編。**

（《三禮研究》第三冊。耿素麗、胡月平 選編。）

（1）北京市：國家圖書館 出版社。二〇〇九年五月，第一版。

（2）正體字。直行排列，自右而左，每頁十六行，每行約三十六字。

（3）以句號（「。」）、頓號（「、」）斷句（偶有逗號「（，）」）。符號標誌於所斷文句之下，中央。

（4）隨文附注，注文以雙行小字綴於各行所注正文之下。

（5）《禮學略說》所在頁面為：第一八五四頁至第一八八六頁。

（6）《禮學略說》正文最後有「右上篇」三字。

（7）書心有奇偶頁數及「禮學略說」、「文藝叢刊」等小字標誌，經核對，版面行款全同於「國立中央大學《文藝叢刊》第二卷第二期」；正文末「右上篇」之後有出處註記：「——摘自《文藝叢刊》一九三六年一月第二卷第二期」，則本版《禮學略說》應係影印自「國立中央大

---

19 〈黃侃先生的小學成就及治學精神（代導讀）〉作者為許嘉璐。

學《文藝叢刊》第二卷第二期」原書，而原書單數頁在左，雙數頁在
右；此《三禮研究》第三冊影印編排後，成為原單數頁在右，原雙數
頁在左。

（二）版本關係考

前述十四種《禮學略說》版本的源頭，雖然都是來自於：民國二十五年
（1936）國立中央大學《文藝叢刊》第二卷第二期《黃季剛先生遺著專號
（上）》，但是，各版本之間，仍有若干同異現象可供觀察。

以版面行款而言，十四種版本計有直式與橫式兩類，茲以「甲」、「乙」
分項說明如下。

甲、橫式

橫式的版本有三，依照前文的編序，分別是：

8　《中國現代學術經典・黃侃 劉師培卷》。劉夢溪 主編。吳方 編校。
　　石家莊市：河北教育出版社 出版。一九九六年，第一版。
　　簡體字。

9　《二十世紀中國禮學研究論集》。陳其泰、郭偉川、周少川 編。
　　北京市：學苑出版社 出版。一九九八年六月，北京第一版第一次印
　　刷。
　　簡體字。

12　《黃侃經典文存》。洪治綱主編。
　　上海市：上海大學出版社。二〇〇八年四月，第一版，第一次印刷。
　　簡體字。

以上三種橫式版本，都是大陸地區的出版品，也都使用簡體字，出版時
間從一九九六年到二〇〇八年，跨越千禧，同樣以禮敬經典的心情刊行《禮
學略說》。

乙、直式

直式版本有十一種，分別出版於海峽兩岸。

（甲）出版於大陸者

在大陸出版的有六種，依照前文的編序，分別是：

1　《黃季剛先生遺著專號（上）》（國立中央大學《文藝叢刊》第二卷第
　　二期）。

　　南京市：國立中央大學出版組出版，民國二十五年（1936）。

　　正體字。

2　《黃侃論學雜著》。黃侃　撰。

　　上海市：中華書局上海編輯所　編輯；北京市：中華書局　出版。一九
　　六四年九月，第一版，上海第一次印刷。

　　正體字。

6　《黃侃論學雜著──《說文略說》《音略》《爾雅略說》等十七種》。
　　黃侃　撰。

　　上海市：上海古籍出版社　出版。一九八〇年四月，新一版第一次印
　　刷。

　　正體字。

11　《黃侃國學文集》。黃侃　著，黃延祖　重輯。

　　北京市：中華書局　出版發行。二〇〇六年五月，第一版，北京第一
　　次印刷。

　　正體字。

13　《新輯黃侃學術文集》。黃侃　著。滕志賢　編。

　　南京市：南京大學出版社　出版。二〇〇八年十一月，第一版，第一
　　次印刷。

　　正體字。

14　《民國期刊資料分類彙編‧三禮研究（全三冊）》。晁岳佩　選編。
　　（《三禮研究》第三冊。耿素麗、胡月平　選編。）

　　北京市：國家圖書館　出版社。二〇〇九年五月，第一版。

　　正體字。

（乙）出版於臺灣者

在臺灣出版的有五種，依照前文的編序，分別是：

3　《黃侃論學雜著》。黃季剛 編著。

　　臺北市：學藝出版社 出版。民國五十八年（1969）五月初版。

　　正體字。

4　《黃侃論學雜著》。黃侃 撰。

　　臺北市：臺灣中華書局 出版。民國五十八年（1969）八月臺一版。

　　正體字。

5　《黃季剛先生論學名著》。黃侃（季剛）著作。

　　臺北市：九思出版社 出版。民國六十六年（1977）九月一日臺一
　　版。

　　正體字。

7　《黃侃論學雜著》。【民國】黃侃 撰。總編輯：王進祥。

　　臺北縣：漢京文化事業有限公司 出版。民國七十三年（1984）七月
　　一日初版。

　　正體字。

10　《黃侃國學文集》。黃侃 著。

　　新竹市：花神出版社（扉頁標示為：理藝出版社）出版。凡異文化事
　　業有限公司 發行。民國九十一年（2002）八月初版。

　　正體字。

　　以上十一種直式版本，不論何地出版，都是使用正體字，出版時間從一
九三六年九月到二〇〇九年五月，超越半世紀。在七十多年的歲月中，這十
一種同屬《黃季剛先生遺著專號（上）》一脈的版本，在文集名稱、內容等
方面，有著以下七個階段的發展：

第一階段——原始刊刻時期

　　此階段的版本是：

1　《黃季剛先生遺著專號（上）》（國立中央大學《文藝叢刊》第二卷第
　　二期）。

　　南京市：國立中央大學出版組出版，民國二十五年（1936）。

第二階段——開初編輯時期

　　此階段的版本凡三，大陸有一，臺灣有二，分別是：

　2　《黃侃論學雜著》。黃侃　撰。

　　　上海市：中華書局上海編輯所　編輯；北京市：中華書局　出版。一九
　　　六四年九月，第一版，上海第一次印刷。

　3　《黃侃論學雜著》。黃季剛　編著。

　　　臺北市：學藝出版社　出版。民國五十八年（1969）五月初版。

　4　《黃侃論學雜著》。黃侃　撰。

　　　臺北市：臺灣中華書局　出版。民國五十八年（1969）八月臺一版。

　　從一九六四年，到民國五十八年（1969）出版的這三種版本，除了出版
時間、出版地點、出版單位不同之外，另有兩處小異：一是三者都有〈前
言〉，但是，「3、」的〈前言〉標題之下，沒有作者（張世祿）名字。二是
三者都有〈章太炎先生序〉，但是，「3、」與「4、」的〈章太炎先生序〉之
後，沒有「編者按」一段文字。至於《禮學略說》所在的篇幅，則是連起迄
頁碼都完全相同。

第三階段——封面更名時期

　　此階段的版本，依照前文的編序，是：

　5　《黃季剛先生論學名著》。黃侃（季剛）著作。

　　　臺北市：九思出版社　出版。民國六十六年（1977）九月一日臺一版。

　　民國六十六年（1977）出版於臺灣的這一版本，雖然封面書名變更，但
是，目次頁題名仍作：「黃侃論學雜著」，偶數頁書邊題名也仍然是：「黃侃
論學雜著」，而《禮學略說》所在篇幅的起迄頁碼，也與第一階段的三種版
本相同，不同的是，本版的目次中，列有〈前言〉，但書中並沒有〈前言〉
這一篇文章。

第四階段——更正重版時期

　　此階段的版本有二，大陸、臺灣各一，依照前文的編序，分別是：

　6　《黃侃論學雜著——《說文略說》《音略》《爾雅略說》等十七種》。
　　　黃侃　撰。

上海市：上海古籍出版社　出版。一九八〇年四月，新一版第一次印刷。

7　《黃侃論學雜著》。【民國】黃侃　撰。總編輯：王進祥。

臺北縣：漢京文化事業有限公司　出版。民國七十三年七月一日初版。

從一九八〇年到民國七十三年（1984）出版的這兩種版本，雖然大陸版的書名略有變化，但是，兩者仍然維持以《黃侃論學雜著》為名的基調，不同於第二階段的是：「改正少數刊誤，予以重版」[20]，「7、」雖然沒有「6、」的「重印說明」，但是，「6、」所改正的部分，「7、」也同樣改正，至於《禮學略說》所在篇幅的起迄頁碼，不論「6、」或「7、」，依舊與第二階段完全相同。

第五階段──重輯正名時期

此階段的版本有二，臺灣、大陸各一，依照前文的編序，分別是：

10　《黃侃國學文集》。黃侃　著。

新竹市：花神出版社（扉頁標示為：理藝出版社）出版。凡異文化事業有限公司　發行。民國九十一年（2002）八月初版。

11　《黃侃國學文集》。黃侃　著，黃延祖　重輯。

北京市：中華書局　出版發行。二〇〇六年五月，第一版，北京第一次印刷。

從民國九十一年（2002），到二〇〇六年出版的這兩種版本，都出自季剛先生哲嗣黃延祖的重輯，但版面編排各異，《禮學略說》所在篇幅的起迄頁碼不同，然而相同的是，在〈章太炎先生序〉序末「章炳麟序」四字之前，都沒有「西元一九三六年四月」這一句，與前述其他版本有別。

第六階段──重新整編時期

此階段的版本，依照前文的編序，是：

13　《新輯黃侃學術文集》。黃侃　著。滕志賢　編。

20　「6《黃侃論學雜著──《說文略說》《音略》《爾雅略說》十七種》」版權頁上方有「重印說明」：「本書據中華書局上海編輯所一九六四年版，改正少數刊誤，予以重版。」

南京市：南京大學出版社　出版。二○○八年十一月，第一版，第一
次印刷。

二○○八年出版於大陸的這一版本，是在前述各階段的基礎之上，進行
校勘，重新整理編輯，篇章內容也有所擴充。另外，前述各版本的〈章太炎
先生序〉，此版題作：〈中央大學文藝叢刊黃季剛先生遺著專號序〉，序末
「章炳麟序」四字之前，有「西元一九三六年四月」一句，又與前述各版本
的「公元一九三六年四月」一句小異。

第七階段──另行彙集時期

此階段的版本，依照前文的編序，是：

14 《民國期刊資料分類彙編・三禮研究（全三冊）》。晁岳佩　選編。

（《三禮研究》第三冊。耿素麗、胡月平　選編。）

北京市：國家圖書館　出版社。二○○九年五月，第一版。

整體而言，目前可見，收錄《禮學略說》的十四種版本，以屬於《黃季
剛先生遺著專號（上）》系統的十一種為大宗，另外三種，則讓傳統學術智
慧，在現代經典的視域中，同步綻放與時並進的光華。

茲將以上（一）、（二）兩節所述十四種版本《禮學略說》依出版先後表
列如下，以利對照查考。

《禮學略說》版本種類暨版本關係對照表（1936-2009）

序號	文集名稱	出版時間	字　形	行款	編輯者	出版者	頁　碼	發展階段
1	《黃季剛先生遺著專號（上）》（國立中央大學《文藝叢刊》第二卷　第二期）	民國 25 年（1936）1 月	正體字	直式	南京市：國立中央大學文學院	南京市：國立中央大學出版組	P. 1 ↓ P. 33	直式第一階段──原始刊刻時期
2	《黃侃論學雜著》	民國 53 年（1964）9 月	正體字	直式	上海市：中華書局上海編輯所	北京市：中華書局	P. 444 ↓ P. 481	直式第二階段──開初編輯時期

3	《黃侃論學雜著》	民國 58 年（1969）5 月	正體字	直式	本社編輯委員會	臺北市：學藝出版社	P. 444 ↓ P. 481	直式第二階段——開初編輯時期
4	《黃侃論學雜著》	民國 58 年（1969）8 月	正體字	直式		臺北市：臺灣中華書局	P. 444 ↓ P. 481	直式第二階段——開初編輯時期
5	《黃季剛先生論學名著》▲目次頁題名：「黃侃論學雜著」▲偶數頁書邊題名亦作：「黃侃論學雜著」	民國 66 年（1977）9 月	正體字	直式		臺北市：九思出版社	P. 444 ↓ P. 481	直式第三階段——封面更名時期
6	《黃侃論學雜著——《說文略說》《音略》《爾雅略說》等十七種》	民國 69 年（1980）4 月	正體字	直式	（原中華上編版）	上海市：上海古籍出版社	P. 444 ↓ P. 481	直式第四階段——更正重版時期
7	《黃侃論學雜著》	民國 73 年（1984）7 月	正體字	直式	總編輯：王進祥	臺北市：漢京文化事業有限公司	P. 444 ↓ P. 481	直式第四階段——更正重版時期
8	《中國現代學術經典・黃侃劉師培卷》	民國 85 年（1996）8 月	簡體字	橫式	劉夢溪　主編 吳　方　編校	石家莊市：河北教育出版社	P. 356 ↓ P. 384	橫式　之一
9	《二十世紀中國禮學研究論集》	民國 87 年（1998）	簡體字	橫式	陳其泰 郭偉川 周少川　編	北京市：學苑出版社	P. 13 ↓ P. 38	橫式　之二
10	《黃侃國學文集》	民國 91 年（2002）	正體字	直式	（黃延祖重輯）	新竹市：花神出版社（扉頁為：理藝出版社）	P. 449 ↓ P. 486	直式第五階段——重輯正名時期

11	《黃侃國學文集》	民國 95 年（2006）5 月	正體字	直式	黃延祖重輯	北京市：中華書局	P. 340 ↓ P. 377	直式第五階段——重輯正名時期
12	《黃侃經典文存》	民國 97 年（2008）4 月	簡體字	橫式	洪治綱主編	上海市：上海大學出版社	P. 265 ↓ P. 291	橫式 之三
13	《新輯黃侃學術文集》	民國 97 年（2008）11 月	正體字	直式	滕志賢編	南京市：南京大學出版社	P. 361 ↓ P. 384	直式第六階段——重新整編時期
14	《民國期刊資料分類彙編・三禮研究（全三冊）》（《三禮研究》第三冊）	民國 98 年（2009）5 月	正體字	直式	晁岳佩選編（耿素麗胡月平選編）	北京市：國家圖書館出版社	P. 1854 ↓ P. 1886	直式第七階段——另行彙集時期

註：1 為便於對照瞭解，「出版時間」概以「民國年（西元年）」方式標記。
　　2「頁碼」欄所記頁碼，為《禮學略說》於該版文集所在頁碼。

三　《禮學略說》校勘記

　　茲以民國二十五年（1936）《黃季剛先生遺著專號（上）》（國立中央大學《文藝叢刊》第二卷第二期）的《禮學略說》作為校勘底本，不論正體字或簡體字，悉以文意用詞正確為準，異文另表，而相同字、相通字、或體字、俗寫字之類，不在其列。句讀狀態影響文意理解，或書名篇名標示錯誤，則加以更正，其餘標點符號異同及恰當與否，不在勘誤範圍。簡體字版本的受勘文字，以該版簡體字呈現。

　　為便檢索，各條受勘原文之下，均以括弧註記該版本的頁碼及行數。

（一）各版本勘誤

1 《黃季剛先生遺著專號（上）》（國立中央大學《文藝叢刊》第二卷第二期）。南京市：國立中央大學出版組　（出版）發行。民國二十五年

（1936）。頁一至頁三三。

　　※韻按：本版《禮學略說》訛誤之處如下：

（1）「隋日碩儒。」（六頁第五行）

　　　　※韻按：賈公彥《儀禮疏・序》原文為：

　　　　　　「儀禮所注，後鄭而已，其為章疏，則有二家，信都黃慶者，齊
　　　　　　之盛德；李孟悊者，隋日碩儒，……二家之疏，互有脩短，時之
　　　　　　所尚，李則為先。」[21]

　　　　　　阮元《校勘記》於「隋日碩儒」之下有所說明：

　　　　　　「日，毛本作曰。案：顧炎武金石文字記曰：唐人日曰二字同一
　　　　　　書法，惟曰字左角稍缺，石經日字皆作曰，釋文遇二字可疑者，
　　　　　　即加音切。宋以後始以方者為曰，長者為日，古意失矣。[22]」

　　　　　　依據現代文字書寫辨識習慣，「隋日碩儒」的「日」字，宜修正
　　　　　　為「曰」字，以免誤解，更正後，全句作：

　　　　　　「隋曰碩儒。」

（2）「祼之作果。」（一〇頁第四行）

　　　　※韻按：《周禮・秋官》「大行人之職」原文為：

　　　　　　「……再祼而酢……壹祼而酢……壹祼不酢……」[23]

　　　　　　依據《周禮・秋官》「大行人之職」文意，此處「祼之作果」的
　　　　　　「裸」字，應作「祼」字，形似而誤，更正後，全句為：

　　　　　　「祼之作果。」

（3）「當讀云賓降取弓矢逗　于堂西句　諸公卿逗則適次。句」（一一頁
　　　　第四行至第五行）

21　〔漢〕鄭玄注，〔唐〕賈公彥疏：《儀禮注疏》，《十三經注疏》（臺北縣：藝文印書館，
　　1976年），頁2。

22　〔清〕阮元：〈儀禮注疏卷第一校勘記〉，《儀禮注疏》，《十三經注疏》（臺北縣：藝文
　　印書館，1976年），頁11。

23　〔漢〕鄭玄注，〔唐〕賈公彥疏：《周禮注疏》，《十三經注疏》（臺北縣：藝文印書館，
　　1976年），頁562。

　　※韻按：「諸公卿逗」的「逗」字，與「當讀云賓降取弓矢逗 于堂
　　　　西句」的「逗」字，應屬同一性質，都是表示斷句的文字，根據
　　　　「當讀云賓降取弓矢逗」的標示方式，「諸公卿逗」的「逗」字
　　　　亦應偏小，以與正文區隔，顯示斷句的作用。修正後，全句為：
　　　　「當讀雲云降取弓矢逗 于堂西句 諸公卿逗 則適次。句」

（4）「則其文當曰。孔子少孤句 不知其墓殯于五父之衢十字句 人之見之
　　　者皆以為葬也句 問于耶曼父之母逗蓋殯也句 然後得合葬於防句 其
　　　慎也。句」（一一頁第八行至第九行）

　　※韻按：「問于耶曼父之母逗蓋殯也句」的「逗」字，與「句」
　　　　字，應屬同一性質，都是表示斷句的文字，根據「句」字的標示
　　　　方式，「逗」字亦應偏小，以與正文區隔，顯示斷句的作用。更
　　　　正後，全句為：
　　　　「則其文當曰。孔子少孤句 不知其墓殯于五父之衢十字句 人之見
　　　　之者皆以為葬也句 問于耶曼父之母逗蓋殯也句 然後得合葬於防句
　　　　其慎也。句」

（5）「靜女之四章、」（一一頁倒數第六行小字注第二行）

　　※韻按：《詩經·邶風·靜女》全篇篇末註明「〈靜女〉三章，章四
　　　　句」[24]，並非四章；而《左氏定公九年傳》：「〈靜女〉之三章，
　　　　取彤管焉。」[25]原文亦作「三章」，並非「四章」。本句「四」字
　　　　訛誤，更正後，全句作：
　　　　「靜女之三章、」

（6）「又大夫為宗子注云。宗子既不降其母。妻亦不降。」（一四頁第
　　　九行）

　　※韻按：「宗子既不降其母，妻亦不降」兩句，本於《儀禮·喪服》

24　〔漢〕毛亨傳，〔漢〕鄭玄箋，〔唐〕孔穎達疏：《毛詩正義》，《十三經注疏》（臺北縣：
　　藝文印書館，1976年），頁105。
25　〔晉〕杜預注，〔唐〕孔穎達疏：《春秋左傳正義》，《十三經注疏》（臺北縣：藝文印
　　書館，1976年），頁967。

「大夫為宗子」賈《疏》：「宗子既不降母，妻不降可知。」[26]
為使文字出處明確可辨，此處「注云」的「注」字，宜作「疏」
字，修正後，全文為：

「又大夫為宗子疏云。宗子既不降其母。妻亦不降。」

（7）「周禮媒氏曰。令男三十而嫁。女二十而娶。」（一六頁倒數第四
行）

※韻按：《周禮‧地官》「媒氏之職」原文為：

「媒氏，掌萬民之判，凡男女自成名以上，皆書年月日名焉，令
男三十而娶，女二十而嫁。」[27]

依據《周禮》原文，男娶而女嫁，此處的「令男三十而嫁，女二
十而娶」，「嫁」「娶」二字錯置，應依詞彙使用意義修正，更正
後，文句為：

「周禮媒氏曰。令男三十而娶。女二十而嫁。」

（8）「其上、復情以歸太一。」（二一頁倒數第五行）

※韻按：《荀子‧禮論》原文為：

「凡禮始乎梲，成乎文，終乎悅校，故至備，情文俱盡，其次情
文代勝，其下復情以歸大一也。」[28]

依據《荀子‧禮論》文意，從「故至備，情文俱盡」，而「其次
情文代勝」，而「其下復情以歸大一也」，呈現由高至低的層次樣
貌，並銜接「終乎悅校」，呼應「成乎文」，從而回應於初端的
「凡禮始乎梲」，敘述分明，是故此處「其上，復情以歸太一」
的「上」字，宜作「下」字，更正後，文句為：

26　〔漢〕鄭玄注，〔唐〕賈公彥疏：《儀禮注疏》，《十三經注疏》（臺北縣：藝文印書館，
　　1976年），頁969。

27　〔漢〕鄭玄注，〔唐〕賈公彥疏：《周禮注疏》，《十三經注疏》（臺北縣：藝文印書館，
　　1976年），頁216。

28　〔唐〕楊倞注，〔清〕王先謙集解：《荀子集解‧考證》（臺北市：世界書局，2000年），
　　頁328。

　　　　「其下、復情以歸太一。」

（9）「誤始於先鄭以肅拜為但俯下首。」（二二頁倒數第六行）

　　　※韻按：《周禮・春官》「大祝之職」：「辨九祭……」鄭《注》：「鄭
　　　　司農云：『……肅拜，但俯下手，今時擪是也。』」[29]「俯」即俯
　　　　首、低頭，「下手」指兩手下垂，表示「肅拜」的動作姿勢。此
　　　　處「以肅拜為但俯下首」的「首」字訛誤，應作「手」字，更正
　　　　後，文句為：

　　　　　「誤始於先鄭以肅拜為但俯下手。」

（10）「祭之日、執書以次位。常辨事者攷焉。」（二四頁第一行至第二
　　　　行）

　　　※韻按：《周禮・春官》「大史之職」原文為：
　　　　　「祭之日，執書以次位常，辨事者攷焉」[30]
　　　　依據《周禮》原文，此處訛誤有二：一為斷句之誤，誤將「。」
　　　　號置於「常」字之前；一為文字之誤，誤將「辨」字書作「辦」
　　　　字。查考《周禮・春官》「大史之職」全文，先言：「大史，掌建
　　　　邦之六典，以逆邦國之治；掌灋以逆官府之治；掌則以逆都鄙之
　　　　治，凡辨灋者攷焉，不信者刑之。」而後言：「大祭祀，與執事
　　　　卜日。戒及宿之日，與羣執事讀禮書而協事。祭之日，執書以次
　　　　位常，辨事者攷焉，不信者誅之。」觀照前後文意及行文句法，
　　　　斷句應在「常」字，而「辨」字應非「辦」字。更正後，文句為：
　　　　　「祭之日、執書以次位常。辨事者攷焉。」

（11）「而固人之筋骸之會、肌膚之束也。」（二四頁第九行）

　　　※韻按：《禮記・禮運》原文為：
　　　　　「故禮義也者，人之大端也，所以講信修睦，而固人之肌膚之

――――――――――――――――――

29　〔漢〕鄭玄注，〔唐〕賈公彥疏：《周禮注疏》，《十三經注疏》（臺北縣：藝文印書館，
　　1976年），頁387。

30　〔漢〕鄭玄注，〔唐〕賈公彥疏：《周禮注疏》，《十三經注疏》（臺北縣：藝文印書館，
　　1976年），頁402。

會、筋骸之束（韻按：「束」應作「束」。）³¹也」³²

依據《禮記・禮運》原文，為「肌膚之會」、「筋骸之束」；而此處「而固人之筋骸之會，肌膚之束也」二句中，則作「筋骸之會」、「肌膚之束」，「肌膚」與「筋骸」二詞錯置，更正後，文句為：

「而固人之肌膚之會、筋骸之束也。」

（12）「所以達天道、順人情之寶也。」（二四頁倒數第七行）

※韻按：《禮記・禮運》原文為：

「故禮義也者，人之大端也，……所以達天道、順人情之大寶也」³³

依據《禮記・禮運》原文前後文意，此處「順人情之寶也」的「寶」字之前，闕一「大」字，補正後，文句為：

「所以達天道、順人情之大寶也。」

（13）「故唯聖人知禮之不可已也。」（二四頁倒數第七行）

※韻按：《禮記・禮運》原文為：

「故禮義也者，人之大端也，……故唯聖人為知禮之不可以已也」³⁴

依據《禮記・禮運》原文，此處脫漏二字：一為「知禮」的「知」字之前，闕一「為」字；一為「不可」的「可」字之後，闕一「以」字。就文意理解而言，影響似乎不大，然而此處引文既含括於「禮運曰」一句（二四頁第八行）之下，仍以忠於原文為宜，修正後，文句為：

31　《黃侃手批白文十三經》（上海：上海古籍出版社，1983年）之《禮記》頁84，「束」字以紅色於「冂」下方加一橫筆成「口」而修正為「束」字。

32　〔漢〕鄭玄注，〔唐〕孔穎達疏：《禮記注疏》，《十三經注疏》（臺北縣：藝文印書館，1976年），頁439。

33　〔漢〕鄭玄注，〔唐〕孔穎達疏：《禮記注疏》，《十三經注疏》（臺北縣：藝文印書館，1976年），頁439。

34　同前註。

「故唯聖人為知禮之不可以已也。」

（14）「月令季秋大子教于田獵以習五戎。」（二六頁倒數第四行）

※韻按：《周禮・夏官》「大司馬之職」原文為：

「群吏聽誓於陳前……不用命者斬之」[35]

鄭玄《注》：「〈月令〉：季秋，天子教于田獵以習五戎……」

依據《周禮》鄭《注》原文，此處「大子教于田獵以習五戎」的

「大」字譌誤，應作「天」字，更正後，全句為：

「月令季秋天子教于田獵以習五戎。」

（15）「十有八星之號。」（二七頁第四行）

※韻按：《周禮・秋官》「硩蔟氏之職」原文為：

「硩蔟氏，掌覆夭鳥之巢，以方書十日之號、十有二辰之號、十

有二月之號、十有二歲之號、二十有八星之號，縣其巢上，則去

之。」[36]

依據《周禮》原文，此處「十有八星之號」脫漏一「二」字，應

補正為：

「二十有八星之號。」

（16）「通合于大戴十七篇之次序。」（二九頁倒數第七行）

※韻按：邵懿辰《禮經通論・論禮十七篇當從大戴之次本無闕佚》[37]

原文為：

「適合于大戴十七篇之次序」

依據邵氏原文，此處「通合於」的「通」字，應作「適」字，形近

而誤，更正後，全句為：

「適合于大戴十七篇之次序。」

---

35 〔漢〕鄭玄注，〔唐〕賈公彥疏：《周禮注疏》，《十三經注疏》（臺北縣：藝文印書館，
　1976年），頁446。

36 〔漢〕鄭玄注，〔唐〕賈公彥疏：《周禮注疏》，《十三經注疏》（臺北縣：藝文印書館，
　1976年），頁558。

37 《皇清經解續編》（光緒十四年，江陰南菁書院刊本）。

（17）「且舉檀弓云。」（二九頁倒數第四行）

　　※韻按：此處「檀弓」二字疑誤：

　　　　A 此句「且舉檀弓云。」之下，所述文字：「恤由之喪。哀公使孺悲學士喪禮於孔子。士喪禮於是乎書。」屬於《禮記‧雜記下》，並非「《檀弓》」內容，《禮記‧雜記下》原文為：

　　　　　「恤由之喪，哀公使孺悲之孔子，學〈士喪禮〉。〈士喪禮〉於是乎書。」[38]

　　　　依據《禮記》原文，此處「檀弓」二字應作「雜記」二字。

　　　　B 此句「且舉檀弓云。」之上，有「皮錫瑞極贊邵說犁然有當於人心。」一句，係黃侃先生稱引皮錫瑞見解而有所批駁。經查核皮錫瑞《經學通論‧三禮》「論禮十七篇為孔子所定，邵懿辰之說最通，訂正禮運射御之誤當為射鄉尤為精確」條，皮氏原文為：

　　　　　「禮十七篇．蓋孔子所定．檀弓云．恤由之喪．哀公使孺悲學士喪禮於孔子．士喪禮於是乎書．據此則士喪出於孔子．其餘篇亦出於孔子可知．」[39]

　　　　其中舉證「恤由之喪」一段，果然寫作「檀弓云」，可見黃侃先生《禮學略說》引述忠於皮氏原文，並未變易，如果不是二人所據版本相同，且異於目前通行的《禮記》，則皮氏原文作「檀弓云」的錯誤指數極高，應修訂為「雜記云」。

　　綜合以上各項，「且舉檀弓云。」一句，宜更正為：

　　「且舉雜記云。」

（18）「劉歆移太常博士所言是也。」（三〇頁第八行）

　　※韻按：此處「移太常博士」的「移」字之後，疑脫漏一「書」字：

　　　　A《漢書‧楚元王傳》原文為：

---

38 〔漢〕鄭玄注，〔唐〕孔穎達疏：《禮記注疏》，《十三經注疏》（臺北縣：藝文印書館，1976年），頁751。

39 皮錫瑞著：《經學通論》（臺北市：臺灣商務印書館，1989年），「三禮」，頁13。

「……哀帝令歆與五經博士講論其義，諸博士或不肯置對，歆因移書太常博士，責讓之……」[40]

B 《文選·第四十三卷·書下》收錄此文，題為：

「移書讓太常博士一首 並序」[41]

《漢書》原文作「移書」，《文選》標題也作「移書」，此處「移太常博士」的「移」字之後，應補一「書」字為宜。

綜合以上各項，「劉歆移太常博士所言是也。」一句的「移太常博士」，應作「移書太常博士」，而根據《漢書》原文，及黃侃先生《禮學略說》此處前後文意、語氣，不宜再多加一「讓」字，如《文選》標題作「移書讓太常博士」。「劉歆移太常博士所言是也。」修正後，全句為：

「劉歆移書太常博士所言是也。」

（19）「而後漢書橋傳云」（三一頁倒數第四行）

　　※韻按：依據范曄《後漢書·李陳龐陳橋列傳第四十一》，此句「橋」字與「傳」字之間空白處，應補入一「玄」字。補正後，全句為：

「而後漢書橋玄傳云」

2　《黃侃論學雜著》。黃侃 撰。上海市：中華書局上海編輯所 編輯；北京市：中華書局 出版。一九六四年九月，第一版，上海第一次印刷。頁四四四至頁四八一。

　　※韻按：本版《禮學略說》訛誤之處如下：

（1）「兼據陳劭《周禮》異同評重疏」（四四九頁倒數第一行）

　　※韻按：依據《隋書經籍志》[42]，陳劭所著書名為「周官禮異同

---

40 〔漢〕班固著，〔唐〕顏師古注：《新校漢書集注》（臺北市：世界書局，1978年），頁1967。

41 〔梁〕蕭統選編，呂延濟、劉良、張銑、呂向、李周翰、李善注：《日本足利學校藏宋刊明州本六臣注文選》（北京市：人民文學出版社，2008年），頁668。

42 楊家駱主編：《新校本隋書》（臺北市：鼎文書局，1978年），頁919。

評」，本句書名及書名號標示位置均應修正，更正後，全句作：

「兼據陳劭《周官禮異同評》重疏」

（2）「隋日碩儒」（四五〇頁第一行）

※韻按：賈公彥《儀禮疏・序》原文為：

「儀禮所注，後鄭而已，其為章疏，則有二家，信都黃慶者，齊之盛德；李孟悉者，隋日碩儒，⋯⋯二家之疏，互有脩短，時之所尚，李則為先。」[43]

阮元《校勘記》於「隋日碩儒」之下有所說明：

「日，毛本作曰。案：顧炎武金石文字記曰：唐人日曰二字同一書法，惟曰字左角稍缺，石經日字皆作曰，釋文遇二字可疑者，即加音切。宋以後始以方者為曰，長者為日，古意失矣。[44]」

依據現代文字書寫辨識習慣，「隋日碩儒」的「日」字，宜修正為「曰」字，以免誤解，更正後，全句作：

「隋曰碩儒」

（3）「裸之作果」（四五四頁第八行）

※韻按：《周禮・秋官》「大行人之職」原文為：

「⋯⋯再祼而酢⋯⋯壹祼而酢⋯⋯壹祼不酢⋯⋯」[45]

依據《周禮・秋官》「大行人之職」文意，此處「裸之作果」的「裸」字，應作「祼」字，形似而誤，更正後，全句為：

「祼之作果」

（4）「《靜女》之四章」（四五六頁第四行小字注第一行）

※韻按：《詩經・邶風・靜女》全篇篇末註明「〈靜女〉三章，章四

43 〔漢〕鄭玄注，〔唐〕賈公彥疏：《儀禮注疏》，《十三經注疏》（臺北縣：藝文印書館，1976年），頁2。

44 〔清〕阮元：〈儀禮注疏卷第一校勘記〉，《儀禮注疏》，《十三經注疏》（臺北縣：藝文印書館，1976年），頁11。

45 〔漢〕鄭玄注，〔唐〕賈公彥疏：《周禮注疏》，《十三經注疏》（臺北縣：藝文印書館，1976年），頁562。

句」[46]，並非四章；而《左氏定公九年傳》：「〈靜女〉之三章，取彤管焉。」[47]原文亦作「三章」，並非「四章」。本句「四」字訛誤，標示「靜女」為篇名的符號亦誤，一併更正為：

「〈靜女〉之三章」

（5）「又大夫為宗子，注云：宗子既不降其母，妻亦不降」（四五九頁第六行至第七行）

※韻按：「宗子既不降其母，妻亦不降」兩句，本於《儀禮・喪服》「大夫為宗子」賈《疏》：「宗子既不降母，妻不降可知。」[48]為使文字出處明確可辨，此處「注云」的「注」字，宜作「疏」字，修正後，全文為：

「又大夫為宗子，疏云：宗子既不降其母，妻亦不降」

（6）「《周禮・媒氏》曰：令男三十而嫁，女二十而娶。」（四六一頁倒數第一行）

※韻按：《周禮・地官》「媒氏之職」原文為：

「媒氏，掌萬民之判，凡男女自成名以上，皆書年月日名焉，令男三十而娶，女二十而嫁。」[49]

依據《周禮》原文，男娶而女嫁，此處的「令男三十而嫁，女二十而娶」，「嫁」「娶」二字錯置，應依詞彙使用意義修正，更正後，文句為：

「《周禮・媒氏》曰：令男三十而娶，女二十而嫁。」

（7）「其上，復情以歸太一」（四六七頁第七行）

46　〔漢〕毛亨傳，〔漢〕鄭玄箋，〔唐〕孔穎達疏：《毛詩正義》，《十三經注疏》（臺北縣：藝文印書館，1976年），頁105。

47　〔晉〕杜預注，〔唐〕孔穎達疏：《春秋左傳正義》，《十三經注疏》（臺北縣：藝文印書館，1976年），頁967。

48　〔漢〕鄭玄注，〔唐〕賈公彥疏：《儀禮注疏》，《十三經注疏》（臺北縣：藝文印書館，1976年），頁969。

49　〔漢〕鄭玄注，〔唐〕賈公彥疏：《周禮注疏》，《十三經注疏》（臺北縣：藝文印書館，1976年），頁216。

※韻按:《荀子‧禮論》原文為:

「凡禮始乎梲,成乎文,終乎悅校,故至備,情文俱盡,其次情文代勝,其下復情以歸大一也。」[50]

依據《荀子‧禮論》文意,從「故至備,情文俱盡」,而「其次情文代勝」,而「其下復情以歸大一也」,呈現由高至低的層次樣貌,並銜接「終乎悅校」,呼應「成乎文」,從而回應於初端的「凡禮始乎梲」,敘述分明,是故此處「其上,復情以歸太一」的「上」字,宜作「下」字,更正後,文句為:

「其下,復情以歸太一」

(8)「以肅拜為但俯下首」(四六八頁第七行至第八行)

※韻按:《周禮‧春官》「大祝之職」:「辨九祭……」鄭《注》:「鄭司農云:『……肅拜,但俯下手,今時擪是也。』」[51]「俯」即俯首、低頭,「下手」指兩手下垂,表示「肅拜」的動作姿勢。此處「以肅拜為但俯下首」的「首」字訛誤,應作「手」字,更正後,文句為:

「以肅拜為但俯下手」

(9)「祭之日,執書以次位,常辨事者攷焉」(四七〇頁第二行)

※韻按:《周禮‧春官》「大史之職」原文為:

「祭之日,執書以次位常,辨事者攷焉」[52]

依據《周禮》原文,此處訛誤有二:一為斷句之誤,誤將「,」號置於「常」字之前;一為文字之誤,誤將「辨」字書作「辦」字。查考《周禮‧春官》「大史之職」全文,先言:「大史,掌建

50　〔唐〕楊倞注,〔清〕王先謙集解:《荀子集解‧考證》(臺北市:世界書局,2000年),頁328。

51　〔漢〕鄭玄注,〔唐〕賈公彥疏:《周禮注疏》,《十三經注疏》(臺北縣:藝文印書館,1976年),頁387。

52　〔漢〕鄭玄注,〔唐〕賈公彥疏:《周禮注疏》,《十三經注疏》(臺北縣:藝文印書館,1976年),頁402。

邦之六典，以逆邦國之治；掌灋以逆官府之治；掌則以逆都鄙之
治，凡辨灋者攷焉，不信者刑之。」而後言：「大祭祀，與執事
卜日。戒及宿之日，與羣執事讀禮書而協事。祭之日，執書以次
位常，辨事者攷焉，不信者誅之。」觀照前後文意及行文句法，
斷句應在「常」字，而「辨」字應非「辦」字。更正後，文句為：
「祭之日，執書以次位常，辨事者攷焉」

（10）「而固人之筋骸之會，肌膚之束也」（四七〇頁第九行至第十行）

　　※韻按：《禮記・禮運》原文為：

「故禮義也者，人之大端也，所以講信修睦，而固人之肌膚之
會、筋骸之束（韻按：「束」應作「束」。）[53]也」[54]

依據《禮記・禮運》原文，為「肌膚之會」、「筋骸之束」；而此
處「而固人之筋骸之會，肌膚之束也」二句中，則作「筋骸之
會」、「肌膚之束」，「肌膚」與「筋骸」二詞錯置，更正後，文句
為：

「而固人之肌膚之會，筋骸之束也」

（11）「所以達天道、順人情之寶也」（四七〇頁倒數第五行）

　　※韻按：《禮記・禮運》原文為：

「故禮義也者，人之大端也，……所以達天道、順人情之大寶
也」[55]

依據《禮記・禮運》原文前後文意，此處「順人情之寶也」的
「寶」字之前，闕一「大」字，補正後，文句為：

「所以達天道、順人情之大寶也」

53　《黃侃手批白文十三經》（上海市：上海古籍出版社，1983年）之《禮記》頁84，
　　「束」字以紅色於「門」下方加一橫筆成「口」而修正為「束」字。

54　〔漢〕鄭玄注，〔唐〕孔穎達疏：《禮記注疏》，《十三經注疏》（臺北縣：藝文印書館，
　　1976年），頁439。

55　〔漢〕鄭玄注，〔唐〕孔穎達疏：《禮記注疏》，《十三經注疏》（臺北縣：藝文印書館，
　　1976年），頁439。

（12）「故唯聖人知禮之不可已也」（四七○頁倒數第五行至倒數第四
　　　行）

　　　※韻按：《禮記・禮運》原文為：

　　　　「故禮義也者，人之大端也，……故唯聖人為知禮之不可以已
　　　　也」[56]

　　　　依據《禮記・禮運》原文，此處脫漏二字：一為「知禮」的
　　　　「知」字之前，闕一「為」字；一為「不可」的「可」字之後，
　　　　闕一「以」字。就文意理解而言，影響似乎不大，然而此處引文
　　　　既含括於「《禮運》曰」一句（四七○頁倒數第六行）之下，仍
　　　　以忠於原文為宜，修正後，文句為：

　　　　「故唯聖人為知禮之不可以已也」

（13）「《禮記・雜記》下贊大行曰云云」（四七二頁倒數第二行至倒數
　　　第一行）

　　　※韻按：小戴《禮記》〈雜記〉篇以內容頗多，而分為上下兩篇，
　　　　為使文意清晰，此處符號標示應調整為：

　　　　「《禮記・雜記下》贊大行曰云云」

（14）「大子教于田獵以習五戎」（四七三頁第四行）

　　　※韻按：《周禮・夏官》「大司馬之職」原文為：

　　　　「群吏聽誓於陳前……不用命者斬之」[57]

　　　　鄭玄《注》：「〈月令〉：季秋，天子教于田獵以習五戎……」

　　　　依據《周禮》鄭《注》原文，此處「大子教于田獵以習五戎」的
　　　　「大」字譌誤，應作「天」字，更正後，全句為：

　　　　「天子教于田獵以習五戎」

（15）「十有八星之號」（四七三頁倒數第五行）

56　〔漢〕鄭玄注，〔唐〕孔穎達疏：《禮記注疏》，《十三經注疏》（臺北縣：藝文印書館，
　　1976年），頁439。

57　〔漢〕鄭玄注，〔唐〕賈公彥疏：《周禮注疏》，《十三經注疏》（臺北縣：藝文印書館，
　　1976年），頁446。

※韻按：《周禮・秋官》「硩蔟氏之職」原文為：

「硩蔟氏，掌覆夭鳥之巢，以方書十日之號、十有二辰之號、十有二月之號、十有二歲之號、二十有八星之號，縣其巢上，則去之。」[58]

依據《周禮》原文，此處「十有八星之號」脫漏一「二」字，應補正為：

「二十有八星之號」

（16）「通合于大戴十七篇之次序」（四七六頁第七行）

※韻按：邵懿辰《禮經通論・論禮十七篇當從大戴之次本無闕佚》[59]原文為：

「適合于大戴十七篇之次序」

依據邵氏原文，此處「通合於」的「通」字，應作「適」字，形近而誤，更正後，全句為：

「適合于大戴十七篇之次序」

（17）「且舉《檀弓》云」（四七六頁倒數第五行）

※韻按：

A 此處「《檀弓》」為《禮記》篇名，標點符號應作修正。

B 此處「《檀弓》」二字疑誤：

　a 此句「且舉《檀弓》云」之下，所述文字：「恤由之喪，哀公使孺悲學《士喪禮》於孔子，《士喪禮》於是乎書。」屬於《禮記・雜記下》，並非「《檀弓》」內容，《禮記・雜記下》原文為：

「恤由之喪，哀公使孺悲之孔子，學〈士喪禮〉。〈士喪禮〉於是乎書。」[60]

---

58 〔漢〕鄭玄注，〔唐〕賈公彥疏：《周禮注疏》，《十三經注疏》（臺北縣：藝文印書館，1976年），頁558。

59 《皇清經解續編》（光緒14年，江陰南菁書院刊本）。

60 〔漢〕鄭玄注，〔唐〕孔穎達疏：《禮記注疏》，《十三經注疏》（臺北縣：藝文印書館，

依據《禮記》原文，此處「檀弓」二字應作「雜記」二字。

b 此句「且舉《檀弓》云」之上，有「皮錫瑞極贊邵說，犁然有當于人心」二句，係黃侃先生稱引皮錫瑞見解而有所批駁。經查核皮錫瑞《經學通論・三禮》「論禮十七篇為孔子所定，邵懿辰之說最通，訂正禮運射御之誤當為射鄉尤為精確」條，皮氏原文為：

「禮十七篇．蓋孔子所定．檀弓云．恤由之喪．哀公使孺悲學士喪禮於孔子．士喪禮於是乎書．據此則士喪出於孔子．其餘篇亦出於孔子可知．」[61]

其中舉證「恤由之喪」一段，果然寫作「檀弓云」，可見黃侃先生《禮學略說》引述忠於皮氏原文，並未變易，如果不是二人所據版本相同，且異於目前通行的《禮記》，則皮氏原文作「檀弓云」的錯誤指數極高，應修訂為「雜記云」。

綜合以上各項，「且舉《檀弓》云」一句，宜更正為：

「且舉〈雜記〉云」

（18）「劉歆《移太常博士》所言」（四七七頁第七行）

※韻按：

A 此處「《移太常博士》」非專書名稱，標點符號應作修正。

B 此處「移太常博士」的「移」字之後，疑脫漏一「書」字：

a 《漢書・楚元王傳》原文為：

「……哀帝令歆與五經博士講論其義，諸博士或不肯置對，歆因移書太常博士，責讓之……」[62]

b 《文選・第四十三卷・書下》收錄此文，題為：

1976年），頁751。

61 皮錫瑞：《經學通論》（臺北市：臺灣商務印書館，1989年），「三禮」，頁13。

62 〔漢〕班固著，〔唐〕顏師古注：《新校漢書集注》（臺北市：世界書局，1978年），頁1967。

「移書讓太常博士一首　並序」[63]

《漢書》原文作「移書」，《文選》標題也作「移書」，此處「移太常博士」的「移」字之後，應補一「書」字為宜。

綜合以上各項，「劉歆《移太常博士》所言」一句的「移太常博士」，應作「移書太常博士」，而根據《漢書》原文，及黃侃先生《禮學略說》此處前後文意、語氣，不宜再多加一「讓」字，如《文選》標題作「移書讓太常博士」。「劉歆《移太常博士》所言」修正後，全句為：

「劉歆移書太常博士所言」

3　《黃侃論學雜著》。黃季剛　編著。臺北市：學藝出版社　出版。民國五十八年（1969）五月初版。頁四四四至頁四八一。

　※韻按：本版《禮學略說》訛誤處，同於「2《黃侃論學雜著》。黃侃　撰。上海市：中華書局上海編輯所　編輯；北京市：中華書局　出版。一九六四年九月，第一版，上海第一次印刷。」為節約篇幅，不予重述。

4　《黃侃論學雜著》。黃侃　撰。臺北市：臺灣中華書局　出版。民國五十八年（1969）八月臺一版。頁四四四至頁四八一。

　※韻按：本版《禮學略說》訛誤處，同於「2《黃侃論學雜著》。黃侃　撰。上海市：中華書局上海編輯所　編輯；北京市：中華書局　出版。一九六四年九月，第一版，上海第一次印刷。」為節約篇幅，不予重述。

5　《黃季剛先生論學名著》。黃侃（季剛）著作。臺北：九思出版社　出版。民國六十六年（1977）九月一日臺一版。頁四四四至頁四八一。

　※韻按：本版《禮學略說》訛誤處，同於「2《黃侃論學雜著》。黃侃　撰。上海市：中華書局上海編輯所　編輯；北京市：中華書局　出版。一九六四年九月，第一版，上海第一次印刷。」為節約篇幅，不予重述。

6　《黃侃論學雜著——《說文略說》《音略》《爾雅略說》等十七種》。黃侃

63　〔梁〕蕭統選編，呂延濟、劉良、張銑、呂向、李周翰、李善注：《日本足利學校藏宋刊明州本六臣注文選》（北京市：人民文學出版社，2008年），頁668。

撰。上海市：上海古籍出版社 出版。一九八○年四月，新一版第一次印刷。頁四四四至頁四八一。

※韻按：本版《禮學略說》訛誤處如下，除第十五條之外，其餘各條全同於「2《黃侃論學雜著》。黃侃 撰。上海市：中華書局上海編輯所編輯；北京市：中華書局 出版。一九六四年九月，第一版，上海第一次印刷。」為節約篇幅，僅第十五條列出按語，其餘各條只列訛誤文句及其頁碼，不附按語。

（1）「兼據陳劭《周禮》異同評重疏」（四四九頁倒數第一行）

（2）「隋日碩儒」（四五○頁第一行）

（3）「祼之作果」（四五四頁第八行）

（4）「《靜女》之四章」（四五六頁第四行小字注第一行）

（5）「又大夫為宗子，注云：宗子既不降其母，妻亦不降」（四五九頁第六行至第七行）

（6）「《周禮·媒氏》曰：令男三十而嫁，女二十而娶。」（四六一頁倒數第一行）

（7）「其上，復情以歸太一」（四六七頁第七行）

（8）「以肅拜為但俯下首」（四六八頁第七行至第八行）

（9）「祭之日，執書以次位，常辦事者攷焉」（四七○頁第二行）

（10）「而固人之筋骸之會，肌膚之束也」（四七○頁第九行至第十行）

（11）「所以達天道、順人情之寶也」（四七○頁倒數第五行）

（12）「故唯聖人知禮之不可已也」（四七○頁倒數第五行至倒數第四行）

（13）「《禮記·雜記》下贊大行曰云云」（四七二頁倒數第二行至倒數第一行）

（14）「大子教于田獵以習五戎」（四七三頁第四行）

（15）「二有八星之號」（四七三頁倒數第五行）

　　※韻按：《周禮·秋官》「硩蔟氏之職」原文為：

　　　「硩蔟氏，掌覆夭鳥之巢，以方書十日之號、十有二辰之號、十

有二月之號、十有二歲之號、二十有八星之號，縣其巢上，則去之。」[64]

依據《周禮》原文，此處「二有八星之號」脫漏一「十」字，應補正為：

「二十有八星之號」

（16）「通合于大戴十七篇之次序」（四七六頁第七行）

（17）「且舉《檀弓》云」（四七六頁倒數第五行）

（18）「劉歆《移太常博士》所言」（四七七頁第七行）

7 《黃侃論學雜著》。【民國】黃侃　撰。總編輯：王進祥。臺北：漢京文化事業有限公司　出版。民國七十三年（1984）七月一日初版。頁四四四至頁四八一。

※韻按：本版《禮學略說》訛誤處，同於「6《黃侃論學雜著──《說文略說》《音略》《爾雅略說》等十七種》。黃侃　撰。上海市：上海古籍出版社出版。一九八○年四月，新一版第一次印刷。」為節約篇幅，不予重述。

8 《中國現代學術經典・黃侃　劉師培卷》。劉夢溪　主編。吳方　編校。石家莊市：河北教育出版社　出版。一九九六年，第一版。頁三五六至三八四。

※韻按：本版《禮學略說》訛誤之處如下：

（1）「又何怪后世曉曉欢咋乎」（三五八頁第十一行）

※韻按：「曉曉」應為「哓哓」，形近而誤，更正後，全句為：

「又何怪后世哓哓欢咋乎」

（2）「《穀梁》说及《小说》为枝叶」（三五九頁第八行）

※韻按：「《小说》」應為「《小记》」，「记」「说」二字形近，更正後，文句為：

「《穀梁》说及《小记》为枝叶」

64　〔漢〕鄭玄注，〔唐〕賈公彥疏：《周禮注疏》，《十三經注疏》（臺北縣：藝文印書館，1976年），頁558。

（3）「兼据陈劭《周礼》异同评重疏」（三六〇頁倒數第四行）

　　※韻按：此處書名及書名號標示位置均應修正，說明詳「2《黃侃
　　　　論學雜著》。黃侃　撰。上海市：中華書局上海編輯所　編輯；北
　　　　京市：中華書局　出版。一九六四年九月，第一版，上海第一次
　　　　印刷。」勘誤第一條，更正後，全句作：

　　　　「兼据陈劭《周官礼异同评》重疏」

（4）「其后阮谌、夏侯、伏郎、张镒、梁正继作」（三六一頁倒數第七
　　　行）

　　※韻按：《舊唐書經籍志》有「三禮圖十二卷　夏侯伏朗撰」[65]；
　　　　《新唐書藝文志》有「夏侯伏朗　三禮圖十二卷」[66]，因此，「伏
　　　　郎」應作「伏朗」，「朗」「郎」二字形近而誤，修正後，全句作：

　　　　「其后阮谌、夏侯、伏朗、张镒、梁正继作」

（5）「祼之作果」（三六四頁第六行）

　　※韻按：「祼」字誤，應作「祼」字，說明詳「2《黃侃論學雜
　　　　著》。黃侃　撰。上海市：中華書局上海編輯所　編輯；北京市：
　　　　中華書局　出版。一九六四年九月，第一版，上海第一次印
　　　　刷。」勘誤第三條，更正後，全句作：

　　　　「祼之作果」

（6）「请公卿则适次」（三六五頁第一行）

　　※韻按：《儀禮・大射》原文為：

　　　　「三耦卒射，賓降，取弓矢於堂西，諸公卿則適次……」[67]

　　　　依據《儀禮》原文，此處「请公卿则适次」的「请」字譌誤，應

65　《舊唐書・經籍志第二十六》，《二十五史》（上海市：上海古籍出版社，1986年），頁
　　238。

66　《新唐書・藝文志第四十七》，《二十五史》（上海市：上海古籍出版社，1986年），頁
　　157。

67　〔漢〕鄭玄注，〔唐〕賈公彥疏：《儀禮注疏》，《十三經注疏》（臺北縣：藝文印書館，
　　1976年），頁211。

作「诸」字，更正後，全句為：

「诸公卿则适次」

（7）「《靜女》之四章」（三六五頁第十四行）

※韻按：「四」字誤，應作「三」字；標示「靜女」為篇名的符號亦誤，說明詳「2《黃侃論學雜著》。黃侃 撰。上海市：中華書局上海編輯所 編輯；北京市：中華書局 出版。一九六四年九月，第一版，上海第一次印刷。」勘誤第四條，一併更正後，全句作：

「〈靜女〉之三章」

（8）「大夫之妾为君子之庶子」（三六五頁倒數第七行）

※韻按：《儀禮・喪服》「大功章」原文為：

「大夫之妾為君之庶子」[68]

依據《儀禮》原文，此處「君子」的「子」字為衍文，更正後，全句作：

「大夫之妾为君之庶子」

（9）「是又传指小功以下也」（三六六頁倒數第三行）

※韻按：《儀禮・喪服・記》原文為：

「傳曰：何如則可謂之兄弟？傳曰：小功以下為兄弟。」[69]

依據《儀禮》原文，「小功以下為兄弟」屬於「傳曰」的內容，不過，審度《禮學略說》上下文意，此處「是又传指小功以下也」的「传」字，宜如底本作「专」字，修正後，全句為：

「是又专指小功以下也」

（10）「又大夫为宗子，注云：宗子既不降其母，妻亦不降」（三六七頁倒數第二行）

68　〔漢〕鄭玄注，〔唐〕賈公彥疏：《儀禮注疏》，《十三經注疏》（臺北縣：藝文印書館，1976年），頁378。

69　〔漢〕鄭玄注，〔唐〕賈公彥疏：《儀禮注疏》，《十三經注疏》（臺北縣：藝文印書館，1976年），頁392。

※韻按：「注」字，宜作「疏」字，說明詳「2《黃侃論學雜著》。
黃侃 撰。上海市：中華書局上海編輯所 編輯；北京市：中華書
局 出版。一九六四年九月，第一版，上海第一次印刷。」勘誤
第五條，修正後，全文為：

「又大夫为宗子，疏云：宗子既不降其母，妻亦不降」

（11）「《周禮·媒氏》曰：令男三十而嫁，女二十而娶。」（三六九頁
倒數第五行）

※韻按：此處譌誤在於「嫁」「娶」二字錯置，說明詳「2《黃侃論
學雜著》。黃侃 撰。上海市：中華書局上海編輯所 編輯；北京
市：中華書局 出版。一九六四年九月，第一版，上海第一次印
刷。」勘誤第六條，更正後，文句為：

「《周禮·媒氏》曰：令男三十而娶，女二十而嫁。」

（12）「故人于亲也」（三七一頁第十四行）

※韻按：《禮記·三年問》原文為：

「故人於其親也」[70]

依據《禮記》原文，此處「故人于親也」缺漏一「其」字，更正
後，全句作：

「故人于其亲也」

（13）「为使人忽恶也」（三七二頁第一行）

※韻按：《禮記·檀弓下》原文為：

「是故制絞衾、設蔞翣，為使人勿惡也。」[71]

依據《禮記》原文，此處「為使人忽惡也」的「忽」字譌誤，更
正後，全句作：

「为使人勿恶也」

---

70 〔漢〕鄭玄注，〔唐〕孔穎達疏：《禮記注疏》，《十三經注疏》（臺北縣：藝文印書館，
1976年），頁961。

71 〔漢〕鄭玄注，〔唐〕孔穎達疏：《禮記注疏》，《十三經注疏》（臺北縣：藝文印書館，
1976年），頁175。

（14）「其上，复情以归太一」（三七三頁倒數第三行）

　　※韻按：「上」字訛誤，應作「下」字，說明詳「2《黃侃論學雜著》。黃侃 撰。上海市：中華書局上海編輯所 編輯；北京市：中華書局 出版。一九六四年九月，第一版，上海第一次印刷。」勘誤第七條，更正後，文句為：

　　　　「其下，复情以归太一」

（15）「以肅拜为但俯下首」（三七四頁倒數第九行至倒數第八行）

　　※韻按：「首」字訛誤，應作「手」字，說明詳「2《黃侃論學雜著》。黃侃 撰。上海市：中華書局上海編輯所 編輯；北京市：中華書局 出版。一九六四年九月，第一版，上海第一次印刷。」勘誤第八條，更正後，文句為：

　　　　「以肅拜为但俯下手」

（16）「祭之日，执书以次位；常办事者考焉」（三七五頁倒數第三行）

　　※韻按：此處訛誤有二：一為斷句之誤，誤將「；」號置於「常」字之前，而「；」的使用，應改以「，」為宜；一為文字之誤，誤將「辨」字書作「辦（办）」字。說明詳「2《黃侃論學雜著》。黃侃 撰。上海市：中華書局上海編輯所 編輯；北京市：中華書局 出版。一九六四年九月，第一版，上海第一次印刷。」勘誤第九條，更正後，文句為：

　　　　「祭之日，执书以次位常，辨事者考焉」

（17）「而固人之筋骸之会，肌肤之束也」（三七六頁第八行）

　　※韻按：「肌膚」與「筋骸」二詞錯置，說明詳「2《黃侃論學雜著》。黃侃 撰。上海市：中華書局上海編輯所 編輯；北京市：中華書局 出版。一九六四年九月，第一版，上海第一次印刷。」勘誤第十條，更正後，文句為：

　　　　「而固人之肌肤之会，筋骸之束也」

（18）「所以达天道、顺人情之窦也」（三七六頁第九行）

　　※韻按：「窦」字之前，闕一「大」字，說明詳「2《黃侃論學雜

著》。黃侃　撰。上海市：中華書局上海編輯所　編輯；北京市：
中華書局　出版。一九六四年九月，第一版，上海第一次印
刷。」勘誤第十一條，補正後，文句為：

「所以达天道、順人情之大窦也」

（19）「故唯圣人知礼之不可巳也」（三七六頁第九行至第十行）

※韻按：此處脫漏二字：一為「知禮」的「知」字之前，闕一
「為」字；一為「不可」的「可」字之後，闕一「以」字。說明
詳「2《黃侃論學雜著》。黃侃　撰。上海市：中華書局上海編輯
所　編輯；北京市：中華書局　出版。一九六四年九月，第一版，
上海第一次印刷。」勘誤第十二條，修正後，文句為：

「故唯圣人为知礼之不可以巳也」

（20）「《礼记・杂记》下赞大行曰云云」（三七八頁第二行至第三行）

※韻按：此處符號標示應予調整，說明詳「2《黃侃論學雜著》。黃
侃　撰。上海市：中華書局上海編輯所　編輯；北京市：中華書局
出版。一九六四年九月，第一版，上海第一次印刷。」勘誤第十
三條，調整後，文句為：

「《礼记・杂记下》赞大行曰云云」

（21）「大子教于田猎以习五戎」（三七八頁第八行）

※韻按：「大」字誤，應作「天」字，說明詳「2《黃侃論學雜
著》。黃侃　撰。上海市：中華書局上海編輯所　編輯；北京市：
中華書局　出版。一九六四年九月，第一版，上海第一次印
刷。」勘誤第十四條，更正後，全句作：

「天子教于田猎以习五戎」

（22）「二有八星之号」（三七八頁倒數第十行）

※韻按：「二」字之後，缺漏一「十」字，說明詳「6《黃侃論學雜
著──《說文略說》《音略》《爾雅略說》等十七種》。黃侃
撰。上海市：上海古籍出版社　出版。一九八〇年四月，新一版
第一次印刷。頁四四四至頁四八一。」勘誤第十五條，更正後，

　　文句為：

　　「二十有八星之号」

（23）「通合于大戴十七篇之次序」（三八〇頁倒數第五行）

　　※韻按：「通」字誤，應作「適（适）」字，說明詳「2《黃侃論學雜著》。黃侃　撰。上海市：中華書局上海編輯所　編輯；北京市：中華書局　出版。一九六四年九月，第一版，上海第一次印刷。」勘誤第十六條，更正後，全句為：

　　「适合于大戴十七篇之次序」

（24）「且舉《檀弓》云」（三八〇頁倒數第一行）

　　※韻按：「《檀弓》」篇名訛誤，標示符號亦應修正，說明詳「2《黃侃論學雜著》。黃侃　撰。上海市：中華書局上海編輯所　編輯；北京市：中華書局　出版。一九六四年九月，第一版，上海第一次印刷。」勘誤第十七條，更正後，文句為：

　　「且舉〈杂记〉云」

（25）「刘歆《移太常博士》所言」（三八一頁倒數第十一行）

　　※韻按：「《移太常博士》」「移」字之後，疑脫漏一「書」字，標點符號亦應修正，說明詳「2《黃侃論學雜著》。黃侃　撰。上海市：中華書局上海編輯所　編輯；北京市：中華書局　出版。一九六四年九月，第一版，上海第一次印刷。」勘誤第十八條，更正後，文句為：

　　「刘歆移书太常博士所言」

（26）「故刘韵亲近」（三八一頁倒數第六行）

　　※韻按：依據前後文意，「刘韵」應作「刘歆」，形近而誤，更正後，全為句：

　　「故刘歆亲近」

9　《二十世紀中國禮學研究論集》。陳其泰、郭偉川、周少川　編。北京市：學苑出版社　出版。一九九八年六月，北京第一版第一次印刷。頁十三至頁三十八。

※韻按：本版《禮學略說》訛誤之處如下：

（1）「含义广倨」（十三頁第九行）

　　※韻按：依據上下文意，此處「含义广倨」的「倨」字，應如底本
　　　　作「局」字為宜，修正後，全句為：
　　　　「含义广局」

（2）「觚觝形殊」（十四頁第六行）

　　※韻按：依據前後文意，此處「觚觝形殊」的「觝」字，應作
　　　　「觗」字，一筆衍誤，更正後，全句為：
　　　　「觚觗形殊」

（3）「远归在丯」（十四頁倒數第二行）

　　※韻按：〈序周禮廢興〉原文為：
　　　　「獨以書序言成王既黜殷命，還歸在豐，作周官，則此周官也，
　　　　失之矣。」[72]
　　　　依據〈序周禮廢興〉原文，此處「远归在丯」的「远」字，應為
　　　　「还」字，形近而誤，更正後，全句作：
　　　　「还归在丯」

（4）「后师说非无审是」（十五頁第九行）

　　※韻按：依據前後文意，此處「后师说非无审是」的「是」字，應
　　　　作「諟」字，更正後，全句為：
　　　　「后师说非无审諟」

（5）「郑与及子众」（十六頁第十一行）

　　※韻按：依據上下文意，「郑与」應作「郑兴」，正體字「興」、
　　　　「與」形近，轉換而誤，更正後，全句為：
　　　　「郑兴及子众」

（6）「学终朱昌」（十六頁倒數第十行）

72　〔唐〕賈公彥：《周禮注疏・序周禮廢興》，《十三經注疏》（臺北縣：藝文印書館，
　　1976年），頁8。

　　　※韻按：依據前後文意，此處「学终朱昌」的「朱」字，應作
　　　　「未」字，形似而誤，更正後，全句為：
　　　　「学终未昌」

（7）「自马、卢、王、肃外」（十七頁第二行）

　　　※韻按：此處「王」字與「肃」字之間，謏衍一頓號「、」，應
　　　　刪，更正後，全句作：
　　　　「自马、卢、王肃外」

（8）「兼据陈劭《周礼》异同评重疏」（十七頁第八行）

　　　※韻按：此處書名及書名號標示位置均應修正，說明詳「2《黃侃
　　　　論學雜著》。黃侃　撰。上海市：中華書局上海編輯所　編輯；北
　　　　京市：中華書局　出版。一九六四年九月，第一版，上海第一次
　　　　印刷。」勘誤第一條，更正後，全句作：
　　　　「兼据陈劭《周官礼异同评》重疏」

（9）「斯兴季野」（十九頁第一行）

　　　※韻按：依據前後文意，此處應指清代學者「萬斯同，浙江鄞縣
　　　　人，字季野」，而「萬斯同」的「同」字，誤作「兴」字，更正
　　　　後，全句為：
　　　　「斯同季野」

（10）「陈兰甫谓《仪礼难读》」（二〇頁第三行）

　　　※韻按：此處書名符號標示錯誤，更正後，全句作：
　　　　「陈兰甫谓《仪礼》难读」

（11）「祼之作果」（二〇頁第十一行）

　　　※韻按：「祼」字誤，應作「祼」字，說明詳「2《黃侃論學雜
　　　　著》。黃侃　撰。上海市：中華書局上海編輯所　編輯；北京市：
　　　　中華書局　出版。一九六四年九月，第一版，上海第一次印
　　　　刷。」勘誤第三條，更正後，全句作：
　　　　「祼之作果」

（12）「舭之為舥」（二〇頁第十二行）

※韻按：依據上下文意，此處「觚之為觚」的「觚」字譌誤，應作
「觚」字，更正後，全句為：

「觚之為觚」

（13）「《说文》丰象表」（二○頁倒數第十一行）

※韻按：《說文》原文為：

「豐，豆之豐滿也。從豆，象形。」[73]

依據《說文》原文，此處「说文丰象表」的「表」字譌誤，應作
「形」字，更正後，全句為：

「《说文》丰象形」

（14）「《仪礼大射》仪君与宾耦射节云」（二十一頁第三行）

※韻按：此處書名與篇名符號標示譌誤，更正後，全句作：

「《仪礼・大射仪》君与宾耦射节云」

（15）「有其卒章共三其六之目」（二十一頁第十五行）

※韻按：《左氏宣公十二年傳》原文為：

「及昏，楚師軍於邲，晉之餘師不能軍⋯⋯潘黨曰：君盍築武
軍⋯⋯楚子曰：非爾所知也。夫文，止戈為武。武王克商，作頌
曰：載戢干戈，載櫜弓矢，我求懿德，肆于時夏，允王保之。又
作武，其卒章曰：耆定爾功。其三曰：鋪時繹思，我徂維求定。
其六曰：綏萬邦，屢豐年。⋯⋯」[74]

依據《左氏宣公十二年傳》原文，此處「共三」的「共」字譌
誤，應作「其」字，更正後，全句為：

「有其卒章其三其六之目」

（16）「《静女》之四章」（二十一頁第十五行至第十六行）

※韻按：「四」字誤，應作「三」字；標示「静女」為篇名的符號
亦誤，說明詳「2《黃侃論學雜著》。黃侃　撰。上海市：中華書

73　〔清〕段玉裁：《說文解字注》（臺北市：蘭臺書局，1971年），頁210。

74　〔晉〕杜預注、〔唐〕孔穎達疏：《春秋左傳正義》，《十三經注疏》（臺北縣：藝文印
　　書館，1976年），頁397。

　　　局上海編輯所　編輯；北京市：中華書局　出版。一九六四年九月，第一版，上海第一次印刷。」勘誤第四條，一併更正後，全句作：

　　　「〈靜女〉之三章」

（17）「是分章分节且标目之明之」（二十一頁倒數第七行）

　　※韻按：此處「之明之」三字，若依底本作「以明之」，文意順暢度較佳，宜予修正，更正後，全句為：

　　　「是分章分节且标目以明之」

（18）「故《丧大》功章大夫之妾为君之庶子」（二十一頁倒數第七行）

　　※韻按：此處篇章標示譌誤，更正後，全句作：

　　　「故〈丧大功章〉大夫之妾为君之庶子」

（19）「女子子嫁者未嫁者为世公母叔父母姑姊妹二条」（二十一頁倒數第六行）

　　※韻按：《儀禮・喪服》「大功章」原文為：

　　　「大夫之妾為君之庶子。女子子嫁者、未嫁者，為世父母、叔父母、姑、姊妹。」[75]

　　　依據《儀禮》原文，此處「为世公母」的「公」字譌誤，應作「父」字，更正後，全句為：

　　　「女子子嫁者未嫁者為世父母叔父母姑姊妹二條」

（20）「然殽乱」（二十二頁第一行）

　　※韻按：依據底本，此處「然殽亂」的「然」字之前，缺漏一「梦」字，以致語意欠完整，補正後，全句作：

　　　「梦然殽乱」

（21）「即地祗之祭方丘亦稱禘」（二十二頁第十行）

　　※韻按：此處「地祗」的「祗」字，應作「祇」字，一筆衍誤，更

75　〔漢〕鄭玄注，〔唐〕賈公彥疏：《儀禮注疏》，《十三經注疏》（臺北縣：藝文印書館，1976年），頁378。

正後，全句為：

「即地祇之祭方丘亦稱禘」

（22）「凡与客人者云云」（二十三頁倒數第十二行）

　　※韻按：《禮記·曲禮上》原文為：

　　　「凡與客入者，每門讓於客……」[76]

　　　依據《禮記》原文，此處「凡与客人者云云」的「人」字，應作「入」字，更正後，全句為：

　　　「凡与客入者云云」

（23）「盖以三百三千卒虽周备」（二十四頁第九行）

　　※韻按：《周禮·春官》「簪人之職」《正義》原文為：

　　　「論語：顏回云：請問其目。鄭云：欲知其要，顏回意以禮有三百三千卒難周備，故請問其目。」[77]

　　　依據《周禮正義》原文，此處「盖以三百三千卒虽周备」的「虽」字，應作「难」字，正體字「難」「雖」形近，轉換而誤，更正後，全句為：

　　　「盖以三百三千卒难周备」

（24）「《周礼·媒氏》曰：令男三十而嫁，女二十而娶。」（二十五頁第十二行）

　　※韻按：此處譌誤在於「嫁」「娶」二字錯置，說明詳「2《黃侃論學雜著》。黃侃 撰。上海市：中華書局上海編輯所 編輯；北京市：中華書局 出版。一九六四年九月，第一版，上海第一次印刷。」勘誤第六條，更正後，文句為：

　　　「《周礼·媒氏》曰：令男三十而娶，女二十而嫁。」

（25）「杜君卿评之日」（二十六頁第九行）

76　〔漢〕鄭玄注，〔唐〕孔穎達疏：《禮記注疏》，《十三經注疏》（臺北縣：藝文印書館，1976年），頁32。

77　〔漢〕鄭玄注，〔唐〕賈公彥疏：《周禮注疏》，《十三經注疏》（臺北縣：藝文印書館，1976年），頁376。

※韻按：依據上下文意，此處「杜君卿評之日」的「日」字，應作
「曰」字，更正後，全句為：
「杜君卿評之曰」

（26）「此外无儒所论」（二十七頁倒數第十一行）

※韻按：依據前後文意，此處「此外无儒所论」的「无」字，應作
「先」字，一筆缺誤，更正後，全句為：
「此外先儒所论」

（27）「疑以传疑问也」（二十八頁第七行）

※韻按：依據上下文意，以及底本文字，此處「疑以传疑问也」的
「问」字，應作「可」字，正體字「可」字形似簡體字「问」
字，而「疑问」又是常用詞，以致誤解，更正後，全句為：
「疑以传疑可也」

（28）「其上，复情以归太一」（二十九頁第三行）

※韻按：「上」字訛誤，應作「下」字，說明詳「2《黃侃論學雜
著》。黃侃 撰。上海市：中華書局上海編輯所 編輯；北京市：
中華書局 出版。一九六四年九月，第一版，上海第一次印
刷。」勘誤第七條，更正後，文句為：
「其下，复情以归太一」

（29）「以肃拜为但俯下首」（二十九頁倒數第六行）

※韻按：「首」字訛誤，應作「手」字，說明詳「2《黃侃論學雜
著》。黃侃 撰。上海市：中華書局上海編輯所 編輯；北京市：
中華書局 出版。一九六四年九月，第一版，上海第一次印
刷。」勘誤第八條，更正後，文句為：
「以肃拜为但俯下手」

（30）「人姓和而才惠」（三〇頁第六行）

※韻按：依據上下文意及底本文字，此處「人姓和而才惠」的
「姓」字，應作「性」字，形近音同而誤，更正後，全句為：
「人性和而才惠」

（31）「祭之日，执书以次位，常辨事者考焉」（三○頁倒數第三行）

　　※韻按：此處誤將「，」號置於「常」字之前，說明詳「2《黃侃論學雜著》。黃侃 撰。上海市：中華書局上海編輯所 編輯；北京市：中華書局 出版。一九六四年九月，第一版，上海第一次印刷。」勘誤第九條，更正後，文句為：

　　　　「祭之日，执书以次位常，辨事者考焉」

（32）「而固人之筋骸之会，肌肤之束也」（三十一頁第七行）

　　※韻按：「肌膚」與「筋骸」二詞錯置，說明詳「2《黃侃論學雜著》。黃侃 撰。上海市：中華書局上海編輯所 編輯；北京市：中華書局 出版。一九六四年九月，第一版，上海第一次印刷。」勘誤第十條，更正後，文句為：

　　　　「而固人之肌肤之会，筋骸之束也」

（33）「所以达天道、顺人情之窦也」（三十一頁第八行）

　　※韻按：「窦」字之前，闕一「大」字，說明詳「2《黃侃論學雜著》。黃侃 撰。上海市：中華書局上海編輯所 編輯；北京市：中華書局 出版。一九六四年九月，第一版，上海第一次印刷。」勘誤第十一條，補正後，文句為：

　　　　「所以达天道、顺人情之大窦也」

（34）「故唯圣人知礼之不可已也」（三十一頁第八行至第九行）

　　※韻按：此處脫漏二字：一為「知礼」的「知」字之前，闕一「为」字；一為「不可」的「可」字之後，闕一「以」字。說明詳「2《黃侃論學雜著》。黃侃 撰。上海市：中華書局上海編輯所 編輯；北京市：中華書局 出版。一九六四年九月，第一版，上海第一次印刷。」勘誤第十二條，修正後，文句為：

　　　　「故唯圣人为知礼之不可以已也」

（35）「致降平龙凤之瑞」（三十一頁倒數第五行）

　　※韻按：〈序周禮廢興〉原文為：

　　　　「斯道也，文武所以綱紀周國，君臨天下，周公定之，致隆平龍

鳳之瑞……」[78]

依據〈序周禮廢興〉原文，此處「致降平龍鳳之瑞」的「降」
字，應為「隆」字，形近而誤，更正後，全句作：

「致隆平龙凤之瑞」

（36）「引职方荆州浸颖注」（三十三頁第七行）

　　※韻按：《周禮・夏官》「職方氏之職」原文為：

「正南曰荊州，其山鎮曰衡山，其澤藪曰雲瞢，其川江漢，其浸
潁湛，其利丹錫齒革……」[79]

鄭《注》：

「潁（韻按：應作「潁」）出陽城，宜屬豫州，在此非也。」

阮元《校勘記》於「其浸潁湛」之下有所說明：

「唐石經、余本、嘉靖本、毛本同。閩監本潁誤穎，疏同。」[80]

依據前述資料及底本文字，此處「引職方荊州浸穎注」的「穎」
字，有兩項譌誤：一為文字錯誤──「穎」字應作「潁」字；一
為文字缺漏──「穎」字之下缺一「湛」字，更正後，本句為：

「引职方荆州浸颖湛注」

（37）「十有八星之号」（三十三頁第十行）

　　※韻按：此處譌誤在於「十」字之上缺漏一「二」字，說明詳「2
《黃侃論學雜著》。黃侃 撰。上海市：中華書局上海編輯所 編
輯；北京市：中華書局 出版。一九六四年九月，第一版，上海
第一次印刷。」勘誤第十五條，更正後，全句作：

「二十有八星之号」

---

78 〔唐〕賈公彥：《周禮注疏・序周禮廢興》，《十三經注疏》（臺北縣：藝文印書館，
　　1976年），頁9。

79 〔漢〕鄭玄注，〔唐〕賈公彥疏：《周禮注疏》，《十三經注疏》（臺北縣：藝文印書館，
　　1976年），頁499。

80 〔漢〕鄭玄注，〔唐〕賈公彥疏：《周禮注疏》，《十三經注疏》（臺北縣：藝文印書館，
　　1976年），頁508。

（38）「荆州浸穎湛」（三十三頁第十六行）

　　※韻按：此處譌誤在於「穎」字，應作「潁」字，說明詳「9《二
　　　　十世紀中國禮學研究論集》。陳其泰、郭偉川、周少川 編。北京
　　　　市：學苑出版社 出版。一九九八年六月，北京第一版第一次印
　　　　刷。」勘誤第三十六條，更正後，全句作：
　　　　　「荆州浸潁湛」

（39）「巧说衰辞」（三十三頁倒數第四行）

　　※韻按：依據上下文意及底本文字，此處「巧說衰辭」的「衰」
　　　　字，應作「衺」字，形近而誤，更正後，全句為：
　　　　　「巧说衺辞」

（40）「《丧服》一篇凡发传曰以释其义者十有三以」（三十四頁第十三
　　　行）

　　※韻按：依據前後文意及底本文字，此處「《丧服》一篇凡发传曰
　　　　以释其义者十有三以」的「以」字，應為衍文；「《丧服》」為
　　　　《儀禮》篇章，宜用篇名符號標示。更正後，全句作：
　　　　　「〈丧服〉一篇凡发传曰以释其义者十有三」

（41）「盖出于讲设为问难以相解释」（三十四頁第十四行）

　　※韻按：依據上下文意及底本文字，此處「盖出于讲设为问难以相
　　　　解释」的「讲」字之下，缺漏一「师」字，更正後，全句為：
　　　　　「盖出于讲师设为问难以相解释」

（42）「通合于大戴十七篇之次序」（三十五頁第十行）

　　※韻按：「通」字誤，應作「適（适）」字，說明詳「2《黃侃論學
　　　　雜著》。黃侃 撰。上海市：中華書局上海編輯所 編輯；北京
　　　　市：中華書局 出版。一九六四年九月，第一版，上海第一次印
　　　　刷。」勘誤第十六條，更正後，全句為：
　　　　　「适合于大戴十七篇之次序」

（43）「且举《檀弓》云」（三十五頁第十四行）

　　※韻按：「《檀弓》」篇名訛誤，標點符號亦應修正，說明詳「2《黃

侃論學雜著》。黃侃 撰。上海市：中華書局上海編輯所 編輯；

北京市：中華書局 出版。一九六四年九月，第一版，上海第一

次印刷。」勘誤第十七條，更正後，文句為：

「且举〈杂记〉云」

（44）「刘歆《移太常博士》所言是也」（三十六頁第二行）

　　※韻按：「《移太常博士》」「移」字之後，疑脫漏一「書」字，標點

　　符號亦應修正，說明詳「2《黃侃論學雜著》。黃侃 撰。上海

　　市：中華書局上海編輯所 編輯；北京市：中華書局 出版。一九

　　六四年九月，第一版，上海第一次印刷。」勘誤第十八條，修正

　　後，文句為：

　　「刘歆移书太常博士所言」

（45）「王莽于元始时征天下有《逸礼》学」（三十六頁第九行）

　　※韻按：依據前後文意及底本文字，此處「王莽于元始时征天下有

　　《逸礼》学」的「有《逸禮》學」數字，應作「通《逸礼》者」，

　　更正後，全句作：

　　「王莽于元始时征天下通《逸礼》者」

（46）「要替不足据」（三十六頁倒數第四行）

　　※韻按：依據上下文意及底本文字，此處「要替不足据」的「替」

　　字，應作「皆」字，形近而誤，更正後，全句為：

　　「要皆不足据」

（47）「此《堂阴阳记》盖与《汉志》所说《明堂阴阳》不同」（三十七

　　頁倒數第三行）

　　※韻按：依據前後文意及底本文字，此處「此《堂阴阳记》盖与

　　《汉志》所说《明堂阴阳》不同」的「《堂阴阳记》」數字，應作

　　「《明堂阴阳记》」，更正後，全句為：

　　「此《明堂阴阳记》盖与《汉志》所说《明堂阴阳》不同」

（48）「取《贾子》保传诸篇」（三十八頁倒數第九行）

※韻按：漢代賈誼所撰《新書》中，有一篇題目為〈保傅〉[81]，以內容而言，篇名應為〈保傅〉，此處「取《贾子》保传诸篇」的「传」字，應如底本作「傅」字，形似而誤，更正後，全句為：

「取《贾子》保傅诸篇」

10《黃侃國學文集》。黃侃　著。新竹市：花神出版社（扉頁標示為：理藝出版社）出版。凡異文化事業有限公司　發行。民國九十一年（2002）八月初版。頁四四九至頁四八六。

※韻按：本版《禮學略說》訛誤之處如下：

（1）自《禮學略說》的首頁（頁四四九），至末頁（頁四八六），凡單數頁的書邊題名，都誤作「理學略說」，音同而誤，應更正為：

「禮學略說」

（2）「含義廣則�，迥不侔」（四四九頁第七行）

※韻按：依據上下文意及底本文字，此處「含義廣則�，迥不侔」的「則」字錯置，應更正為：

「含義廣�，則迥不侔」

（3）「曲禮三千，見《記·禮器》」（四四九頁倒數第六行）

※韻按：依據前後文意及底本文字，此處「曲禮三千，見《記·禮器》」的「見」字，並非正文文字，而是注釋「曲禮三千」出處的文字，與注「《記·禮器》」連文，按照全書體例，注釋文字使用雙行小字，綴於所注正文文字之下，應更正為：

「曲禮三千，見《記·禮器》」

（4）「姑置勿說談」（四五一頁倒數第六行）

※韻按：依據上下文意及底本文字，此處「姑置勿說談」的「說」字為衍文，全句宜修正作：

「姑置勿談」

（5）「兼據陳劭《周禮》異同評重疏」（四五四頁倒數第一行）

81　〔漢〕賈誼：《新書》，收入《四庫善本叢書》（臺北縣：藝文印書館，1977年），子部，卷5。

　　※韻按：此處書名及書名號標示位置均應修正，說明詳「2《黃侃論學雜著》。黃侃 撰。上海市：中華書局上海編輯所 編輯；北京市：中華書局 出版。一九六四年九月，第一版，上海第一次印刷。」勘誤第一條，更正後，全句作：

　　　「兼據陳劭《周官禮異同評》重疏」

（6）「隋日碩儒」（四五五頁第二行）

　　※韻按：「日」字誤，應作「曰」字，說明詳「2《黃侃論學雜著》。黃侃 撰。上海市：中華書局上海編輯所 編輯；北京市：中華書局 出版。一九六四年九月，第一版，上海第一次印刷。」勘誤第二條，更正後，全句為：

　　　「隋曰碩儒」

（7）「胡清世褚寅亮作《儀禮管見》」（四五七頁第二行）

　　※韻按：依據上下文意及底本文字，此處「胡清世褚寅亮作《儀禮管見》」的「胡」字，應作「故」字，形近而誤，更正後，全句為：

　　　「故清世褚寅亮作《儀禮管見》」

（8）「胡新疏獨闕」（四五八頁倒數第六行）

　　※韻按：依據前後文意及底本文字，此處「胡新疏獨闕」的「胡」字，應作「故」字，形近而誤，更正後，全句為：

　　　「故新疏獨闕」

（9）「則用志不粉」（四五九頁第二行）

　　※韻按：依據上下文意及底本文字，此處「則用志不粉」的「粉」字，應作「紛」字，形近而誤，更正後，全句為：

　　　「則用志不紛」

（10）「裸之作果」（四五九頁第七行）

　　※韻按：「裸」字誤，應作「祼」字，說明詳「2《黃侃論學雜著》。黃侃 撰。上海市：中華書局上海編輯所 編輯；北京市：中華書局 出版。一九六四年九月，第一版，上海第一次印

　　刷。」勘誤第三條，更正後，全句為：

　　　「祼之作果」

（11）「《御史》掌贊書，句數凡從政者」（四六〇頁第二行）

　　　※韻按：依據前後文意及底本文字，此處「句數凡從政者」的
　　　　　「句」字，並非正文文字，而是用以表示句讀所在，按照全書體
　　　　　例，以偏右小字標示句讀，繫於該正文之下，應更正為：

　　　　　「《御史》掌贊書，句數凡從政者」

（12）「《靜女》之四章」（四六一頁第三行小字注第一行）

　　　※韻按：「四」字誤，應作「三」字；標示「靜女」為篇名的符號
　　　　　亦誤，說明詳「2《黃侃論學雜著》。黃侃 撰。上海市：中華書局
　　　　　上海編輯所 編輯；北京市：中華書局 出版。一九六四年九月，
　　　　　第一版，上海第一次印刷。」勘誤第四條，一併更正後，全句作：

　　　　　「〈靜女〉之三章」

（13）「此兄弟服三等連讀」（四六三頁第六行）

　　　※韻按：《儀禮·喪服·記》原文為：

　　　　　「夫之所為兄弟服，妻降一等」[82]

　　　　　依據《儀禮》原文及底本文字，此處「此兄弟服三等連讀」的
　　　　　「等」字譌誤，應作「字」字，更正後，全句為：

　　　　　「此兄弟服三字連讀」

（14）「凡與客人者云云」（四六四頁第二行）

　　　※韻按：「人」字誤，應作「入」字，說明詳「9《二十世紀中國禮
　　　　　學研究論集》。陳其泰、郭偉川、周少川 編。北京市：學苑出版
　　　　　社 出版。一九九八年六月，北京第一版第一次印刷。」勘誤第
　　　　　二十二條，更正後，全句為：

　　　　　「凡與客入者云云」

---

82 〔漢〕鄭玄注，〔唐〕賈公彥疏：《儀禮注疏》，《十三經注疏》（臺北縣：藝文印書館，
　　1976年），頁398。

（15）「《周禮・媒氏》曰：今男三十而嫁，女二十而娶。」（四六六頁
　　　倒數第二行）

　　　※韻按：此處謬誤在於「嫁」「娶」二字錯置，說明詳「2《黃侃論
　　　　學雜著》。黃侃 撰。上海市：中華書局上海編輯所 編輯；北京
　　　　市：中華書局 出版。一九六四年九月，第一版，上海第一次印
　　　　刷。」勘誤第六條，更正後，文句為：

　　　　「《周禮・媒氏》曰：今男三十而娶，女二十而嫁。」

（16）「然而遂人」（四六九頁第五行）

　　　※韻按：《禮記・三年問》原文為：

　　　　「將由夫脩飾之君子與？則三年之喪，二十五月而畢，若駟之過
　　　　隙，然而遂之，則是無窮也。」[83]

　　　　依據《禮記》原文，此處「然而遂人」的「人」字謬誤，應作
　　　　「之」字，更正後，全句為：

　　　　「然而遂之」

（17）「然試觀《檀弓》載于遊之言」（四六九頁倒數第七行）

　　　※韻按：《禮記・檀弓下》原文為：

　　　　「有子與子遊立，見孺子慕者，有子謂子遊曰：予壹不知夫喪之
　　　　踴也，予欲去之久矣，情在於斯，其是也夫。子遊曰：禮有微情
　　　　者，有以故興物者，……故子之所刺於禮者，亦非禮之訾也。」[84]

　　　　依據《禮記》原文，此處「然試觀《檀弓》載于遊之言」的
　　　　「于」字，應作「子」字，形似而誤；又，「《檀弓》」屬今《禮
　　　　記》中篇章，標示符號亦宜調整，一併更正後，全句為：

　　　　「然試觀〈檀弓〉載子遊之言」

（18）「飲、羞、珍醬，古飲食之制」（四七○頁倒數第三行）

---

83 〔漢〕鄭玄注，〔唐〕孔穎達疏：《禮記注疏》，《十三經注疏》（臺北縣：藝文印書館，
　1976年），頁961。

84 〔漢〕鄭玄注，〔唐〕孔穎達疏：《禮記注疏》，《十三經注疏》（臺北縣：藝文印書館，
　1976年），頁175。

※韻按：《周禮·天官》「膳夫之職」原文為：

「凡王之饋食用六穀，膳用六牲，飲用六清，羞用百二十品，珍用八物，醬用百又二十甕。」[85]

依據《周禮》原文文意，「珍」與「醬」應為二類，此處「飲、羞、珍醬」的「珍醬」二字之間，宜有一頓號「、」，修正後的文句為：

「飲、羞、珍、醬，古飲食之制」

（19）「其上，復情以歸太一」（四七二頁第六行）

※韻按：「上」字訛誤，應作「下」字，說明詳「2《黃侃論學雜著》。黃侃 撰。上海市：中華書局上海編輯所 編輯；北京市：中華書局 出版。一九六四年九月，第一版，上海第一次印刷。」勘誤第七條，更正後，文句為：

「其下，復情以歸太一」

（20）「以肅拜為但俯下首」（四七三頁第六行）

※韻按：「首」字訛誤，應作「手」字，說明詳「2《黃侃論學雜著》。黃侃 撰。上海市：中華書局上海編輯所 編輯；北京市：中華書局 出版。一九六四年九月，第一版，上海第一次印刷。」勘誤第八條，更正後，文句為：

「以肅拜為但俯下手」

（21）「祭之日，執書以次位，常辨事者攷焉」（四七四頁倒數第一行）

※韻按：此處訛誤有二：一為斷句之誤，誤將「，」號置於「常」字之前；一為文字之誤，誤將「辨」字書作「辦」字。說明詳「2《黃侃論學雜著》。黃侃 撰。上海市：中華書局上海編輯所 編輯；北京市：中華書局 出版。一九六四年九月，第一版，上海第一次印刷。」勘誤第九條，更正後，文句為：

85　〔漢〕鄭玄注，〔唐〕賈公彥疏：《周禮注疏》，《十三經注疏》（臺北縣：藝文印書館，1976年），頁57。

「祭之日，執書以次位常，辨事者斅焉」

（22）「而固人之筋骸之會，肌膚之束也」（四七五頁第七行至第八行）

※韻按：「肌膚」與「筋骸」二詞錯置，說明詳「2《黃侃論學雜著》。黃侃 撰。上海市：中華書局上海編輯所 編輯；北京市：中華書局 出版。一九六四年九月，第一版，上海第一次印刷。」勘誤第十條，更正後，文句為：

「而固人之肌膚之會，筋骸之束也」

（23）「所以達天道、順人情之寶也」（四七五頁倒數第七行）

※韻按：「寶」字之前，闕一「大」字，說明詳「2《黃侃論學雜著》。黃侃 撰。上海市：中華書局上海編輯所 編輯；北京市：中華書局 出版。一九六四年九月，第一版，上海第一次印刷。」勘誤第十一條，補正後，文句為：

「所以達天道、順人情之大寶也」

（24）「故唯聖人知禮之不可已也」（四七五頁倒數第七行至倒數第六行）

※韻按：此處脫漏二字：一為「知禮」的「知」字之前，闕一「為」字；一為「不可」的「可」字之後，闕一「以」字。說明詳「2《黃侃論學雜著》。黃侃 撰。上海市：中華書局上海編輯所 編輯；北京市：中華書局 出版。一九六四年九月，第一版，上海第一次印刷。」勘誤第十二條，修正後，文句為：

「故唯聖人為知禮之不可以已也」

（25）「《禮記‧雜記》下贊大行曰云云」（四七七頁倒數第四行至倒數第三行）

※韻按：此處符號標示應予調整，說明詳「2《黃侃論學雜著》。黃侃撰。上海市：中華書局上海編輯所 編輯；北京市：中華書局 出版。一九六四年九月，第一版，上海第一次印刷。」勘誤第十三條，調整後，文句為：

「《禮記‧雜記下》贊大行曰云云」

（26）「大子教于田獵以習五戎」（四七八頁倒數第二行）

　　※韻按：此處「大」字譌誤，應作「天」字，說明詳「2《黃侃論學雜著》。黃侃 撰。上海市：中華書局上海編輯所 編輯；北京市：中華書局 出版。一九六四年九月，第一版，上海第一次印刷。」勘誤第十四條，更正後，全句為：

　　　　「天子教于田獵以習五戎」

（27）「二有八星之號」（四七八頁第八行）

　　※韻按：此處「二」字應作「二十」，缺漏一「十」字，說明詳「6《黃侃論學雜著——《說文略說》《音略》《爾雅略說》等十七種》。黃侃 撰。上海市：上海古籍出版社 出版。一九八〇年四月，新一版第一次印刷。」勘誤第十五條，更正後，全句為：

　　　　「二十有八星之號」

（28）「通合于大戴十七篇之次序」（四八一頁第五行）

　　※韻按：「通」字誤，應作「適（適）」字，說明詳「2《黃侃論學雜著》。黃侃 撰。上海市：中華書局上海編輯所 編輯；北京市：中華書局 出版。一九六四年九月，第一版，上海第一次印刷。」勘誤第十六條，更正後，全句為：

　　　　「適合于大戴十七篇之次序」

（29）「且舉《檀弓》云」（四八一頁倒數第六行）

　　※韻按：「《檀弓》」篇名訛誤，標點符號亦應修正，說明詳「2《黃侃論學雜著》。黃侃 撰。上海市：中華書局上海編輯所 編輯；北京市：中華書局 出版。一九六四年九月，第一版，上海第一次印刷。」勘誤第十七條，更正後，文句為：

　　　　「且舉〈雜記〉云」

（30）「劉歆《移太常博士》所言」（四八二頁第六行）

　　※韻按：「《移太常博士》」「移」字之後，疑脫漏一「書」字，標點符號亦應修正，說明詳「2《黃侃論學雜著》。黃侃 撰。上海市：中華書局上海編輯所 編輯；北京市：中華書局 出版。一九

六四年九月，第一版，上海第一次印刷。」勘誤第十八條，修正

後，文句為：

「劉歆移書太常博士所言」

11《黃侃國學文集》。黃侃 著，黃延祖 重輯。北京市：中華書局 出版發

行。二〇〇六年五月，第一版，北京第一次印刷。頁三四〇至頁三七七。

　　※韻按：本版《禮學略說》訛誤之處如下：

　　（1）「古文《禮記》」（三四一頁第一行）

　　　　※韻按：依據底本，此處「古文《禮記》」的「禮」字衍羨，更正

　　　　　　後，全句作：

　　　　　　「古文《記》」

　　（2）「兼據陳劭《周禮》異同評重疏」（三四五頁倒數第一行）」

　　　　※韻按：此處書名及書名號標示位置均應修正，說明詳「2《黃侃

　　　　　　論學雜著》。黃侃 撰。上海市：中華書局上海編輯所 編輯；北

　　　　　　京市：中華書局 出版。一九六四年九月，第一版，上海第一次

　　　　　　印刷。」勘誤第一條，更正後，全句作：

　　　　　　「兼據陳劭《周官禮異同評》重疏」

　　（3）「隋日碩儒」（三四六頁第二行）

　　　　※韻按：「日」字誤，應作「曰」字，說明詳「2《黃侃論學雜

　　　　　　著》。黃侃 撰。上海市：中華書局上海編輯所 編輯；北京市：

　　　　　　中華書局 出版。西元一九六四年九月，第一版，上海第一次印

　　　　　　刷。」勘誤第二條，更正後，全句為：

　　　　　　「隋曰碩儒」

　　（4）「胡清世褚寅亮作《儀禮管見》」（三四八頁第二行）

　　　　※韻按：「胡」字誤，應作「故」字，說明詳「10《黃侃國學文

　　　　　　集》。黃侃 著。新竹市：花神出版社（扉頁標示為：理藝出版

　　　　　　社）出版。凡異文化事業有限公司 發行。民國九十一年

　　　　　　（2002）八月初版。」勘誤第七條，更正後，全句為：

　　　　　　「故清世褚寅亮作《儀禮管見》」

（5）「裸之作果」（三五〇頁第七行）

　　※韻按：「裸」字誤，應作「祼」字，說明詳「2《黃侃論學雜著》。黃侃　撰。上海市：中華書局上海編輯所　編輯；北京市：中華書局　出版。一九六四年九月，第一版，上海第一次印刷。」勘誤第三條，更正後，全句為：

　　　　「祼之作果」

（6）「《靜女》之四章」（三五二頁第三行小字注第一行）

　　※韻按：「四」字誤，應作「三」字；標示「靜女」為篇名的符號亦誤，說明詳「2《黃侃論學雜著》。黃侃　撰。上海市：中華書局上海編輯所　編輯；北京市：中華書局　出版。一九六四年九月，第一版，上海第一次印刷。」勘誤第四條，一併更正後，全句作：

　　　　「〈靜女〉之三章」

（7）「女子已嫁者」（三五二頁第七行）

　　※韻按：《儀禮‧喪服》「大功章」原文為：

　　　　「大夫之妾為君之庶子。女子子嫁者、未嫁者，為世父母、叔父母、姑、姊妹。」[86]

　　　　依據《儀禮》原文，此處「女子已嫁者」的「已」字譌誤，應作「子」字，更正後，全句為：

　　　　「女子子嫁者」

（8）「至其明言凡用屬通例者」（三五四頁倒數第四行）

　　※韻按：依據上下文意及底本文字，此處「至其明言凡用屬通例者」的「用」字，應作「而」字，更正後，全句為：

　　　　「至其明言凡而屬通例者」

（9）「而經典貶文」（三五八頁倒數第四行）

---

86 〔漢〕鄭玄注，〔唐〕賈公彥疏：《儀禮注疏》，《十三經注疏》（臺北縣：藝文印書館，1976年），頁378。

※韻按：依據前後文意及底本文字，此處「而經典貶文」的「典」
字，應作「無」字，更正後，全句為：

「而經無貶文」

（10）「然試觀《檀弓》載于遊之言」（三六〇頁第七行）

※韻按：此處「于」字誤，應作「子」字；「《檀弓》」篇名標示符
號，亦應調整，說明詳「10《黃侃國學文集》。黃侃 著。新竹
市：花神出版社（扉頁標示為：理藝出版社）出版。凡異文化事
業有限公司 發行。民國九十一年（2002）八月初版。」勘誤第
十七條，一併更正後，全句為

「然試觀〈檀弓〉載子遊之言」

（11）「而不可以是非古文也」（三六一頁第一行）

※韻按：依據上下文意及底本文字，此處「而不可以是非古文也」
的「文」字，應作「人」字，更正後，全句為：

「而不可以是非古人也」

（12）「上與今同者也」（三六一頁倒數第四行）

※韻按：依據前後文意及底本文字，此處「上與今同者也」的
「上」字，應作「不」字，更正後，全句為：

「不與今同者也」

（13）「其上，復情以歸太一」（三六三頁第六行）

※韻按：「上」字訛誤，應作「下」字，說明詳「2《黃侃論學雜
著》。黃侃 撰。上海市：中華書局上海編輯所 編輯；北京市：
中華書局 出版。一九六四年九月，第一版，上海第一次印
刷。」勘誤第七條，更正後，文句為：

「其下，復情以歸太一」

（14）「以肅拜為但俯下首」（三六四頁第六行）

※韻按：「首」字訛誤，應作「手」字，說明詳「2《黃侃論學雜
著》。黃侃 撰。上海市：中華書局上海編輯所 編輯；北京市：
中華書局 出版。一九六四年九月，第一版，上海第一次印

刷。」勘誤第八條，更正後，文句為：

「以肅拜為但俯下手」

（15）「祭之日，執書以次位，常辨事者殻焉」（三六五頁倒數第一行）

※韻按：此處訛誤有二：一為斷句之誤，誤將「，」號置於「常」字之前；一為文字之誤，誤將「辨」字書作「辦」字。說明詳「2《黃侃論學雜著》。黃侃 撰。上海市：中華書局上海編輯所 編輯；北京市：中華書局 出版。一九六四年九月，第一版，上海第一次印刷。」勘誤第九條，一併更正後，文句為：

「祭之日，執書以次位常，辨事者殻焉」

（16）「而固人之筋骸之會，肌膚之束也」（三六六頁第七行至第八行）

※韻按：「肌膚」與「筋骸」二詞錯置，說明詳「2《黃侃論學雜著》。黃侃 撰。上海市：中華書局上海編輯所 編輯；北京市：中華書局 出版。一九六四年九月，第一版，上海第一次印刷。」勘誤第十條，更正後，文句為：

「而固人之肌膚之會，筋骸之束也」

（17）「所以達天道、順人情之寶也」（三六六頁倒數第七行）

※韻按：「寶」字之前，闕一「大」字，說明詳「2《黃侃論學雜著》。黃侃 撰。上海市：中華書局上海編輯所 編輯；北京市：中華書局 出版。一九六四年九月，第一版，上海第一次印刷。」勘誤第十一條，補正後，文句為：

「所以達天道、順人情之大寶也」

（18）「故唯聖人知禮之不可已也」（三六六頁倒數第七行至倒數第六行）

※韻按：此處脫漏二字：一為「知禮」的「知」字之前，闕一「為」字；一為「不可」的「可」字之後，闕一「以」字。說明詳「2《黃侃論學雜著》。黃侃 撰。上海市：中華書局上海編輯所 編輯；北京市：中華書局 出版。一九六四年九月，第一版，上海第一次印刷。」勘誤第十二條，修正後，文句為：

「故唯聖人為知禮之不可以已也」

（19）「注中《周官徵文》云」（三六八頁第四行）

　　※韻按：《周官徵文》見於汪中《述學》，此處「注中《周官徵文》
　　　　云」的「注」字，應作「汪」字，形似而誤，更正後，全句為：
　　　　「汪中《周官徵文》云」

（20）「《禮記・雜記下》贊大行人云云」（三六八頁倒數第四行至倒數
　　　　第三行）

　　※韻按：《禮記・雜記下》原文為：
　　　　「贊大行曰，圭，公九寸……」[87]
　　　　依據《禮記》原文，此處「《禮記・雜記下》贊大行人云云」的
　　　　「人」字，應作「曰」字，更正後，全句為：
　　　　「《禮記・雜記下》贊大行曰云云」

（21）「大子教于田獵以習五戎」（三六九頁第二行）

　　※韻按：「大」字誤，應作「天」字，說明詳「2《黃侃論學雜
　　　　著》。黃侃 撰。上海市：中華書局上海編輯所 編輯；北京市：
　　　　中華書局 出版。一九六四年九月，第一版，上海第一次印
　　　　刷。」勘誤第十四條，更正後，全句為：
　　　　「天子教于田獵以習五戎」

（22）「陳氏據此四條以補注義」（三六九頁第四行）

　　※韻按：承續前述本版勘誤第十二條對於「注中《周官徵文》云」
　　　　的更正，此處「陳氏據此四條以補注義」的「注」字，應作「汪」
　　　　字，修正後，全句為：
　　　　「陳氏據此四條以補汪義」

（23）「二有八星之號」（三六九頁第八行）

　　※韻按：此處譌誤在於「二」字之下，缺漏一「十」字，說明詳

87　〔漢〕鄭玄注，〔唐〕孔穎達疏：《禮記注疏》，《十三經注疏》（臺北縣：藝文印書館，
　　1976年），頁753。

「6《黃侃論學雜著——《說文略說》《音略》《爾雅略說》等十七種》。黃侃 撰。上海市：上海古籍出版社 出版。一九八〇年四月，新一版第一次印刷。」勘誤第十五條，更正後，全句為：

「二十有八星之號」

（24）「通合于大戴十七篇之次序」（三七二頁第五行）

※韻按：「通」字誤，應作「適（适）」字，說明詳「2《黃侃論學雜著》。黃侃 撰。上海市：中華書局上海編輯所 編輯；北京市：中華書局出版。一九六四年九月，第一版，上海第一次印刷。」勘誤第十六條，更正後，全句為：

「適合于大戴十七篇之次序」

（25）「且舉《檀弓》云」（三七二頁倒數第六行）

※韻按：「《檀弓》」篇名訛誤，標點符號亦應修正，說明詳「2《黃侃論學雜著》。黃侃 撰。上海市：中華書局上海編輯所 編輯；北京市：中華書局 出版。一九六四年九月，第一版，上海第一次印刷。」勘誤第十七條，更正後，文句為：

「且舉〈雜記〉云」

（26）「劉歆《移太常博士》所言」（三七三頁第六行）

※韻按：「《移太常博士》」「移」字之後，疑脫漏一「書」字，標點符號亦應修正，說明詳「2《黃侃論學雜著》。黃侃 撰。上海市：中華書局上海編輯所 編輯；北京市：中華書局 出版。一九六四年九月，第一版，上海第一次印刷。」勘誤第十八條，修正後，文句為：

「劉歆移書太常博士所言」

12《黃侃經典文存》。洪治綱主編。上海市：上海大學出版社。二〇〇八年四月，第一版，第一次印刷。頁二六五至頁二九一。

※韻按：本版《禮學略說》訛誤之處如下：

（1）「即王肅、李撰之伦」（二六八頁倒數第五行）

※韻按：《三國志‧蜀書》謂：

「李譔字欽仲……著古文易……三禮……異於鄭玄……」[88]
依據《三國志》原文，此處「即王肅、李撰之伦」的「撰」字，
應作「譔」字，形近而誤，更正後，全句為：
「即王肅、李譔之伦」

（2）「兼据陈劭《周礼》异同评重疏」（二六九頁第十三行）

　　※韻按：此處書名及書名號標示位置均應修正，說明詳「2《黃侃
　　論學雜著》。黃侃 撰。上海市：中華書局上海編輯所 編輯；北
　　京市：中華書局 出版。一九六四年九月，第一版，上海第一次
　　印刷。」勘誤第一條，更正後，全句作：
　　「兼据陈劭《周官礼异同评》重疏」

（3）「夏侯、伏郎」（二七〇頁第九行）

　　※韻按：「郎」字誤，應作「朗」字，說明詳「8《中國現代學術經
　　典・黃侃 劉師培卷》。劉夢溪 主編。吳方 編校。石家莊市：河
　　北教育出版社 出版。一九九六年，第一版。」勘誤第四條，更
　　正後，全句作：
　　「夏侯、伏朗」

（4）「裸之作果」（二七二頁第十一行）

　　※韻按：「裸」字誤，應作「祼」字，說明詳「2《黃侃論學雜
　　著》。黃侃 撰。上海市：中華書局上海編輯所 編輯；北京市：
　　中華書局 出版。一九六四年九月，第一版，上海第一次印
　　刷。」勘誤第三條，更正後，全句作：
　　「祼之作果」

（5）「《靜女》之四章」（二七三頁倒數第六行）

　　※韻按：「四」字誤，應作「三」字；標示「靜女」為篇名的符號
　　亦誤，說明詳「《黃侃論學雜著》。黃侃 撰。上海市：中華書局

---

88 楊家駱主編：《新校本三國志・蜀書第十二》（臺北市：鼎文書局，1977年2月，三版），頁1026。

上海編輯所 編輯；北京市：中華書局 出版。一九六四年九月，
第一版，上海第一次印刷。」勘誤第四條，一併更正後，全句
作：

　　「〈靜女〉之三章」

（6）「《周礼・媒氏》曰：令男三十而嫁，女二十而娶。」（二七七頁倒
數第六行）

　※韻按：此處譌誤在於「嫁」「娶」二字錯置，說明詳「2《黃侃論
學雜著》。黃侃 撰。上海市：中華書局上海編輯所 編輯；北京
市：中華書局 出版。一九六四年九月，第一版，上海第一次印
刷。」勘誤第六條，更正後，文句為：

　　「《周礼・媒氏》曰：令男三十而娶，女二十而嫁。」

（7）「故人于亲也」（二七九頁第十一行）

　※韻按：此處譌誤在於「親」字之前，缺漏一「其」字，說明詳
「8《中國現代學術經典・黃侃　劉師培卷》。劉夢溪 主編。吳
方 編校。石家莊市：河北教育出版社 出版。一九九六年，第一
版。」勘誤第十二條，更正後，全句作：

　　「故人于其亲也」

（8）「为使人忽恶也」（二七九頁倒數第五行）

　※韻按：「忽」字誤，應作「勿」字，說明詳「8《中國現代學術經
典・黃侃　劉師培卷》。劉夢溪 主編。吳方 編校。石家莊市：
河北教育出版社 出版。一九九六年，第一版。」勘誤第十三
條，更正後，全句作：

　　「为使人勿恶也」

（9）「苟卿有言」（二八一頁第十二行）

　※韻按：此處「苟卿有言」以下所述文字：「礼者，以财物为
用……而中处其中」，見於《荀子・禮論》[89]，可知「苟卿有

89　王先謙：《荀子集解》（臺北縣：藝文印書館，1988年6月，五版），頁598。

言」的「苟」字，應作「荀」字，形似而誤，更正後，全句為：

「荀卿有言」

（10）「其上，复情以归太一」（二八一頁倒數第十二行）

　　※韻按：「上」字訛誤，應作「下」字，說明詳「2《黃侃論學雜著》。黃侃 撰。上海市：中華書局上海編輯所 編輯；北京市：中華書局 出版。一九六四年九月，第一版，上海第一次印刷。」勘誤第七條，更正後，文句為：

「其下，复情以归太一」

（11）「以肃拜为但俯下首」（二八二頁第九行）

　　※韻按：「首」字訛誤，應作「手」字，說明詳「2《黃侃論學雜著》。黃侃 撰。上海市：中華書局上海編輯所 編輯；北京市：中華書局 出版。一九六四年九月，第一版，上海第一次印刷。」勘誤第八條，更正後，文句為：

「以肃拜为但俯下手」

（12）「祭之日，执书以次位；常办事者考焉」（二八三頁第十二行）

　　※韻按：此處訛誤有二：一為斷句之誤，誤將「；」號置於「常」字之前，而「；」的使用，應改以「，」為宜；一為文字之誤，誤將「辨」字書作「辦（办）」字。說明詳「2《黃侃論學雜著》。黃侃 撰。上海市：中華書局上海編輯所 編輯；北京市：中華書局 出版。一九六四年九月，第一版，上海第一次印刷。」勘誤第九條，更正後，文句為：

「祭之日，执书以次位常，辨事者考焉」

（13）「而固人之筋骸之会，肌肤之束也」（二八三頁倒數第七行至倒數第六行）

　　※韻按：「肌膚」與「筋骸」二詞錯置，說明詳「2《黃侃論學雜著》。黃侃 撰。上海市：中華書局上海編輯所 編輯；北京市：中華書局 出版。一九六四年九月，第一版，上海第一次印刷。」勘誤第十條，更正後，文句為：

「而固人之肌肤之会，筋骸之束也」

（14）「所以达天道、顺人情之窦也」（二八三頁倒數第六行至倒數第五
　　　行）

　　　※韻按：「窦」字之前，闕一「大」字，說明詳「2《黃侃論學雜
　　　著》。黃侃　撰。上海市：中華書局上海編輯所　編輯；北京市：
　　　中華書局　出版。一九六四年九月，第一版，上海第一次印
　　　刷。」勘誤第十一條，補正後，文句為：

　　　　「所以达天道、顺人情之大窦也」

（15）「故唯圣人知礼之不可已也」（二八三頁倒數第五行）

　　　※韻按：此處脫漏二字：一為「知禮」的「知」字之前，闕一
　　　「為」字；一為「不可」的「可」字之後，闕一「以」字。說明
　　　詳「2《黃侃論學雜著》。黃侃　撰。上海市：中華書局上海編輯
　　　所　編輯；北京市：中華書局　出版。一九六四年九月，第一版，
　　　上海第一次印刷。」勘誤第十二條，修正後，文句為：

　　　　「故唯圣人为知礼之不可以已也」

（16）「《礼记·杂记》下赞大行曰云云」（二八五頁第十一行至第十二
　　　行）

　　　※韻按：此處符號標示應予調整，說明詳「2《黃侃論學雜著》。黃
　　　侃　撰。上海市：中華書局上海編輯所　編輯；北京市：中華書局
　　　出版。一九六四年九月，第一版，上海第一次印刷。」勘誤第十
　　　三條，調整後，文句為：

　　　　「《礼记·杂记下》赞大行曰云云」

（17）「大子教于田猎以习五戎」（二八五頁倒數第十一行）

　　　※韻按：「大」字誤，應作「天」字，說明詳「2《黃侃論學雜
　　　著》。黃侃　撰。上海市：中華書局上海編輯所　編輯；北京市：
　　　中華書局　出版。一九六四年九月，第一版，上海第一次印
　　　刷。」勘誤第六條，更正後，全句作：

　　　　「天子教于田猎以习五戎」

（18）「二有八星之号」（二八五頁倒數第三行）

　　※韻按：「二」字之後，缺漏一「十」字，說明詳「6《黃侃論學雜
　　　　著——《說文略說》《音略》《爾雅略說》等十七種》。黃侃
　　　　撰。上海市：上海古籍出版社 出版。一九八〇年四月，新一版
　　　　第一次印刷。頁四四四至頁四八一。」勘誤第十五條，更正後，
　　　　文句為：
　　　　「二十有八星之号」

（19）「通合于大戴十七篇之次序」（二八七頁倒數第三行）

　　※韻按：「通」字誤，應作「適（适）」字，說明詳「2《黃侃論學
　　　　雜著》。黃侃 撰。上海市：中華書局上海編輯所 編輯；北京
　　　　市：中華書局出版。一九六四年九月，第一版，上海第一次印
　　　　刷。」勘誤第十六條，更正後，全句為：
　　　　「适合于大戴十七篇之次序」

（20）「且舉《檀弓》云」（二八八頁第三行）

　　※韻按：「《檀弓》」篇名訛誤，標點符號亦應修正，說明詳「2《黃
　　　　侃論學雜著》。黃侃 撰。上海市：中華書局上海編輯所 編輯；
　　　　北京市：中華書局 出版。一九六四年九月，第一版，上海第一
　　　　次印刷。」勘誤第十七條，更正後，文句為：
　　　　「且舉〈杂记〉云」

（21）「刘歆《移太常博士》所言」（二八八頁倒數第九行）

　　※韻按：「《移太常博士》」「移」字之後，疑脫漏一「書」字，標點
　　　　符號亦應修正，說明詳「2《黃侃論學雜著》。黃侃 撰。上海
　　　　市：中華書局上海編輯所 編輯；北京市：中華書局 出版。一九
　　　　六四年九月，第一版，上海第一次印刷。」勘誤第十八條，修正
　　　　後，文句為：
　　　　「刘歆移书太常博士所言」

（22）「辍学之士抱残守缺」（二八八頁倒數第六行）

　　※韻按：依據上下文意及底本文字，此處「辍学之士抱残守缺」的

「輟」字，應作「綴」字，形近而誤，更正後，全句為：

「綴学之士抱残守缺」

（23）「故刘韵亲近」（二八八頁倒數第四行）

※韻按：「韵」字誤，應作「歆」字，說明詳「8《中國現代學術經
典・黃侃劉師表》。劉夢溪主編。吳方編校。石家莊市：河北教
育出版社出版。一九九六年，第一版。」勘誤第二十六條，更正
後，全句為：

「故刘歆亲近」

13《新輯黃侃學術文集》。黃侃 著。滕志賢 編。南京市：南京大學出版社
出版。二〇〇八年十一月，第一版，第一次印刷。頁三六一至頁三八四。

※韻按：本版《禮學略說》訛誤之處如下：

（1）「兼據陳劭《周禮》異同評重疏」（三六四頁倒數第三行）」

※韻按：此處書名及書名號標示位置均應修正，說明詳「2《黃侃
論學雜著》。黃侃 撰。上海市：中華書局上海編輯所 編輯；北
京市：中華書局 出版。一九六四年九月，第一版，上海第一次
印刷。」勘誤第一條，更正後，全句作：

「兼據陳劭《周官禮異同評》重疏」

（2）「隋日碩儒」（三六四頁倒數第二行）

※韻按：「日」字誤，應作「曰」字，說明詳「2《黃侃論學雜
著》。黃侃 撰。上海市：中華書局上海編輯所 編輯；北京市：
中華書局 出版。一九六四年九月，第一版，上海第一次印
刷。」勘誤第二條，更正後，全句為：

「隋曰碩儒」

（3）「《靜女》之四章」（三六八頁倒數第三行小字注第二行）

※韻按：「四」字誤，應作「三」字；標示「靜女」為篇名的符號
亦誤，說明詳「2《黃侃論學雜著》。黃侃 撰。上海市：中華書
局上海編輯所 編輯；北京市：中華書局 出版。一九六四年九
月，第一版，上海第一次印刷。」勘誤第四條，一併更正後，全

句作：

「〈靜女〉之三章」

（4）「女子已嫁者」（三六八頁倒數第一行）

　　※韻按：「已」字誤，應作「子」字，說明詳「11《黃侃國學文集》。黃侃 著，黃延祖 重輯。北京市：中華書局 出版發行。二〇〇六年五月，第一版，北京第一次印刷。」勘誤第七條，更正後，全句為：

「女子子嫁者」

（5）「此共據例補經也」（三七〇頁倒數第四行）

　　※韻按：依據前後文意及底本文字，此處「此共據例補經也」的「共」字，應作「其」字，形近而誤，更正後，全句為：

「此其據例補經也」

（6）「小臣詔揖諸公卿大大」（三七〇頁倒數第四行）

　　※韻按：《儀禮・大射》原文為：

「小臣師詔揖諸公卿大夫，諸公卿大夫西面北上。」[90]

依據《儀禮》原文，此處「大大」二字，應作「大夫」二字（「小臣」作「小臣師」者，參見「（二）各版本異文」），更正後，全句為：

「小臣詔揖諸公卿大夫」

（7）「《周禮・媒氏》曰：令男三十而嫁，女二十而娶。」（三七二頁第六行）

　　※韻按：此處譌誤在於「嫁」「娶」二字錯置，說明詳「2《黃侃論學雜著》。黃侃 撰。上海市：中華書局上海編輯所 編輯；北京市：中華書局 出版。一九六四年九月，第一版，上海第一次印刷。」勘誤第六條，更正後，文句為：

---

90 〔漢〕鄭玄注，〔唐〕賈公彥疏：《儀禮注疏》，《十三經注疏》（臺北縣：藝文印書館，1976年），頁191。

「《周禮・媒氏》曰：令男三十而娶，女二十而嫁。」

（8）「其上，復情以歸太一」（三七五頁倒數第九行）

　　※韻按：「上」字訛誤，應作「下」字，說明詳「2《黃侃論學雜著》。黃侃　撰。上海市：中華書局上海編輯所　編輯；北京市：中華書局　出版。一九六四年九月，第一版，上海第一次印刷。」勘誤第七條，更正後，文句為：

　　　　「其下，復情以歸太一」

（9）「以肅拜為但俯下首」（三七六頁第四行）

　　※韻按：「首」字訛誤，應作「手」字，說明詳「2《黃侃論學雜著》。黃侃　撰。上海市：中華書局上海編輯所　編輯；北京市：中華書局　出版。一九六四年九月，第一版，上海第一次印刷。」勘誤第八條，更正後，文句為：

　　　　「以肅拜為但俯下手」

（10）「天子、諸侯、卿、大大、士」（三七六頁倒數第五行至倒數第四行）

　　※韻按：依據前後文意，此處「大大」二字，應作「大夫」二字，更正後，文句為：

　　　　「天子、諸侯、卿、大夫、士」

（11）「祭之日，執書以次位，常辦事者攷焉」（三七七頁第四行）

　　※韻按：此處訛誤有二：一為斷句之誤，誤將「，」號置於「常」字之前；一為文字之誤，誤將「辨」字書作「辦」字。說明詳「2《黃侃論學雜著》。黃侃　撰。上海市：中華書局上海編輯所　編輯；北京市：中華書局　出版。一九六四年九月，第一版，上海第一次印刷。」勘誤第九條，　更正後，文句為：

　　　　「祭之日，執書以次位常，辨事者攷焉」

（12）「而固人之筋骸之會，肌膚之束也」（三七七頁第九行至第十行）

　　※韻按：「肌膚」與「筋骸」二詞錯置，說明詳「2《黃侃論學雜著》。黃侃　撰。上海市：中華書局上海編輯所　編輯；北京市：

中華書局 出版。一九六四年九月，第一版，上海第一次印刷。」勘誤第十條，更正後，文句為：

「而固人之肌膚之會，筋骸之束也」

（13）「所以達天道、順人情之竇也」（三七七頁倒數第九行）

※韻按：「竇」字之前，闕一「大」字，說明詳「2《黃侃論學雜著》。黃侃 撰。上海市：中華書局上海編輯所 編輯；北京市：中華書局 出版。一九六四年九月，第一版，上海第一次印刷。」勘誤第十一條，補正後，文句為：

「所以達天道、順人情之大竇也」

（14）「故唯聖人知禮之不可已也」（三七七頁倒數第九行至倒數第八行）

※韻按：此處脫漏二字：一為「知禮」的「知」字之前，闕一「為」字；一為「不可」的「可」字之後，闕一「以」字。說明詳「2《黃侃論學雜著》。黃侃 撰。上海市：中華書局上海編輯所 編輯；北京市：中華書局 出版。一九六四年九月，第一版，上海第一次印刷。」勘誤第十二條，修正後，文句為：

「故唯聖人為知禮之不可以已也」

（15）「牛夜鳴則庮以下，內甕職文」（三七八頁倒數第四行）

※韻按：依據《周禮・天官》「內饔」職掌原文：

「辨腥臊羶香之不可食者：牛夜鳴則庮；羊泠毛而毳，羶；犬赤股而躁，臊；鳥麛色而沙鳴，貍；豕盲眡而交睫，腥；馬黑脊而般臂，螻。」[91]

此處「內甕職文」的「甕」字，應作「饔」字，形近譌誤，更正後，文句為：

「牛夜鳴則庮以下，內饔職文」

---

91 〔漢〕鄭玄注，〔唐〕賈公彥疏：《周禮注疏》，《十三經注疏》（臺北縣：藝文印書館，1976年），頁62。

（16）「《禮記・雜記》下贊大行曰云云」（三七八頁倒數第一行）

　　※韻按：此處符號標示應予調整，說明詳「2《黃侃論學雜著》。黃
　　　　侃　撰。上海市：中華書局上海編輯所　編輯；北京市：中華書局
　　　　出版。一九六四年九月，第一版，上海第一次印刷。」勘誤第十
　　　　三條，調整後，文句為：

　　　　「《禮記・雜記下》贊大行曰云云」

（17）「二有八星之號」（三七九頁第八行）

　　※韻按：此處訛誤在於「二」字之下，缺漏一「十」字，說明詳
　　　　「6《黃侃論學雜著──《說文略說》《音略》《爾雅略說》等十
　　　　七種》。黃侃　撰。上海市：上海古籍出版社　出版。一九八〇年
　　　　四月，新一版第一次印刷。」勘誤第十五條，更正後，全句為：

　　　　「二十有八星之號」

（18）「通合于大戴十七篇之次序」（三八一頁第五行）

　　※韻按：「通」字誤，應作「適（适）」字，說明詳「2《黃侃論學
　　　　雜著》。黃侃　撰。上海市：中華書局上海編輯所　編輯；北京
　　　　市：中華書局出版。一九六四年九月，第一版，上海第一次印
　　　　刷。」勘誤第十六條，更正後，全句為：

　　　　「適合于大戴十七篇之次序」

（19）「且舉《檀弓》云」（三八一頁第八行）

　　※韻按：「《檀弓》」篇名訛誤，標點符號亦應修正，說明詳「2《黃
　　　　侃論學雜著》。黃侃　撰。上海市：中華書局上海編輯所　編輯；
　　　　北京市：中華書局　出版。一九六四年九月，第一版，上海第一
　　　　次印刷。」勘誤第十七條，更正後，文句為：

　　　　「且舉《雜記》云」

（20）「劉歆《移太常博士》所言」（三八一頁倒數第二行）

　　※韻按：「《移太常博士》」「移」字之後，疑脫漏一「書」字，標點
　　　　符號亦應修正，說明詳「2《黃侃論學雜著》。黃侃　撰。上海
　　　　市：中華書局上海編輯所　編輯；北京市：中華書局　出版。一九

六四年九月，第一版，上海第一次印刷。」勘誤第十八條，修正
後，文句為：

「劉歆移書太常博士所言」

（21）「竟無一字及之」（三八二頁倒數第一行）

　　※韻按：此處為黃侃先生據《漢志》而言，依上下文，「竟無一字
　　　　及之」的「竟」字之前，宜如底本有一「志」字，修正後，全句
　　　　為：

　　　　「志竟無一字及之」

（22）「盧植則直謂王制》」（三八三頁倒數第七行小字注）

　　※韻按：根據上下文，此處「王」字之前，缺漏一符號「《」，補正
　　　　後，文句為：

　　　　「盧植則直謂《王制》」

（23）「其官名、時事多不合周法」（三八三頁倒數第五行）

　　※韻按：《禮記·月令》孔《疏》引鄭《目錄》原文為：
　　　　「其中官名、時事多不合周法」[92]
　　　　依據《禮記》原文及底本，此處「其官名」的「其」字之下，缺
　　　　漏一「中」字，更正後，文句為：
　　　　「其中官名、時事多不合周法」

14《民國期刊資料分類彙編·三禮研究（全三冊）》。晁岳佩 選編。（《三禮
　　研究》第三冊。耿素麗、胡月平 選編。）北京市：國家圖書館 出版
　　社。二○○九年五月，第一版。頁一八五四至頁一八八六。

　※韻按：本版《禮學略說》訛誤處，同於「1《黃季剛先生遺著專號
　　　（上）》（國立中央大學《文藝叢刊》第二卷第二期）。南京：中央大學
　　　出版組（出版）發行。民國二十五年（1936）。頁一至頁三三。」為節
　　　約篇幅，僅條列訛誤文句及其頁碼行數，俾便參照，不附按語。

---

92 〔漢〕鄭玄注，〔唐〕孔穎達疏：《禮記注疏》，《十三經注疏》（臺北縣：藝文印書館，
　　1976年），頁278。

（1）「隋日碩儒。」（一八五九頁第五行）

（2）「裸之作果。」（一八六三頁第四行）

（3）「當讀云賓降取弓矢逗 于堂西句 諸公卿逗則適次。句」（一八六四頁第四行至第五行）

（4）「則其文當曰。孔子少孤句 不知其墓殯于五父之衢十字句 人之見之者皆以為葬也句 問于耶曼父之母逗蓋殯也句 然後得合葬於防句 其慎也。句」（一八六四頁第八行至第九行）

（5）「靜女之四章、」（一八六四頁倒數第六行小字注第二行）

（6）「又大夫為宗子注云。宗子既不降其母。妻亦不降。」（一八六七頁第九行）

（7）「周禮媒氏曰。令男三十而嫁。女二十而娶。」（一八六九頁倒數第四行）

（8）「其上、復情以歸太一。」（一八七四頁倒數第五行）

（9）「誤始於先鄭以肅拜為但俯下首。」（一八七五頁倒數第六行）

（10）「祭之日、執書以次位。常辦事者攷焉。」（一八七七頁第一行至第二行）

（11）「而固人之筋骸之會、肌膚之束也。」（一八七七頁第九行）

（12）「所以達天道、順人情之寶也。」（一八七七頁倒數第七行）

（13）「故唯聖人知禮之不可已也。」（一八七七頁倒數第七行）

（14）「月令季秋大子教于田獵以習五戎。」（一八七九頁倒數第四行）

（15）「十有八星之號。」（一八八〇頁第四行）

（16）「通合于大戴十七篇之次序。」（一八八二頁倒數第七行）

（17）「且舉檀弓云。」（一八八二頁倒數第四行）

（18）「劉歆移太常博士所言是也。」（一八八三頁第八行）

（19）「而後漢書橋傳云」（一八八四頁倒數第四行）

（二）各版本異文

1 《黃季剛先生遺著專號（上）》（國立中央大學《文藝叢刊》第二卷第二期）。南京市：國立中央大學出版組 （出版）發行。民國二十五年（1936）。頁一至頁三三。

（1）「凡諸侯之卿。其禮各下其君二等。以下及其大夫士亦如之。」（一四頁第二行至第三行）

※韻按：

A 「其大夫士亦如之」的「亦」字，藝文版《十三經注疏》《周禮・秋官》「大行人」職掌[93]原文作「皆」字。

B 《黃侃手批白文十三經・周禮・秋官司寇》「大行人」職掌原文及斷句狀況為：

「凡諸侯之卿，其禮各下其君二等以下。及其大夫士，皆如之。」[94]

a 「皆」字，本版作「亦」字。

b 本版斷句於「卿」字、「等」字、「之」字。

（2）「如大射儀小臣詔揖諸公卿大夫。」（一四頁倒數第八行至倒數第七行）

※韻按：藝文版《十三經注疏》《儀禮・大射》原文為：

「小臣師詔揖諸公卿大夫」[95]

「小臣師」本版作「小臣」。

（3）「依先鄭說。則獻讀為義。義尊飾以翡翠。」（二〇頁倒數第六

---

93 〔漢〕鄭玄注，〔唐〕賈公彥疏：《周禮注疏》，《十三經注疏》（臺北縣：藝文印書館，1976年），頁564。

94 《黃侃手批白文十三經》（上海市：上海古籍出版社，1983年）之《周禮》，頁109。

95 〔漢〕鄭玄注，〔唐〕賈公彥疏：《儀禮注疏》，《十三經注疏》（臺北縣：藝文印書館，1976年），頁191。

行）

※韻按：《周禮‧春官》「司尊彝之職」：「春祠夏禴……其朝踐用兩獻尊……」鄭《注》：「鄭司農云：……獻讀為犧。犧尊，飾以翡翠……」[96]

「犧」字，本版作「羲」字。

（4）「而亡其冬官一篇。」（二四頁倒數第一行）

※韻按：〈序周禮廢興〉[97]，「而」字作「然」字。

（5）「末年乃知其周公致太平之道迹具在斯。」（二五頁第一行至第二行）

※韻按：〈序周禮廢興〉[98]，「道」字作「迹」字。

（6）「見于說文者。有魯郊禮。」（三〇頁倒數第一行）

※韻按：《禮記‧曲禮上》「禮曰：君子抱孫不抱子……」孔《疏》：「……許慎引〈魯郊祀〉曰：祝延帝屍……」[99]

「祀」字，本版作「禮」字。

（7）「投壺下云。此于別錄屬吉禮。亦屬曲禮之正篇也」（三二頁第五行至第六行）

※韻按：《禮記‧投壺》「投壺第四十」孔《疏》：「亦實《曲禮》之正篇也」[100]

「實」字，本版作「屬」字。

96　〔漢〕鄭玄注，〔唐〕賈公彥疏：《周禮注疏》，《十三經注疏》（臺北縣：藝文印書館，1976年），頁305。

97　〔唐〕賈公彥：《周禮注疏‧序周禮廢興》，《十三經注疏》（臺北縣：藝文印書館，1976年），頁7。

98　〔唐〕賈公彥：《周禮注疏‧序周禮廢興》，《十三經注疏》（臺北縣：藝文印書館，1976年），頁7。

99　〔漢〕鄭玄注，〔唐〕孔穎達疏：《禮記注疏》，《十三經注疏》（臺北縣：藝文印書館，1976年），頁54。

100　〔漢〕鄭玄注，〔唐〕孔穎達疏：《禮記注疏》，《十三經注疏》（臺北縣：藝文印書館，1976年），頁965。

2 《黃侃論學雜著》。黃侃 撰。上海市：中華書局上海編輯所 編輯；北京市：中華書局 出版。一九六四年九月，第一版，上海第一次印刷。頁四四四至頁四八一。

（1）「《記・檀弓》篇：孔子少孤，不知其墓，舊讀句。殯于五父之衢。句人之見之者，皆以為葬也。句其慎也，蓋殯也。慎讀為引，六字句。問于耶曼父之母，句然後合葬于防。」（四五五頁倒數第四行至倒數第二行）

※韻按：本文校勘成本，此處作：

「記檀弓篇。孔子少孤不知其墓舊讀句殯于五父之衢句人之見之者皆以為塟也。句其慎也蓋殯也慎讀為引、六字句、問于耶曼父之母句然後得合塟于防。」（一一頁第五行至第六行）

底本「塟」字，本版作「葬」字。

（2）「凡諸侯之卿，其禮各下其君二等，以下及其大夫士亦如之。」（四五八頁倒數第一行）

※韻按：

A 「其大夫士亦如之」的「亦」字，藝文版《十三經注疏》《周禮・秋官》「大行人之職」[101] 原文作「皆」字。

B 《黃侃手批白文十三經・周禮・秋官司寇》「大行人」職掌原文及斷句狀況為：

「凡諸侯之卿，其禮各下其君二等以下。及其大夫士，皆如之。」[102]

a 「皆」字，本版作「亦」字。

b 本版斷句於「卿」字、「等」字、「之」字。

（3）「小臣詔揖諸公卿大夫」（四五九頁第七行）

※韻按：藝文版《十三經注疏》《儀禮・大射》原文為：

---

101 〔漢〕鄭玄注，〔唐〕賈公彥疏：《周禮注疏》，《十三經注疏》（臺北縣：藝文印書館，1976年），頁564。

102 《黃侃手批白文十三經》（上海市：上海古籍出版社，1983年）之《周禮》，頁109。

「小臣師詔揖諸公卿大夫」[103]

「小臣師」本版作「小臣」。

（4）「依先鄭說，則獻讀為義；義尊，飾以翡翠」（四六六頁第三行至第四行）

　　※韻按：《周禮・春官》「司尊彝之職」：「春祠夏禴……其朝踐用兩獻尊……」鄭《注》：「鄭司農云：……獻讀為犧。犧尊，飾以翡翠……」[104]

　　「犧」字，本版作「義」字。

（5）「而亡其《冬官》一篇」（四七一頁第二行）

　　※韻按：〈序周禮廢興〉[105]，「而」字作「然」字。

（6）「乃知其周公致太平之道迹具在斯」（四七一頁第三行）

　　※韻按：〈序周禮廢興〉[106]，「道」字作「迹」字。

（7）「疑自高堂生、后倉以來」（四七六頁倒數第七行）

　　※韻按：本文校勘底本，此處作：

　　「疑自高堂生后蒼以來」（二九頁倒數第六行）

　　「蒼」字，本版作「倉」字。

（8）「見于《說文》者，有《魯郊禮》」（四七八頁第二行）

　　※韻按：《禮記・曲禮上》「禮曰：君子抱孫不抱子……」孔《疏》：「……許慎引〈魯郊祀〉曰：祝延帝屍……」[107]

　　「祀」字，本版作「禮」字。

---

103 〔漢〕鄭玄注，〔唐〕賈公彥疏：《儀禮注疏》，《十三經注疏》（臺北縣：藝文印書館，1976年），頁191。

104 〔漢〕鄭玄注，〔唐〕賈公彥疏：《周禮注疏》，《十三經注疏》（臺北縣：藝文印書館，1976年），頁305。

105 〔唐〕賈公彥：《周禮注疏・序周禮廢興》，《十三經注疏》（臺北縣：藝文印書館，1976年），頁7。

106 〔唐〕賈公彥：《周禮注疏・序周禮廢興》，《十三經注疏》（臺北縣：藝文印書館，1976年），頁7。

107 〔漢〕鄭玄注，〔唐〕孔穎達疏：《禮記注疏》，《十三經注疏》（臺北縣：藝文印書館，1976年），頁54。

（9）「亦屬《曲禮》之正篇也」（四七九頁倒數第四行）

　　※韻按：《禮記・投壺》「投壺第四十」孔《疏》：「亦實《曲禮》之
　　　正篇也」[108]

　　「實」字，本版作「屬」字。

3　《黃侃論學雜著》。黃季剛 編著。臺北市：學藝出版社 出版。民國五十
　八年（1969）五月初版。頁四四四至頁四八一。

　　※韻按：本版《禮學略說》異文，同於「2《黃侃論學雜著》。黃侃 撰。
　　　上海市：中華書局上海編輯所 編輯；北京市：中華書局 出版。一九
　　　六四年九月，第一版，上海第一次印刷。」為節約篇幅，不予重述。

4　《黃侃論學雜著》。黃侃 撰。臺北市：臺灣中華書局 出版。民國五十八
　年（1969）八月臺一版。頁四四四至頁四八一。

　　※韻按：本版《禮學略說》異文，同於「2《黃侃論學雜著》。黃侃 撰。
　　　上海市：中華書局上海編輯所 編輯；北京市：中華書局 出版。一九
　　　六四年九月，第一版，上海第一次印刷。」為節約篇幅，不予重述。

5　《黃季剛先生論學名著》。黃侃（季剛）著作。臺北市：九思出版社 出
　版。民國六十六年（1977）九月一日臺一版。頁四四四至頁四八一。

　　※韻按：本版《禮學略說》異文，同於「2《黃侃論學雜著》。黃侃 撰。
　　　上海市：中華書局上海編輯所 編輯；北京市：中華書局 出版。一九
　　　六四年九月，第一版，上海第一次印刷。」為節約篇幅，不予重述。

6　《黃侃論學雜著——《說文略說》《音略》《爾雅略說》等十七種》。黃侃
　撰。上海市：上海古籍出版社 出版。一九八〇年四月，新一版第一次印
　刷。頁四四四至頁四八一。

　　※韻按：本版《禮學略說》異文，同於「2《黃侃論學雜著》。黃侃 撰。
　　　上海市：中華書局上海編輯所 編輯；北京市：中華書局 出版。一九
　　　六四年九月，第一版，上海第一次印刷。」為節約篇幅，不予重述。

108　〔漢〕鄭玄注，〔唐〕孔穎達疏：《禮記注疏》，《十三經注疏》（臺北縣：藝文印書館，
　　1976年），頁965。

7　《黃侃論學雜著》。【民國】黃侃　撰。總編輯：王進祥。臺北市：漢京文
　　化事業有限公司　出版。民國七十三年（1984）七月一日初版。頁四四四
　　至頁四八一。

　　※韻按：本版《禮學略說》異文，同於「2《黃侃論學雜著》。黃侃　撰。
　　　　上海市：中華書局上海編輯所　編輯；北京市：中華書局　出版。一九
　　　　六四年九月，第一版，上海第一次印刷。」為節約篇幅，不予重述。

8　《中國現代學術經典・黃侃　劉師培卷》。劉夢溪　主編。吳方　編校。石
　　家莊市：河北教育出版社　出版。一九九六年，第一版。頁三五六至三八
　　四。

　　（1）「八千零二十九條」（三六一頁第四行）
　　　　　※韻按：本文校勘底本，此句作：
　　　　　　　「八千二十九條」（四五〇頁第五行）
　　　　　　　於「八千」與「二十」之間，並無一「零」字。

　　（2）「凡诸侯之卿，其礼各下其君二等，以下及其大夫士亦如之。」
　　　　　（三六七頁倒數第十一行）
　　　　　※韻按：說明詳「2《黃侃論學雜著》。黃侃　撰。上海市：中華書
　　　　　　　局上海編輯所　編輯；北京市：中華書局　出版。一九六四年九
　　　　　　　月，第一版，上海第一次印刷。」異文第二條。

　　（3）「盖亦难也」（三七六頁第四行）
　　　　　※韻按：本文校勘底本，此句作：
　　　　　　　「蓋亦難已」（二四頁第六行）
　　　　　　　底本「已」字，本版作「也」。

　　（4）「小臣诏撢諸公卿大夫」（三六七頁倒數第一行）
　　　　　※韻按：說明詳「2《黃侃論學雜著》。黃侃　撰。上海市：中華書
　　　　　　　局上海編輯所　編輯；北京市：中華書局　出版。一九六四年九
　　　　　　　月，第一版，上海第一次印刷。」異文第三條。

　　（5）「依先郑说，則献读为義；義尊，饰以翡翠」（三七二頁倒數第一
　　　　　行至三七三頁第一行）

※韻按：說明詳「2《黃侃論學雜著》。黃侃 撰。上海市：中華書局上海編輯所 編輯；北京市：中華書局 出版。一九六四年九月，第一版，上海第一次印刷。」異文第四條。

（6）「而亡其《冬官》一篇」（三七六頁倒數第九行）

※韻按：說明詳「2《黃侃論學雜著》。黃侃 撰。上海市：中華書局上海編輯所 編輯；北京市：中華書局 出版。一九六四年九月，第一版，上海第一次印刷。」異文第五條。

（7）「乃知其周公致太平之道迹具在斯」（三七六頁倒數第七行）

※韻按：說明詳「2《黃侃論學雜著》。黃侃 撰。上海市：中華書局上海編輯所 編輯；北京市：中華書局 出版。一九六四年九月，第一版，上海第一次印刷。」異文第六條。

（8）「見于《説文》者，有《魯郊礼》」（三八二頁第三行）

※韻按：說明詳「2《黃侃論學雜著》。黃侃 撰。上海市：中華書局上海編輯所 編輯；北京市：中華書局 出版。一九六四年九月，第一版，上海第一次印刷。」異文第八條。

（9）「亦属《曲礼》之正篇也」（三八三頁第十行）

※韻按：說明詳「2《黃侃論學雜著》。黃侃 撰。上海市：中華書局上海編輯所 編輯；北京市：中華書局 出版。一九六四年九月，第一版，上海第一次印刷。」異文第九條。

9 《二十世紀中國禮學研究論集》。陳其泰、郭偉川、周少川 編。北京市：學苑出版社 出版。一九九八年六月，北京第一版第一次印刷。頁十三至頁三十八。

（1）「蒙案三說皆是」（二〇頁第五行）

※韻按：本文校勘底本，此句作：

「蒙案二說皆是」（九頁倒數第一行）

一作「二說」，一作「三說」，若就文中所提及的禮書而言，計有《儀禮》、《禮記》、《周禮》三部；若就提出見解的學者而言，一位是陳蘭甫，一位是孫仲容，共兩位，底本此句作「二」字，應

　　　係後者之意。

（2）「《御史》『掌贊书，数凡从政者』」（二〇頁倒數第五行）

　　　※韻按：本文校勘底本，此句作：

　　　　「禦史掌贊書句 數凡從政者」（一〇頁倒數第四行）

　　　底本有標示句讀的文字，以偏右小字的方式呈現，而本版無。

（3）「当读云『宾降取弓矢，于堂西。诸公卿，则适次』」（二十一頁第六行）

　　　※韻按：本文校勘底本，此處作：

　　　　「當讀云賓降取弓矢逗 於堂西句 諸公卿逗（韻按：底本「逗」字未偏小）則適次。句」（一一頁第四行至第五行）

　　　底本有標示句讀的文字，以偏右小字的方式呈現，而本版無。

（4）「《记‧檀弓篇》『孔子少孤不知其墓，殡于五父之衢，人之见之者皆以为葬也。其慎也盖殡也。问于耶曼父之母，然后得合葬于防』」（二十一頁第七行）

　　　※韻按：本文校勘底本，此處作：

　　　　「記檀弓篇。孔子少孤不知其墓舊讀句 殯于五父之衢句 人之見之者皆以為塟也。句 其慎也蓋殯也 慎讀為引、六字句、問于耶曼父之母句 然後得合塟於防。」（一一頁第五行至第六行）

　　　底本有標示句讀的文字，以偏右小字的方式呈現，而本版無。

（5）「则其文当曰：『孔子少孤，不知其墓殡于五父之衢，人之见之者皆以为葬也。问于耶曼父之母，盖殡也。然后得合葬于防，其慎也。』」（二十一頁第十行）

　　　※韻按：本文校勘底本，此處作：

　　　　「則其文當曰。孔子少孤句 不知其墓殯于五父之衢十字句 人之見之者皆以為葬也句 問于耶曼父之母逗（韻按：底本「逗」字未偏小）蓋殯也句 然後得合葬於防句 其慎也。句」（一一頁第八行至第九行）

　　　底本有標示句讀的文字，以偏右小字的方式呈現，而本版無。

（6）「凡诸侯之卿，其礼各下其君二等，以下及其大夫士亦如之。」
　　（二十三頁第十二行）

　　※韻按：說明詳「2《黃侃論學雜著》。黃侃　撰。上海市：中華書
　　　局上海編輯所　編輯；北京市：中華書局　出版。一九六四年九
　　　月，第一版，上海第一次印刷。」異文第二條。

（7）「小臣诏揖诸公卿大夫」（二十三頁倒數第七行）

　　※韻按：說明詳「2《黃侃論學雜著》。黃侃　撰。上海市：中華書
　　　局上海編輯所　編輯；北京市：中華書局　出版。一九六四年九
　　　月，第一版，上海第一次印刷。」異文第三條。

（8）「依先郑说，则献读为羲，羲尊饰以翡翠」（二十八頁第八行）

　　※韻按：說明詳「2《黃侃論學雜著》。黃侃　撰。上海市：中華書
　　　局上海編輯所　編輯；北京市：中華書局　出版。一九六四年九
　　　月，第一版，上海第一次印刷。」異文第四條。

　　又，本文校勘底本，此處斷句及標點符號的使用情形為：

　　「依先鄭說。則獻讀為羲。羲尊飾以翡翠。」（二〇頁倒數第六
　　行）

（9）「而亡其《冬官》一篇」（三十一頁倒數第十一行）

　　※韻按：說明詳「2《黃侃論學雜著》。黃侃　撰。上海市：中華書
　　　局上海編輯所　編輯；北京市：中華書局　出版。一九六四年九
　　　月，第一版，上海第一次印刷。」異文第五條。

（10）「乃知其周公致太平之道迹具在斯」（三十一頁倒數第九行）

　　※韻按：說明詳「2《黃侃論學雜著》。黃侃　撰。上海市：中華書
　　　局上海編輯所　編輯；北京市：中華書局　出版。一九六四年九
　　　月，第一版，上海第一次印刷。」異文第六條。

（11）「见于《说文》者，有《鲁郊礼》」（三十六頁倒數第十三行）

　　※韻按：說明詳「2《黃侃論學雜著》。黃侃　撰。上海市：中華書
　　　局上海編輯所　編輯；北京市：中華書局　出版。一九六四年九
　　　月，第一版，上海第一次印刷。」異文第八條。

（12）「亦属《曲礼》之正篇也」（三十七頁倒數第十行）

　　※韻按：說明詳「2《黃侃論學雜著》。黃侃　撰。上海市：中華書
　　　　局上海編輯所　編輯；北京市：中華書局　出版。一九六四年九
　　　　月，第一版，上海第一次印刷。」異文第九條。

10《黃侃國學文集》。黃侃　著。新竹市：花神出版社（扉頁標示為：理藝
出版社）出版。凡異文化事業有限公司　發行。民國九十一年（2002）八
月初版。頁四四九至頁四八六。

（1）「人鬼之祭袷大於禘亦可稱禘」（四六二頁第六行）

　　※韻按：本文校勘底本，此句為：

　　　「人鬼之祭袷大於禘亦稱禘」（一二頁倒數第五行至倒數第四
　　　行）

　　　底本無「可」字。

（2）「凡諸侯之卿，其禮各下其君二等，以下及其大夫士亦如之。」
　　（四六三頁倒數第二行）

　　※韻按：說明詳「2《黃侃論學雜著》。黃侃　撰。上海市：中華書
　　　　局上海編輯所　編輯；北京市：中華書局　出版。一九六四年九
　　　　月，第一版，上海第一次印刷。」異文第二條。

（3）「小臣詔揖諸公卿大夫」（四六四頁第六行）

　　※韻按：說明詳「2《黃侃論學雜著》。黃侃　撰。上海市：中華書
　　　　局上海編輯所　編輯；北京市：中華書局　出版。一九六四年九
　　　　月，第一版，上海第一次印刷。」異文第三條。

（4）「依先鄭說，則獻讀為義；義尊，飾以翡翠」（四七一頁第三行）

　　※韻按：說明詳「2《黃侃論學雜著》。黃侃　撰。上海市：中華書
　　　　局上海編輯所　編輯；北京市：中華書局　出版。一九六四年九
　　　　月，第一版，上海第一次印刷。」異文第四條。

（5）「而亡其《冬官》一篇」（四七五頁倒數第一行）

　　※韻按：說明詳「2《黃侃論學雜著》。黃侃　撰。上海市：中華書
　　　　局上海編輯所　編輯；北京市：中華書局　出版。一九六四年九

月，第一版，上海第一次印刷。」異文第五條。

（6）「乃知其周公致太平之道迹具在斯」（四七六頁第一行）

　　※韻按：說明詳「2《黃侃論學雜著》。黃侃 撰。上海市：中華書局上海編輯所 編輯；北京市：中華書局 出版。一九六四年九月，第一版，上海第一次印刷。」異文第六條。

（7）「見于《說文》者，有《魯郊禮》」（四八三頁第一行至第二行）

　　※韻按：說明詳「2《黃侃論學雜著》。黃侃 撰。上海市：中華書局上海編輯所 編輯；北京市：中華書局 出版。一九六四年九月，第一版，上海第一次印刷。」異文第八條。

（8）「亦屬《曲禮》之正篇也」（四八四頁倒數第四行）

　　※韻按：說明詳「2《黃侃論學雜著》。黃侃 撰。上海市：中華書局上海編輯所 編輯；北京市：中華書局 出版。一九六四年九月，第一版，上海第一次印刷。」異文第九條。

11《黃侃國學文集》。黃侃 著，黃延祖 重輯。北京市：中華書局 出版發行。二〇〇六年五月，第一版，北京第一次印刷。頁三四〇至頁三七七。

（1）「曲禮三千，見《禮記‧禮器》」（三四〇頁倒數第六行）

　　※韻按：本文校勘底本，此處作：

　　　「曲禮三千。見記禮器」（一頁倒數第八行至倒數第七行）

　　　底本言「記」，本版則作「禮記」。

（2）「亦未可抹殺也」（三四七頁到數第二行）

　　※韻按：本文校勘底本，此句作：

　　　「亦未可未殺也」（七頁到數第二行）

（3）「人鬼之祭祫大於禘亦可稱禘」（三五三頁第五行）

　　※韻按：本文校勘底本，此句為：

　　　「人鬼之祭祫大於禘亦稱禘」（一二頁倒數第五行至倒數第四行）

　　　底本無「可」字。

（4）「凡諸侯之卿，其禮各下其君二等，以下及其大夫士亦如之。」

（三五四頁倒數第二行）

※韻按：說明詳「2《黃侃論學雜著》。黃侃 撰。上海市：中華書局上海編輯所 編輯；北京市：中華書局 出版。一九六四年九月，第一版，上海第一次印刷。」異文第二條。

（5）「小臣詔揖諸公卿大夫」（三五五頁第六行）

※韻按：說明詳「2《黃侃論學雜著》。黃侃 撰。上海市：中華書局上海編輯所 編輯；北京市：中華書局 出版。一九六四年九月，第一版，上海第一次印刷。」異文第三條。

（6）「依先鄭說，則獻讀為義；義尊，飾以翡翠」（三六二頁第三行）

※韻按：說明詳「2《黃侃論學雜著》。黃侃 撰。上海市：中華書局上海編輯所 編輯；北京市：中華書局 出版。一九六四年九月，第一版，上海第一次印刷。」異文第四條。

（7）「而亡其《冬官》一篇」（三六六頁倒數第一行）

※韻按：說明詳「2《黃侃論學雜著》。黃侃 撰。上海市：中華書局上海編輯所 編輯；北京市：中華書局 出版。一九六四年九月，第一版，上海第一次印刷。」異文第五條。

（8）「乃知其周公致太平之道迹具在斯」（三六七頁第一行）

※韻按：說明詳「2《黃侃論學雜著》。黃侃 撰。上海市：中華書局上海編輯所 編輯；北京市：中華書局 出版。一九六四年九月，第一版，上海第一次印刷。」異文第六條。

（9）「見于《說文》者，有《魯郊禮》」（三七四頁第一行至第二行）

※韻按：說明詳「2《黃侃論學雜著》。黃侃 撰。上海市：中華書局上海編輯所 編輯；北京市：中華書局 出版。一九六四年九月，第一版，上海第一次印刷。」異文第八條。

（10）「亦屬《曲禮》之正篇也」（三七五頁倒數第四行）

※韻按：說明詳「2《黃侃論學雜著》。黃侃 撰。上海市：中華書局上海編輯所 編輯；北京市：中華書局 出版。一九六四年九月，第一版，上海第一次印刷。」異文第九條。

12《黃侃經典文存》。洪治綱主編。上海市：上海大學出版社。二〇〇八年
四月，第一版，第一次印刷。頁二六五至頁二九一。

（1）「八千零二十九條」（二六九頁倒數第八行）

　　※韻按：本文校勘底本，此句為：

　　　　「八千二十九條」（四五〇頁第五行）

　　　　底本無「零」字。

（2）「凡诸侯之卿，其礼各下其君二等，以下及其大夫士亦如之。」
　　（二七五頁倒數第八行至倒數第七行）

　　※韻按：說明詳「2《黃侃論學雜著》。黃侃 撰。上海市：中華書
　　　局上海編輯所 編輯；北京市：中華書局 出版。一九六四年九
　　　月，第一版，上海第一次印刷。」異文第二條。

（3）「小臣诏揖诸公卿大夫」（二七六頁第三行）

　　※韻按：說明詳「2《黃侃論學雜著》。黃侃 撰。上海市：中華書
　　　局上海編輯所 編輯；北京市：中華書局 出版。一九六四年九
　　　月，第一版，上海第一次印刷。」異文第三條。

（4）「依先郑说，则献读为義；義尊，饰以翡翠」（二八〇頁倒數第八
　　行至倒數第七行）

　　※韻按：說明詳「2《黃侃論學雜著》。黃侃 撰。上海市：中華書
　　　局上海編輯所 編輯；北京市：中華書局 出版。一九六四年九
　　　月，第一版，上海第一次印刷。」異文第四條。

（5）「而亡其《冬官》一篇」（二八四頁第四行）

　　※韻按：說明詳「2《黃侃論學雜著》。黃侃 撰。上海市：中華書
　　　局上海編輯所 編輯；北京市：中華書局 出版。一九六四年九
　　　月，第一版，上海第一次印刷。」異文第五條。

（6）「乃知其周公致太平之道迹具在斯」（二八四頁第六行）

　　※韻按：說明詳「2《黃侃論學雜著》。黃侃 撰。上海市：中華書
　　　局上海編輯所 編輯；北京市：中華書局 出版。一九六四年九
　　　月，第一版，上海第一次印刷。」異文第六條。

（7）「輟学之士抱殘守缺」（二八八頁倒數第六行）

　　※韻按：本文校勘底本，此句作：

　　　　「綴學之士保殘守缺」（三〇頁倒數第七行）

　　　　本版「輟学之士抱殘守缺」的「輟」字訛誤，已於前文勘訂；此

　　　　處異文在於「抱殘守缺」的「抱」字，底本作「保」字。

（8）「见于《说文》者，有《魯郊礼》」（二八九頁第四行）

　　※韻按：說明詳「2《黃侃論學雜著》。黃侃 撰。上海市：中華書

　　　　局上海編輯所 編輯；北京市：中華書局 出版。一九六四年九

　　　　月，第一版，上海第一次印刷。」異文第八條。

（9）「亦屬《曲礼》之正篇也」（二九〇頁第八行至第九行）

　　※韻按：說明詳「2《黃侃論學雜著》。黃侃 撰。上海市：中華書

　　　　局上海編輯所 編輯；北京市：中華書局 出版。一九六四年九

　　　　月，第一版，上海第一次印刷。」異文第九條。

13《新輯黃侃學術文集》。黃侃 著。滕志賢 編。南京：南京大學出版社

　出版。二〇〇八年十一月，第一版，第一次印刷。頁三六一至頁三八四。

（1）「曲禮三千，見《禮記·禮器》」（三六一頁倒數第八行）

　　※韻按：說明詳「11《黃侃國學文集》。黃侃 著，黃延祖 重輯。

　　　　北京市：中華書局 出版發行。二〇〇六年五月，第一版，北京

　　　　第一次印刷。頁三四〇至頁三七七。」異文第一條。

（2）「未足成巨編」（三六七頁第二行）

　　※韻按：本文校勘底本，此句為：

　　　　「未足成為巨編」（九頁倒數第八行）

　　　　底本多一「為」字。

（3）「故《三禮》亦有篇章之分。鄭君《禮器》注……」（三六八頁倒

　　　數第四行）

　　※韻按：本文校勘底本，此處為：

　　　　「故三禮亦有篇章之分。竇公獻書。乃大司樂章。是因禮有篇章

　　　　之分也。鄭君禮器注……」（一一頁倒數第五行至倒數第四行）

底本多「竇公獻書。乃大司樂章。是因禮有篇章之分也。」三句。

（4）「凡諸侯之卿，其禮各下其君二等，以下及其大夫士亦如之。」（三七〇頁倒數第十行）

　　※韻按：說明詳「2《黃侃論學雜著》。黃侃 撰。上海市：中華書局上海編輯所 編輯；北京市：中華書局 出版。一九六四年九月，第一版，上海第一次印刷。」異文第二條。

（5）「小臣詔揖諸公卿大大」（三七〇頁倒數第四行）

　　※韻按：

　　A 「小臣」或作「小臣師」，說明詳「2《黃侃論學雜著》。黃侃 撰。上海市：中華書局上海編輯所 編輯；北京市：中華書局 出版。一九六四年九月，第一版，上海第一次印刷。」異文第三條。

　　B 「大大」為「大夫」之誤，說明詳「（一）各版本勘誤」。

（6）「依先鄭說，則獻讀為義；義尊，飾以翡翠」（三七四頁倒數第四行至倒數第三行）

　　※韻按：說明詳「2《黃侃論學雜著》。黃侃 撰。上海市：中華書局上海編輯所 編輯；北京市：中華書局 出版。一九六四年九月，第一版，上海第一次印刷。」異文第四條。

（7）「而亡其《冬官》一篇」（三七七頁倒數第五行）

　　※韻按：說明詳「2《黃侃論學雜著》。黃侃 撰。上海市：中華書局上海編輯所 編輯；北京市：中華書局 出版。一九六四年九月，第一版，上海第一次印刷。」異文第四條。

（8）「乃知其周公致太平之道跡具在斯」（三七七頁倒數第三行）

　　※韻按：

　　A 「道」字作「跡」字說明詳「2《黃侃論學雜著》。黃侃 撰。上海市：中華書局上海編輯所 編輯；北京市：中華書局 出版。一九六四年九月，第一版，上海第一次印刷。」異文第

六條。

　　B 「跡」字，本文校勘底本作「迹」字。

（9）「見于《說文》者，有《魯郊禮》」（三八二頁第七行）

　　※韻按：說明詳「2《黃侃論學雜著》。黃侃 撰。上海市：中華書
　　　局上海編輯所 編輯；北京市：中華書局 出版。一九六四年九
　　　月，第一版，上海第一次印刷。」異文第八條。

（10）「亦屬《曲禮》之正篇也」（三八三頁第八行）

　　※韻按：說明詳「2《黃侃論學雜著》。黃侃 撰。上海市：中華書
　　　局上海編輯所 編輯；北京市：中華書局 出版。一九六四年九
　　　月，第一版，上海第一次印刷。」異文第九條。

（11）「百家之書者」（三八四頁第四行）

　　※韻按：本文校勘底本，此處作：

　　　「采百家之書者」（四八〇頁第四行）

　　　底本多一「采」字。

14《民國期刊資料分類彙編・三禮研究（全三冊）》。晁岳佩 選編。（《三禮
　研究》第三冊。耿素麗、胡月平 選編。）北京市：國家圖書館 出版
　社。二〇〇九年五月，第一版。頁一八五四至頁一八八六。

　※韻按：本版《禮學略說》異文，同於「1《黃季剛先生遺著專號（上）》
　　（國立中央大學《文藝叢刊》第二卷第二期）。南京市：國立中央大學
　　出版組（出版）發行。民國二十五年（1936）。頁一至頁三三。」為節
　　約篇幅，僅條列文句及其頁碼行數，以便對照，不附按語。

（1）「凡諸侯之卿。其禮各下其君二等。以下及其大夫士亦如之。」
　　（一八六七頁第二行至第三行）

（2）「如大射儀小臣詔揖諸公卿大夫。」（一八六七頁倒數第八行至倒
　　數第七行）

（3）「依先鄭說。則獻讀為儀。儀尊飾以翡翠。」（一八七三頁倒數第
　　六行）

（4）「而亡其冬官一篇。」（一八七七頁倒數第一行）

（5）「末年乃知其周公致太平之道迹具在斯。」（一八七八頁第一行至
　　　第二行）

（6）「見于說文者。有魯郊禮。」（一八八三頁倒數第一行）

（7）「投壺下云。此于別錄屬吉禮。亦屬曲禮之正篇也」（一八八五頁
　　　第五行至第六行）

四　結語

　　時間的腳步，已從十九世紀邁入二十一世紀，然而，季剛先生勤學精研
的真誠，依舊在遺著的字裡行間閃耀著光彩。含納《禮學略說》的各種文
集，不僅留下學術傳布的歷史印記，也見證了學術承傳發展中，求真求善的
每一個重要過程。

　　最早刊載《禮學略說》的國立中央大學《文藝叢刊》第二卷第二期《黃
季剛先生遺著專號》（民國二十五年），共收錄季剛先生遺著十九種，章太炎
先生在〈序〉中曾有所勖勉：

　　　「季剛既歿七月，其弟子思慕者，為刻其遺著十九通，大率成卷者三
　　　四，其餘單篇尺劄為多，未及編次者不與焉。……願諸弟子守其師
　　　說，有所恢彍，以就其業，毋捷徑窘步為也。」[109]

「毋捷徑窘步為也」的第一步，應是確立季剛先生遺著內容的正確性。以
《禮學略說》而言，歷經歲月流轉，學術價值益顯重要，刊載宏論的文集版
本，也已有十餘種，然而付梓時的誤植難以全免，雖經以上查考，仍然未盡
周延，亟待持續從事，黽勉以赴，但願一隅之見得以化為若干助力，為研究
季剛先生禮學成就，奠定踏實前進的基礎。

109　章太炎：〈章太炎先生序〉，《黃侃論學雜著》（上海市：中華書局上班編輯所編輯，北
　　　京市：中華書局出版，1964年），頁1-2。

黃侃禮學經典詮釋（二）
——《禮學略說》箋釋

陳韻
國立中正大學中國文學系教授

一　緒言

　　民國二十五年（1936），黃侃先生逝世週年，國立中央大學《文藝叢刊》第二卷第二期，特別匯集遺著十九通，出版《黃季剛先生遺著專號（上）》，其中包含《禮學略說》一種。

　　一九六四年，中華書局上海編輯所根據《黃季剛先生遺著專號（上）》，保留《禮學略說》等十七種遺著，編印成《黃侃論學雜著》。自此，《禮學略說》便一直收錄於各種刊行的文集之中，未曾單行，然而，在學術研究的領域裡，《禮學略說》始終被視為經典，具有傳世的影響力量。收錄《禮學略說》的《中國現代學術經典》編者，在〈編例〉中，說明選擇學者著作的原則是：「從學術本身的獨立價值著眼」——

> 「《中國現代學術經典》收清末民初以來中國現代學者的著作，以人為卷，……所收著作以典範性和代表性為基準，主要從學術本身的獨立價值著眼，雖然有的著作以前曾以不同的形式出版過，但納入經典系列，在中國現代學術特定概念籠括下出版，尚屬首次。」[1]

1　劉夢溪編：《中國現代學術經典·黃侃 劉師培卷》（石家莊市：河北教育出版社，1996年），頁1。

收錄《禮學略說》的《二十世紀中國禮學研究論集》編者，也在〈編選例言〉中表示：

> 「學術界以近代觀點對傳統的禮學進行研究探索，恰恰是在本世紀初
> 開始的，歷經百年的努力，業已取得了可觀的成果。本研究文集的編
> 選、出版，即是為了較系統地反映二十世紀禮學研究的成績，予以總
> 結，⋯⋯選入本書的論文，兼顧到本世紀各個時期有獨創見解的研究
> 成果。選入的作者，既有本世紀前半期的學術名家，⋯⋯目的是保證
> 本研究文集具有高學術品位和人們共認的代表性，⋯⋯」[2]

獨具時代創見，有著典範性與代表性的《禮學略說》，從二十世紀到二十一
世紀，見於各種同名異版、異名同版、異名異版的文集之中，目前（截至二
〇一三年十二月）所知的版本，約有十四種，茲依出版先後表列如下：

《禮學略說》版本種類簡表　（1936-2009）

序號	文　　集　　名　　稱	出版時間	編　輯　者	出　版　者
一	《黃季剛先生遺著專號（上）》（國立中央大學《文藝叢刊》第二卷 第二期）	民國 25 年（1936）1 月	南京市：國立中央大學文學院	南京市：國立中央大學出版組
二	《黃侃論學雜著》	民國 53 年（1964）9 月	上海市：中華書局上海編輯所	北京市：中華書局
三	《黃侃論學雜著》	民國 58 年（1969）5 月	本社編輯委員會	臺北市：學藝出版社
四	《黃侃論學雜著》	民國 58 年（1969）8 月		臺北市：臺灣中華書局
五	《黃季剛先生論學名著》▲目次頁題名：「黃侃論學雜著」	民國 66 年（1977）		臺北市：九思出版社

2　陳其泰、郭偉川、周少川編：《二十世紀中國禮學研究論集》（北京市：學苑出版社，
　　1998年6月），頁5。

	▲偶數頁書邊題名亦作：「黃侃論學雜著」	9 月		
六	《黃侃論學雜著──《說文略說》《音略》《爾雅略說》等十七種》	民國 69 年（1980）4 月	（原中華上編版）	上海市：上海古籍出版社
七	《黃侃論學雜著》	民國 73 年（1984）7 月	總編輯：王進祥	臺北市：漢京文化事業有限公司
八	《中國現代學術經典‧黃侃　劉師培卷》	民國 85 年（1996）8 月	劉夢溪　主編吳　方　編校	石家莊市：河北教育出版社
九	《二十世紀中國禮學研究論集》	民國 87 年（1998）	陳其泰郭偉川周少川　編	北京市：學苑出版社
十	《黃侃國學文集》	民國 91 年（2002）	（黃延祖　重輯）	新竹市：花神出版社（扉頁為：理藝出版社）
十一	《黃侃國學文集》	民國 95 年（2006）5 月	黃延祖　重輯	北京市：中華書局
十二	《黃侃經典文存》	民國 97 年（2008）4 月	洪治綱　主編	上海市：上海大學出版社
十三	《新輯黃侃學術文集》	民國 97 年（2008）11 月	滕志賢　編	南京市：南京大學出版社
十四	《民國期刊資料分類彙編‧三禮研究（全三冊）》（《三禮研究》第三冊）	民國 98 年（2009）5 月	晁岳佩　選編（耿素麗胡月平　選編）	北京市：國家圖書館出版社

註：為便於對照瞭解，「出版時間」概以「民國年（西元年）」方式標記。

　　本文以上述十四種《禮學略說》的最早版本：《黃季剛先生遺著專號（上）》（國立中央大學《文藝叢刊》第二卷第二期）做為底本，並依據拙作〈黃侃禮學經典詮釋（一）──《禮學略說》版本及其校勘──〉的階段性成果，進行初步箋釋。

二　《禮學略說》箋釋凡例

（一）行款基本上仍然按照底本：正文，依舊大字；原有注文，依舊小字，繫於所屬正文之下，但是改採單行，以利排打。

（二）底本分段，採取另行齊頭方式，今依現行習慣，改為另行而開頭空二格。

（三）為使版面眉目清晰，易於瞭解敘述次第，別以粗體數目字，依序標示底本原有段落，並於各該段落中，依照文義，再適當劃分小段落，而以加有圓括弧的數目字標示。

（四）1 各小段先列正文，箋釋在後。

　　　2 正文以網底呈現，便於識別。

　　　3 箋釋序號加方括弧——〔 〕，標示於各所箋正文之下。各小段箋釋序號，獨立編排，自成次第。

（五）資料來源，以當頁注呈現。

（六）標點符號參酌各版本，以契合文義為原則，略有調整。凡與出典完全相同的文句，使用引號標識，以見本源。

三　《禮學略說》校訂版正文及箋釋舉隅

茲以《禮學略說》底本前三段為例，呈現階段性校勘成果，並進行初步箋釋。

禮學略說

一

禮學浩穰，「遽數之，不能終其物；悉數之，乃留，更僕未可終也」〔一〕。於是提其綱維〔二〕，撮其指意〔三〕，其言著略〔四〕，故曰「略說」

〔五〕。凡所稱引，悉本舊聞，我無加損焉〔六〕。扶微輔弱〔七〕，予病未能；聚訟佐鬭〔八〕，我亦未暇；誦數而已〔九〕，無能往來〔十〕，慎之至也〔十一〕。

〔一〕「遽數之，不能終其物；悉數之，乃留，更僕未可終也。」數句見於《禮記・儒行》，是魯哀公詢問「儒行」時，孔子的初步回應。黃侃先生藉以表達：「禮學」內容宏富、涵義深遠，不可造次，若倉卒而言，恐怕難以完備；細細訴說，又非一時半刻之間得以完成。

《禮記・儒行》此處原文及相關注疏如下：

「哀公問：『敢問儒行？』孔子對曰：『遽數之，不能終其物；悉數之，乃留，更僕未可終也。』」[3]

鄭《注》：

「遽，猶卒也。物，猶事也。留，久也。僕，大僕也。君燕朝則正位掌擯相，更之者，為久將倦，使之相代。」[4]

《釋文》：

「遽，其據反。急也。」[5]

孔《疏》：

「『遽數之，不能終其物』者，遽，卒也。數，說也。終，盡也。物，事也。孔子荅言儒行深遠，非可造次，若急而說，則不能盡事也。」[6]

又：

「『悉數之，乃留，更僕未可終也。』者，留，久也，若欲

3　〔漢〕鄭玄注，〔唐〕孔穎達疏：《禮記正義》，《十三經注疏》（臺北縣：藝文印書館，1976年），頁974。

4　〔漢〕鄭玄注，〔唐〕孔穎達疏：《禮記正義》，《十三經注疏》（臺北縣：藝文印書館，1976年），頁974。

5　〔漢〕鄭玄注，〔唐〕孔穎達疏：《禮記正義》，《十三經注疏》（臺北縣：藝文印書館，1976年），頁974。

6　〔漢〕鄭玄注，〔唐〕孔穎達疏：《禮記正義》，《十三經注疏》（臺北縣：藝文印書館，1976年），頁975。

細悉說之，則乃大久也。『更僕』者，更，代也；僕，大僕
也。君燕朝，則大僕正位掌擯相也。言若委細悉說之，則大
久，僕侍疲倦，宜更代之。『未可終也』，若不更僕，則事未
可盡也。」[7]

〔二〕「綱維」意指總綱要領。朱熹曾在〈中庸章句序〉中說：

「歷選前聖之書，所以提挈綱維，開示蘊奧，未有若是之明
且盡者也。」[8]

黃侃先生所言「提其綱維」，猶如朱子所謂「提挈綱維」，亦即「提綱
挈領」，比喻掌握重點大綱。

〔三〕「撮其指意」一語，見於《漢書‧藝文志》，意為摘錄要旨。

《漢書‧藝文志》此處原文如下：

「至成帝時，以書頗散亡，使謁者陳農求遺書於天下，詔光
祿大夫劉向校經傳諸子詩賦、步兵校尉任宏校兵書、太史令
尹咸校數術、侍醫李柱國校方技，每一書已，向輒條其篇
目，撮其指意，錄而奏之。」[9]

〔四〕「其言著略」上承「提其綱維」、「撮其指意」兩句，表明所述內容，
將以簡明扼要為取向。而所述內容既屬提綱撮指，則「著」有標示、
標舉之義，如《禮記‧祭法》所言：「帝嚳能序星辰以著眾。」[10]
「略」指重點、概要，如《孟子‧滕文公上》所言：「此其大略
也。」[11]

7　〔漢〕鄭玄注，〔唐〕孔穎達疏：《禮記正義》，《十三經注疏》（臺北縣：藝文印書館，
　　1976年），頁975。

8　〔宋〕朱熹：《四書集注》（吳志忠刻本）（臺北市：漢京文化公司，1983年），頁41。

9　〔漢〕班固著，〔唐〕顏師古注，〔清〕王先謙補注：《漢書補注》，《二十五史》（臺北
　　縣：藝文印書館，1982年），頁874。

10　〔漢〕鄭玄注，〔唐〕孔穎達疏：《禮記正義》，《十三經注疏》（臺北縣：藝文印書館，
　　1976年），頁803。

11　〔漢〕趙岐注，〔宋〕孫奭疏：《孟子注疏》，《十三經注疏》（臺北縣：藝文印書館，
　　1976年），頁92。

〔五〕黃侃先生所遺著述常以「略」、「略說」為題，同見於「國立中央大學
　　《文藝叢刊》第二卷第二期：黃季剛先生遺著專號（上）」的有：〈音
　　略〉、〈聲韻略說〉、〈說文略說〉、〈爾雅略說〉等。張世祿曾簡介〈音
　　略〉內容說：「這是黃侃音韻學說的一種綱領式著作」[12]、簡介〈聲
　　韻略說〉內容說：「這篇是指示研究聲韻的途徑和方法的」[13]、簡介
　　〈說文略說〉內容說：「說明《說文》的性質及其內容」[14]、簡介
　　〈爾雅略說〉內容說：「這篇說明《爾雅》一書的性質和研究的途
　　徑」[15]，可知黃侃先生以「略」、「略說」為題的著作內容，在於提綱
　　領、示門徑、講方法，無一不是重點，全面觀照而文辭簡要，絕非空
　　言浮說，對於《禮學略說》，張世祿同樣認為是說明研究途徑與方法
　　的論著：「說明研究《儀禮》《周禮》《禮記》等書的途徑和方法」[16]。
　　以「略」為論述名稱，漢代已然，劉歆《七略》即是代表，《漢書‧
　　藝文志》記載：「歆於是總群書而奏其《七略》，故有〈輯略〉、有
　　〈六藝略〉、有〈諸子略〉、有〈詩賦略〉、有〈兵書略〉、有〈術數
　　略〉、有〈方技略〉。」[17]顏師古解釋「〈輯略〉」說：「輯與集同，謂
　　諸書之總要。」[18]而《漢書‧藝文志》「凡《易》十三家」之中，即

12　黃侃：《黃侃論學雜著》（上海市：中華書局上海編輯所編輯；北京市：中華書局出
　　版，1964年），〈前言〉頁2。
13　黃侃：《黃侃論學雜著》（上海市：中華書局上海編輯所編輯；北京市：中華書局出
　　版，1964年），〈前言〉頁3。
14　黃侃：《黃侃論學雜著》（上海市：中華書局上海編輯所編輯；北京市：中華書局出
　　版，1964年），〈前言〉頁2。
15　黃侃：《黃侃論學雜著》（上海市：中華書局上海編輯所編輯；北京市：中華書局出
　　版，1964年），〈前言〉頁5。
16　黃侃：《黃侃論學雜著》（上海市：中華書局上海編輯所編輯；北京市：中華書局出
　　版，1964年），〈前言〉頁6。
17　〔漢〕班固著，〔唐〕顏師古注：《新校漢書集注》（臺北市：世界書局，1978年），頁
　　1701。
18　〔漢〕班固著，〔唐〕顏師古注：《新校漢書集注》（臺北市：世界書局，1978年），頁
　　1702。

有「五鹿充宗《略說》」[19]以「略說」為著作名稱。至於《周禮・秋官》「大行人」職掌中賈《疏》所徵引的《書傳略說》[20]，多次見錄於《禮記正義》之中[21]，亦是一例。

〔六〕「我無加損焉」見於《春秋穀梁傳》，詳情如下：

　　《春秋穀梁僖公十九年・經》：

　　　　「梁亡。」[22]

---

19 〔漢〕班固著，〔唐〕顏師古注：《新校漢書集注》（臺北市：世界書局，1978年），頁 1703。

20 〔漢〕鄭玄注，〔唐〕賈公彥疏：《周禮注疏》，《十三經注疏》（臺北縣：藝文印書館，1976年），頁563。

21 如：（1）《禮記・曲禮上》「人生十年曰幼……大夫七十而致事……則必賜之几杖……
　　　　適四方，乘安車……」鄭《注》「几杖至耄矣」孔《疏》引熊氏案語。（〔漢〕
　　　　鄭玄注，〔唐〕孔穎達疏：《禮記正義》，《十三經注疏》（臺北縣：藝文印書
　　　　館，1976年），頁18）。

　　　（2）《禮記・曲禮上》「從於先生，不越路而與人言」鄭《注》「先生，老人教學
　　　　者」孔《疏》所引。（〔漢〕鄭玄注，〔唐〕孔穎達疏：《禮記正義》，《十三經
　　　　注疏》，頁31）。

　　　（3）《禮記・檀弓上》「夏后氏尚黑……周人尚赤……牲用騂」孔《疏》所引。
　　　　〔漢〕鄭玄注，〔唐〕孔穎達疏：《禮記正義》，《十三經注疏》，頁114、
　　　　115。

　　　（4）《禮記・王制》「司徒脩六禮以節民性……耆老皆朝于庠……司徒論選士之
　　　　秀者，而升之學，曰俊士……樂正崇四術立四教……」
　　　　Ⅰ．鄭《注》「耆老至養老」孔《疏》所引。（〔漢〕鄭玄注，〔唐〕孔穎達
　　　　　疏：《禮記正義》，《十三經注疏》（臺北縣：藝文印書館，1976年），頁
　　　　　257）。
　　　　Ⅱ．鄭《注》「可使至大學」孔《疏》所引。（〔漢〕鄭玄注，〔唐〕孔穎達
　　　　　疏：《禮記正義》，《十三經注疏》（臺北縣：藝文印書館，1976年），頁
　　　　　258）。
　　　　Ⅲ．鄭《注》「樂正至大學」孔《疏》所引。（〔漢〕鄭玄注，〔唐〕孔穎達
　　　　　疏：《禮記正義》，《十三經注疏》（臺北縣：藝文印書館，1976年），頁
　　　　　258）。

22 〔漢〕范甯集解，〔唐〕楊士勛疏：《春秋公羊傳注疏》，《十三經注疏》（臺北縣：藝文
　　印書館，1976年），頁88。

《春秋穀梁僖公十九年‧傳》：

> 「自亡也。湎於酒，淫於色，心昏，耳目塞，上無正長之
> 治，大臣背叛，民為寇盜，梁亡，自亡也。如加力役焉，湎
> 不足道也。『梁亡』、『鄭棄其師』，我無加損焉，正名而已
> 矣。『梁亡』，出惡正也；『鄭棄其師』，惡其長也。」[23]

范甯《集解》：

> 「如使伐之而滅亡，則淫湎不足記也，使其自亡，然後其惡
> 明。」[24]

楊士勛《疏》：

> 「仲尼修《春秋》，亦有改舊義以見褒貶者，亦有因史成文
> 以示善惡者：不葬有三，為齊桓諱滅項之類，是改舊也；其
> 梁以自滅為文、鄭棄其師之徒，是因史之文也，故《傳》
> 云：『我無加損焉，正名而已矣。』」[25]

周師一田曾依此處《春秋》大義解析「加損」一詞說：

> 「『加損』，指文字上的增減，《史記》謂之『筆削』。無所增
> 減，也就是因仍魯史舊文。魯史舊文不足以見義，孔子才予
> 以增損改動以寄其義；舊文已足以表達者，如『梁亡』、『鄭
> 棄其師』之類，孔子當然就不須再加任何文字的增損了。」[26]

黃侃先生「凡所稱引，悉本舊聞，我無加損焉」數語，不僅表達「因
仍舊文」的立場，更顯示出撰文述禮的態度，而「見義」尤其是《禮
學略說》的重心。

---

23 〔漢〕范甯集解，〔唐〕楊士勛疏：《春秋公羊傳注疏》，《十三經注疏》（臺北縣：藝文
　　印書館，1976年），頁88。

24 〔漢〕范甯集解，〔唐〕楊士勛疏：《春秋公羊傳注疏》，《十三經注疏》（臺北縣：藝文
　　印書館，1976年），頁88。

25 〔漢〕范甯集解，〔唐〕楊士勛疏：《春秋公羊傳注疏》，《十三經注疏》（臺北縣：藝文
　　印書館，1976年），頁88。

26 周何注譯：《新譯春秋穀梁傳（上）‧僖公十九年‧（七）》（臺北市：三民書局，2000
　　年），頁415。

〔七〕「扶微輔弱」為劉歆責讓太常博士信中所言願景，事情梗概見於《漢書・楚元王傳》，原文如下：

> 「歆，字子駿……哀帝令歆與五經博士講論其義，諸博士或不肯置對，歆因移書太常博士責讓之，曰：『……今聖上德通神明，繼統揚業，亦閔文學錯亂，學士若茲，雖昭其情，尤依違謙讓，樂與士君子同之，故下明詔，試左氏可立不？遣近臣奉指銜命，且將黜輔弱扶微，與二三子比意同力，冀得廢遺……』」[27]

顏師古《注》：

> 「比，合也。經蓺有廢遺者，冀得興立之也。」[28]

〔八〕「聚訟」意指眾人爭論，莫衷一是。故事起於漢代制禮，各方意見相爭難定，以致道寢文息。詳見《後漢書・張曹鄭列傳第二十五》，原文如下：

> 「曹褒……博雅疏通，尤好禮事……會肅宗欲制定禮樂……乃上疏……章下太常，太常巢堪以為一世大典，非褒所定，不可許。帝知群僚拘攣……明年復下詔……褒省詔，乃歎息……遂復上疏，具陳禮樂之本、制改之意。拜褒侍中，從駕南巡，既還，以事下三公，未及奏，詔召玄武司馬班固，問改定制禮之宜。固曰：『京師諸儒，多能說禮，宜廣招集，共議得失。』帝曰：『諺言「作舍道邊，三年不成」。會禮之家，名為聚訟，互生疑異，筆不得下。昔堯作〈大章〉，一夔足矣。』章和元年正月，乃詔褒詣嘉德門，令小黃門持班固所上叔孫通《漢儀》十二篇，勑褒曰：『此制散略，多不合經，今宜依禮條正，使可施行。於南宮、東觀盡

27　〔漢〕班固著，〔唐〕顏師古注，〔清〕王先謙補注：《漢書補注》，《二十五史》（臺北縣：藝文印書館，1982年），頁977。

28　〔漢〕班固著，〔唐〕顏師古注，〔清〕王先謙補注：《漢書補注》，《二十五史》（臺北縣：藝文印書館，1976年），頁977。

心集作。』襃既受命，乃次序禮事，依準舊典，雜以五
《經》讖記之文，撰次天子至於庶人冠婚吉凶終始制度，以
為百五十篇，寫以二尺四寸簡。其年十二月奏上。帝以眾論
難一，故但納之，不復令有司平奏。會帝崩，和帝即位，襃
乃為作章句，帝遂以《新禮》二篇冠。……後太尉張酺、尚
書張敏等，奏襃擅制《漢禮》，破亂聖術，宜加刑誅。帝雖
寢其奏，而《漢禮》遂不行。」[29]

李賢注解「聚訟」說：

「言相爭不定也。」[30]

史家對於黜異端的紛擾、斯道墜的疲敝，深感惋惜，評議此事說：

「論曰：漢初天下創定，朝制無文，叔孫通頗採經禮，參酌
秦法，雖適物觀時，有救崩敝，然先王之容典蓋多闕矣，是
以賈誼、仲舒、王吉、劉向之徒，懷憤歎息所不能已也。資
文、宣之遠圖明懿，而終莫或用，故知自燕而觀，有不盡
矣。孝章永言前王，明發興作，專命禮臣，撰定國憲，洋洋
乎盛德之事焉。而業絕天筭，議黜異端，斯道竟復墜矣。夫
三王不相襲禮，五帝不相沿樂，所以《咸》、《莖》異調，中
都殊絕。況物運遷回，情數萬化，制則不能隨其流變，品度
未足定其滋章，斯固世主所當損益者也。且樂非夔、襄，而
新音代起，律謝皋、蘇，而制令亟易，修補舊文，獨何猜
焉？禮云禮云，曷其然哉！」[31]

黃侃先生「聚訟佐鬭，我亦未暇」二句，表達出回歸學術、探討真
理，不願流於意氣之爭的撰述心情。

〔九〕「誦數」二字的意思，如同「誦讀」，《荀子・勸學》有「誦數以貫
之」一句，楊倞注解說：

---

29 〔宋〕范曄著，〔唐〕李賢等注：《後漢書》（臺北市：宏業書局，1977年），頁1201。
30 〔宋〕范曄著，〔唐〕李賢等注：《後漢書》（臺北市：宏業書局，1977年），頁1204。
31 〔宋〕范曄著，〔唐〕李賢等注：《後漢書》（臺北市：宏業書局，1977年），頁1205。

「使習禮樂詩書之數以貫穿之。」[32]

學者每據此注，將「誦數」的「數」字讀成去聲，解做「道理」，然而綜觀「誦數以貫之」前後文意，並非宜當，《荀子‧勸學》原文如下：

> 「百發失一，不足謂善射；千里蹞步不至，不足謂善御；倫類不通，仁義不一，不足謂善學。學也者，固學一之也。……君子知夫不全不粹之不足以為美也，故誦數以貫之，思索以通之，為其人以處之，除其害者以持養之。使目非是無欲見也，使口非是無欲言也，使心非是無欲慮也。……天見其明，地見其光，君子貴其全也。」[33]

此段以「故誦數以貫之，思索以通之」二句，上承「倫類不通，仁義不一，不足謂善學」、「不全不粹之不足以為美也」的理路，提出得以「通」、「一」、「全」「粹」的方法，在於「誦數」、「思索」；就句型結構而言，「誦數以貫之」與「思索以通之」相同；就使用詞性而言，「誦數」與「思索」亦屬一致；再就字詞意義而言，「思」為思考、想問題，「索」為探索、尋求，「思」與「索」都有找答案的意思，將此處「思」與「索」的狀況，對應於「誦」與「數」，或有同樣情形，「誦」意為朗讀、述說，「數」意可否為述說、訴說？試作以下查考：

1 孔穎達解釋《禮記‧儒行》中「遽數之」、「悉數之」的「數」字為「說也」，相關資料如下——

《禮記‧儒行》：

> 「哀公問：『敢問儒行？』孔子對曰：『遽數之，不能終其

---

32 〔唐〕楊倞注，〔清〕王先謙集解：《荀子集解‧考證》（臺北市：世界書局，2000年），頁15。

33 〔唐〕楊倞注，〔清〕王先謙集解：《荀子集解‧考證》（臺北市：世界書局，2000年），頁14。

物；悉數之，乃留，更僕未可終也。』」³⁴

孔《疏》：

「『遽數……』者，……。數，說也。……孔子荅言儒行深
遠，非可造次，若急而說，則不能盡事也。『悉數之……』
者……若欲細悉說之，則乃大久也。」³⁵

2　俗語「數長論短」、「數黃道白」、「數黑論黃」、「數黃道黑」等，猶
言「說長道短」、「說短論長」，「數」、「論」、「道」、「說」等字，都
有訴說、稱說的意思。

3　俞樾認為：「凡稱說，必一一數之，故即謂之『數』。」並以《詩
經・國風・邶・擊鼓》毛《傳》、《禮記・儒行》孔《疏》、《荀子・
王霸》、《荀子・仲尼》等資料佐證，其文如下：

「『誦數』猶『誦說』也。《詩・擊鼓》篇：『與子成說』，毛
《傳》曰：『說，數也。』『說』為『數』，故『數』亦為
『說』。《禮記・儒行》篇：『遽數之，不能終其物。』《正
義》曰：『數，說也。』《荀子・王霸》篇曰：『不足數於大
君子之前。』〈仲尼〉篇曰：『固曷足稱乎大君子之門哉！』
『稱』與『數』，文異而義同，凡稱說，必一一數之，故即
謂之『數』。『誦數以貫之』，猶云『誦說以貫之』，與下句
『思索以通之』一律，『誦數』、『思索』，皆兩字平列，楊
《注》非。」³⁶

4　王先謙贊同俞樾的觀點³⁷，認為《荀子・正名》中「誦數之儒」的

34　〔漢〕鄭玄注，〔唐〕孔穎達疏：《禮記正義》，《十三經注疏》（臺北縣：藝文印書館，
　　1976年），頁974。

35　〔漢〕鄭玄注，〔唐〕孔穎達疏：《禮記正義》，《十三經注疏》（臺北縣：藝文印書館，
　　1976年），頁975。

36　〔唐〕楊倞注，〔清〕王先謙集解：《荀子集解・考證》（臺北市：世界書局，2000
　　年），頁15。

37　「先謙案：俞說是。〈正名〉篇亦云『誦數之儒』。」（〔唐〕楊倞注，〔清〕王先謙集
　　解：《荀子集解・考證》，臺北市：世界書局，2000年，頁15）。

「誦數」，也是「誦說」的意思[38]。

整體而言，文獻中的「數」字，有述說、稱說的意思；俗語中的「數」字，也有稱說、訴說的意思。而俗語中義為稱說、訴說的「數」字，文獻中義為述說、稱說的「數」字，字音均須讀成上聲[39]，如同「巴蜀」的「蜀」字，才能充分表情達意，貼近發言者的理念，產生共鳴。

黃侃先生所言「誦數而已」，一則謙讓以對；一則傳遞「誦數以貫之，思索以通之」、求其貫通精粹於禮學全貌的期待。

〔十〕「無能往來」語出周公，見於《尚書‧周書‧君奭》，原文為：

> 「公曰：『君奭！在昔上帝割申勸寧王之德，其集大命於厥躬，惟文王尚克修和我有夏，亦惟有若虢叔、有若閎夭、有若散宜生、有若泰顛、有若南宮括。』又曰：『無能往來，茲迪彝教文王蔑德，降於國人……』」[40]

孔《傳》：

> 「有五賢臣，猶曰其少，無所能往來，而五人以此道法，教文王以精微之德，下政令於國人。言雖聖人，亦須良佐。」[41]

孔《疏》：

> 「『無能往來』一句，周公假為文王之辭，言文王有五賢臣，猶恨其少。又復言曰，我臣既少，於事無能往來。謂去還理事，未能周悉，言其好賢之深，不知厭足也。」[42]

---

38 「先謙案：『誦數』猶『誦說』，說見〈勸學〉篇。」（〔唐〕楊倞注，〔清〕王先謙集解：《荀子集解‧考證》，臺北市：世界書局，2000年，頁382）。

39 《禮記‧儒行》「……遽數之……」《釋文》：「數，色主反。」（〔漢〕鄭玄注，〔唐〕孔穎達疏：《禮記正義》，《十三經注疏》，臺北縣：藝文印書館，1976年，頁974）。

40 舊題〔漢〕孔安國傳，〔唐〕孔穎達疏：《尚書正義》，《十三經注疏》（臺北縣：藝文印書館，1976年），頁247。

41 舊題〔漢〕孔安國傳，〔唐〕孔穎達疏：《尚書正義》，《十三經注疏》（臺北縣：藝文印書館，1976年），頁247。

42 舊題〔漢〕孔安國傳，〔唐〕孔穎達疏：《尚書正義》，《十三經注疏》（臺北縣：藝文

黃侃先生引用「無能往來」一句，也有著學無止境，所知有限，貫通精純之理「未能周悉」的悵望。

〔十一〕「慎之至也」一句，是針對《周易・大過》初六爻辭的感懷，見於《周易・繫辭上》第七章「子曰」內容，原文如下：

> 「初六：『藉用白茅，無咎。』子曰：『苟錯諸地而可矣，藉之用茅，何咎之有？慎之至也！』……」[43]

孔《疏》：

> 「此『藉用白茅』，〈大過〉初六爻辭也。『子曰：苟錯諸地而可矣』者，苟，且也。錯，置也。凡薦獻之物，且置於地，其理可矣，言今乃謹慎薦藉此物而用絜白之茅，可置於地。『藉之用茅，何咎之有』者，何愆咎之有？是謹慎之至也。」[44]

孔穎達並闡述第七章「謹慎以應」的道理說：

> 「此第七章也。此章欲求外物來應，必須擬議謹慎，則外物來應之，故引『藉用白茅，無咎』之事，以證謹慎之理。」[45]

黃侃先生以「慎之至也」延續前揭精神，強調敬謹從事的原則。

二

「六藝經傳以千萬數」〔一〕，而禮文尤簡奧，今即以二《經》、二《記》計之：「《周禮》四萬五千八百六字」鄭畊老所計〔二〕、《儀禮》五萬六千六百二十四字 閻若璩所計〔三〕、「《禮記》九萬九千二十字」鄭所計〔四〕、《大戴禮記》三萬七千八百七十五字 據孔廣森所計，得此總數〔五〕，較之《春秋》三《傳》，雖差為少〔六〕，然其歷時修短，含義廣侷，則迥不侔，故曰：「累世

印書館，1976年），頁247。

43 〔魏〕王弼、〔晉〕韓康伯注，〔唐〕孔穎達疏：《周易正義》，《十三經注疏》（臺北縣：藝文印書館，1976年），頁151。

44 〔魏〕王弼、〔晉〕韓康伯注，〔唐〕孔穎達疏：《周易正義》，《十三經注疏》（臺北縣：藝文印書館，1976年），頁151，「其无所失矣」句之下。

45 〔魏〕王弼、〔晉〕韓康伯注，〔唐〕孔穎達疏：《周易正義》，《十三經注疏》（臺北縣：藝文印書館，1976年），頁151，「初六藉用白茅」句之前。

不能通」、「當年不能究」〔七〕，非虛言也。然「經禮三百，曲禮三千」見
《記·禮器》〔八〕，其數彌多，先哲製作之舊，今不過存什一於千百耳，欲
考古禮之詳，尚患其少，寧患其多哉？

〔一〕「六藝經傳以千萬數」一句，為太史公司馬談討論六家要指時所言，
　　　見於《史記·太史公自序》，原文如下：

　　　　　　「……談為太史公……愍學者之不達其意而師悖，乃論六家
　　　　　　之要指曰：『……夫儒者以六藝為法，六藝經傳以千萬數，
　　　　　　累世不能通其學，當年不能究其禮，故曰「博而寡要，勞而
　　　　　　少功」，若夫列君臣父子之禮，序夫婦長幼之別，雖百家弗
　　　　　　能易也。』……」⁴⁶

〔二〕1《宋元學案·廬陵學案·廬陵續傳·機宜鄭先生耕老·讀書說》：

　　　　　　「立身以力學為先，力學以讀書為本，今取六《經》及《論
　　　　　　語》、《孟子》、《孝經》，以字計之。《毛詩》三萬九千二百二
　　　　　　十四字、《尚書》二萬五千七百字、《周禮》四萬五千八百六
　　　　　　字、《禮記》九萬九千二十字、《周易》二萬四千二百七字、
　　　　　　《春秋左氏傳》一十九萬六千八百四十五字、《論語》一萬
　　　　　　二千七百字、《孟子》三萬四千六百八十五字、《孝經》一千
　　　　　　九百三字，大小九經合四十八萬九十字。且以中材為率，若
　　　　　　日誦三百字，不過四年半可畢；或以天資稍鈍，中材之半，
　　　　　　日誦一百五十字，亦止九年可畢。苟能熟讀而溫習之，使入
　　　　　　耳著心，久不忘失，全在日積之功耳。里諺曰：『積絲成
　　　　　　寸，積寸成尺，寸尺不已，遂成為匹。』此語雖小，可以喻
　　　　　　大，後生其勉之。」⁴⁷

　　　2（宋）鄭耕（畊）老（1108-1172）《勸學》：

46　〔漢〕司馬遷著，〔南朝宋〕裴駰集解，〔唐〕司馬貞索引，〔唐〕張守節正義：《史
　　記》（臺南市：大行出版社，1978年），頁1054。

47　〔明〕黃宗羲撰輯，〔清〕全祖望增，〔清〕王梓材補：《增補宋元學案》，《四部備要
　　388》（臺北市：臺灣中華書局，1965年），卷4，頁23。

「立身以力學為先，力學以讀書為本，今取六《經》及《論語》、《孟子》、《孝經》，以字計之。《毛詩》三萬九千一百二十四字、《尚書》二萬五千七百字、《周禮》四萬五千八百六字、《禮記》九萬九千二十字、《周易》二萬四千二百七字、《春秋左氏傳》一十九萬六千八百四十五字、《論語》一萬二千七百字、《孟子》三萬四千六百八十五字、《孝經》一千九百三字，大小九經合四十八萬四千九十五字。且以中才為率，若日誦三百字，不過四年半可畢；或以天資稍鈍，減中才之半，日誦一百五十字，亦止九年可畢。苟能熟讀而溫習之，使入耳著心，久不忘失，全在日積之功耳。里諺曰：『積絲成寸，積寸成尺，寸尺不已，遂成丈匹。』此語雖小，可以喻大，後生勉之。」[48]

韻按：以上 1、2 兩則資料，同為鄭耕（畊）老統計諸經字數的文字，然而出處不同，統計數字略有出入、字句小有差異的部分，約有以下數條：

（1）1——「《毛詩》三萬九千二百二十四字」

　　　2——「《毛詩》三萬九千一百二十四字」

（2）1——「大小九經合四十八萬九十字」

　　　2——「大小九經合四十八萬四千九十五字」

（3）1——「且以中材為率」

　　　2——「且以中才為率」

（4）1——「或以天資稍鈍，中材之半」

　　　2——「或以天資稍鈍，減中才之半」

（5）1——「遂成為匹」

　　　2——「遂成丈匹」

---

48 〔清〕周永年輯：《先正讀書訣》，《靈鶼閣叢書》，《百部叢書集成79》（臺北縣：藝文印書館，1966年），頁47。

（6）1──「後生其勉之」

2──「後生勉之」

3（清）翁元圻（1751-1825）於《困學紀聞・卷四・周禮》大題「周禮」二字之下作《注》說：

> 「元圻案：鄭畊老曰：『《周禮》四萬五千八百六字。』晁氏《讀書附志》曰：『《石經周禮》十二卷，《經》《注》一十六萬三千一百單三字。』」[49]

4（清）王梓材（1792-1851）於《宋元學案・廬陵學案・廬陵續傳・機宜鄭先生耕老・讀書說》之後，補充說：

> 「梓材謹案：此《說》有作《歐陽公讀書法》者，其數諸經，先《孝經》，次《論語》一萬一千七百五字，次《孟子》，次《周易》二萬四千一百七字，次《尚書》，次《詩》三萬九千二百三十四字，次《禮記》九萬九千一十字，次《周禮》，次《春秋左傳》，先後字數，微有不同。又云：『九《經》正文，通不過四十七萬八千九百九十五字，童子日誦三百字，不五年，略可上口。』是先生之說，蓋本歐公，而字數有異爾。」[50]

5 黃侃先生〈手批白文十三經提要〉：

> 「《周禮》……鄭畊老曰：四萬五千八百六字。《歐陽公讀書法》同。」[51]

6 黃侃先生手批白文十三經，於《周禮》卷終處手書：

> 「鄭畊老曰：四萬五千八百六字。《歐陽公讀書法》同。」[52]

---

49 〔宋〕王應麟著，〔清〕翁元圻注：《翁注困學紀聞 上冊》，《讀書劄記叢刊第二集》（臺北市：世界書局，1984年），頁213。

50 〔明〕黃宗羲撰輯，〔清〕全祖望增，〔清〕王梓材補：《增補宋元學案》，《四部備要388》（臺北市：臺灣中華書局，1965年），卷4，頁24。

51 黃侃：《黃侃手批白文十三經》（上海市：上海古籍出版社，1983年），頁4。

52 黃侃：《黃侃手批白文十三經》（上海市：上海古籍出版社，1983年），《周禮》頁134。

〔三〕1 （清）翁元圻（1751-1825）於《困學紀聞・卷五・儀禮》大題「儀禮」二字之下作《注》說：

「元圻案：閻氏曰：『儀禮五萬六千六百二十四字。』」[53]

2 黃侃先生〈手批白文十三經提要〉：

「《儀禮》……閻若璩曰：五萬六千六百廿四字。嚴州本後總計經注字數云：經共五萬六千一百十五字。」[54]

3 黃侃先生手批白文十三經，於「儀禮終」三字之下手書：

「閻若璩曰：五萬六千六百廿四字。嚴州本後總計經注字數云：經共五萬六千一百十五（韻按：「五」字之下並無「字」字，疑闕。）。」[55]

〔四〕1 （清）翁元圻（1751- 1825）於《困學紀聞・卷五・禮記》大題「禮記」二字之下作《注》說：

「元圻案：閻氏曰：『禮記九萬九千二十字。』」[56]

2 黃侃先生〈手批白文十三經提要〉：

「《禮記》……鄭畊老曰：九萬九千二十字。《歐陽公讀書法》作一十字。」[57]

3 黃侃先生手批白文十三經，於「禮記終」三字之下手書：

「鄭畊老曰：九萬九千二十字。《歐陽公讀書法》作一十字。」[58]

〔五〕孔廣森《大戴禮記補注》各卷末所記字數總計。[59]

---

53 〔宋〕王應麟著，〔清〕翁元圻注：《翁注困學紀聞 上冊》，《讀書劄記叢刊第二集》（臺北市：世界書局，1984年），頁265。

54 黃侃：《黃侃手批白文十三經》（上海市：上海古籍出版社，1983年），頁4。

55 黃侃：《黃侃手批白文十三經》（上海市：上海古籍出版社，1983年），《儀禮》頁140。

56 〔宋〕王應麟著，〔清〕翁元圻注：《翁注困學紀聞 上冊》，《讀書劄記叢刊第二集》（臺北市：世界書局，2000年），頁277。

57 黃侃：《黃侃手批白文十三經》（上海市：上海古籍出版社，1983年），頁5。

58 黃侃：《黃侃手批白文十三經》（上海市：上海古籍出版社，1983年），《禮記》頁246。

59 〔清〕孔廣森：《大戴禮記補注》，《百部叢書集成・畿輔叢書 第四函》（臺北縣：藝

〔六〕《春秋左氏傳》的字數，依據本段〔二〕引鄭畊老所計，為「一十九
　　　萬六千八百四十五字」；《春秋公羊傳》的字數、《春秋穀梁傳》的字
　　　數，按照（清）翁元圻於《困學紀聞・卷七・公羊》大題「公羊」二
　　　字之下、及《困學紀聞・卷七・穀梁》大題「穀梁」二字之下，
　　　《注》文所引閻氏的說法，分別是「四萬四千七十五字」[60]、「四萬
　　　一千五百十二字」[61]，總計《春秋》三《傳》的字數是：「二十八萬
　　　二千四百三十二字」。
　　　黃侃先生於〈手批白文十三經提要〉中，也分別引錄鄭畊老統計《春
　　　秋左傳》的字數、以及閻若璩統計《春秋公羊傳》、《春秋穀梁傳》的
　　　字數[62]，三《傳》總字數「二十八萬二千四百三十二字」，與「二
　　　《經》」（《周禮》、《儀禮》）、「二《記》」（《禮記》、《大戴禮記》）的總
　　　字數：「二十三萬九千三百二十五字」相比較，超出四萬三千一百零
　　　七字。
　　　《禮學略說》「較之《春秋》三《傳》，雖差為少」二句，即指「二
　　　《經》」（《周禮》、《儀禮》）與「二《記》」（《禮記》、《大戴禮記》）四
　　　書的總字數，少於《春秋左氏傳》、以及《春秋公羊傳》、《春秋穀梁
　　　傳》三書。
〔七〕「累世不能通」、「當年不能究」二句，源自《史記・太史公自序》的
　　　「累世不能通其學」、「當年不能究其禮」，詳見本段〔一〕。
〔八〕「經禮三百，曲禮三千」二句，見於《禮記・禮器》，原文如下：
　　　　　「禮有大有小，有顯有微，大者不可損，小者不可益，顯者
　　　　　不可揜，微者不可大也，故經禮三百，曲禮三千，其致一

文印書館，1966年）。

60 〔宋〕王應麟著，〔清〕翁元圻注：《翁注困學紀聞　中冊》，《讀書劄記叢刊第二集》
　　（臺北市：世界書局，1984年），頁421。
61 〔宋〕王應麟著，〔清〕翁元圻注：《翁注困學紀聞　中冊》，《讀書劄記叢刊第二集》
　　（臺北市：世界書局，1984年），頁430。
62 黃侃：《黃侃手批白文十三經》（上海市：上海古籍出版社，1983年），頁6、7。

也。」⁶³

鄭《注》：

> 「『致』之言至也。『一』謂誠也。『經禮』謂《周禮》也，
> 《周禮》六篇，其官有三百六十。『曲』猶事也，事禮謂今
> 禮也。禮篇多亡，本數未聞，其中事儀三千。」⁶⁴

黃侃先生以「然經禮三百，曲禮三千」的轉折語句，導出「禮篇多
亡，本數未聞」的訊息，續言「其數彌多，先哲製作之舊，今不過存
什一於千百耳」——先哲舊制彌多，今存不過百分之一，豈不感慨？
進而以下文「欲考古禮之詳，尚患其少，寧患其多哉」的歎嗟，開啟
第三段「禮學難治」的種種情況。

三

（一）

　　禮學所以難治，其故可約說也：一曰，古書殘缺；一曰，古制茫昧；一
曰，古文簡奧；一曰，異說紛紜。

（二）

　　古禮自孔子時而不具〔一〕，班爵祿之制，孟子已不聞其詳〔二〕。《周
禮》，僅存五篇，其中全職亡失者，則有「司祿」〔三〕、「軍司馬」〔四〕、「輿
司馬」〔五〕、「行司馬」〔六〕、「掌疆」〔七〕、「司甲」〔八〕、「掌察」、「掌貨賄」
〔九〕、「都則」〔十〕、「都士」、「家士」〔十一〕，其他闕捝廢滅，猶不計焉。古
文《記》，二百十四篇〔十二〕；今合大小戴，猶不能足此數，且石渠奏議〔十
三〕、《五經異義》〔十四〕、《六藝論》〔十五〕、《聖證論》〔十六〕、何承天《禮
論》〔十七〕、劉秩《政典》〔十八〕，莫非禮家要籍，而無一全者，此一事也。

〔一〕1　《史記·儒林傳》：「諸學者多言禮，而魯高堂生最本。禮固自孔子

63　〔漢〕鄭玄注，〔唐〕孔穎達疏：《禮記正義》，《十三經注疏》（臺北縣：藝文印書館，
　　1976年），頁459。
64　〔漢〕鄭玄注，〔唐〕孔穎達疏：《禮記正義》，《十三經注疏》（臺北縣：藝文印書館，
　　1976年），頁459。

時而其經不具，及至秦焚書，書散亡益多，於今獨有士禮，高堂生
能言之，而魯徐生善為容。……」[65]

2　《漢書・藝文志》：「《易》曰：有夫婦、父子、君臣、上下，『禮義
有所錯』。而帝王質文世有損益，至周曲為之防，事為之制，故
曰：『禮經三百，威儀三千』。及周之衰，諸侯將踰法度，惡其害
己，皆滅去其籍，自孔子時而不具，至秦大壞。漢興，魯高堂生傳
士禮十七篇。……」[66]

〔二〕《孟子・萬章下》：「北宮錡問曰：『周室班爵祿也，如之何？』孟子
曰：『其詳不可得聞也。諸侯惡其害己也，而皆去其籍，然而軻也，
嘗聞其略也。天子一位，公一位，侯一位，伯一位，子男同一位，凡
五等也。君一位，卿一位，大夫一位，上士一位，中士一位，下士一
位，凡六等。……庶人在官者，其祿以是為差。』」[67]

〔三〕1　《周禮・地官》「司祿」職掌：「司祿，闕。」[68]

2　《周禮・地官》「序官」：「司祿：中士四人，下士八人，府二人，
史四人，徒四十人。」鄭《注》：「主班祿。」賈《疏》：「在此者，
其職既闕，未知所掌云何，但班祿者用粟予之，『司祿』職次『倉
人』，明是班多少之官，故鄭云『主班祿』，故與『倉人』連類在
此。」[69]

〔四〕1　《周禮・夏官》「軍司馬」職掌：「軍司馬，闕。」[70]

65　〔漢〕司馬遷著，〔宋〕裴駰集解，〔唐〕司馬貞索引，〔唐〕張守節正義：《史記》，
　　《二十五史》（臺北縣：藝文印書館，2005年），頁1277。

66　〔漢〕班固著，〔唐〕顏師古注，〔清〕王先謙補注：《漢書補注》，《二十五史》（臺北
　　縣：藝文印書館，1982年），頁879。

67　〔漢〕趙岐注，〔宋〕孫奭疏：《孟子注疏》，《十三經注疏》（臺北縣：藝文印書館，
　　1976年），頁178。

68　〔漢〕鄭玄注，〔唐〕賈公彥疏：《周禮注疏》，《十三經注疏》（臺北縣：藝文印書館，
　　1976年），頁235。

69　〔漢〕鄭玄注，〔唐〕賈公彥疏：《周禮注疏》，《十三經注疏》（臺北縣：藝文印書館，
　　1976年），頁146。

70　〔漢〕鄭玄注，〔唐〕賈公彥疏：《周禮注疏》，《十三經注疏》（臺北縣：藝文印書館，

　　2　《周禮・夏官》「序官」：「軍司馬：下大夫四人。」[71]

〔五〕1　《周禮・夏官》「輿司馬」職掌：「輿司馬，闕。」[72]

　　2　《周禮・夏官》「序官」：「輿司馬：上士八人。」[73]

〔六〕1　《周禮・夏官》「行司馬」職掌：「行司馬，闕。」賈《疏》：「軍司馬當宰夫、肆師之等，皆下大夫四人。輿司馬當上士八人，行司馬當中士十有六人。餘官皆無異稱，此獨有之者，以軍事是重，故特生別名。此等皆與上同闕落之。」[74]

　　2　《周禮・夏官》「序官」：「行司馬：中士十有六人，旅下士三十有二人，府六人，史十有六人，胥三十有二人，徒三百有二十人。」[75]

〔七〕1　《周禮・夏官》「掌疆」職掌：「掌疆，闕。」[76]

　　2　《周禮・夏官》「序官」：「掌疆：中士八人，史四人，胥十有六人，徒百有六十人。」賈《疏》：「按，其職闕，雖未知其事，蓋掌守疆界，亦是禁戒之事，故在此。」[77]

〔八〕1　《周禮・夏官》「司甲」職掌：「司甲，闕。」[78]

　　1976年），頁454。

71　〔漢〕鄭玄注，〔唐〕賈公彥疏：《周禮注疏》，《十三經注疏》（臺北縣：藝文印書館，1976年），頁429。

72　〔漢〕鄭玄注，〔唐〕賈公彥疏：《周禮注疏》，《十三經注疏》（臺北縣：藝文印書館，1976年），頁454。

73　〔漢〕鄭玄注，〔唐〕賈公彥疏：《周禮注疏》，《十三經注疏》（臺北縣：藝文印書館，1976年），頁429。

74　〔漢〕鄭玄注，〔唐〕賈公彥疏：《周禮注疏》，《十三經注疏》（臺北縣：藝文印書館，1976年），頁454。

75　〔漢〕鄭玄注，〔唐〕賈公彥疏：《周禮注疏》，《十三經注疏》（臺北縣：藝文印書館，1976年），頁429。

76　〔漢〕鄭玄注，〔唐〕賈公彥疏：《周禮注疏》，《十三經注疏》（臺北縣：藝文印書館，1976年），頁460。

77　〔漢〕鄭玄注，〔唐〕賈公彥疏：《周禮注疏》，《十三經注疏》（臺北縣：藝文印書館，1976年），頁431。

78　〔漢〕鄭玄注，〔唐〕賈公彥疏：《周禮注疏》，《十三經注疏》（臺北縣：藝文印書館，1976年），頁483。

2　《周禮‧夏官》「序官」：「司甲：下大夫二人，中士八人，府四人，史八人，胥八人，徒八十人。」賈《疏》：「其職雖闕，但甲者軍師所用，在此宜也。」[79]

〔九〕1　《周禮‧秋官》「掌察」職掌：「掌察，闕。」[80]

2　《周禮‧秋官》「序官」：「掌察：四方中士八人，史四人，徒十有六人。」[81]

3　《周禮‧秋官》「掌貨賄」職掌：「掌貨賄，闕。」[82]

4　《周禮‧秋官》「序官」：「掌貨賄：下士六人，史四人，徒三十有二人。」賈《疏》：「掌察四方掌貨賄。釋曰：在此者，蓋都察邦國之事，及掌邦國所致貨賄，但二官闕，不可強言也。」[83]

〔十〕1　《周禮‧秋官》「都則」職掌：「都則，闕。」[84]

2　《周禮‧秋官》「序官」：「都則：中士一人，下士二人，府一人，史二人，庶子四人，徒八十人。」鄭《注》：「都則，主都家之八則也。當言每都如朝大夫及都司馬雲。」賈《疏》：「此官已闕，鄭知主八則者，『太宰』云：『八則治都鄙』，此《經》云『都則』，故知：則，八則也。」[85]

79　〔漢〕鄭玄注，〔唐〕賈公彥疏：《周禮注疏》，《十三經注疏》（臺北縣：藝文印書館，1976年），頁433。

80　〔漢〕鄭玄注，〔唐〕賈公彥疏：《周禮注疏》，《十三經注疏》（臺北縣：藝文印書館，1976年），頁588。

81　〔漢〕鄭玄注，〔唐〕賈公彥疏：《周禮注疏》，《十三經注疏》（臺北縣：藝文印書館，1976年），頁515。

82　〔漢〕鄭玄注，〔唐〕賈公彥疏：《周禮注疏》，《十三經注疏》（臺北縣：藝文印書館，1976年），頁588。

83　〔漢〕鄭玄注，〔唐〕賈公彥疏：《周禮注疏》，《十三經注疏》（臺北縣：藝文印書館，1976年），頁515。

84　〔漢〕鄭玄注，〔唐〕賈公彥疏：《周禮注疏》，《十三經注疏》（臺北縣：藝文印書館，1976年），頁589。

85　〔漢〕鄭玄注，〔唐〕賈公彥疏：《周禮注疏》，《十三經注疏》（臺北縣：藝文印書館，1976年），頁515。

〔十一〕1《周禮・秋官》「都士」職掌：「都士，闕。」[86]

　　　　2《周禮・秋官》「家士」職掌：「家士，闕。」[87]

　　　　3《周禮・秋官》「序官」：「都士：中士二人，下士四人，府二人，史四人，胥四人，徒四十人。家士：亦如之。」鄭《注》：「都家之士，主治都家吏民之獄訟，以告方士者也。」賈《疏》：「此官雖闕，義理可言，以其稱士，則知主獄，故鄭云『都家之士，主治都家吏民之獄訟，以告方士者也。』」[88]

〔十二〕《隋書・經籍志》：「漢初，河間獻王又得仲尼弟子及後學者所記一百三十一篇，時亦無傳之者。至劉向考校經籍，檢得一百三十篇，向因第而敘之。而又得《明堂陰陽記》三十三篇、《孔子三朝記》七篇、《王史氏記》二十一篇、《樂記》二十三篇，凡五種，合二百十四篇。……」[89]

〔十三〕《漢書・宣帝紀》：「甘露三年……詔諸儒講五經同異，太子太傅蕭望之等，平奏其議，上親稱制臨決焉。」王先謙《補注》：「錢大昭曰：時與議石渠閣者，易家……書家……詩家……禮家：梁戴聖、太子舍人沛聞人通漢；公羊家……穀梁家……其可考者凡二十三人，議奏之見於《藝文志》者，《書》四十二篇、《禮》三十八篇、《春秋》三十九篇、《論語》十八篇、五經雜議十八篇，凡一百六十五篇，《易》、《詩》二經獨無議奏，班氏失載之耳。」[90]

〔十四〕《後漢書・儒林傳》：「許慎，字叔重……性淳篤，少博學經籍，馬

86　〔漢〕鄭玄注，〔唐〕賈公彥疏：《周禮注疏》，《十三經注疏》（臺北縣：藝文印書館，1976年），頁589。

87　〔漢〕鄭玄注，〔唐〕賈公彥疏：《周禮注疏》，《十三經注疏》（臺北縣：藝文印書館，1976年），頁589。

88　〔漢〕鄭玄注，〔唐〕賈公彥疏：《周禮注疏》，《十三經注疏》（臺北縣：藝文印書館，1976年），頁515。

89　〔漢〕魏徵等著：《新校本隋書》（臺北市：鼎文書局，1997年），頁925。

90　〔漢〕班固著，〔唐〕顏師古注，〔清〕王先謙補注：《漢書補注》，《二十五史》（臺北縣：藝文印書館，2005年），頁120。

融常推敬之，時人為之語曰：『五經無雙許叔重。』……初，慎以五經傳說臧否不同，於是撰為《五經異義》，又作《說文解字》十四篇，皆傳於世。」[91]

〔十五〕《後漢書・張曹鄭列傳》：「鄭玄，字康成……凡玄所注：《周易》……又著：《天文七政論》、《魯禮禘祫義》、《六藝論》、《毛詩譜》、《駁許慎五經異義》、《答臨孝存周禮難》，凡百餘萬言。」[92]

〔十六〕1《隋書・經籍志》：「《聖證論》十二卷　王肅撰。」[93]

2《三國志・魏書・鍾繇華歆王朗傳》：「初，肅善賈、馬之學，而不好鄭氏，采會同異，為《尚書》、《詩》、《論語》、《三禮》、《左氏》解，及撰定父朗所作《易傳》，皆列於學官。其所論駁朝廷典制、郊祀、宗廟、喪紀、輕重，凡百餘篇。……肅集《聖證論》以譏短玄，……」[94]

〔十七〕《宋書・何承天傳》：「……先是，《禮論》有八百卷，承天刪減并合，以類相從，凡為三百卷，并《前傳》、《雜語》、《纂文》、論並傳於世。」[95]

〔十八〕《舊唐書・杜佑傳》：「初，開元末，劉秩採經史百家之言，取《周禮》六官所職，撰分門書三十五卷，號曰《政典》，大為時賢稱賞，房琯以為才過劉更生。佑得其書，尋味厥旨，以為條目未盡，因而廣之，加以《開元禮》、《樂》，書成二百卷，號曰《通典》。貞元十七年，自淮南使人詣闕獻之，……」[96]

---

91 〔宋〕范曄著，〔唐〕李賢等注：《後漢書》（臺北市：宏業書局，1977年），頁2588。

92 〔宋〕范曄著，〔唐〕李賢等注：《後漢書》（臺北市：宏業書局，1977年），頁1206。

93 〔唐〕魏徵等著：《新校本隋書》（臺北市：鼎文書局，1997年），頁938。

94 〔晉〕陳壽著，〔宋〕裴松之注：《新校本三國志》（臺北市：鼎文書局，1997年），頁419。

95 〔梁〕沈約著：《新校本宋書》（臺北市：鼎文書局，1997年），頁1711。

96 〔後晉〕劉昫等著：《新校本舊唐書》（臺北市：鼎文書局，1997年），頁3982。

（三）

　　《史記》言封禪，「曠遠者千有餘載，近者數百載，故其儀闕然堙滅，其詳不可得而記聞」〔一〕。漢世儒者，已不能辨明封禪事，故劉子駿稱「國家將有大事，若立辟雍、封禪、巡狩之儀，則幽冥而莫知其原」〔二〕也。夫封建之制、稅斂之法、學校以教民、禘祫以追遠、宮室則有明堂、飲食則有大饗，此皆大事，非復微瑣儀文之比也，而說者紛錯，迄無定論，夫非古制茫昧、明文難徵之故與？此二事也。

〔一〕《史記·封禪書》：「自古受命帝王，曷嘗不封禪？……傳曰：『三年不為禮，禮必廢；三年不為樂，樂必壞。』每世之隆，則封禪答焉，及衰而息，厥曠遠者千有餘載，近者數百載，故其儀闕然堙滅，其詳不可得而記聞云。」[97]

〔二〕《漢書·楚元王傳》：「歆，字子駿……及歆親近，欲建立《左氏春秋》及《毛詩》、《逸禮》、古文《尚書》皆列於學官。哀帝令歆與五經博士講論其義，諸博士或不肯置對，歆因移書太常博士，責讓之曰：『昔唐虞既衰……是故孔子憂道之不行……及夫子沒而微言絕，七十子終而大乖……陵夷至於暴秦，燔經書，殺儒士，設挾書之法……漢興……至孝惠之世，乃除挾書之律……天下眾書往往頗出，皆諸子傳說，猶廣立於學官，為置博士……至孝武皇帝，然後鄒、魯、梁、趙，頗有詩、禮……時漢興已七八十年，離於全經，固已遠矣。及魯恭王壞孔子宅，欲以為宮，而得古文於壞壁之中，《逸禮》有三十九，《書》十六篇，天漢之後，孔安國獻之，遭巫蠱倉卒之難，未及施行……孝成皇帝閔學殘文缺，稍離其真，乃陳發祕臧，校理舊文……往者綴學之士，不思廢絕之闕，苟因陋就寡，分文析字，煩言碎辭，學者罷老且不能究其一藝，信口說而背傳記，是末師而非往古，至於國家將有大事，若立辟雍、封禪、巡狩之儀，則幽冥而莫

97　〔漢〕司馬遷著，〔宋〕裴駰集解，〔唐〕司馬貞索引，〔唐〕張守節正義：《史記》，《二十五史》（臺北縣：藝文印書館，2005年），頁537。

知其原，猶欲保殘守缺，挾恐見破之私意，而無從善服義之公心⋯⋯甚為二三君子不取也。』其言甚切，諸儒皆怨恨⋯⋯」[98]

（四）

《周官》有故書、今書〔一〕；《儀禮》有古文、今文〔二〕；即《禮記》亦非一本〔三〕，故：「序」、「謝」制異〔四〕，因聲近而混殽；「觚」、「瓢」形殊，緣寫亂而爭駁；英蕩之義，變從竹而意歧〔五〕；郊宮之名，改為蒿而說詭〔六〕，此文字之難定也。

古之立文，有詳此而略彼，有舉外以包中，有互文，有變例，數其科別，亦已猥繁。三禮之中，《儀禮》尤為難讀，鄭君作《注》，其辭簡質，有時字少於《經》。《禮記》可諷誦者，無過通論諸篇〔七〕；其詮釋《禮經》者，微通《經》，亦無由通《記》，況羨文錯簡，往往有之，此文辭之難通也。

「宮正」，司農舊讀，鄭以為不辭〔八〕；「大功」，舊傳之文，鄭以為失次。《禮記》句讀，尤多詭奇，「周公曰豈不可」，時人已昧其言〔九〕；「公罔之裘」言「者不在此位」〔十〕，後世孰明其旨？此句讀之難辨也。

「禘」本祭天，而追享亦稱「禘」；「祧」為遷廟，而祖廟通謂之「祧」；昏禮，「主人」之稱，在前為舅，在後為壻〔十一〕；喪服，「兄弟」之號，或施同族，或稱外姻；十升為「斗」，四升亦曰「斗」；計米稱「秉」，計禾亦稱「秉」；一「社稷」也，或為地示之號，或為配祭之人；一「諸公」也，《周官》則指「上公」，《儀禮》則為「三監」；「鄉」或咳「郊」，而「鄉里」、「郊里」有別；「肆」通訓「解」，而「豚解」、「體解」有殊；「罍」、「尊」異物，更有「罍尊」；「圭」、「璧」各形，復有「圭璧」。此名稱之難壹也。

凡此四科，皆古文簡奧之說也。此三事也。

〔一〕阮元〈周禮注疏校勘記序〉：「有杜子春之《周禮》，有二鄭之《周

98 〔漢〕班固著，〔唐〕顏師古注，〔清〕王先謙補注：《漢書補注》，《二十五史》（臺北縣：藝文印書館，2005年），頁977。

禮》，有後鄭之《周禮》……而大司農鄭康成乃集諸儒之成，為《周
禮注》。蓋經文古字不可讀，故四家之學皆主於正字，其云『故書』
者，謂初獻於祕府所藏之本也；其民間傳寫不同者，則為『今
書』。……」⁹⁹

〔二〕〈欽定四庫全書總目　儀禮注疏十七卷〉：「《儀禮》出殘闕之餘，漢代
　　　所傳，凡有三本：一曰戴德本……一曰戴聖本……一曰劉向別錄本，
　　　即鄭氏所注……其經文亦有二本：高堂生所傳者，謂之『今文』；魯
　　　恭王壞孔子宅，得亡《儀禮》五十六篇，其字皆以篆書之，謂之『古
　　　文』。……」¹⁰⁰

〔三〕〈欽定四庫全書總目　禮記正義六十三卷〉：「《隋書・經籍志》曰：
　　　『漢初，河間獻王』『得仲尼弟子及後學者所記一百三十一篇，獻
　　　之，時』『無傳之者。至劉向考校經籍，檢得一百三十篇』，『第而敘
　　　之』，『又得《明堂陰陽記》三十三篇、《孔子三朝記》七篇、《王史氏
　　　記》二十一篇、《樂記》二十三篇，凡五種，合二百十四篇。戴德刪
　　　其煩重，合而記之，為八十五篇，謂之《大戴記》；而戴聖又刪大戴
　　　之書，為四十六篇，謂之《小戴記》。漢末馬融，遂傳小戴之學。融
　　　又』益『〈月令〉一篇、〈明堂位〉一篇、〈樂記〉一篇，合四十九
　　　篇』云云，其說不知所本，今考……知今四十九篇實戴聖之原書，
　　　《隋志》誤也。」¹⁰¹

99　〔漢〕鄭玄注，〔唐〕賈公彥疏：《周禮注疏》，《十三經注疏》（臺北縣：藝文印書
　　　館，1976年），頁20。

100　〔漢〕鄭玄注，〔唐〕賈公彥疏：《儀禮注疏》，《十三經注疏》（臺北縣：藝文印書館，
　　　1976年），頁1。

101　〔漢〕鄭玄注，〔唐〕孔穎達疏：《禮記正義》，《十三經注疏》（臺北縣：藝文印書館，
　　　1976年），頁1。
　　　韻按：此處所引《隋志》，為「經籍一」「經」之下，「禮」之部的文字，但並非一字
　　　不差，例如：
　　　（1）「河間獻王」與「得仲尼孕」的「王」字與「得」字之間，《隋慧》原文有一
　　　　　「又」字。

〔四〕1　《儀禮·士冠禮》：「主人玄端爵韠，立於阼階下，直東序西面。」鄭《注》：「堂東西牆謂之序。」[102]

2　《公羊宣公十六年經》：「夏，成周宣謝災。」《公羊宣公十六年傳》：「成周者何？東周也。宣謝者何？宣宮之謝也。」何休《解詁》：「宣宮，周宣王之廟也。……室有東西廂曰廟；無東西廂，有室曰寢，無室曰謝。」[103]

3　《儀禮·鄉射禮》：「揖進，當階北面揖，及階揖，升堂揖，豫則鉤楹內，堂則由楹外，當左物北面揖。」鄭《注》：「鉤楹，繞楹而東也。『序』無室可以深也。周立四代之學於國，而又以有虞氏之庠為鄉學。〈鄉飲酒義〉曰：主人迎賓於庠門之外是也。庠之制，有堂有室也。今言『豫』者，謂州學也，讀如『成周宣謝災』之『謝』。《周禮》作『序』，凡屋無室曰『謝』。宜從『謝』。州立『謝』者，下鄉也。……今文『豫』為『序』，『序』乃夏后氏之學，亦非也。」[104]

4　《周禮·地官·州長之職》：「州長：各掌其州之教治政令之灋……春秋以禮會民，而射於州序。……」鄭《注》：「序，州黨之學也。會民而射，所以正其志也。」[105]

（2）「獻之，時」與「又得《明堂陰陽記》」的「時」字與「又」字之間，《隋志》原文有一「亦」字。

（3）「第而敘之」的「第」字之前，《隋志》原文有「向因」。

（4）「又得《明堂陰陽記》」的「又」字之前，《隋志》原文有一「而」字。

（5）「融又」與〈月令〉一篇」之間的「益字」，《隋志》原文作「定」字。

為明《隋書·經籍志》原文實況，特以雙引號（『』）標記引述範圍。

102　〔漢〕鄭玄注，〔唐〕賈公彥疏：《儀禮注疏》，《十三經注疏》（臺北縣：藝文印書館，1976年），頁18。

103　〔漢〕何休解詁，〔唐〕徐彥疏：《春秋公羊傳注疏》，《十三經注疏》（臺北縣：藝文印書館，1976年），頁209。

104　〔漢〕鄭玄注，〔唐〕賈公彥疏：《儀禮注疏》，《十三經注疏》（臺北縣：藝文印書館，1976年），頁124。

105　〔漢〕鄭玄注，〔唐〕賈公彥疏：《周禮注疏》，《十三經注疏》（臺北縣：藝文印書館，

5　《禮記・鄉飲酒義》：「鄉飲酒之義，主人拜迎賓於庠門之外……所
　　以致尊讓也。……」鄭《注》：「庠，鄉學也。州黨曰序。」孔
　　《疏》：「案，『州長』職云：春秋射於州序。『黨正』云：屬民飲酒
　　於序。是州黨曰『序』。有室謂之庠，無室謂之序，鄉學為庠，州
　　黨為序。〈學記〉云『黨有庠』者，謂鄉人在州黨，但於鄉之庠
　　學，不別立也，則州黨曰『序』，必是無室。今案，〈鄉射〉云：
　　『豫則鉤楹內，堂則由楹外』，故鄭注云：『庠之制，有堂有室
　　也』，『豫讀如「成周宣謝災」之「謝」』，『凡屋無室曰「謝」』，『今
　　文「豫」為「序」，「序」乃夏后氏之學，亦非也』。以此言之，則
　　州黨為序，其義非也，今云州黨曰序者，但州黨之序，雖並皆無
　　室，今〈鄉射〉則『鉤楹內』，是內之深無室事顯，正得讀『豫』
　　為『謝』是無室故也，不得讀『豫』為『序』，以『序』非無室之
　　名，故云『非也』，以有楹內楹外之言，故鄭特云『序』非也，謂
　　正〈鄉射〉文非，非是餘處『序』字皆非也，餘處之『序』並皆無
　　室也，但有虞氏之『庠』，周以為鄉學；夏后氏之『序』，周以為州
　　黨之學，明夏時之『序』則有室也，周時州黨之『序』則無室也，
　　『序』名雖同，其制則別，故〈鄉射〉注云『序乃夏后氏之學』，
　　非謂州黨之學也。以〈鄉射〉為『豫』已非，今文為『序』，又
　　非，故云『亦非』。鄉學雖為『序』，云亦有東西牆謂之『序』，故
　　〈鄉飲酒〉或云序東西；州學雖為『序』，據其序內亦有堂稱，故
　　〈鄉射〉或云『堂東』、『堂西』也。」[106]

〔五〕1（1）《周禮・地官・掌節之職》：「掌節……凡邦國之使節，山國用
　　　　　虎節，土國用人節，澤國用龍節，皆金也；以英蕩輔之。」鄭
　　　　　《注》：「使節，使卿大夫聘於天子諸侯，行道所執之信
　　　　　也。……杜子春云：『蕩』當為『帑』，謂以函器盛此節。或

　　1976年），頁182。
106　〔漢〕鄭玄注，〔唐〕孔穎達疏：《禮記正義》，《十三經注疏》（臺北縣：藝文印書館，
　　1976年），頁1004。

曰：英蕩，畫函。」孔《疏》：「『或曰：英蕩，畫函』者，其
函猶是『蕩』，但以英華有畫義，故更云畫函也。《經》云『輔
之』者，以函輔此法，使不壞損也。」[107]

（2）《後漢書・百官志・少府》：「符節令一人……尚符璽郎中四
人……主璽及虎符、竹符之半者。……」《注》：「……《周禮》
『掌節』有虎節、龍節，皆金也。干寶《注》曰：『漢之銅虎
符，則其制也。』《周禮》又曰：『以英蕩輔之。』干寶曰：
『英，刻書也。蕩，竹箭也。刻而書其所使之事，以助三節之
信，則漢之竹使符者，亦取則於故事也。』」[108]

2（1）《儀禮・大射》：「樂人……一建鼓在西階之東，南面；蕩在建
鼓之閒……」鄭《注》：「蕩，竹也，謂笙簫之屬，倚於堂。」
[109]

（2）《尚書・夏書・禹貢》：「篠蕩既敷……」孔《傳》：「篠，竹
箭。蕩，大竹。」孔《疏》：「〈釋草〉云：『篠』，竹箭。郭璞
云：『別二名』也。又云：『蕩竹』、『李巡曰：竹節相去一丈曰
蕩。孫炎曰：竹闊節者曰蕩。』郭璞云『竹別名』，是篠為小
竹，蕩為大竹。」[110]

（3）《周禮・夏官・職方氏之職》：「職方氏掌天下之圖……東南曰
揚州……其利金錫竹箭……」鄭《注》：「箭，篠也。」賈

---

107 〔漢〕鄭玄注，〔唐〕賈公彥疏：《周禮注疏》，《十三經注疏》（臺北縣：藝文印書
　　館，1976年），頁231。

108 〔宋〕范曄著，〔唐〕李賢等注：《新校本後漢書》（臺北市：鼎文書局，1978年），頁
　　3599。

109 〔漢〕鄭玄注，〔唐〕賈公彥疏：《儀禮注疏》，《十三經注疏》（臺北縣：藝文印書館，
　　1976年），頁190。

110 〔漢〕孔安國傳，〔唐〕孔穎達正義：《尚書正義》，《十三經注疏》（臺北縣：藝文印書
　　館，1976年），頁82。
　　韻按：「蕩竹」、「李巡曰：竹節相去一丈曰蕩。孫炎曰：竹闊節者曰蕩。」數語，亦
　　見於《爾雅・釋草》。

《疏》：「……云『箭，篠也』，箭一名篠，故〈禹貢〉云『篠
簜』，是一物二名也。」[111]阮元《校勘記》於「云『箭，篠
也』，箭一名篠，故〈禹貢〉云『篠簜』」數句之下云：「閩、
毛本『篠』字同，監本誤『籐』。閩、監、毛本『簜』誤
『蕩』。」[112]

〔六〕1 頖宮

《禮記・禮器》：「故魯人將有事於上帝，必先有事於頖宮。」鄭
《注》：「頖宮，郊學也，……字或為郊宮。」[113]

2 蒿宮

《大戴禮記・明堂》：「周時德澤洽和，蒿茂大以為宮柱，名蒿宮
也。此天子之路寢也。不齊不居其屋。」王聘珍《解詁》：「《竹書
紀年》云：『周德既隆，草木茂盛，蒿堪為宮室。』『此天子之路寢
也』者，謂此蒿宮制如路寢也。……天子將有祀事於明堂，則致齊
於此宮。」[114]

〔七〕孔穎達《禮記正義》在每篇標題下，必引鄭玄《三禮目錄》所載：
「此於《別錄》屬某某」，據此，劉向分析《禮記》中屬於「通論」
類的篇目有：〈檀弓上〉、〈檀弓下〉、〈禮運〉、〈玉藻〉、〈大傳〉、〈學
記〉、〈經解〉、〈哀公問〉、〈仲尼燕居〉、〈孔子閒居〉、〈坊記〉、〈中
庸〉、〈表記〉、〈緇衣〉、〈儒行〉、〈大學〉共十六篇。

〔八〕《周禮・天官・宮正之職》：「宮正，掌王宮之戒令糾禁……春秋以木
鐸修火禁，凡邦之事蹕，宮中廟中則執燭……」鄭《注》：「鄭司農讀
『火』絕之，云『禁凡邦之事蹕』。國有事，王當出，則宮正主禁絕

---

111 〔漢〕鄭玄注，〔唐〕賈公彥疏：《周禮注疏》，《十三經注疏》（臺北縣：藝文印書館，
　　1976年），頁499。

112 〔漢〕鄭玄注，〔唐〕賈公彥疏：《周禮注疏》，《十三經注疏》（臺北縣：藝文印書館，
　　1976年），頁508。

113 〔漢〕鄭玄注：（校相臺岳氏本）《禮記鄭注》（臺北市：新興書局，1981年），頁85。

114 〔清〕王聘珍著，王文錦點校：《大戴禮記解詁》（北京市：中華書局，1983年），頁
　　152。

行者，若今時衛士填街蹕也。『宮中廟中則執燭』，宮正主為王於宮中廟中則執燭。玄謂：事，祭事也。邦之祭社稷，七祀於宮中；祭先公先王於廟中。隸僕掌蹕止行者，宮正則執燭以為明。」賈《疏》：「先鄭讀『火』絕之，則『火』字向上為句也。其『禁』自與『凡邦之事蹕』共為一句。宮正既不掌蹕事，若如先鄭所讀，則似宮正為王蹕，非也。云『宮中廟中則執燭』者，若不以邦之事與此宮中為一事，則宮中廟中何為（韻按：阮元《周禮注疏卷三校勘記》引盧文弨曰：「何為」疑當作「為何」。）事而遣宮正執燭乎？亦非也。⋯⋯」[115]

〔九〕《禮記・曾子問》：「曾子問曰：『下殤，土周葬於園，遂輿機而往，塗邇故也，今墓遠，則其葬也如之何？』孔子曰：『吾聞諸老聃曰：「昔者史佚有子而死，下殤也，墓遠。召公謂之曰：『何以不棺斂於宮中？』史佚曰：『吾敢乎哉！』召公言於周公，周公曰：『豈！不可。』史佚行之。」下殤用棺衣棺，自史佚始也。』」鄭《注》：「言是豈，於禮不可，不許也。『周公曰豈』絕句，『「言是豈」絕句，『於禮不可』絕句。」孔《疏》：「『周公曰豈不可』者，周公聞召公之問，故答云『豈』，『豈』者，怪拒之辭，先怪拒之，又云『不可』，『不可』是不許之辭。『史佚行之』者，召公述周公曰『豈不可』之辭以語史佚，史佚不達其指，猶言周公『豈不可』是許之辭，故行棺衣宮中之禮也。『下殤用棺衣棺自史佚始也』，更據失禮所由也。」[116]

〔十〕《禮記・射義》：「孔子射於矍相之圃，蓋觀者如堵牆。射至於司馬，使子路執弓矢出延射，曰：『賁軍之將、亡國之大夫、與為人後者，不入，其餘皆入。』蓋去者半，入者半。又使公罔之裘、序點揚觶而語。公罔之裘揚觶而語曰：『幼、壯孝弟，耆、耋好禮，不從流俗，脩身以俟死者不？在此位也。』蓋去者半，處者半。序點又揚觶而語

---

115 〔漢〕鄭玄注，〔唐〕賈公彥疏：《周禮注疏》，《十三經注疏》（臺北縣：藝文印書館，1976年），頁52。

116 〔漢〕鄭玄注，〔唐〕孔穎達疏：《禮記正義》，《十三經注疏》（臺北縣：藝文印書館，1976年），頁384。

曰：『好學不倦，好禮不變，旄、期稱道不亂者不？在此位也。』蓋
廟有存者。」鄭《注》：「『者不』，言有此行不？可以在此賓位也。」
《釋文》：「『脩身以俟死』，絕句。『者不』，此二字一句。」[117]

〔十一〕1《儀禮・士昏禮》：「昏禮，下達、納采、用雁，主人筵于戶西，西
上，右几。」鄭《注》：「主人，女父也。」[118]

2《儀禮・士昏禮》：「期，初昏，……主人爵弁纁裳緇袘，從者畢玄
端，乘墨車，……至於門外。」鄭《注》：「主人，壻也。」[119]

（五）

有一制而數文異說者，如：《周禮》禮神六玉，即《儀禮》之「方明」，
然《周禮》上璧下琮，《儀禮》則上圭下璧，此猶為兩書也；至「大宗伯」
之社稷，即「司服」之社稷，一則在山川上，一則在山川下〔一〕，則同一
書而前後違牾已。

有一文而數家異說者，今文、古文，往往差異，姑置勿談，即同一師
承，立說亦復不齊壹，故馬融《周官傳》譏鄭眾「獨以《書・序》言成王既
黜殷命，還歸在豐，作《周官》，則此《周官》也，失之矣」。又譏賈逵「以
為六鄉大夫則冢宰以下，及六遂，為十五萬家，絚千里之地，其謬焉」。
鄭、賈、馬，淵源相接，說之歧牾如此，又何怪後世曉曉謹咋乎！

有一人而前後異說者：同一『四望』之說，先鄭于『大宗伯』曰：『日
月星海』；于『小宗伯』曰：『道氣出入』。一『城方』之說，後鄭于《書
傳》注作二解，前解云：宜自七以殺；後解云：宜自九以殺；《周禮》注、
《毛詩》箋，則又同後解〔二〕。其佗遊移不定，似此者多。

凡此三科，皆所謂異說紛紜也。此四事也。

---

117 〔漢〕鄭玄注，〔唐〕孔穎達疏：《禮記正義》，《十三經注疏》（臺北縣：藝文印書館，
　　1976年），頁1016。

118 〔漢〕鄭玄注，〔唐〕賈公彥疏：《儀禮注疏》，《十三經注疏》（臺北縣：藝文印書館，
　　1976年），頁39。

119 〔漢〕鄭玄注，〔唐〕賈公彥疏：《儀禮注疏》，《十三經注疏》（臺北縣：藝文印書館，
　　1976年），頁43。

〔一〕1《周禮·春官》「大宗伯」職掌：「以吉禮事邦國之鬼神示……以血祭祭社稷、五祀、五嶽，以貍沈祭山林川澤，……」[120]

　　　2 《周禮·春官》「司服」職掌：「掌王之吉凶衣服……王之吉服……祀四望山川，則毳冕；祭社稷、五祀，則希冕；……」[121]

〔二〕《周禮注疏·序周禮廢興》：「是以馬融《傳》云：秦自孝公以下，用商君之法，其政酷烈，與《周官》相反，……孝武帝始除挾書之律，……奈遭天下倉卒，……徒有里人河南緱氏杜子春尚在，永平之初，年且九十，家于南山，能通其讀，頗識其說，鄭眾、賈逵往受業焉。眾、逵洪雅博聞，又以經書記轉相證明為解，……然眾時所解說，近得其實，獨以《書·序》言：成王既黜殷命，還歸在豐，作《周官》，則此《周官》也。失之矣！逵以為：六鄉大夫，則家宰以下，及六遂，為十五萬家，綑千里之地。甚謬焉！此比多多，吾甚閔之久矣。……乃述平生之志，著《易》、《尚書》、《詩》、《禮》、《傳》，皆訖，唯念前業未畢者，唯《周官》。年六十又六，目瞑意倦，自力補之，謂之《周官傳》也。」[122]

（六）

　　夫以禮學奧博，益以四事，彌覺研覈之難，此所以有講誦師言，至於百萬，猶有不解者也。說禮所據，有明文、有師說：明文者，禮之本經，則《周禮》、《儀禮》是也；師說有先後，先師說非無失違，後師說非無審諟，要其序不可亂也。

　　《漢書·王莽傳》：莽上奏爵邑之制，曰：「實考周爵五等、地四等，有明文；殷爵三等，有其說，無其文」〔一〕。所謂「有明文」者，爵五等，見

---

120 〔漢〕鄭玄注，〔唐〕賈公彥疏：《周禮注疏》，《十三經注疏》（臺北縣：藝文印書館，1976年），頁270。

121 〔漢〕鄭玄注，〔唐〕賈公彥疏：《周禮注疏》，《十三經注疏》（臺北縣：藝文印書館，1976年），頁323。

122 〔漢〕鄭玄注，〔唐〕賈公彥疏：《周禮注疏》，《十三經注疏》（臺北縣：藝文印書館，1976年），頁7。

《周官》〔二〕；地四等，出〈王制〉〔三〕。所謂「有其說」者，但有《春秋》公羊家說也《禮緯》有殷爵三等之言，據鄭康成說。讖緯之出，當六國之亡，則王臣君亦得據之矣。〔四〕。然匡衡當元帝時，議立孔子世為殷後，所據則《禮記》：孔子自稱殷人，而云先師所共傳。元帝乃以其語為不經〔五〕。夫《記》有明文，而曰「不經」，即明《記》非《經》之比矣，蓋以〈王制〉為明文，猶未善也。成帝時，梅福復援引《穀梁》，請封孔子之後，於是推跡古文，以《左氏》、《穀梁》、《世本》、《禮記》相明，遂下詔封孔子世為殷紹嘉侯〔六〕。是則以古文為明文，而以師說輔之也。及許叔重作《五經異義》，時時引明文以決從違，故玉罍之說、石主之說、鸞和之說，雖出《傳》、《記》，皆謂無明文，遂無以決之；獨說力征，並引《禮》戴說、古《周禮》說，乃云五經說各不同，是無明文可據，則又不以《周禮》為明文，所以來康成之駁也〔七〕。張融有言，以《周禮》、孔子之言為本，《穀梁》說及小《記》為枝葉，石渠《論》、《白虎通》為證驗〔八〕，其分別至明。固知師說短長，斷以經義；經義差牾，出以彌縫；師說紛岐（ 韻按：底本作「岐」），考其證左。此乃治經之通法，非獨治禮為然。或者是末師而非往古、背傳記而信野言；或又曰：據明文，何論家法？似皆失之。

〔一〕《漢書・王莽傳》：「三年，春，地震，大赦天下，……莽乃上奏曰：『……今制禮作樂，實考周爵五等、地四等，有明文；殷爵三等，有其說，無其文。』」[123]

〔二〕《周禮・天官》「大宰」職掌：「大宰之職……以八柄詔王馭群臣：一曰『爵』，以馭其貴。……」鄭《注》：「『爵』謂公、侯、伯、子、男，卿、大夫、士也。」[124]

〔三〕《禮記・王制》：「王者之制祿爵：公、侯、伯、子、男，凡五等。諸侯之上大夫卿、下大夫、上士、中士、下士，凡五等。天子之田方千

---

123 〔漢〕班固著，〔唐〕顏師古注，〔清〕王先謙補注：《漢書補注》，《二十五史》（臺北縣：藝文印書館，2005年），頁1726。

124 〔漢〕鄭玄注，〔唐〕賈公彥疏：《周禮注疏》，《十三經注疏》（臺北縣：藝文印書館，1976年），頁28。

里，公、侯田方百里，伯七十里，子、男五十里；不能五十里者，不合於天子，附於諸侯，曰附庸。天子之三公之田視公、侯，天子之卿視伯，天子之大夫視子、男，天子之元士視附庸。」[125]

〔四〕1《公羊隱公五年經》：「初獻六羽。」《公羊隱公五年傳》：「初者何？……六羽之為僭，奈何？天子八佾，諸公六，諸侯四。諸公者何？諸侯者何？天子三公稱公，王者之後稱公；其餘大國稱侯，小國稱伯子男。」何休《解詁》：「大國，謂百里也。」又：「小國，謂伯七十里；子、男五十里。」[126]

2《禮記‧王制》：「王者之制祿爵……天子之元士視附庸。」鄭《注》：「此地，殷所因夏爵三等之制也。殷有鬼侯、梅伯，春秋變周之文，從殷之質，合伯子男以為一，則殷爵三等者，公侯伯也，異畿內謂之子。周武王初定天下，更立五等之爵，增以子男，而猶因殷之地，以九州之界尚狹也。周公攝政致大平，斥大九州之界，制禮成武王之意，封王者之後為公，及有功之諸侯，大者地方五百里，其次侯四百里，其次伯三百里，其次子二百里，其次男百里，所因殷之諸侯，亦以功黜陟之；其不合者，皆益之地為百里焉。是以周世有爵尊而國小，爵卑而國大者。唯天子畿內不增，以祿群臣，不主為治民。」孔《疏》：「《禮緯‧含文嘉》云：殷爵三等。殷正尚白，白者兼正中，故三等。……」[127]

〔五〕《漢書‧楊胡朱梅云傳》：「初，武帝時，始封周後『姬嘉』為『周子南君』；至元帝時，尊『周子南君』為『周承休侯』，位次諸侯王。使諸大夫博士求殷後，分散為十餘姓，郡國往往得其大家，推求子孫，

125 〔漢〕鄭玄注，〔唐〕孔穎達疏：《禮記正義》，《十三經注疏》（臺北縣：藝文印書館，1976年），頁212。

126 〔漢〕何休解詁，〔唐〕徐彥疏：《春秋公羊傳注疏》，《十三經注疏》（臺北縣：藝文印書館，1976年），頁35。

127 〔漢〕鄭玄注，〔唐〕孔穎達疏：《禮記正義》，《十三經注疏》（臺北縣：藝文印書館，1976年），頁213。

絕不能紀。時匡衡議，以為：『王者存二王後，所以尊其先王而通三統也。其犯誅絕之罪者絕，而更封他親為始封君，上承其王者之始祖。《春秋》之義，諸侯不能守其社稷者絕。今宋國已不守其統而失國矣，則宜更立殷後為始封君，而上承湯統，非當繼宋之絕侯也，宜明得殷後而已。今之故宋，推求其嫡，久遠不可得；雖得其嫡，嫡之先已絕，不當得立。《禮記》孔子曰：「丘，殷人也。」先師所共傳，宜以孔子世為湯後。』上以其語不經，遂見寢。」[128]

〔六〕《漢書・楊胡朱梅云傳》：「……至成帝時，梅福復言：宜封孔子後，以奉湯祀。綏和元年，立二王後，推跡古文，以《左氏》、《穀梁》、《世本》、《禮記》相明，遂下詔封孔子世為殷紹嘉公。」[129]

〔七〕1 玉罍之說

《詩・周南・卷耳》：「我姑酌彼金罍，維以不永懷。」毛《傳》：「人君黃金罍。」孔《疏》：「此無文也，故《異義》：罍制，《韓詩說》：金罍，大夫器也，天子以玉，諸侯、大夫皆以金，士以梓。《毛詩說》：金罍，酒器也，諸臣之所酢，人君以黃金飾，尊大一碩，金飾龜目，蓋刻為雲雷之象。謹案，《韓詩說》：『天子以玉』，經無明文，謂之罍者，取象雲雷博施，如人君下及諸臣。又，『司尊彝』云：『皆有罍，諸侯之所酢』，《注》云：罍『亦刻而畫之，為山雲之形』，言刻畫，則用木矣，故《禮圖》依制度云：刻木為之。《韓詩說》言：『士以梓』，士無飾，言其木體，則以上同用梓而加飾耳。毛說言：『大一碩』；《禮圖》亦云：大一斛，則大小之制，尊卑同也，雖尊卑飾異，皆得畫雲雷之形，以其名罍，取於雲雷故也，《毛詩說》：『諸臣之所酢』，與《周禮》文同，則『人君黃

128　〔漢〕班固著，〔唐〕顏師古注：《新校漢書集注》（臺北市：世界書局，1978年），頁2926。

129　〔漢〕班固著，〔唐〕顏師古注：《新校漢書集注》（臺北市：世界書局，1978年），頁2926。

金罍』，謂天子也。〈周南〉，王者之風，故皆以天子之事言焉。」[130]

2 石主之說

《周禮‧春官》「小宗伯」職掌：「……若大師，則率有司而立軍社，奉主車。」鄭《注》：「……王出軍，必先有事於社，及遷廟，而以其主行。社主曰軍社。……社之主，蓋用石為之。……」賈《疏》：「云『社之主，蓋用石為之』者，案，許慎云：今山陽俗，祠有石主，彼雖施於神祠，要有石主，主類其社，其社既以土為壇，石是土之類，故鄭《注》：社主蓋以石為之。無正文，故云『蓋』，以疑之也。」[131]

3 鸞和之說

《詩‧秦風‧駟驖》：「遊於北園，四馬既閑，輶車鸞鑣，載獫歇驕。」毛《傳》：「輶，輕也。」鄭《箋》：「輕車，驅逆之車也。置鸞於鑣，異於乘車也。」孔《疏》：「『夏官』『田僕』掌『設驅逆之車』，《注》云：『驅，驅禽使前趨獲，逆御還之，使不出圍。』然則『田僕』掌田而設驅逆之車，故知輕車即驅逆之車也，若君所乘者，則謂之田車，不宜以輶輕為名，且下句說『犬』，明是車驅之而犬獲之，故知是驅逆之車，非君車也。『冬官』〈考工記〉云：『乘車之輪』崇『六尺有六寸』，《注》云：『乘車，玉路、金路、象路也。』言『置鸞於鑣，異於乘車』，謂異於彼玉、金、象也。『夏官』『大馭』、及〈玉藻〉、〈經解〉之《注》，皆云：『鸞在衡，和在軾』，謂乘車之鸞也。此云『鸞鑣』，則鸞在於鑣，故異於乘車也。『鸞』、『和』所在，經無正文，〈經解〉《注》引《韓詩內傳》曰：鸞在衡，和在軾；又，《大戴禮‧保傳》篇文與《韓詩》說同，故鄭依用之。〈蓼蕭〉《傳》曰：『在軾曰和，在鑣曰鸞』，

130 〔漢〕毛亨傳，〔漢〕鄭玄箋，〔唐〕孔穎達疏：《毛詩正義》，《十三經注疏》（臺北縣：藝文印書館，1976年），頁33。

131 〔漢〕鄭玄注，〔唐〕賈公彥疏：《周禮注疏》，《十三經注疏》（臺北縣：藝文印書館，1976年），頁293。

《箋》不易之，《異義》戴（韻按：據阮元《校勘記》引「浦鐘云」，此「戴」字當作「載」字。）《禮》戴、毛氏二說，謹案云：經無明文，且殷周或異。故鄭亦不駁。〈商頌‧烈祖〉《箋》云：『鸞在鑣』，以無明文，且殷周或異，故鄭為兩解。」[132]

〔八〕《禮記‧王制》：「天子七廟，三昭三穆，與大祖之廟而七。諸侯五廟……庶人祭於寢。」孔《疏》：「鄭氏之意，天子立七廟……故漢侍中盧植說文云：二祧謂文武；〈曾子問〉：『當七廟』，『無虛主』；〈禮器〉：『天子七廟』，堂七尺；〈王制〉：『七廟』；盧植云：皆據周言也。《穀梁傳》：『天子七廟』；尹更始說：天子七廟，據周也；《漢書》：韋玄成四十八人議，皆云：周『以後稷始封』，『文、武受命』；石渠《論》、《白虎通》云：周以后稷、文、武特七廟。又，張融謹按：《周禮》『守祧』職：『奄八人，女祧每廟二人』，自太祖以下，與文、武及親廟四，用七人，姜嫄用一人，適盡，若除文、武，則奄少二人，〈曾子問〉孔子說周事，而云『七廟』、『無虛主』，若王肅數高祖之父、高祖之祖廟，與文、武而九，主當有九，孔子何云『七廟』『無虛主』乎？故云：以《周禮》、孔子之言為本，《穀梁》說及小《記》為枝葉，韋玄成、石渠《論》、《白虎通》為證驗，七廟斥言，玄說為長，是融申鄭之意……」[133]

四　結語

被尊崇為國學大師的黃侃先生[134]，對於經學、史學、子學、文學、小學

132　〔漢〕毛亨傳，〔漢〕鄭玄箋，〔唐〕孔穎達疏：《毛詩正義》，《十三經注疏》（臺北縣：藝文印書館，1976年），頁235。

133　〔漢〕鄭玄注，〔唐〕孔穎達疏：《禮記注疏》，《十三經注疏》（臺北縣：藝文印書館，1976年），頁241。

134　柯淑齡：《黃季剛先生之生平及其學術（中）》：「先生歿之翌日，國民政府明令褒揚，謂其學識深邃，信無溢詞，世推國學大師，洵無愧也。」（臺北市：中國文化大學中

等學術領域，無不專精，後人紹繼薪傳，學習者眾多，在文字學、聲韻學、訓詁學、文選學、文心學等方面，持續鑽研黃氏學說，先後完成多種不同面向的研究成果，然而，檢視這豐碩的成果，專門觸及黃侃先生禮學造詣的論述，並不多見，其中原因，或許與研究難度偏高有關：閱讀難，理解難，蒐尋資料更是第一難，即便學識淵博如黃侃先生，也曾歎惋禮學難治[135]。不過，難治的禮學並未讓人退怯，黃侃先生積極奮勉，乃至韋編三絕[136]。這份堅持，正涵蘊於經典文獻《禮學略說》之中。

　　《禮學略說》文辭精要，幾乎句句有根據、處處用典故，涉及層面既廣且深，讀者首須面對的文字脈絡，唯有借助於箋釋探源。本次先行提出初步樣貌片段，向方家請益，以求改進。限於篇幅，頗為複雜的第三段，暫列基本資料，詳細內容將另文呈現。《禮學略說》的全文箋釋，亦將持續戮力進行。誠摯期盼博雅先進時賜教言，啟之、導之、考成之。

國文學研究所博士論文，1982年），頁257「先生歿之翌日，國民政府明令褒揚，謂其學識深邃，信無溢詞，世推國學大師，洵無愧也。」。

135 「禮學所以難治，其故可約說也：一曰，古書殘缺；一曰，古制茫昧；一曰，古文簡奧；一曰，異說紛貤。」《黃季剛先生遺著專號（上）‧禮學略說》（國立中央大學《文藝叢刊》第2卷第2期，頁1）。

136 高師仲華《禮學新探‧弁言》引述季剛先生談話：「侃……惟三《禮》之學，嘗於鄭君之《注》，孔、賈之《疏》，韋編三絕，或可為子導夫先路也。」（香港：香港中文大學聯合書院中文系，1963年），頁1。

陳漢章〈《周禮》行於春秋時證〉析論

許子濱
嶺南大學中文系教授

一　緒言

　　《周禮》之成書時代，聚訟二千餘年，迄無定論。即以近現代而言，中外學者的說法分歧仍大，大抵可分五說：西周說、春秋說、戰國說、周秦之際說、漢人所作說，若再仔細劃分，五說之內仍有分歧，可謂異說紛呈，莫衷一是。[1]值得稱許的是，近現代不少學者在討論這個問題時，都落實到具體文本的探索，從文字、制度等不同層面，通過《周禮》與甲骨文、金文等出土材料，以及各種傳世先秦文獻的比較研究，對它的成書時代進行了較為允當的論證。而在以《左傳》證《周禮》的論著中，最值得注意的是陳漢章（1864-1938）〈《周禮》行於春秋時證〉一文，范文瀾（1893-1969）推許其師此文云：「詳博閎大，非他經師所能言」[2]。劉師培（1884-1919）也做過類似的研究[3]，但論舉證的規模，確實未及陳漢章閎博。因此，本文即以陳

1　說詳楊天宇：〈略述《周禮》的成書時代與真偽〉，《經學探研錄》（上海市：上海古籍出版社，2004年），頁174-177。

2　范文瀾：《羣經概論》，《民國叢書》（上海市：上海書店，1990年影印樸社1933年版），第二編，冊3，頁183。

3　劉師培：《劉申叔先生遺書》（寧武南氏校印，1925年），〈羣經大義相通論〉，冊9，頁25b-35b。

漢章〈《周禮》行於春秋時證〉為討論範圍，藉以考察《周禮》與《左傳》在禮制方面的同異。

二 《周禮》與《左傳》互證──陳漢章〈《周禮》行於春秋時證〉析論

（一）〈《周禮》行於春秋時證〉的著作權屬於陳漢章還是黃侃？

　　陳漢章，字伯弢，浙江象山東陳鄉東陳村人。與章太炎（1868-1936）同學於俞樾（1821-1906）。窮年樸學，精通四部，尤以經學為時人所推重。陳氏年輕時，就究心禮學，觀其而立之年所刻《綴學堂初稾》，經說一卷中，幾乎全是禮說。[4]七十二歲時所編〈綴學堂叢稿目〉，經學著述更為宏富，其中與禮學相關的，就有《孔賈經疏考》（後刊於《四明叢書》，改題「孔賈經疏異同評」）、《周禮正義校補》、《儀禮圖刊誤》、《大戴禮記小箋》、《讀禮通考續考》、《五禮通考續考》、《禮書通故識語》等[5]，其精研禮學，自不待言，無怪乎黃侃（1886-1935）為其《史通補釋》作序云：「象山先生之學，深於禮與史，為當今之魁儒……聞先生於近儒裡安孫君之《周禮正義》、定海黃君之《禮書通故》，皆有補正之作，侃方將求讀之。」[6]謂其「深於禮」，確與事實相符。可惜的是，現代學者對陳漢章禮學論著的注意似乎相當不足。[7]

4　詳陳漢章：《綴學堂初稾》，清光緒十九年（1893）刊本。

5　不見於〈綴學堂叢稿目〉而可考者，尚有《管子禮證》，陳漢章〈《周禮》行於春秋時證〉云：「管子治齊，皆本《周禮》，別詳《管子禮證》。」未知此篇曾刊行否。

6　轉引卞孝萱：〈「魁儒」陳漢章〉，《文史知識》「學林漫話」，2008年第2期（總第320期），頁110。

7　如王鍔：《三禮研究論著提要》（蘭州市：甘肅教育出版社，2001年）所錄與陳漢章相關的條目僅兩條：一為「2434《禮書通故識語1卷》」（頁453）；另一為「2685〈《周禮》行於春秋時證〉」（頁485）。

　　陳漢章二子陳慶麒及陳慶粹撰〈先考行述〉，於其生平著述記敘頗詳[8]，在講述陳漢章論著的編輯情況時說：「單篇劄記，諸學報雜誌爭載之。」[9]〈《周禮》行於春秋時證〉這篇文章很可能因此而登載於學報之上。范文瀾《羣經概論》於《儀禮》部份第七節以「《儀禮》行於春秋時證」標題，題下署名「陳伯弢先生」，內文完全錄自陳漢章的〈《儀禮》行於春秋時證〉。[10]此文蓋〈《周禮》行於春秋時證〉之姊妹篇。

　　〈《周禮》行於春秋時證〉一文，筆者所見有三個本子：其一，刊載於《國學厄林》一九二〇年一卷一期[11]；其二，刊載於《華國》月刊一九二四年十一月二卷一期[12]；其三，刊載於《華西學報》一九三三年九月一期[13]。三次刊載，內文無異，但作者題名前後不一：《國學厄林》篇題下著錄作者為「黃侃」；《華國》篇題下未題作者姓名，目錄篇題下著錄作者為「陳漢章」；《華西學報》篇題下著錄作者為「季剛」，即黃季剛（侃），同《國學厄林》。這樣一來，讀者很容易就把〈《周禮》行於春秋時證〉的著作權歸於黃

8　有關陳漢章之生平，尚可參考陳昂：〈紀念先祖父陳漢章先生〉，收入錢理群、嚴瑞芳主編《我的父輩與北京大學》（北京市：北京大學出版社，2007年），頁31-38。

9　陳慶麒、陳慶粹：〈先考行述〉，《孔賈經疏異同評》，《叢書集成續編》（臺北市：新文豐出版公司，1989），冊15，頁528。

10　范文瀾：《羣經概論》，頁260-263。此文，多種禮學或經學目錄工具書如王鍔《三禮研究論著提要》等皆未著錄。有關「《儀禮》行於春秋時」的討論，詳拙著：〈從《左傳》看《儀禮》所反映的時代〉（未刊稿）。

11　見周何：〈六十年來之禮學〉，《六十年來之國學》（臺北市：正中書局，1975年），頁388；林慶彰主編：《經學研究論著目錄》（臺北市：漢學研究中心，1989年），頁515；亦見王鍔：《三禮研究論著提要》，頁485。筆者於臺灣南港中央研究院近代史研究所郭廷以圖館書所藏《民國珍稀短刊斷刊》（湖北卷）（全國圖書館文獻縮微複製中心）卷十一《國學厄林》中找到這篇文章。

12　本文即據臺北文海出版社一九七一年複印本《華國》第2期第1冊（1924年11月）（頁1951-1961）探討陳漢章之說。下文凡引此文俱不另注頁數。近見耿素麗、胡月平選編：《民國期刊資料分類彙編‧三禮研究》（北京市：國家圖書館出版社，2009年）〈周禮類〉即錄此本。

13　筆者於北京大學圖書館找到《華西學報》刊載的這篇文章。筆者尋得此文，端賴汪春泓教授和白靜女士仗義幫忙，謹致謝忱。

侃。周何先生所編〈六十年來之禮學〉、林慶彰先生主編的《經學研究論著
目錄》及王鍔先生的《三禮研究論著提要》都有這樣一條錄目:「黃季剛
〈周禮行於春秋時證〉,《華西學報》一九三三年九月一期頁 171-180。」[14]
劉興均《《周禮》名物詞研究》在討論《周禮》的成書年代時甚至說:

> 黃季剛先生有〈周禮行於春秋時證〉一文,列舉見於魯史《春秋》
> 經、傳的記載中六十條(見於魯國國史的十六條,見于其他諸侯國的
> 四十四條)證據以證明《周禮》在春秋(西元前 722-前 481)時期就
> 已被各諸侯國採用,其成書年代當在戰國以前。[15]

註腳所列出版資料為:「季剛〈周禮行於春秋時證〉,《華西學報》,一九三九
年,第一期」[16],「一九三九」為「一九三三」之誤,書後參考書目即作
「一九三三」。由於《華西學報》一九三三年九月一期上寫明作者是「季
剛」,所以劉先生就很自然地把它看成是黃季剛的文章。那麼,〈《周禮》行
於春秋時證〉的著作權到底誰屬?黃侃與陳漢章交情甚篤,相與交遊、論
學,其事具詳《黃侃日記》。黃侃對陳漢章實深「善遇」,包括學術的尊重,
以及生活的關心。[17]二人論學之事例,如〈閱嚴輯全文日記卷二〉記:「昨
(引者按:即一九二八年六月十七日)伯弢先生言『王國維說〈顧命〉廟
非殯宮路寢,而為大廟。曾面糾其失,國維曰:「雖失而不欲改。」』其專己

---

14 林慶彰主編:《經學研究論著目錄》,頁515;王鍔:《三禮研究論著提要》,頁486。周
　 何〈六十年來之禮學〉錄目:「〈《周禮》行於春秋時證〉,季剛(華西學報)一期」
　 (頁389)。各種黃侃文集,未見此文。司馬朝軍、王文暉合撰:《黃侃年譜》(武漢:
　 湖北人民出版社,2005)也沒有提及此事。

15 劉興均:《《周禮》名物詞研究》(成都市:巴蜀書社,2001年),頁6。

16 劉興均:《《周禮》名物詞研究》,頁6。

17 章太炎〈黃季剛墓誌銘〉曾說黃季剛與陳漢章「言小學不相中,至欲以刀杖相決」。
　 卞孝萱:〈「魁儒」陳漢章〉(《文史知識》「學林漫話」,2008年第2期〔總第320期〕,頁
　 113)曾引述陳漢章〈覆徐行可書〉,證明其說純為「流言」。黃侃對陳漢章實深「善
　 遇」,事詳卞孝萱:《現代國學大師學記・黃侃的〈日記〉・敬友》(北京市:中華書
　 局,2000)年,頁97-100。

遂非有如此者。」[18]看來，在不少學術問題上，陳、黃二氏的看法也頗為一致。但通覽整部日記，卻未見黃侃提及同題撰述之事；現存各種黃侃著作目錄，如黃建中〈黃季剛先生著作分類錄〉等亦未見此文[19]；司馬朝軍、王文暉合編《黃侃年譜》[20]也沒有提及此事。黃侃肯定看過《國學厄林》一卷一期。[21]〈《周禮》行於春秋時證〉題上「黃侃」的名字，他也是知道的。《華國》創刊於一九二三年九月，由章太炎任社長，汪東（1889-1963）任編輯兼撰述，黃侃為該刊的主要撰稿人。[22]刊載〈《周禮》行於春秋時證〉的這期《華國》，同樣收錄了黃侃的詩作。[23]該期目錄篇題下題名「陳漢章」，按理黃侃也是知道的。汪東與陳漢章、黃侃交情甚篤，曾一起舉行詩社活動。[24]他能親接陳、黃二人，對於〈《周禮》行於春秋時證〉作者誰屬，肯定是很清楚的。既然題為「陳漢章」所作，那麼，這篇文章的作者只能是陳漢章而不是黃侃了。

　　還有一條材料值得注意。范文瀾《羣經概論》《周禮》部份第三節「《周禮》不偽證」，整合四位學者之文而成篇，包括：汪中〈《周禮》徵文〉舉證部分；陳澧《東塾讀書記》舉證部分；黃侃筆記一則[25]；陳漢章〈《周禮》行於春秋時證〉全文。范氏評四人之說云：

　　　　案汪、陳二氏之說，可稱精實。黃師季剛復發明一條，證《周禮》為

---

18 《黃侃日記》（南京市：江蘇教育出版社，2001年），頁302。陳、黃二氏譏斥王說，實不足信。辨見拙文〈王國維「《顧命》之廟為廟而非寢」說探討〉，《中國經學》，第三輯，2008年，頁265-280。

19 詳黃建中：〈黃季剛先生著作分類錄〉，載《中國海峽兩岸黃侃學術研討會論文集》（武昌市：華中師範大學出版社，1993年），頁1-12。

20 詳司馬朝軍、王文暉合編：《黃侃年譜》（武漢市：湖北人民出版社，2005年）。

21 黃侃：〈釋「公士大夫」〉即發表於同期上，見《經學研究論著目錄》，頁12。黃侃曾作〈國學厄林付刊感題〉，事詳《黃侃年譜》，頁157。

22 事詳司馬朝軍、王文暉：《黃侃年譜》，頁197等。

23 見《華國》第2期第1冊，1924年，〈目錄〉。

24 詳司馬朝軍、王文暉：《黃侃年譜》，頁21、205、251。

25 據司馬朝軍、王文暉：《黃侃年譜》（頁92-93）所說，范氏所錄乃筆記。

周公手定，孔子復親見《周禮》……陳師伯弢亦作〈《周禮》行於春秋時證〉一篇，凡列六十證，詳博閎大，非他經師所能言。……讀陳先生此文，可知春秋時諸侯雖不能共秉《周禮》，而典制之遵用者，自《左傳》一書觀之，已多至六十證，《周禮》之非偽書，的然無疑矣。[26]

范氏《羣經概論》於一九三三年出版。范氏曾師從劉師培、陳漢章及黃侃。此處一併引用他兩位老師之說，證明《周禮》成書於春秋之前，並非偽書。范氏明言〈《周禮》行於春秋時證〉為陳漢章所作，但沒有提及黃侃的同題之作。黃侃果真寫過這麼一篇文章，范氏不應該不知道。

最重要的是，卞孝萱在〈「魁儒」陳漢章〉一文中，引述陳漢章寫於一九三六年十一月十二日的〈覆徐行可書〉[27]，信中說：

季剛見拙撰《周禮行於春秋時證》，謂開所未聞，太炎言《周禮》成而未行。堅欲如於申叔例，北向稱弟子，固不敢當。[28]

錢英才《國學大師陳漢章》引錄這封信的文字更為詳盡。[29]卞先生補言「黃侃代陳漢章刊此書」。卞先生很可能沒看過〈《周禮》行於春秋時證〉，所以

---

26 范文瀾：《羣經概論》，頁182-192。

27 徐行可（1890-1959），名恕，字行可，以字行。湖北武漢人。藏書較富。與黃侃交往較密切，後結為姻親。詳司馬朝軍、王文暉：《黃侃年譜》，頁155。徐行可亦與陳漢章交往。

28 卞孝萱：〈「魁儒」陳漢章〉，《文史知識》「學林漫話」，2008年第2期（總第320期），頁110。「開所未聞」，「開」疑為「聞」字之訛。

29 〈覆徐行可書〉云：「又一事不敢不辨者，近見太炎為季剛墓誌，竟有非常可怪之論云：與象山陳某言小學不相中，至欲以刀杖相決。不知何在造流至此！漢章知有季剛也，太炎於民國初年，在末擬立函夏考文苑，於漢學列賤名下，次列季剛。嗣於北大相遇見如故交。時劉申叔已病，尚同為教員，三人談藝甚相得。季剛見拙撰《周禮行於春秋時證》，謂開所未聞。太炎言《周禮》成而未行。堅欲如於申叔例，北向稱弟子，固不敢當。後為其同門某某所排擠，不安於講席，辭回武昌，遠送至國門外，始終無間言，何嘗如毛西河之於李天生，洪北江之於章實齋。」見錢英才：《國學大師陳漢章》（杭州市：浙江文藝出版社，2007年），頁196。

誤將文章看成是專書。根據這封信，我們可以清楚看到〈《周禮》行於春秋時證〉是陳漢章所撰，黃侃讀後，深為嘆服，執意要像先前拜劉師培為師那樣向陳漢章執弟子之禮[30]，陳漢章雖說「固不敢當」，但從文意看來，他是頗為得意的。黃侃於日記中亦以「伯弢師」稱呼陳漢章。[31]《國學厄林》把作者題為「黃侃」，是由於黃侃代陳漢章發表此文。後人不知內情，才出現張冠李戴的情況。汪東把作者名字改題「陳漢章」，說不定是由於知道實情的緣故。至於一九三三年，《華西學報》再次刊載這篇文章時題為「季剛」，很可能是沿襲《國學厄林》。由此可見，〈《周禮》行於春秋時證〉的著作權顯然屬於陳漢章，黃侃並無同題之作。

　　錢英才《國學大師陳漢章》還記述了陳漢章撰作此文的原委：

> 漢章與太炎在學術上也有爭論，他在作〈《周禮》行於春秋時證〉一文中，對太炎懷疑他提出「春秋時不獨行《儀禮》，還行《周禮》」一說時，立了「六十證明之」。此事是黃季剛告訴漢章的，現引證開頭的數例：……一共立了六十證。此後又作了〈《儀禮》行於春秋時證〉。這兩篇文章均以大量的史實作為例證，來證實自己的觀點。這是我們至今看到的唯一的這兩位師兄弟學術上的爭執。前一文載《中國學報》，後又被范文瀾《群經概論》所轉引。不過與手稿在次序上有不同。[32]

據此，陳漢章撰作此文，是為了與章太炎論難。此文開首即云：「自孫處瞀說，謂《周禮》書成，實未嘗行」。「太炎言《周禮》成而未行」，正同孫說。陳漢章斥孫說為「瞀說」，亦一併推倒章說，「瞀說」換成今語，等於瞎說，其貶斥之意，可想而知。錢英才《國學大師陳漢章》正文記〈《周禮》行於春秋時證〉：「載《中國學報》，後又被范文瀾《群經概論》所轉引。不

---

30 一九一六年，時黃侃三十四歲，劉師培三十六歲。劉師培將《左傳》研究的著作展示黃侃，黃讀後大悅，遂北向稱弟子。詳錢英才：《國學大師陳漢章》，頁196。

31 見《讀古籀餘論日記》（己巳十二月六日及九〔1930年〕），《黃侃日記》，頁592-593。

32 錢英才：《國學大師陳漢章》，頁197-198。

過與手稿在次序上有不同。」[33]其書附錄〈陳漢章著作年表〉於一九一六年下錄此文篇目，並說：「載武漢《國學報》，范文瀾《群經概論》一書全文轉載。」[34]錢先生似乎未見上文提及的三個本子。而他提及的兩個本子，包括手稿本及《中國學報》本，筆者皆未見。「《國學報》」與「《中國學報》」，稱名不一致，未知孰是。[35]如錢先生之言可信，則陳漢章〈《周禮》行於春秋時證〉首次發表是在一九一六年，比刊於《國學匬林》早四年。

（二）《周禮》與《左傳》互證

陳漢章〈《周禮》行於春秋時證〉云：

> 自孫處聱說，謂《周禮》書成，實未嘗行，如唐之顯慶元（引者按：「元」前當補「開」字）禮。儒者莫不信之。（自注云：「顧氏《春秋大事表》更疑非周公之書。」[36]）不知鄭注〈明堂位〉曰：「厥，周禮謂之距。」距見《儀禮‧少牢饋食禮》。是凡《儀禮》之行於春秋時者，皆得謂為周禮。然不引《周禮》本文證之，人不信也。

孫處之說見鄭樵《通志》，《四庫全書總目提要》引其文云：

> 周公居攝六年之後，書成歸豐，而實未嘗行。蓋周公之為《周禮》，亦猶唐之顯慶、開元禮，預為之以待他日之用，其實未嘗行也。惟其未經行，故僅述大略，俟其臨事而損益之。故建都之制不與〈召誥〉、〈洛誥〉合，封國之制不與〈武成〉、《孟子》合，設官之制不與〈周官〉合，九畿之制不與〈禹貢〉合云。[37]

33　錢英才：《國學大師陳漢章》，頁198。

34　錢英才：《國學大師陳漢章》，頁387。

35　查香港大學馮平山圖書館所藏《中國學報》微型膠片，雖能找到幾篇陳漢章的文章，但未見此文。《中國學報》出版地為北京，亦與「武漢」不符。

36　詳顧棟高：《春秋大事表‧〈左氏〉引經不及〈周官〉、〈儀禮〉論》。

37　轉引《四庫全書總目提要》（北京市：中華書局，1987年），頁149。

孫氏認為，《周禮》確由周公所作，但只是陳列綱要，未曾推行，原來打算
一俟推行後才加損益。四庫館臣引孫說，並加評語云：「其說差為近之，然
亦未盡也」[38]，雖謂未盡妥當，但亦頗有取於是說，並由此而發展出有關
《周禮》成書時代之一說——「調停說」。[39]章太炎以為，「《周禮》成而未
行」，同孫說。顧棟高《春秋大事表・《左氏》引經不及《周官》、《儀禮》
論》自述其治經過程：「始而信，中而疑，後乃確見為非真。」以為「非特
《周禮》為漢儒傅會，即《儀禮》亦未敢信為周公之本文也。」顧氏舉出幾
個《左傳》與《周禮》、《儀禮》不合的例證，以及春秋時人禮說，然後說：
「是皆春秋博學多聞之士，而於周公所制會盟聘享之禮，若目未之見，耳未
之聞，是獨何與？若周公束之高閣，未嘗班行列國，則當日無為制此禮；若
既行之列國矣，而周公之子孫先未有稱述之者，豈果弁髦王制不遵法守歟？
不應舉世盡懵然若此。」[40]觀此數語，可知顧氏與孫處說異。陳氏併孫、顧
二說而駁之，堅信《周禮》為周公撰作，並曾遍行於春秋之時，不但《左
傳》所載諸國之禮也可與《周禮》本文互證，《儀禮》行於春秋亦可資佐
證。為此，陳氏詳列《左傳》所載春秋遍行《周禮》的例證，包括：魯行
《周禮》十八證、諸國行《周禮》三十八證（週六證、衛四證[41]、鄭五證、
晉十六證、宋三證、楚三證、齊秦各一證）、合諸國行《周禮》十七證，共
計七十三證[42]。根據這些例證，陳氏得出《周禮》於春秋之時廣泛頒行列國
的結論。

38　《四庫全書總目提要》，頁149。

39　詳參楊天宇：〈略述《周禮》的成書時代與真偽〉，《經學探研錄》，頁173-174。

40　顧棟高：《春秋大事表・〈左氏〉引經不及〈周官〉、〈儀禮〉論》（北京市：中華書局，
　　1993年），頁2565。

41　陳文原謂三證。本文將「曲縣」與「繁纓」分開計算，共得四證。

42　陳文原謂春秋行《周禮》之證總數為「六十」證，范文瀾同。「六十」實為誤算，最
　　主要的誤差出現在晉行《周禮》之證，按原文所列，實得十六證，而不是陳氏說的六
　　證。而且，鄭行《周禮》，加子產使都鄙有章云云，實得五證。總數實為七十一證。
　　為方便分析，本文將魯行《周禮》中的「昌歜」與「白黑形鹽」、衛行《周禮》中的
　　「曲縣」與「繁纓」分開計算，故再多二證，總數為七十三證。

　　實際上，追本溯源，漢人注解《周禮》，往往就引《左傳》（或明引、或暗引）為證，鄭眾（？-114）、鄭玄（127-200）都是其中的表表者。只要將陳氏所舉例證，跟漢人（以二鄭注為主）、唐人以至清人注疏或論著稍為比較一下，其因襲之跡彰彰明矣。可以說，陳漢章此文，正是綜採二鄭及前人所引《左傳》文例，並稍加增補而成。陳氏所舉《左傳》與《周禮》互證各例，其淵源有自、可得而說者如下：

1 已見杜子春稱引的有一例：

（1）金奏肆夏、金奏作於下（襄四年、成十二年）與金奏以鍾鼓奏九夏（〈鍾師〉）。[43]

2 已見鄭眾稱引的有二十二例：

（1）雲物（僖五年）與以五雲之物辨祲象（〈保章氏〉）；[44]

（2）魯作三軍（襄十一年）與王六軍大國三軍（〈大司馬〉）；[45]

（3）曲縣（成二年）與諸侯軒縣（〈小胥〉）；[46]

（4）祓社釁鼓、祝奉以從（定四年）與隋釁設軍社（〈大祝〉）；[47]

（5）三揖在下（哀二年）與士旁三揖（〈司士〉）；[48]

（6）禜（昭二年與〈大祝〉）；[49]

（7）火出、出內火（昭十七年、昭九年、襄九年）與出火內火（〈司爟〉）；[50]

（8）振旅，愷以作於晉（僖二十八年）與愷樂（〈大司樂〉、〈大司馬〉）；[51]

（9）歌鍾二肆（襄公十一年）與半為堵全為肆（〈小胥〉）；[52]

---

43 參孫詒讓：《周禮正義》（北京市：中華書局，1987年），頁1886。

44 參孫詒讓：《周禮正義》，頁2124。

45 參孫詒讓：《周禮正義》，頁2238。

46 參孫詒讓：《周禮正義》，頁1823。

47 參孫詒讓：《周禮正義》，頁2028。

48 參孫詒讓：《周禮正義》，頁2462。

49 參孫詒讓：《周禮正義》，頁1987。鄭玄注〈春官・邑人〉亦引《左傳》文（頁1499）。

50 參孫詒讓：《周禮正義》，頁2397。

51 參孫詒讓：《周禮正義》，頁1785、2354。

52 參孫詒讓：《周禮正義》，頁1827。

（10）南風不競，多死聲（襄十八年）與執同律以聽軍聲而詔吉凶（〈大師〉）；[53]

（11）禱（襄十八年與〈大祝〉）；[54]

（12）越得歲而吳伐之，必受其凶（昭三十二年）與以十有二歲之相觀天下之妖祥（〈保章氏〉）；[55]

（13）載書（哀二十六年）與作盟詛之載辭（〈詛祝〉）；[56]

（14）庀賦……井衍沃（襄二十五年）與經土地而井牧其田野（〈小司徒〉）；[57]

（15）君不舉（莊二十年、襄二十六年）與天地有災不舉、邦有大故不舉（〈膳夫〉）；[58]

（16）吉禘、禘於大廟、禘祀（閔二年、僖八年、襄十六年）與四時之間祀（〈司尊彝〉）；[59]

（17）授玉（文十二年、成三年、成六年、定十五年）與諸侯相見執圭璧、頫聘以瑑圭璋璧琮（〈典瑞〉）；[60]

（18）執牛耳（定八年、哀十七年）與贊牛耳（〈戎右〉）；[61]

（19）策命（僖二十八年、襄三十年與〈內史〉）；[62]

（20）命藏象魏（哀三年）與縣治象之灋于象魏（〈太宰〉）；[63]

（21）包茅（僖四年）與邦國九貢之祀貢（〈太宰〉）；[64]

（22）白黑、形鹽（僖三十年與〈籩人〉）。[65]

53　參孫詒讓：《周禮正義》，頁1852。

54　參孫詒讓：《周禮正義》，頁1992。

55　參孫詒讓：《周禮正義》，頁2122。

56　參孫詒讓：《周禮正義》，頁2061。

57　參孫詒讓：《周禮正義》，頁787。

58　參孫詒讓：《周禮正義》，頁249。

59　參孫詒讓：《周禮正義》，頁1515。

60　參孫詒讓：《周禮正義》，頁1582。

61　參孫詒讓：《周禮正義》，頁2579。

62　參孫詒讓：《周禮正義》，頁2130。

63　參孫詒讓：《周禮正義》，頁117。

64　參孫詒讓：《周禮正義》，頁104。

65　參孫詒讓：《周禮正義》，頁379。

3 已見鄭玄《周官禮注》[66]稱引的有十四例：

（1）賓曹世子以上卿（桓九年）與諸侯適子攝其君禮（〈大宗伯〉）；[67]

（2）鼓用牲於門（莊二十二年）與禁門（〈鄙人〉）；[68]

（3）春蒐（隱五年）與蒐田（〈大司馬〉）；[69]

（4）坐、坐獄（僖二十八年、襄十年）與坐獄訟（〈小司寇〉）；[70]

（5）胙、膰、歸脤（僖九年、二十四年、定十四年）與以脤膰之禮親兄弟之國
（〈大宗伯〉）；[71]

（6）車右（文二年）與戎車之兵革使（〈戎右〉）；[72]

（7）靺韋之跗注（成十六年）與兵事韋弁服（〈司服〉）；[73]

（8）勸能（襄二十一年）與議能（〈小司寇〉）；[74]

（9）占夢（昭三十一年與〈占夢〉）；[75]

（10）故府（定元年）與若有訟者則珥而辟藏（〈司約〉）；[76]

（11）廣有一卒、游闕（宣十二年）與廣車之萃、闕車之萃（〈車僕〉）；[77]

（12）歸襚（文九年）與以喪禮哀死亡（〈大宗伯〉）；[78]

（13）弔災（莊十一年、昭十八年）與以弔禮哀禍（〈大宗伯〉）；[79]

---

66 《周禮》定名於唐賈公彥作疏之時，此前稱《周官》或《周官禮》。說詳劉毓崧：〈周官周禮異名考〉，《通義堂文集》（出版地不詳，南林劉氏求恕齋刊，1920年跋），卷三，頁1。

67 參孫詒讓：《周禮正義》，頁1612。

68 參孫詒讓：《周禮正義》，頁1499。

69 參孫詒讓：《周禮正義》，頁2307。

70 參孫詒讓：《周禮正義》，頁2768。

71 參孫詒讓：《周禮正義》，頁1363。

72 參孫詒讓：《周禮正義》，頁2577。

73 參孫詒讓：《周禮正義》，頁1635。

74 參孫詒讓：《周禮正義》，頁2772。

75 參孫詒讓：《周禮正義》，頁1969。

76 參孫詒讓：《周禮正義》，頁2849。

77 參孫詒讓：《周禮正義》，頁2195。

78 參孫詒讓：《周禮正義》，頁1345。

79 參孫詒讓：《周禮正義》，頁1346。

（14）三墳五典、少皞氏四叔（昭十二年）與三皇五帝之書（〈外史〉）。[80]

4 見賈公彥《周禮疏》稱引的有四例：

（1）徵百牢（哀三年）與饗禮用十有二牢（〈掌客〉）；[81]

（2）請隧（僖二十五年）與丘隧（〈塚人〉）；[82]

（3）歸含賵（隱元年、文五年）與以喪禮哀死亡（〈大宗伯〉）；[83]

（4）都鄙有章，上下有服，田有封洫，廬井有伍（襄三十年）與〈大司徒〉）。[84]

5 見於清人注疏或論著稱引的有二十五例：

（1）惠士奇（1671-1741）三例：

A　溝昭公墓（定元年）與辨兆域（〈塚人〉）；[85]

B　問於介眾（昭二十四年）與致萬民而詢立君（〈小司寇〉）；[86]

C　耕者東畝（成二年）與犯令陵則杜之（〈大司馬〉）；[87]

（2）江永（1681-1762）一例：朝國人（僖十五年、定八年、哀元年）與致萬民而詢國危（〈小司寇〉）；[88]

（3）段玉裁（1735-1815）一例：稽首（哀十五年）與九拜之稽首（〈大祝〉）；[89]

（4）孫希旦（1736-1784）一例：再命、三命（僖三十三年、襄二十六年、昭

80　參孫詒讓：《周禮正義》，頁2137。

81　參孫詒讓：《周禮正義》，頁3064。

82　參孫詒讓：《周禮正義》，頁1700。「請隧」之意，詳拙著：〈《左傳》「請隧」解〉，收入單師周堯、陸鏡光主編：《語言文字學研究》（北京市：中國社會科學出版社，2007年），頁81-89。

83　參孫詒讓：《周禮正義》，頁1345。

84　參孫詒讓：《周禮正義》，頁692。

85　參孫詒讓：《周禮正義》，頁1694。

86　參孫詒讓：《周禮正義》，頁2763。

87　參孫詒讓：《周禮正義》，頁2291。

88　參孫詒讓：《周禮正義》，頁2763。

89　參孫詒讓：《周禮正義》，頁2015。

七年）與公侯伯之卿三命大夫再命（〈典命〉）;[90]

（5）孔廣森（1752-1786）二例：

　　A　韍冕、弁冕（宣十六年、昭元年）與希冕玄冕（〈司服〉）;[91]

　　B　皮冠（襄十四年、襄二十年）與凡甸弁服（〈司服〉）;[92]

（6）陳奐（1786-1863）一例：繁纓（成二年）與樊纓（〈巾車〉）;[93]

（7）孫詒讓（1848-1908）十六例：

　　A　射者三耦（襄二十九年）與畿外諸侯賓射三耦（〈大司馬〉及〈大射儀〉）;[94]

　　B　藏冰（昭四年）與掌冰（〈淩人〉）;[95]

　　C　盜（定九年、文十八年）與邦盜（〈士師〉）;[96]

　　D　戎輅（僖二十八年）與革路以即戎（〈巾車〉）;[97]

　　E　司馬、司徒、司空（襄十年、昭四年）與於邦國設其參（〈大宰〉）;[98]

　　F　受脤歸脤（昭十六年）與凡祭祀致福（〈家宗人〉）;[99]

　　G　歸胙於公（僖四年）與凡都祭祀致福於國（〈都宗人〉）;[100]

　　H　載書（襄九年、襄十一年）與盟約之載（〈司盟〉）;[101]

　　I　范獻子執羔（定八年）與卿執羔（〈大宗伯〉）;[102]

　　J　獻禽、獻麋（宣十二年）與六獸、獻麋（〈庖人〉、〈獸人〉）;[103]

90　參孫詒讓：《周禮正義》，頁1616。

91　參孫詒讓：《周禮正義》，頁1634。

92　參孫詒讓：《周禮正義》，頁1641。

93　參孫詒讓：《周禮正義》，頁2147。

94　參孫詒讓：《周禮正義》，頁2427。

95　參孫詒讓：《周禮正義》，頁372。

96　參孫詒讓：《周禮正義》，頁2788。

97　參孫詒讓：《周禮正義》，頁464。

98　參孫詒讓：《周禮正義》，頁128。

99　參孫詒讓：《周禮正義》，頁2227。

100　參孫詒讓：《周禮正義》，頁2225。

101　參孫詒讓：《周禮正義》，頁2853。

102　參孫詒讓：《周禮正義》，頁1388。

K　沈玉（襄十八年、昭二十四年、定三年）與以貍沈祭山川澤（〈大宗伯〉）；[104]

L　命祀（僖三十一年、哀六年）與禁督逆祀命（〈大祝〉）；[105]

M　郊勞至於贈賄（昭五年、昭七年、僖三十三年）與郊勞、致贈、郊送（〈司儀〉）；[106]

N　授兵（隱十一年、莊四年）與授兵用兵（〈司兵〉）。[107]

O　加籩（僖二十二年、昭六年與〈籩人〉）；[108]

P　昌歜（僖三十年）與昌本（〈醢人〉）。[109]

6　陳氏增補的有七例：

（1）異姓為後（隱十一年）與天揖同姓、時揖異姓（〈司儀〉）；[110]

（2）犧象不出門（定十年）與饗禮皆行於廟中（〈大行人〉）；[111]

（3）嘉樂不野合（定十年）與行饗於廟中（〈大師〉）；[112]

（4）韓獻子為僕大夫，公揖而入，獻子從公立於寢庭（成六年）與王眂朝則前正位而退，入亦如之（〈大僕〉）；[113]

（5）以門賞畁班使食其征（文十一年）與以其財養死政之老與其孤（〈司門〉）；[114]

103　參孫詒讓：《周禮正義》，頁258、297。

104　參孫詒讓：《周禮正義》，頁1315。

105　參孫詒讓：《周禮正義》，頁2031。

106　參孫詒讓：《周禮正義》，頁3034。

107　參孫詒讓：《周禮正義》，頁2546。

108　參孫詒讓：《周禮正義》，頁388。

109　參孫詒讓：《周禮正義》，頁395。

110　參孫詒讓：《周禮正義》，頁3013。

111　參孫詒讓：《周禮正義》，頁2955。賈《疏》云：「賓來就廟中行饗。」陳據此為說。

112　參孫詒讓：《周禮正義》，頁1852。賈《疏》云：「此大饗，謂饗諸侯來朝」，「其廟行饗之時」，陳氏同樣據此為說。

113　參孫詒讓：《周禮正義》，頁2498。

114　參孫詒讓：《周禮正義》，頁1103。

（6）秋嘗（桓十四年與〈大宗伯〉）；[115]

（7）冬烝（桓八年、昭元年、襄十六年與〈大宗伯〉）；[116]

總上所列，在陳漢章列出的七十三個例證中，六十六例已見前人論著。其中三十六例沿用二鄭說，加上採用杜子春的一例，合共用漢人說三十七例，佔整體比例達 50.7%，超過一半；用賈《疏》說共四例；同清人說者二十五例，其中以孫詒讓說居多，共十六例，佔整體比例超過 21%。這些前有所承的例證，與陳氏增補七例一樣，絕大部分皆信而有徵，無可疑者。但當中四例有值得商榷的餘地，除以「三墳、五典」為三皇五帝之書（見鄭玄注第十四例）無從驗證外[117]，還有三例：據《左傳》歌鐘二肆證《周禮》半為堵全為肆（見鄭眾注第九例）；據《左傳》吉禘、禘於大廟、禘祀證《周禮》四時之閒祀（見鄭眾注第十六例）；以《左傳》加籩與《周禮》互證（見孫詒讓第十五例）。

　　《周禮・春官・小胥》有云：「凡縣鍾磬，半為堵，全為肆。」鄭玄注云：

> 鍾磬者，編縣之二八十六枚，而在一虡，謂之堵。鍾一堵，磬一堵，謂之肆。半之者，謂諸侯之卿大夫士也。諸侯之卿大夫，半天子之卿大夫，西縣鍾，東縣磬。士亦半天子之士，縣磬而已。鄭司農云：「以《春秋傳》曰：歌鍾二肆。」[118]

鄭眾引《左傳》，目的在於證明縣鍾磬全為肆之義。江藩（1761-1831）、孫詒讓皆從其說。[119]陳漢章蓋無異議。今考鄭玄認為每「肆」包含「鍾一

115　參孫詒讓：《周禮正義》，頁1330。

116　參孫詒讓：《周禮正義》，頁1330。

117　如楊伯峻《春秋左傳注》云：「古今解此四種書（引者按：三墳、五典、八索、九丘）者甚多，其書既早已隻字無存，臆說何據？」頁1340-1341。

118　孫詒讓：《周禮正義》，頁1823。

119　孫詒讓：《周禮正義》，頁1830-1831。

堵，磬一堵」，只據〈小胥〉為說，似乎沒有多少實據。《左傳》於「歌鐘二
肆」後隨即又說「及其鎛、磬」，足見「歌鐘二肆」，只言鐘，磬不在其列。
考諸金文，鐘磬都可以堵肆稱之。郭沫若（1892-1978）《兩周金文大系辭攷
釋》解釋〈邵黛鍾〉之「大鍾八聿，其寀四堵」說：「蓋堵與肆乃縣鐘磬之
公名，鐘八枚在一虡為堵、磬八枚在一虡亦為堵。鐘二堵為肆、磬二堵亦為
肆，非謂鐘磬混縣也。《左傳》襄十一年『歌鐘二肆及其鎛磬』、〈邾公牼鐘〉
『鑄辝和鐘二堵』、〈洹子孟壺〉『鼓鐘一鍀』，堵肆均僅就鐘言。本銘之『大
鐘八聿』即編鐘十六堵百二十八枚，亦僅就鐘而言肆。寀者寀磬也。薛書有
〈裏石磬〉銘曰『自作寀磬』。磬之所以名為寀者，即為鐘之副簴也。故
「其寀四堵」者即寀磬三十二枚。八與四可公約，邵黛所用鐘實是宮縣，每
側鐘四堵配以磬一堵也。」[120]據此，「歌鐘二肆」僅就鐘而言，與磬無涉，
這點是很清楚的。堵肆換算關係始見於〈小胥〉。〈小胥〉所言，說不定是反
映戰國或以後的情況，先秦銅器銘文告訴我們堵肆本來無別，似乎不存在這
種換算的關係。李純一先生在《中國上古出土樂器綜論》對此作了詳細的探
討，他說：「其實先秦時期的堵肆並無嚴格區別，一套大小相次的編鐘既可
稱之為堵，又可稱之為肆，並且都不包含編磬。一套大小相次的禮器同樣可
以肆稱之。」李先生還詳引先秦青銅器銘文為證。[121]迄今所見，鐘可言堵
肆，而磬鎛只能稱堵。肆的意思其實與列相當，都作量詞用，二肆即二列。
由此可見，《左傳》與《周禮》雖然都以肆稱鐘，但兩者的意思未必完全吻
合。[122]

　　《周禮·司尊彝》「凡四時閒祀追享朝享」，鄭眾注云：「追享朝享，謂
禘祫也。在四時之閒，故曰閒祀。」[123]孫詒讓云：「任啟運云：『閒祀，不
常舉也。追享，大禘也，以追所自出，故曰追享。朝享，大祫也，合於大

120　郭沫若：《兩周金文大系辭攷釋》（出版地、出版社皆不詳，1957年），頁233。
121　李純一：《中國上古出土樂器綜論》（北京市：文物出版社，1996年），頁288。
122　詳拙著：〈《左傳》「歌鐘二肆」解〉，《學海書樓八十五年》（香港：學海書樓，2008
　　年），頁99-109。
123　孫詒讓：《周禮正義》，頁1515。

廟，若大朝然，故曰朝享。」[124]案：任說是也。江永、林喬蔭說同。追享朝享之說，當以先鄭為正。《宋書‧禮樂志》載徐道娛議，亦從其說。禘以孟夏，祫以孟秋，吉禘則無定月，故謂之四時之閒祀。」[125]按照清人的理解，鄭眾以「追享」、「朝享」分別與「禘」、「祫」相配，也就是把禘祫看成是兩種相當的祭祀。禘祫異同是古代禮家爭論的焦點。但事實上，正如周何《春秋吉禮考辨》及錢玄〈鄭玄《魯禮禘祫志》辨〉所考，《儀禮》、《周禮》、《左傳》、《國語》及其他先秦典籍，都沒有談及「祫」，只有《禮記》三處出現「祫」字，但都不能釋為祭名，而應視作一種祭祀的方式，即祭法。如〈王制〉以禴、祫對文，祫既為合祭群廟之主於太祖廟，則禴為特祭於某一廟。二者都表示祭祀的方式，簡言之，禴是特祭，祫是合祭。禘或禴或祫，魯侯禘于武公、禘於襄公、禘於僖公，皆各於其宮，都是特祭（禴）的實例；而祫則使群廟之主合食於太廟，諸大事於太廟，皆為其例。除了像鄭眾那樣以禘祫為兩種祭名外，鄭玄更為禘祫建立理論系統，對後世禮家影響深遠。鄭玄結合《禮緯稽命徵》、《禮緯含文嘉》[126]及《公羊傳》之文，把祫釋為三年喪畢的祭名，而釋禘為五歲舉行一次的、分祭於各廟的祭名，即所謂「三歲一祫，五歲一禘」。鄭說大多是推測之辭，用於解說《春秋》、《左傳》，每每扞格難通。孫詒讓分「禘」、「祫」二祭，其誤固不待言；以禘為夏祭、祫為秋祭，亦不符合春秋實況。[127]至於「四時閒祀」，鄭眾說是

---

124 孫詒讓：《周禮正義》，頁1530。

125 孫詒讓：《周禮正義》，頁1530。

126 《禮緯稽命徵》云：「三年一祫，五年一禘，以衣服，想見其容色，三日齊，思親志意，想見所好意喜，然後入廟。」見安居香山：《重修緯書集成卷三》（東京都：明德出版社，1971年）〈禮緯〉，頁61。又《禮緯含文嘉》云：「三年再閏，天氣小備，五年再閏，天氣大備，故三年一祫，五年一禘，禘之為言諦，諦定昭穆尊卑之義也。禘祭以夏四月，夏者陽氣在上，陰氣在下，故正尊卑之義也。祫祭以冬十月，冬者五穀成熟，物備禮成，故合聚飲食也。」見前書，頁59。

127 夏禘之說，見《禮記》，〈明堂位〉云：「季夏六月以禘」，〈雜記下〉云：「七月而禘，獻子為之也。」春秋之禘似乎沒有限定在某季某月舉行，即禘無定月，從《春秋》、《左傳》可見，以吉禘論，閔公二年吉禘於莊公在夏五月、文公二年吉禘在八月；其餘諸禘，僖公八年禘於大廟在秋七月、宣公八年有事於大廟在夏六月、昭公十五年有

「在四時之閒」，任啟運理解為「不常舉」，到了孫詒讓那裡，他才明確地說是「吉禘」，由於吉禘無定月，所以稱為「閒祀」。必須注意的是，孫氏未引《左傳》為證，陳漢章則以《左傳》與《周禮》互證。看來，他也把「閒祀」看作吉禘，與孫詒讓之說不無關係。陳氏用以證明〈司尊彝〉「四時之閒祀」的《左傳》的三個事例，其中閔公二年「吉禘於莊公」和襄公十六年晉人所言禘祀，說是吉禘，都不成問題。可是，僖公八年的「禘於大廟」，性質與上列兩事大異，不能混為一談。我們可以根據《春秋》、《左傳》所載十個禘祭的事例，歸納出春秋時期禘祭的實況。比起漢儒來說，杜預的禘說，較為接近春秋實況。[128] 其說除散見於《春秋經傳集解》的有關部分外，以《春秋釋例》最為集中。杜預認為，按性質來分，禘祭可分三類：三年喪畢之吉禘；三年常制，新君即位二年而禘，五年又禘，八年又禘，如是者，每隔三年舉行一次；非吉祭，亦非三年大祭，因用禘禮，故而稱禘，即「計非禘年而為禘者」。[129] 杜氏禘說的核心就是三年之禘，他認為三年喪畢，然後行禘，此為禘之本。及後，禘便以三年為節，這就是三年常禘。而禘的特點是合祭群主於太廟，因此，凡採用這種祭法的，雖本質上不是禘，也可稱禘。細審其說，三年吉禘之說有理有據，可以無疑。《春秋》、《左傳》諸禘祭實例中，陳漢章所舉的吉禘於莊公及晉人所言「以寡君之未禘祀」，皆屬其例。至於《春秋》僖公八年：「秋七月，禘於大廟，用致夫人」，姜氏薨於僖西元年七月，葬於僖公二年五月。薑氏因淫被殺，非死於寢，故不為作喪畢之禘。依杜預之說，常禘仍以三年為期，僖公二年應行吉禘，五年再禘，至此八年凡歷三禘。因合祭魯先祖之便，按昭穆序次列姜氏之主於廟。這次禘祭，其性質與閔公吉禘於莊公有別，彼是吉禘，此是常

事于武宮在二月、昭公二十五年禘於公在春、定公八年禘於僖公在冬十月。或春、或夏、或秋、或冬，四季皆有，並不受季節月份限制。由此可見，《禮記》之說未可信。

128 鄭玄分禘祫為兩種不同的祭名，固然不可從。而杜預《春秋釋例》謂禘禮皆行於太廟，魯侯禘于武公、將禘於襄公、禘於僖公皆「各於其宮」，是「時之所為」，非禘禮之常。然則按照杜預的意思，禘禮只有合祭而無特祭，即有祫而無禋，此說亦非。

129 見《十三經注疏·左傳疏》，頁293。

禘。宣公有事於大廟、定公從祀先公同樣可視為常禘。但昭公十五年有事于武宮、二十五年禘於襄公則皆不在其例，只能視作非三年大祭而借用禘禮的祭祀。陳漢章截取〈司尊彝〉「四時之閒祀」，而略去後面的「追享朝享」，似乎迴避了禘祫異同的問題。總上所述，〈司尊彝〉所云「閒祀」，如是吉禘，當然可與吉禘莊公、晉人所言禘祀互證，但僖公八年禘於大廟，既非吉禘，就不能比附。陳氏之誤，是很明顯的。

《左傳》與《周禮》所言加籩，有細加辨析的需要。所謂「加」，指於正禮之外有所增添，除了陳漢章所舉兩例明言「加籩」外，《左傳》或單稱「加」，如僖公二十四年的「鄭伯從之，享宋公，有加」及二十九年的「介葛盧來，禮之加燕好」。[130]鄭玄以為，獻屍之禮，加籩在九獻之內，孫詒讓則引《左傳》所記饗禮為證，指出加籩在九獻三獻之外。[131]孫說可取。至於加籩之實的數量，〈籩人〉僅列四品，而《左傳》則有六品。[132]因此，仔細分析起來，兩者可能存在一些細微的差別，只能說是同中有異。

上述三個例證，加上「三墳五典」為三皇五帝之書之說，皆甚可疑，但相對於陳氏全部七十三個例證來說，可謂微不足道，不足以動搖其說的堅實基礎。

基於以上的論證，陳氏云：

> 可知《周禮》為諸國君卿大夫士所用，與《周易》、《周樂》、《周詩》、《周書》同。故杞桓公不用周禮，用夷禮。僖二十七年卑之曰子。猶不如介葛盧於二十九年來朝、知牛鳴有周禮與獸言之遺風矣。其他若《國語》、《論語》、《晏子春秋》諸書，可引證者尚多，不悉錄也。且春秋時，有變古不用周禮者，無不謹著其始。《禮記·檀弓》：

---

130 詳參楊伯峻：《春秋左傳注》，頁400。

131 孫詒讓：《周禮正義》，頁388。

132 楊伯峻：《春秋左傳注》注「加籩豆六品」之時，同樣引〈籩人〉為證。楊先生也注意到兩者的差異，因此申明：「加籩加豆是在三獻、九獻之外」、「《周禮》所言僅四品，此所加則六品」。造成後面這個差異，他推想說：「或饋食之籩豆、羞籩羞豆、四籩四豆，其實亦得為加籩加豆也。」（頁400）

士有誄，自戰于乘邱始（莊十年）；復以矢，自戰於升陘始（僖二十二年）；髽而弔，自敗於狐駘始（襄四年）；〈曾子問〉廟有二主，自齊桓公始；喪慈母，自魯昭公始；〈郊特牲〉庭燎之百，由齊桓公始；大夫奏〈肆夏〉，由趙文子始；公廟設於私家、大夫彊而君殺之義，皆由三桓始；〈玉藻〉元冠紫綾，自魯桓公始；朝服之縞，自季康子始；〈雜記〉夫人不命於天子，自魯昭公始；官於大夫者為之服，自管仲始。《左氏傳》於隱五年曰：始用六佾；僖三十三年曰：晉於是始墨；宣八年曰始用葛茀；十五年曰：初稅畝；成二年曰：始厚葬、始用殉；昭十年曰：始用人於亳社。溯其始，未變古以前皆周禮也。作，始也。簡，將畢也。鉅馴至於家殊俗、國異政，遂疑春秋之時絕不行用《周禮》。子貢不云乎，文武之道未墜於地，在人。向使《周禮》廢墜不行，春秋後人亦何由贊大行、記考工、以大司樂章為樂書哉！（自注：汪氏、陳氏為《周官》徵文，惜未考春秋）余尤惜春秋之前三百年，無西周之典籍足以徵之也。

《左傳》、《禮記》等標明「始」的，大多是記禮之變。變當然是相對正而言的，而正禮確實很可能就是周禮。陳漢章這個揭示是非常深刻的。杜預注《左傳》宣公八年「始用葛茀」時，早就說過：「記禮變之所由」。[133] 陳氏曾提出他對《左傳》哀公二十一年「儒書」一詞的看法，他說：

儒書即昭二年韓宣子所謂在魯之《周禮》、哀十一年孔子所謂周公之典也。

此說與黃侃如出一轍。范文瀾於《羣經概論》中，引錄汪中及陳澧之《周禮》徵文，以為「可稱精實」，接著說：

黃師季剛先生復發明一條，證《周禮》為周公手定，孔子復親見《周禮》，其說曰：「《國語‧魯語》仲尼曰：『先王制土，籍田以力，而砥

---

133 《十三經注疏‧左傳疏》（臺北縣：藝文印書館，1988年），頁379。

其遠邇，賦裡以人，而量其有無，任力以夫，而議老幼。』下云：
『若子季孫，欲其法也，則有周之籍矣。』案籍田以力，砥其遠邇，
賦裡以人，量其有無，與塚宰司會九賦及載師任地之法同符，任力以
夫，議其老幼，與塚宰九職大府內府司會九功閭氏任民之法及卿大夫
征民之法同符。下文明云周公之籍，是仲尼以此諸法，制自周公，此
一事也。又《左傳》哀公十一年季孫欲以田賦，使冉有訪諸仲尼。仲
尼曰：『且子季孫，若欲行而法，則有周公之典在。』據此則《國
語》所謂周公之籍，即周公之典，典籍一也，此周公之典，即《周
禮》矣。」[134]

若說這是發明，則當屬於陳漢章與黃侃二人，只是二氏論述詳略不同而已。
陳漢章於〈《周禮》行於春秋時證〉文末自注表示，汪中與陳澧曾為《周
禮》徵文，但所引據未及春秋文獻。黃侃〈禮學略說〉論述《周禮》成書年
代，同樣談及汪、陳二人的文章（〈《周禮》徵文〉與《東塾讀書記》），並詳
引其文。陳澧似乎認為《周禮》不可盡信，並提出了一些疑點。黃侃為之辨
解，並云：「陳氏於經蓋非醇儒，故雖明《周禮》為周代典制，終不能信為
周公所作。」「自汪、陳所舉外，《詩·毛傳》、《司馬法》二書，與此經同者
至多；其它文制與羣經契合者，不可勝數。俗儒不察，妄有詰難，巧說衺
辭，使天下學者疑，過已！」[135]黃侃確信《周禮》為周公所作，沒有任何
討論的餘地，在這點上，他與陳漢章的看法是完全一致的。黃侃特地指出，
《毛傳》、《司馬法》同《周禮》者至夥，又籠統地說《周禮》與群經契合之
處亦不可勝數，但沒有點明《左傳》。司馬朝軍、王文暉《黃侃年譜》繫黃
侃〈禮學略說〉於一九一九年五月之下[136]，比陳漢章〈《周禮》行於春秋時
證〉刊於《國學卮林》早一年，黃侃當時或未及見陳文，故未提及其文。

　　陳、黃二氏憑虛立說，並沒有多少實據。今考整部《左傳》，有幾處提

---

134 范文瀾：《羣經概論》，頁183。

135 黃侃：《黃侃論學雜著》（北京市：中華書局，1964年），頁472-474。

136 《黃侃年譜》，頁145。

及周公的相關著作，《左傳》哀公十一年記季孫欲以田賦，使冉有訪諸孔子，孔子不對，而私於冉有曰：「且子季孫若欲行而法，則周公之典在。」「周公之典」，《國語》稱為「周公之籍」，「典」也好，「籍」也好，都指書冊，書中很可能列明周公制訂的田制，但具體內容已不可考知，是否與《周官》有關，也難以說清楚。[137]《左傳》昭公二年記吳季劄觀書於魯大史氏，見《易》、《象》[138]與《魯春秋》，就說：「周禮盡在魯矣，吾乃今知周公之德與周之所以王也。」「周禮」，顯然是季劄總括所見諸書（《易》等）而言，其中未必包含禮書，何況這個「周禮」不是書名。《左傳》裡還有兩處談到「周禮」，哀公七年記吳徵百牢，子服景伯對曰：「周之王也，制禮，上物不過十二，以為天之數也。今棄周禮，而曰必百牢，亦唯執事。」另一處見於僖公二十五年，卜偃云：「周禮未改，今之王，古之帝也。」「周禮」指典章制度[139]，也都不是書名。《左傳》文公十八年的確曾記「周公制《周禮》」，季孫行父曰：「先君周公制《周禮》曰：『則以觀德，德以處事，事以度功，功以食民。』」「則以觀德」四語，不見今本《周禮》。周公制作的這個《周禮》，不必就是傳世的《周禮》。楊伯峻先生《注》云：「《周禮》，據文，當是姬旦所著書名或篇名，今已亡其書矣。若以《周官》當之，則大誤。今之《周官》，雖其間不無兩周之遺辭舊義，然其書除〈考工記〉外，或成於戰國。」[140]楊先生指出，周公的確作過《周禮》，但不是我們所認識的這部《周禮》。楊先生的推想是很合理的。

春秋之時，大概已有禮書。《左傳》哀公三年云：

> 桓、僖災。救火者皆曰顧府。南宮敬叔至，命周人出御書，俟於宮，曰：「庀女，而王在，死。」子服景伯至，命宰人出禮書。

137　據《周禮》解「周公之典（或籍）」，蓋黃侃所發明。孫詒讓無說，詳《周禮正義》，頁475、938。

138　「易象」，或以為即《易象》。此處從楊伯峻先生說（《春秋左傳注》，頁1226）。

139　楊伯峻：《春秋左傳注》，頁431。

140　楊伯峻：《春秋左傳注》，頁633。

楊伯峻先生《注》云：

> 宰人疑即《周禮》之宰夫。《周禮‧天官‧宰夫》：「凡禮事，贊小宰
> 比官府之具」，又云「凡朝覲、會同、賓客以牢禮之法掌其牢禮」云
> 云，即「掌治朝之法」也。既掌其法與禮數，必有其書。又〈春官‧
> 太史〉云「大祭祀，與執事卜日戒及宿之日，與群執事讀禮書而協
> 事」，即此之禮書也。平日或由宰夫掌之，故此命宰夫出之。[141]

無論是《周禮》，還是《左傳》，都足以證明當時（縱使兩書反映的不必是同
一時期的情況）已有禮書。楊向奎先生《宗周社會與禮樂文明》云：

> 現在規模的《儀禮》一書，當時雖沒有成書，但書內的條文，即典禮
> 條文，不能沒有。否則實行無據。典禮規劃綦嚴，條例極細，不是不
> 瞭解就能實行的。比如《左傳》文公六年「秋，季文子將聘於晉，使
> 求遭喪之禮以行。」如果禮無條文，季文子將何所求？禮文藏於官
> 府，不在私人手中，故須求之以行。[142]

上文提到的「禮書」，足以證成楊向奎先生之說。由是觀之，西周至春秋，
很可能已出現禮書，分藏於各諸侯國，素秉周禮的魯國固不必說，就是其他
諸侯國也不例外，而且，陳漢章列舉的七十多個例證，足以證明《周禮》部
分禮文確有事實根據。儘管如此，在缺乏確鑿證據的支持下，我們不能說傳
世的《周禮》就是春秋時期流傳的禮書。

（三）陳漢章之說與前後學者相關論說之比較

1 劉師培〈周官左氏相通考〉

　　無獨有偶，稍前於陳漢章的劉師培在其所撰《群經大義相通考》專闢一

---

141 楊伯峻：《春秋左傳注》，頁1621。
142 楊向奎：《宗周社會與禮樂文明》（北京市：人民出版社，1992年），頁295。

章討論《周官》與《左氏》相通的問題，並藉此表述他對《周禮》成書時代的看法。跟陳漢章一樣，針對顧棟高《春秋大事表・《左氏》引經不及《周官》、《儀禮》論》之說，劉師培詳列《左傳》與《周禮》相符之證。在他列舉的三十個例證中，有十一個見於陳漢章之文，包括：象魏、出火（兩見，一為修火禁，一為出內火）、受脹、藏冰、井衍沃牧濕皐、軍社、歌風、雲物、策命、軍制。此十一例中，除受脹見鄭玄稱引、藏冰見孫詒讓稱引外，餘下九例俱見鄭眾引證。其餘十九例，亦見於二鄭（或明引或暗引）或孫詒讓的注疏。

（1）已見鄭眾稱引的有五例：

    A　朝廟（文六年）與朝享（〈司尊彝〉）；

    B　列國卿當小國君（昭二十三年）與公孤之命（〈司命〉）；

    C　不告朔、官失之（桓十七年）與頒告朔（〈太史〉）；

    D　《周志》（昭二年）與邦國之制（〈小史〉）；

    E　殷聘（〈昭九年〉）與殷相聘（〈大行人〉）。

（2）已見鄭玄稱引的有十二例：

    A　禮經（隱七年）與建邦之六典（〈太宰〉）；

    B　出林之木，衡麓守之（昭二十年）與分地職、奠地守之制（〈大司徒〉）；

    C　非日月之眚不鼓（莊二十五年）與救日月之禮（〈鼓人〉）；

    D　五官之神（昭二十九年）與五祀之典（〈大宗伯〉）；

    E　救患分災（僖元年）與哀邦國之憂（〈大宗伯〉）；

    F　名位不同，禮亦異數（莊十八年）與九儀辨位（〈大宗伯〉）；

    G　天子日官（桓十七年與〈太史〉）；

    H　侵伐（莊二十九年）與滅國之事（〈大司馬〉）；

    I　在外為姦、在內為軌（成十七年）與寇賊（〈司刑〉）；

    J　用夷禮（僖二十七年）與九州之外謂之蕃國（〈大行人〉）；

    K　歸粟於蔡（〈定五年〉）與槁檜（〈小行人〉）；

　　L　郯子所言官制（昭十七年與鄭玄敘《周禮》之說）。

（3）已見孫詒讓稱引的有二例：

　　A　五侯九伯（僖四年）與設其監之制（〈太宰〉）；

　　B　烝嘗禘廟（僖三十三年）與席用莞（〈司几筵〉）。

總上所列，劉師培列舉的三十個例證中，見二鄭稱引的有二十七例（鄭眾十四例，鄭玄十三例），餘下三例，同孫詒讓說。在條列各例證時，陳漢章只截取《左傳》與《周禮》原文，而未加任何解說；劉師培則於每條例證下，交代立說之根據，然後詳加論證。劉說皆信而有徵，無可疑者。劉氏論證《左傳》與《周禮》相通的方法，以至所得結論，與陳氏如出一轍。

　　劉師培主張以《周禮》證《左傳》，這種觀念與其祖父是一脈相承的。劉文淇《春秋左傳舊注疏證》〈注例〉第一條開宗明義說：「釋《春秋》必以周禮明之。周禮者，文王基之，武王作之，周公成之。周禮明，而後亂臣賊子乃始知懼，若不用周禮，而專用從殷，（自注：公羊家言《春秋》變周之文，從殷之質，殊誤）則亂臣賊子皆具曰予聖，而藉口於《春秋》之改制矣。」[143]在為《經書淺談》撰寫有關《左傳》的部分時，楊伯峻先生扼要地評價了漢代以來的幾個注本，在談及劉文淇的《春秋左氏傳舊注疏證》時，他說：

　　　劉文淇有意作《春秋左氏傳》新疏，可惜他和他的兒子、孫子幾代用功，還僅寫到襄公初為止。而且從今天看來，難以使人滿意。一則為他們所處時代所限制，缺乏科學性；二則劉氏過於相信《周禮》，用《周禮》來套《左傳》，往往齟齬不合，反而不如孫詒讓的《周禮正義》，能夠求學術之真。[144]

於此，楊先生表達了自己對劉文淇《左傳》學的看法，指出劉氏太過相信

---

143 劉文淇：《春秋左傳舊注疏證》（香港：太平書局，1966年），〈注例〉第一條。

144 《經書淺談》（北京市：中華書局，1989年），頁85。

《周禮》，未能充分認識《周禮》與《左傳》所言禮制的異同，把兩書強相
比附，以致往往出現方枘圓鑿的情況。劉氏書中引《周禮》以證《左傳》的
地方確實很多，但必須辨明的是，上述劉文淇說中，「周禮」泛指周代禮
樂，非指《周禮》一書。明確表示《周禮》與《左傳》相通的是他的繼承者
劉師培。劉師培《讀左劄記》云：

> 今觀《左氏》一書，其待後儒之討論者約有三端：一曰禮，二曰例，
> 三曰事，昔江都淩氏作《公羊禮疏》、番禺侯氏作《穀梁禮徵》，而
> 《左氏》則缺如。今觀《左氏》所載古禮，多與《周官》相合，若以
> 《周官》證《左氏》，以兩周之禮證東周，以周禮證魯禮，則事半功
> 倍。[145]

於此，劉氏只是提綱挈領。其所舉證則見於上述〈周官左氏相通考〉之中。
劉氏總論云：

> 昔周公作《周官經》以致太平，春秋之時，賢士大夫多親見其書，故
> 所言禮制，多與《周官經》相合。又魯秉周禮，故《周官經》一書又
> 為魯史所藏，丘明為《春秋》作傳，亦親見其書，故《左氏》一書多
> 載《周官經》之說。西漢之時，《周官》、《左氏》同為古文家言。考
> 河間獻王得《周官》，又請立《左氏春秋》博士，劉歆立《周官》於
> 學官，復昌明《左氏春秋》之學。鄭興受《左氏》於劉歆，傳致於
> 眾，眾作《左氏條例章句》，馬融、賈徽、賈逵皆為左氏學，而鄭興
> 復受《周官》於杜子春，亦傳至鄭眾，馬融、賈徽、賈逵復並治《周
> 官經》。是兩漢巨儒治《周官》者皆兼治《左氏》，則二書微言大義多
> 相符合，可以即彼通此，彰彰明矣。又許氏作《五經異義》，所舉古
> 文家說，多《左氏》與《周官》並言，此尤二書相符之確證。故彙輯
> 左氏之文若干條，證以《周官》之說，凡治古文家言者，或亦有取於

145　《劉申叔遺書》，冊7，頁15b。

斯歟。[146]

劉師培確信《周禮》為周公所作，春秋之時賢大夫仍能親見其書，魯既秉周禮，魯史藏有《周禮》，自不必說。左丘明也看到此書，為《春秋》作傳之時，自然就載錄許多《周禮》的文字。但是，現存《周禮》，非周公所作，至今也沒有足夠的論據支持《周禮》成書於春秋之說。誠如劉氏所言，兩漢大儒如鄭興、鄭眾、鄭玄、許慎等，皆《周禮》、《左傳》兼治，且每引兩書之文互為印證，鄭眾、鄭玄《周禮》注解所見尤為明顯。無可否認，從官制[147]、禮制的角度來看，《左傳》與《周禮》確實存在不少相通之處。關鍵在於，我們應該如何解釋這種現象。排除陳漢章與劉師培二人之說後，我們可以這樣推想：《周禮》部分禮文的制訂，是以春秋仍然流傳的禮制為依據。這樣解釋，也許比較穩妥。相對西周禮制而言，其間的因革損益，由於史闕有間，往往不易辨明。

2 錢賓四先生〈周官著作時代考〉、金春峰先生《周官之成書及其反映的文化與時代新考》

錢賓四先生於〈周官著作時代考〉中，從祀典、刑法、田制三大範疇，以至封建、軍制、車乘及卒伍、司馬及行司馬、國子與庶子、餘子、軍門、外族、喪葬、音樂等雜項，展開對《周官》所述制度的論證。錢先生書中，引據《左傳》的地方不少，尤其是談論《周官》軍制之時，所舉《左傳》之文尤為詳備，但錢先生的目的在於證明《周官》所述非春秋時事，他表明，《周官》「成書應在戰國晚年，非春秋前所有」。

在論及爰田之制時，錢先生就引《左傳》僖公十五年「晉於是乎作爰

---

146 《劉申叔遺書》，冊9，頁26a。

147 劉起釪以為，《周禮》係依據承自西周的春秋時期周、魯、衛、鄭官制撰成。詳參劉起釪：《古史續辨》（上海市：中國社會科學出版社，1991年）〈《周禮》真偽之爭及其書寫成的真實依據〉，頁635-642。《左傳》確有不少可與《周官》比照，如《左傳》哀公三年記司鐸火一事，就提及魯官名如宰人、校人、巾車等，皆同《周官》。但名實是否皆相符，似乎不能一概而論。

田」之文與《周禮》互證，〈地官·司徒〉云：「凡造都鄙，制其地域而封溝之，以其室數制之。不易之地家百畝，一易之地家二百畝，再易之地家三百畝。」錢先生以為，「此種制度，明是春秋以來之爰田制，而非西周八家同井之公田制。」[148]假如《周禮》所述的這種授田制等同晉的爰田，那麼，這個共通點當然可作為《周禮》反映春秋制度的證明。

在眾多有關《周禮》的論著中，金春峰先生《周官之成書及其反映的文化與時代新考》的論述最為詳密周延。其具體研究方法是將《周禮》的全部資料，包括：授田制、軍制、分封、鄉遂制、社會行政組織、商業、賦稅、教育、法律、神靈祭祀系統、奴隸制、官法、風俗、度量衡、幣制等，放在戰國末的環境與文化背景來進行考察。金氏認為，將《周禮》放在秦制無一不通，從而斷定《周禮》是戰國末期秦統一前後入秦的學者所作。

通覽金氏的論述，既全面又深入，涵蓋《周禮》的各種制度。可是，涉及《左傳》與《周禮》互證的地方卻非常少，大概只有兩處。在論證《周禮》祭祀都可以在先秦找到確切的承傳關係時，書中引錄了《左傳》的兩處文字：一處見昭西元年的「日月星辰之神，則雪霜雨露之不時，於是乎禜之」；另一處見《左傳》昭公二十九年的「社稷五祀」。[149]而在談論《周禮》所保留的春秋之制時，金氏說：

148　錢穆：《兩漢經學今古文平議》（臺北市：東大圖書公司，1978年），頁381。蒙文通：〈從社會制度及政治制度論《周官》成書年代〉，《經史抉原》（成都市：巴蜀書社，1995年）云：「晉以韓原之敗，始作州兵、作爰田，杜預之徒妄以《周官》之制為之說，此大誤也。……晉之作爰田，即開阡陌，宜井田之廢，自晉始也。……苟釋《周官》之不易、一易、再易之田，是則明為井田之制，商君制轅田誠若此，則行井田自商君始，不自商君廢也。」（頁430-431）表面看來，錢、蒙兩位先生之說恰恰相反，但細審二說，其根本差異在於對《周禮》田制的理解。同一文本（即〈司徒〉文），「不易、一易、再易」，錢先生視作授田，而蒙氏則理解為井田之制。《《周官》著作時代考》刊於《燕京學報》第11期（1932年6月），蒙氏此文則發表於一九四二年，蒙氏或未見錢先生之文。筆者以為，晉作爰田，目的在於賞眾以田，其性質異於爰田制（輪耕制），說詳拙著：〈《左傳》「作爰田」解〉（未刊稿）。

149　金春峰：《《周官》之成書及其反映的文化與時代新考》（臺北市：東大圖書公司，1993年），頁128-129。

〈朝事〉說：「凡諸侯之適子省於天子，攝君，則下其君之禮一等；未省，則以皮帛繼子男。」徐復觀說：「省是朝省之省。《周官·典命》易省為誓，這就很怪異了。」實際上，三鄭、賈公彥、孫詒讓皆對誓有正確疏解，不僅不存在怪異之處，而且誓字恰恰顯示出它是先秦時代的作品。鄭玄說：「誓，猶命也，言誓者，明天子既命以為之嗣，樹子不易也。」賈公彥說：「諸侯世子皆往朝天子，天子命之為世子，故以誓為命也。」孫詒讓說：「《說文》：『誓，約束也』，約言為誓，引申之，凡策命有誥戒之辭，亦得謂之誓也。」春秋時期，天子尚有策命諸侯子為世子之事。《國語·周語》：「魯武公以括與戲見王，王立戲。」杜預《春秋釋例》云：「誓有告於天子，正以為世子，受天子報名者也。未誓，謂在國正之，而告天子者也。」《周官》說：「凡諸侯之適子，誓於天子」，仍是春秋之制，這當是《周官》的理想。漢代諸侯對天子有朝省之禮，天子無策命諸侯世子之事，故〈朝事〉改誓為省，正是不自覺地反映了漢代典禮制度的影響。[150]

《大戴禮記》〈朝事〉，本名〈朝事儀〉[151]。內容與《周禮》〈大行人〉諸篇大同，蓋綴輯舊聞而成篇。金氏引錄的〈朝事〉的這段文字，也見於《周禮·典命》，只是一作「省」、一作「誓」罷了。[152]〈典命〉及〈朝事〉所言天子策命諸侯子為世子之制，仍通行於春秋時期，金氏所引《國語》及杜預《春秋釋例》之文確為明證。金氏藉此說明《周禮》反映了春秋之制。其實，〈典命〉或〈朝事〉除了談及世子由天子策命外，還制訂諸侯適子攝其君之禮。金氏似乎沒有注意到這點。

150 金春峰：《《周官》之成書及其反映的文化與時代新考》，頁217-218。

151 參高明：《大戴禮記今註今譯》（天津市：天津古籍出版社，1988年），頁419；黃懷信等：《大戴禮記彙校集注》（西安市：三秦出版社，2005年），頁28。

152 金氏猜想〈朝事〉改「省」為「誓」，是由於漢代禮制的影響。蓋「省」、「誓」義同可通。關於這點，孫詒讓已有所論述。析言之，「以施命言之謂之誓，以泛視言之謂之省」（孫詒讓語）。詳參孫詒讓：《周禮正義》，頁1613。

陳漢章以〈典命〉與《左傳》互證，說見上文。《春秋》桓公九年云：
「曹伯使其世子射姑來朝」，《左傳》云：「賓之以上卿，禮也」。曹伯年老有
疾，故使其子朝魯。魯按其本國上卿之禮加以接待[153]，《左傳》以為合禮。
陳漢章以為，此禮，「即〈大宗伯〉諸侯適子攝其君禮」。此說實承鄭玄注而
來。鄭玄注這條禮文說：

> 《春秋》桓九年，曹伯使其世子射姑來朝，行國君之禮是也。公之子
> 如侯伯而執圭，侯伯之子如子男而執璧，子男之子與未誓者，皆次小
> 國之君，執皮帛而朝會焉，其賓之以上卿之禮焉。[154]

鄭玄引《左傳》，為的是要證明世子可以攝君及其所應受到的禮遇等差。曹
伯之子未誓於天子，魯侯待之以上卿之禮。《左傳》所言，無疑可與〈典
命〉及〈朝事〉互證。《周禮》與《左傳》的這種相通之處，無疑是《周
禮》反映春秋時代的一個證明。

　　綜觀錢賓四先生與金春峰先生二書，在《周禮》與《左傳》互證方面著
墨並不多。此後，主張《周禮》成書於春秋的學者，如金景芳、劉興均等，
似乎也沒有注意到《左傳》與《周禮》的相通之處。即使是贊同《周禮》為
周公手定的范文瀾，也只是綴輯黃侃與陳漢章之文，沒有增補例證或多加申
述。因此，就筆者所見，至今較全面地以《周禮》、《左傳》互證的似乎要數
陳漢章和劉師培這兩篇文章，若就舉證數量、論說體系而言，陳文要比劉文
優勝。

3　《周禮》與《左傳》相合的其他例證

　　如上所述，《周禮》與《左傳》互證的最大椿資料見於陳漢章的文章，
共七十三例，劉師培所舉證的也有三十例，扣除與陳文重出的十一例，仍有
十九例。單計兩文所列，《周禮》與《左傳》可互證的就有八十八例（減去

153　杜預《注》云：「諸侯之適子，未誓於天子而攝其君，則以皮帛繼子男，故賓之以上
　　　卿，各當其國之上卿。」
154　孫詒讓：《周禮正義》，頁1612。

可疑的四例）。[155]不難想像，要是把二書作一通盤的比照，就會找到更多的例證。茲在陳、劉二文之外，再增補若干例證如下：

（1）底日

《左傳》桓公十七年云：「天子有日官，諸侯有日御。日官居卿以底日，禮也。」楊伯峻先生《注》云：「天子日官蓋即太史，職掌天象，朝位特尊，雖不在六卿伍數，而位從卿。賈子《新書・保傅》篇謂史佚為少師，《大戴禮記・保傅》篇亦謂史佚為承，或即史官居卿之義。說詳《周禮・春官・太史》孫詒讓《正義》。」「《周禮・春官・典瑞》所謂『土圭以致四時日月』、〈馮相氏〉所謂『冬夏致日，春秋致月』是也。」[156]

（2）膊諸城上

《周禮・掌戮》云：「掌斬殺賊諜而搏之。」鄭玄注云：「搏當為『膊諸城上』之膊，字之誤也。」[157]「膊諸城上」，見《左傳》成公二年，其文云：「春，齊侯伐我北鄙，圍龍。頃公之嬖人盧蒲就魁門焉。龍人囚之。齊侯曰：『勿殺，吾與而盟，無入而封。』弗聽，殺而膊諸城上。」或作「屍諸城上」，《左傳》僖公二十八年載：「晉侯圍曹，門焉，多死。曹人屍諸城上，晉侯患之。聽輿人之謀，稱『舍於墓』。師遷焉。曹人兇懼，為其所得者，棺而出之。」杜預察覺到「膊諸城上」及「屍諸城上」的做法是別有深意的，所以注「膊諸城上」說：「膊，磔也。」又注「屍諸城上」說：「磔晉死人於城上。」[158]杜注使人聯想起古代的一種「磔禳」的禮儀。《禮記・月令》記季春之月政有「命國難，九門磔禳以畢春氣。」《呂氏春秋》、《淮南鴻烈》也有同樣的說法。孫希旦《禮記集解》釋「九門磔禳」云：「磔，磔

---

155 二鄭引《左傳》證《周禮》而不見於陳漢章與劉師培兩文的，如鄭玄注《周禮・夏官・祭僕》云：「臣有祭祀，必致肉於君，所謂歸胙也。」暗引《左傳》僖公四年「晉大子祭於曲沃，歸胙於公」文。但如鄭眾說「肅拜」，引《左傳》證《周禮》，段玉裁辨其非是。（見孫詒讓：《周禮證義》，頁2007、2018）陳漢章、劉師培於二鄭之說蓋有所取捨。
156 楊伯峻：《春秋左傳注》，頁149。詳參孫詒讓：《周禮正義》，頁1593。
157 孫詒讓：《周禮正義》，頁2876。
158 《十三經注疏・左傳疏》，頁421。

裂牲體也。九門磔攘者，逐疫至於國外，因磔牲以祭國門之神，欲其攘除凶災，禦上疫鬼，勿使復入也。」[159]無論是《周禮》的「斬殺賊諜而搏之」，還是《左傳》的「屍諸城上」或「膊諸城上」，為的都是磔牲攘除凶災。

（３）猶三望

《左傳》僖公三十一年云：「夏四月，四卜郊，不從，乃免牲。猶三望。」對於望祭的對象，古今禮家說法不一。楊伯峻先生坐實魯之三望為東海、泰山及淮水[160]，其說不甚妥當。從文獻所見，「三望」是魯國所獨有的。魯之「三望」，很可能是相對於周天子的「四望」來說的。《周禮》屢次言及天子「四望」，如〈大宗伯〉云：「國有大故，則旅上帝及四望。」鄭玄《注》云：「五嶽，四鎮，四瀆。」[161]按照鄭君之說，天子「四望」並非實指四個山川，而是兼該天下四個方向而言，所以鄭君就以「五嶽，四鎮，四瀆」當之。姑勿論「五嶽」、「四鎮」及「四瀆」到底指哪幾個山川[162]，「四望」肯定籠括了天下的名山大川，也就是說，「四望」所含山川之數是很多的。這樣來說，如果我們把魯之「三望」限定在某三個山川，顯然就不合理。事實上，魯之「三望」，很可能是減殺天子「四望」而成，即前人所說的「闕其一方」。如果這個想法不違背事實的話，我們就不能坐實魯「三望」為某三個山川了。[163]

（４）葛茀

《左傳》宣公八年云：「冬，葬敬嬴，旱，無麻，始用葛茀。」「茀」，

---

159 孫希旦：《禮記集解》（北京市：中華書局，1989年），頁437。

160 楊伯峻：《春秋左傳注》，頁199。

161 孫詒讓：《周禮正義》，頁1415。

162 《爾雅・釋水》云：「江、河、淮、濟為四瀆」，後人皆沿此說。至於「四鎮」，金鶚以為指沂山、會稽、霍山及醫無閭。（見孫詒讓《周禮正義》，頁1432引）至於「五嶽」之名，清儒則爭論不已，以譚其驤主編的《清人文集地理類匯編》所輯錄而言，就有姚鼐的〈五嶽說〉、臧庸〈五嶽釋〉、金鶚〈五嶽考〉、陸心源〈五嶽辨〉、王舟瑤〈釋五嶽〉以及皮錫瑞《《釋山》五嶽前後異義考〉，他們大多以為五嶽指岱山、衡山、華山、恆山及嵩高。

163 說詳周何：《春秋吉禮考辨》（臺北市：嘉新水泥公司，1970年），頁74。

即《周禮‧地官‧遂人》「天子葬用六紼」之「紼」。《禮記‧檀弓下》亦云：「弔於葬者必執引；若從柩，及壙，皆執紼。」鄭玄《注》云：「車曰引，柩曰紼。」孔《疏》云：「紼，引棺索也。」[164]紼，就是啟殯遷柩之時，繫結於棺柩四周以便移動棺柩的繩索。[165]

（5）庭燎

《左傳》襄公三十一年云：「諸侯賓至，甸設庭燎，僕人巡宮。」楊伯峻先生《注》云：「杜《注》：『庭燎，設火於庭。』〈周語中〉：『甸人積薪，火師監燎。』《詩‧小雅‧庭燎》『庭燎之光』，毛《傳》：『庭燎，大燭。』《儀禮‧大射》：『甸人執大燭於庭。』則庭燎有二說，一說燒柴於庭為光，一說如今之大火把，用手執之於庭。甸即〈大射〉之甸人，亦即《周禮‧天官》之甸師。」[166]楊先生以為文獻的「庭燎」意思有分歧，於是為「庭燎」定下兩個義項。今考《周禮‧秋官‧司烜氏》云：「凡邦之大事，共墳燭庭燎。」鄭玄注引鄭司農說云：「蕡燭，麻燭也。」據賈公彥及孫詒讓之說，「庭燎」與「大燭」異名而同物。[167]楊先生以為「庭燎」有兩個義項，是不恰當的。

（6）前茅慮無

《左傳》宣公十二年記楚軍之行陣有云：「前茅慮無」。過去，王引之等人都把「茅」等同「茅蒩」，並讀為「施蒩」。其實，這個「茅」當按原字讀。禮書所見的茅，因應體式或用途的不同，往往異名紛陳，透過惠士奇《禮說‧蕭茅》有條不紊的分析，我們可以全面地掌握這種東西。以茅為蒩，用以表位，也就是《周禮‧春官‧司巫》說的「蒩館」。說詳拙著〈《左傳》禮徵舉隅〉[168]。

---

164 孫希旦：《禮記集解》，頁245。

165 參周何：《古禮今談》（臺北市：萬卷樓圖書公司，1993年），頁178。

166 楊伯峻：《春秋左傳注》，頁1187。

167 孫詒讓：《周禮正義》，頁2912。

168 收入李雄溪、郭鵬飛、陳遠止主編：《耕耨集——漢語與經典論集》（香港：商務印書館，2007年），頁119-125。

（7）士孫之裡

《左傳》襄公二十五年云：「崔氏側莊公于北郭。丁亥，葬諸士孫之裡。四翣，不蹕，下車七乘，不以兵革。」依照《周禮》所載，葬所視乎死者身份而定，或葬於公墓，或葬於邦墓。[169]按照〈塚人〉所言，「凡死於兵者，不入兆域」，被殺之君，不葬之於兆域。據《左傳》記載，前乎此，晉厲公被弒後，同樣未被葬於兆域。《左傳》成公十八年云：

> 春王正月庚申，晉欒書、中行偃使程滑弒厲公，葬之於翼東門之外，以車一乘。

楊伯峻先生注云：

> 晉厲公時正在翼，因之被執、被殺亦在翼。翼為晉舊都，參見隱五年、桓二年《傳》《注》。至於葬，本應與晉之先君葬於絳，但《周禮・春官・塚人》云：「凡死於兵者，不入兆域」，則古代於被殺之君，不葬之於族墓兆域中。因之晉厲死於翼，即葬於翼。襄二十五年《傳》述齊崔杼殺齊莊公而葬之，亦比當時一般禮儀有所減損，但尚用「下車七乘」。杜預《注》云「諸侯葬車七乘」，而晉厲公之葬禮僅一乘，故杜《注》云「不以君禮葬」。[170]

齊莊公的遭遇與晉厲公一樣，被弒後也不能與羣公同葬於兆域之中。被埋於士孫之裡，顯然也是被貶抑。「士孫之裡」究竟是什麼地方？楊先生無說。惠士奇以為，士孫是墓中之室，墓大夫所居處。他在《禮說・蹕墓域》說：

> 塚人掌公墓之地，正墓位，蹕墓域，凡諸侯及諸臣葬於墓者為之蹕。則蹕通上下之名。齊崔氏側莊公于北郭，葬諸士孫之裡，四翣。案：禮，大夫四翣，葬以大夫，塚人當為之蹕，四翣而不蹕，則非大夫之葬禮也。側者，不殯之名。死於兵者不入兆域，謂投之域外。裡名士

169　詳參宋玲平：《晉系墓葬制度研究》（北京市：科學出版社，2007年），頁106-131。

170　楊伯峻：《春秋左傳注》，頁906。

孫，乃墓中之室，墓大夫之所居，萬民之葬地，則是葬諸邦墓而非公墓，不但投之域外矣。[171]

「側」莊公于北郭，即不殯於廟[172]，但「側」本身，似乎沒有「不殯」之意，惠氏謂「側者，不殯之名」，未詳何據。至於惠氏說墓中之室為墓大夫之所居，則據《周禮‧春官‧墓大夫》而言，其文云：

> 掌凡邦墓之地域，為之圖，令國民族葬，而掌其禁令，正其位，掌其度數，使皆有私地域。凡爭墓地者，聽其獄訟。帥其屬而巡墓厲，居其中之室以守之。

鄭玄注云：

> 厲，塋限遮列處。鄭司農云：「居其中之室，有官寺在墓中」。[173]

孫詒讓云：

> 謂墓大夫有官寺，在邦墓公地域中，居之以治事。凡官寺，即官吏治事之所，〈宮伯〉所謂舍是也。亦通謂之室，匠人以九卿治事之次為外九室，是其比例。左昭十二年《傳》云：鄭簡公卒，將為葬除，司墓之室有當道者。杜注云：「鄭之掌公墓大夫徒屬之家。」呂飛鵬謂即墓大夫之室，義或然也。[174]

這說明瞭墓大夫及其徒屬負責管理邦墓，《左傳》的「司墓之室」，指其居處，其官寺即在墓中[175]。惠氏就把「士孫之裡」看成是墓大夫所居之地。

---

171 《清經解》，冊2，頁67。
172 說詳拙著：〈《左傳》所記齊莊公葬禮考釋〉，「古道照顏色──先秦兩漢古籍國際學術研討會」（香港：香港中文大學中國語言及文學系，2009年1月16日至18日）。
173 孫詒讓：《周禮正義》（北京市：中華書局，1987年），頁1706。
174 孫詒讓：《周禮正義》，頁1706-7。
175 詳參楊伯峻：《春秋左傳注》，頁1331。

談到士孫之裡取名的緣由，杜《注》說：「士孫，人姓，因名裡。」[176]裡為城內基層居民組織，惠氏大概就是根據這點，斷言「裡名士孫，乃墓中之室」。假如士孫之裡真的是邦墓所在，崔氏葬莊公於此，自然可以彰顯其貶抑之意。稱邦墓為「士孫之裡」，也許可與魯稱公墓為「闞公氏」合看。《左傳》定西元年載，魯昭公之喪至自乾侯，「季孫使役如闞公氏，將溝焉。」楊先生注云：「闞，魯之羣公墓地名，以其為公墓所在，故曰闞公氏。」[177]季氏由於惡昭公，故派遣勞役到魯公墓所在地，打算挖溝，使昭公墓與羣公墓異處。[178]由此看來，惠氏之說似非無據。

三　《周禮》與《左傳》有合有不合說

楊伯峻先生《春秋左傳注‧凡例》第六條說：

> 《春秋》經傳，禮制最難。以校《周禮》、《儀禮》、《禮記》，有合有
> 不合。《禮記‧王制》《疏》引杜預《釋例》云：「《禮記》，後儒所
> 作，不必與《春秋》同。」考校春秋禮制，三《禮》僅作參考，取其
> 可合者。而於《左傳》、《國語》及其他可信史料，自行歸納，反而符
> 合史實。如春秋實有「殯廟」之禮（詳僖公八年《傳》《注》），則知
> 《禮記‧檀弓》「周人朝而遂葬」之非；春秋之禘無定月，則知〈明
> 堂位〉「季夏六月以禘」及〈雜記下〉「七月而禘，獻子為之也」之非
> （詳僖公八年《經》《注》）。故此注釋，以求真為本，於三《禮》之

---

176 《十三經注疏‧左傳疏》，頁620。

177 楊伯峻：《春秋左傳注》，頁1526。趙生群依舊說斷此句為：「季孫使役如闞，公氏將溝焉」，解「公氏將溝」云：「即將溝公氏。指將昭公墓與群公分開。公氏：指昭公。昭公稱公氏，如隱公之母稱『君氏』。」（《春秋左傳新注》，頁946）改易語序，並不合理；稱昭公為公氏，亦無實據。

178 後來，雖不溝，仍將昭公葬於公墓道南，使之與魯羣公墓相隔，以示貶抑。孔子「溝而合之」，在昭公墓外挖溝，擴大公墓範圍，將昭公墓納入兆域之內。

說有取有捨。[179]

從這條凡例，可見楊先生以三《禮》注釋《春秋》和《左傳》的原則。楊先生舉殯、禘二禮為例，說明《禮記》與《左傳》存在歧異，但沒有舉出《周禮》、《儀禮》與《左傳》不合的例證。通覽整部《春秋左傳注》，楊先生指出《左傳》與《周禮》不合的地方共有五處，茲羅列這五項例證，並略加辨析如下：

（一）《左傳》閔公二年載成季將生，魯桓公使卜楚丘之父卜之，「又筮之」。楊伯峻先生注云：「《周禮·春官·筮人》云：『凡國之大事，先筮而後卜。』考之《左傳》，則殊不然。成季之生，固先卜後筮，其後僖公四年載晉獻公卜以驪姬為夫人，僖二十五年晉文公卜內襄王，哀九年趙鞅卜救鄭，皆先卜後筮，唯哀十七年衛侯先筮後卜。蓋古卜用龜，筮用蓍，謂龜長筮短，以動物靈於植物，故以卜為先。」[180]

（二）《左傳》僖公四年云：「許穆公卒於師，葬之以侯，禮也。凡諸侯薨於朝、會，加一等；死王事，加二等。於是以衰斂。」杜預據《周禮·春官·典命》「上公九命為伯，侯、伯七命，子男五命」之文，謂「諸侯命有三等，公為上等，侯、伯為中等，子、男為下等」，而許男「男而以侯，禮加一等」。楊先生以為杜說不可從，並且說：「《周禮》為戰國時私人著作，不能盡用以釋《左傳》。且僖公二十九年《傳》云：『在禮，卿不會公、侯，會伯、子、男可也。』侯與伯截然分開，則《周禮》以侯、伯為一等之說，明明不合《傳》意。即《傳》云：『葬之以侯』，考之金文，並無五等諸侯之實，《左傳》作於戰國儒家別派，未必全可信。」[181]

（三）《左傳》僖公五年云：「虢仲、虢叔，王季之穆也；為文王卿士，勳在王室，藏於盟府。」又襄公十一年《傳》亦云：「夫賞，國之典也，藏在盟府，不可廢也。」則周室及諸侯皆有盟府，主功勳賞賜。楊先生

---

179 楊伯峻：《春秋左傳注》，頁2。
180 楊伯峻：《春秋左傳注》，頁263。
181 楊伯峻：《春秋左傳注》，頁294。

指出：「前人多以《周禮・秋官・司盟》解盟府，不知司盟僅掌盟載之法，不與此合。《周禮・夏官》有司勳，云『大功，司勳藏其貳。』亦未必合《傳》意。蓋《周禮》為戰國晚期私人著作，以之解《左傳》，自有齟齬，不必強合。並參僖二十六年《注》。」[182]

（四）《左傳》僖公二十二年云：「丁丑，楚子入饗於鄭，九獻，庭實旅百。」楊先生云：「《國語》韋《注》及此文杜《注》俱謂九獻為上公之享禮，蓋本之《周禮・秋官・大行人》『上公之禮，饗禮九獻』之文，其實《周禮》未必與《傳》文合。」[183]

（五）《左傳》襄公二十一年載季孫之語云：「子為司寇，將盜是務去，若之何不能？」楊先生《注》曰：「司寇為刑官。或據《周禮》謂侯國司寇之事司空兼之，其下有大夫，為小司寇，不知今之《周禮》不必盡合當時官制。」[184]

楊先生對《周禮》的質疑，不見得全都站得住腳，如《左傳》所載既卜又筮的幾個事例，只有哀公十七年那次是先筮後卜，其餘都是先卜後筮（屬於魯人的僅一次，而晉人則有三例）。楊先生根據《左傳》先卜後筮的現象，質疑《周禮》「先筮而後卜」的真實性，並進一步論定古卜筮之規則是以卜為先。關於卜筮先後次序的問題，現代學者中，以李學勤先生的論說最為精詳。李先生在許多文章裡都談到這個問題，而且，都一致地支持《周禮》的說法。[185]從殷商時期的甲骨到戰國時期的竹簡（如包山楚簡），都可以找到先筮後卜的例證，由是而知《周禮》「先筮後卜」之說的確能夠反映古卜筮的實況。《左傳》所記以先卜後筮居多，則反映春秋時人的習慣。

楊先生的禮說，雖尚有燭理未明、考慮未周之處，但其處理《周禮》材

---

182 楊伯峻：《春秋左傳注》，頁308。

183 楊伯峻：《春秋左傳注》，頁399。

184 楊伯峻：《春秋左傳注》，頁1056。

185 詳參李學勤：《走出疑古時代》（瀋陽市：遼寧大學出版社，1994年），頁174；《周易經傳溯源》（長春市：長春出版社，1992年），〈考古發現中的筮法〉，頁136、〈竹簡卜辭與商周甲骨〉，頁195。

料的態度卻極具啟示意義。透過上列五個例子，楊先生清楚表明，《周禮》與《左傳》有合有不合，不能只憑表面的雷同，就援引《周禮》以證《左傳》，而是必須對兩者的異同，慎加甄別，才能避免強相牽合之病。

筆者重新對《周禮》與《左傳》的合與不合做過探討，並於〈《左傳》與《三禮》有合有不合說〉一文中為之疏通別白。[186]為免枝蔓，這裡僅舉《周禮》與《左傳》言禮不合者六例之大概如下：一、夏宗。楊伯峻先生據《周禮‧大宗伯》「夏見曰宗」證《左傳》「宗盟」之「宗」。唯朝覲衍為朝覲宗遇以配四時之禮，蓋後儒因應時勢所需，改易前制，創為此說。《周禮》以「宗」為四時來見之禮，並無實據。《左傳》之「宗盟」若為宗族之盟，則與會見之宗無涉。二、九旗。《周禮》九旗之中，僅「旂」見於金文，可知西周本無九旗之實。春秋旗制沿用周禮而稍變，《左傳》有「旂旗」（或單稱「旂」）、「斿」（「旒」）、「旌」，而「旗」最為多見。《周禮》謂「旗」畫熊虎之像，然《左傳》只有「鼗旗」、「靈姑銔」及蝥弧之旗。春秋諸侯亦建「旗」，與《周禮》所謂「諸侯建旂」、「師都建旗」之制不合。孤卿建「旗」，亦與建「旜」之制相違。至於兩書所載「旂」，性質亦不盡相同。三、九服。《周禮》所列九服，「侯甸男采衛」實與九服之制無甚關聯，而蠻、夷、鎮、藩更是前此無聞，或相關記載已亡佚，更可能是後人想像出來，拼湊到「侯甸男采衛」之上，以足九數。《周禮》以距王都遠近分辨諸侯等弟，其整齊劃一之跡尤為明顯。[187] 四、五路。《周禮》五路，與《左傳》所載周天子賞賜諸侯或諸侯賞賜臣下之車（「大路」、「先路」及「次路」），無從比擬，亦與西周的實際情況不合。依《周禮》，賞賜金路僅限於周室同姓，但金文所見，金車的受賜者並此種規限。五、墓祭。《左傳》被髮而祭於野，學者多據《周禮》墓祭為證。但春秋之時，凡告墓，皆緊急事故使然，未有祭墓之禮。墓祭至戰國時才出現，《周禮》反映的或是戰國的情況。六、會有表《左傳》所言野會設表，表實為束茅。《周禮》以旂表

---

186 詳拙著：〈《左傳》與《三禮》有合有不合說〉，《二〇〇九年兩岸四地「《春秋》三傳與經學文化」學術研討會論文集》（北京市：北京語言大學中華文化研究所，2009年）。

187 詳拙著：〈《左傳》「鄭伯男也」解〉，《華學》第九、十輯（2008），頁235-246。

位，實不足以說《左傳》之事。以上所列，足證《左傳》與《周禮》同中有異，不能強相牽合。

　　《左傳》與《周禮》所言禮制，實有合有不合，如果兩者出現歧異，我們不能拘牽於《周禮》或《左傳》之說。如欲探尋春秋禮制，宜自行從《春秋》或《左傳》本文，歸納出春秋禮制的內容，否則很容易得出偏離春秋實況的結論。這是一種實事求是的做法。孫詒讓注解《周禮》，採取的正是這種方法，首重分辨《周禮》與其他典籍所載禮制的異同，所謂「甄其合者，用資符論；其不合者，則為疏通別白，使不相穀掘」[188]，這也正是楊伯峻先生推許孫氏之處。金景芳先生也曾指出，《周禮》封國之制，不但與《孟子》、《王制》之說不合，也與《左傳》、《國語》之說不合。[189]《左傳》與《周禮》不盡相合，於茲可見。

四　結論

　　《周禮》與《左傳》二書，同為古文經，同出於西漢初年。二書之成書時代，都是歷代經學家爭論的焦點。宋人或據《左傳》所載卜筮、預言、謚號、官爵制度、學術思想與戰具等較為晚出，懷疑《左傳》作者是戰國時人。這種看法，不無道理。儘管如此，我們可以斷言，整體而言，《左傳》據事而書，所載春秋時人的言行，絕大部分是春秋時代的實錄。書中包含了非常豐富的典章制度、禮樂文化，如實地紀錄了各種禮典，包括冠、昏、喪、祭、鄉、射、朝、聘，其中聘禮尤備。時人言行與禮儀密切關聯，在在說明當時周禮雖有所崩壞但仍相當廣泛地流傳。而且，當時很可能已有禮書，說不定有些還是西周流傳下來的，但至今沒有足夠證據證明現存《周禮》是其中的一種，因此，孫處和章太炎所謂《周禮》成而未行，並無實據。陳漢章斷言《周禮》遍行於春秋之時，也不能使人無疑。如把這個論斷

188　孫詒讓：《周禮正義》，頁3-4。
189　楊伯峻編：《經書淺談》，頁43-44。

改為「周禮行於春秋時」，則基本上可以成立。

　　《左傳》與《周禮》或《儀禮》一類禮書，性質究竟不同，前者是紀實之作，後者純為禮制條文的陳述，其真實性有待驗證。楊寬先生曾經指出，《儀禮》、《周禮》、《禮記》既有較早的材料，又經過後儒的增飾，需要有分析地加以利用。要「按照社會歷史發展規律，把禮書中的史料和其它可靠史料結合起來研究，從探索各種制度的起源和流變中，分析出哪些是比較古老的制度，哪些是已有變化的制度，哪些是加入的系統化和理想化成份。」[190]今天，我們研究古禮，正當採取這種實事求是的態度。《周禮》的撰作，雖多以真實材料為據，但也摻雜了不少增飾附益的成份，反映在某些禮制的整齊劃一上尤為明顯。《周禮》言之鑿鑿的這些制度，非但與金文所見西周實況不符，亦不足以說春秋之制。執之以說經傳，難免齟齬不合。上舉兩書不合者八例，足證《左傳》與《周禮》同中有異，不能強相牽合。

　　《周禮》與《左傳》互證的最大椿資料見於陳漢章的文章，共七十三例，范文瀾以為，陳文「詳博閎大，非他經師所能言」，並非溢美。劉師培所舉有三十例，扣除與陳文重出的十一例，仍有十九例。單計兩文所列，《周禮》與《左傳》可以互證的就有八十八例（減去可疑的四例），加上筆者所補七例，足以證明《周禮》部分禮文的制訂確有事實依據。正如顧棟高所言，《左傳》未嘗稱引今本《周禮》。但兩書部分相通卻也是不爭的事實。陳漢章把這種現象解釋為「《周禮》行於春秋時」的反映，其說的可議之處在於，只見《周禮》、《左傳》相通之處而毋視其間的差異。也許我們應該這樣來看待這個問題，《周禮》與《左傳》相合，說明《周禮》包含了若干春秋時期甚至更早期的材料。如果說《周禮》這部分反映春秋實況，也不成問題。至於《周禮》與《左傳》不合，情況較為複雜，造成歧異的原因有時很難說清楚，大體而言，可能有四個主因：一、《周禮》所載是時代較早的禮，而《左傳》則為時代較後的禮；二、情況剛好相反，《左傳》紀錄了仍行於春秋的時代較早的禮，而《周禮》所記為已有變化的禮；三、《周禮》

---

190 楊寬：《古史新探》（北京市：中華書局，1965年），〈序〉，頁2。

雖以事實為基礎，但經後儒增飾附益或整齊劃一，而《左傳》則紀實，或者
說，前者實中有虛，而後者則純實；四、《左傳》紀實，而《禮記》、《周
禮》所記則純虛，找不到實據，只能視作一種禮說而已。套用正變相對的概
念來說，時代較早的為正禮，已有變化的為變禮。要分辨出禮制中所包含的
真實與設想成份，就必須窮源竟委，釐清其間的因革損益。面對兩書的歧
異，我們不能拘牽於《周禮》，過去不少禮家過份信奉《周禮》，反而為探尋
春秋禮制平添許多困難，產生許多糾纏不清的問題，正所謂治絲而棼之。[191]
楊伯峻先生《春秋左傳注·凡例》說：「考校春秋禮制，三《禮》僅作參
考，取其可合者。而於《左傳》、《國語》及其他可信史料，自行歸納，反而
符合史實。」這是一種既通達又切實可行的辦法。若《周禮》與《左傳》可
合，自可互為印證；若兩者不合，則當分開處理，不能強相比附。孫詒讓所
謂「甄其合者，用資符譣；其不合者，則為疏通別白，使不相殽掍」，說的
正是這種辦法。

---

191 古左氏說有云：「《春秋》者，禮也。」許慎《五經異義》引，見皮錫瑞：《駁五經異
義疏證》，收入馬小梅主編：《國學集要》（臺北市：文海出版社，1968年），冊1，頁
283。漢儒如賈逵、服虔、穎容等皆以為孔子「脩《春秋》，約以周禮。」（《十三經注
疏·左傳疏》，頁1030）可見《春秋》與禮關係非常密切。《春秋》臧否人物，即以禮
權衡準的。《左傳》作者（包括君子曰）評論人物事件的得失是非時，往往用「禮
也」、「非禮也」作為褒貶的用詞。春秋時人議事，也同樣以禮為是非之標準。朱子嘗
云：「《左氏》說禮，皆是週末衰亂不經之禮，無足取者。」嗣後，清人如朱大韶、皮
錫瑞等皆響應此說，認為《左傳》所謂禮，多春秋衰世之禮，不盡與古禮合。詳參皮
錫瑞：《經學通論》（北京市：中華書局，1989年），〈論左氏所謂，禮多當時通行之
禮，非古禮；杜預短喪之說，實則左氏有以啟之〉，頁47-49。究其實，這種論調無非
是先入為主，過於相信禮書（三《禮》），故凡《左傳》與禮書不合者，皆被斥為衰世
之禮。

郭沫若《周禮》職官研究之探討

鄭憲仁

國立臺南大學國語文學系副教授

一　前言

　　《周禮》原名《周官》，劉歆改稱《周禮》，為後世沿用。此書據較早的
記錄來看，是西漢河間獻王從民間所得，《漢書・河間獻王傳》云：

> 河間獻王德以孝景前二年立，修學好古，實事求是。從民得善書，必
> 為好寫與之，留其真，加金帛賜以招之。緣是四方道術之人不遠千
> 里，或有先祖舊書，多奉以奏獻王者，故得書多，與漢朝等。⋯⋯獻
> 王所得書皆古文先秦舊書，《周官》、《尚書》、《禮》、「禮記」、《孟
> 子》、《老子》之屬，皆經傳說記，七十子之徒所論。其學舉六藝，立
> 《毛氏詩》、《左氏春秋》博士。[1]

河間獻王得書後，獻於帝，入祕府，以故禮學家多不得見。《周禮》既為諸
經中最晚出者，又為古文經，因而未立學官，一直未能被重視。王莽時，曾
因劉歆之奏請立古文《周禮》博士，《周禮》取得經的地位。關於此書，古
文經學家認為是「周公致太平之跡」的經典，是周初為統治天下而設職官的

＊　本文之修改，先後承蒙臺北市立大學張曉生教授、國立臺灣大學葉國良教授與匿名審
　　查人提出寶貴意見，謹此致謝。
1　〔東漢〕班固：《漢書》（臺北市：臺灣中華書局，1984年影四部備要中華書局據武英
　　殿校刊本），卷53，頁1。

記錄，東漢經學大師鄭玄申之，自後禮學家亦多從此說，然而今文經學家認為此書乃戰國人所作，所謂「末世瀆亂不驗之書」、「六國陰謀之書」，更甚者以為是劉歆偽作或妄篡的[2]，以故《周禮》成為爭辯激烈的經書。從劉歆引起的第一次經今古文之爭開始，加上涉及爭議的歷史人物如王莽、王安石等因素，都使得《周禮》真偽與時代一再被質疑。近代的質疑在康有為《新學偽經考》[3]，接著疑古之風，掀起討論的高潮，這次的討論，已不限於經學家，歷史學者及古文字學者也都參與，對於《周禮》一書的時代與真偽也有了較細密而深入的分析。

從清末到民國初年，學術界對經學的視野有了巨大的改變，向來為中國學術重心的經學如同當時政治社會的轉變，也進入「變動時代」，疑古與整理國故的思潮對《周禮》這部經書的檢視也有更新的方法與切入面。即使在民國以前已有學者提出「六經皆史」的看法[4]，但經學被視為史學的風氣卻是民國以後才匯為巨流，這時期隨著考古學的引進、新材料的發現、古文字學的發展、西方思想的傳入，經學也在這股潮流中，有了各種類型的研究。

2　對《周禮》真偽持懷疑的說法中，除了劉歆妄篡的說法外，亦有以為其他人妄篡的，如宋代范浚擬《周禮・司關》「凡貨不出於關者，舉其貨，罰其人」有問題，「此必漢世刻斂之臣如桑羊輩，欲興權利，故附益是說於《周禮》，託周公以要說其君耳。」雖以《周禮》為周公作（其云：「周公作六典，謂之《周禮》，至於六官之屬，瑣細悉備，疑其不為古書也。」）但有後世如漢代桑弘羊等附益。參〔宋〕范浚：〈讀周禮〉，《香溪集》（文淵閣四庫全書本），卷5，頁4-5。

3　這次對《周禮》的質疑，可由清中晚期算起，早於廖平、康有為者如劉逢祿與魏源等亦疑《周禮》為劉歆偽作，然仍未翻轉學術風氣，至廖平（於《今古學考》提出《周禮》為戰國燕趙人作）、康有為再起質疑之說，益以古史辨學派的興起，才使質疑《周禮》的學風成為論辯的重要課題。民國六十九年，徐復觀再提劉歆偽造之說，然此說已少為學界所從。

4　提出此說法者甚多，如隋代王通《文中子》、宋代劉恕《資治通鑑外紀・序》、元代郝經《經史論》、劉因《靜修續集》、明代宋濂〈大學微〉、潘府《南山素言》、王陽明《傳習錄》、王世貞《藝苑卮言》、李贄《焚書》、胡應麟《少室山房筆叢》、清代顧炎武《日知錄》、袁枚《隨園隨筆》、章學誠《文史通義》等，在著作中皆明確提出六（五）經皆史的主張。可參田河、趙彥昌：〈「六經皆史」源流考論〉，《社會科學戰線》2003年第3期，頁125-129。

　　郭沫若（1892-1978）是二十世紀中國學術史上的重要學者，出生於清光緒十八年，距清朝覆亡僅差二十年，身處中國歷史與文化巨變的時代。郭沫若小學和中學時期的兩位師長帥平均與黃經華都是四川經學家廖平的高足[5]，廖平是晚清今文經學的大家，師長應對郭沫若的經學觀有所影響。

　　一九二二年，郭沫若選譯了《詩經》四十首，名為《卷耳集》[6]於一九二三年出版，這是一項重要的嘗試，他在序言中提到「就是孔子再生，他定也要說出『啟予者沫若也』的一句話」，由此可以看出，他由「舊紙堆中尋生活」，企圖對經典以「借古人的骸骨來另行吹噓些生命進去」來達到「古為今用」的目的。[7]

　　一九二八年，郭氏以唯物史觀發表的著作中，〈周易的時代背景與精神生產〉（後更名為〈周易時代的社會生活〉）、〈詩書時代的社會變革與其社會思想上的反映〉[8]，雖屬於史學的著作，也涉及了經學與先秦思想。

　　一九二九年發表〈周金中的社會史觀〉（後更名為〈周代彝銘中的社會史觀〉）[9]論及「井田制」、「五服五等」等經學相關的課題。

　　一九三二年發表的《金文叢考》收有〈金文所無考〉、〈周官質疑〉、〈諱不始於周人辨〉三篇與經學有關的論文。[10]

　　之後，較少相關文章發表，直到一九四四年〈由周代農事詩論到周代社

5　周藝：《郭沫若史學思想中幾個問題的探討——兼與國內外一些研究意見的商榷》（桂林：廣西師範大學碩士論文，2005年），頁6。

6　《卷耳集》，收入郭沫若著作出版委員會編：《郭沫若全集·文學卷》（北京市：人民文學出版社，1984年6月），卷5，頁155-248。

7　周藝：《郭沫若史學思想中幾個問題的探討——兼與國內外一些研究意見的商榷》，頁12。

8　〈周易時代的社會生活〉與〈詩書時代的社會變革與其社會思想上的反映〉後收錄為《中國古代社會研究》第一篇與第二篇，參郭沫若著作出版委員會編：《郭沫若全集·歷史篇》（北京市：人民出版社，1982年9月），卷1，頁32-186。

9　〈周代彝銘中的社會史觀〉後收錄為《中國古代社會研究》第4篇，頁250-270。

10　《金文叢考》，收入郭沫若著作出版委員會編：《郭沫若全集·考古篇》（北京市：科學出版社，2002年10月），卷5，〈金文所無考〉參頁19-48（總頁81-120）、〈周官質疑〉參頁49-81（總頁121-186）、〈諱不始於周人辨〉參頁102-108（總頁227-239）。

會〉[11]、一九四七年〈「格物」解〉[12]、〈考工記的年代與國別〉[13]、一九五六年〈讀了「關於〈周頌‧噫嘻〉篇的解釋」〉[14]才又有與這方面相關的著作。

　　郭沫若以經學為研究的作品雖然不多，但他善於用不同的角度切入，常能提出新見，是位勇於開拓的學者。就二十世紀中國人文學術的發展來看，郭氏不但有開創性的先驅地位，也有深遠的影響。〈周官質疑〉是二十世紀對《周禮》研究的一篇重要論作，郭沫若以新材料對歷代頗受爭議的禮學經書，提出新的研究，下列就以此文為主，輔以郭氏其他提到周代職官的文章，做分析與探討。

二　郭沫若對《周禮》職官的研究方法與論點

　　一九○五年清代經學大家孫詒讓（1848-1908）投入近三十年精力，薈萃一生心血編寫的《周禮正義》以鉛鑄版印行，這部書的完成，不僅是「周禮」研究集大成的巨著，也標誌著總結民國以前「注疏」體裁為經學研究的高峰。

　　在經學史上，《周禮》是一部爭議很大的經書，自西漢末，迄於今，其疑信相參，論者不絕。民國以後的學術風氣與「經術昌明」的清朝大異其趣，經學漸失地位，經書的研究更趨向於由文學、史學、思想等領域的角度切入。一九三二年是《周禮》研究史上重要的一年，這年郭沫若的〈周官質

11　〈由周代農事詩論到周代社會〉，收入郭沫若著作出版委員會編：《郭沫若全集‧歷史篇》（北京市：人民出版社，1982年9月），卷1，《青銅時代》第4篇，頁405-433。

12　郭沫若：〈「格物」解〉，《沫若文集》（北京市：人民文學出版社，1960年11月），卷16，頁373-380。

13　郭沫若：〈考工記的年代與國別〉，收入葉聖陶編：《開明書店二十週年紀念文集》（北京市：中華書局，1985年6月），頁149-155。

14　郭沫若：〈讀了「關於〈周頌‧噫嘻〉篇的解釋」〉，收入郭沫若著作出版委員會編：《郭沫若全集‧文學卷》（北京市：人民文學出版社，1989年12月），卷17，頁157-160。

疑〉[15]與錢穆的〈周官著作時代考〉[16]開啟新的研究序幕。

　　郭沫若以史學和古文字學著稱於世，被學者譽為「新史學的五位大家」[17]、「甲骨學四堂」[18]，在銅器研究上，提出標準器斷代法，引領研究風潮。在經學上，郭氏由新材料入手，以之為證據，對《周易》、《毛詩》、《周禮》、《左傳》或有專文，或在其史學、文字學相關著作中提出看法，雖然經學專著不多，但其著作對後世自有一定的影響力，關於《周禮》則以〈周官質疑〉為代表，也是他在周代職官的課題中唯一的專文，其他意見則散見於各類銅器銘文考釋的著作中。

　　〈周官質疑〉由文題乍視之，似若史學之論文，實其題文之「周官」正是書名，是為《周禮》之初名，此文首行「言《周官》之來歷者」云云，可知郭氏作此文乃先由論《周官》來源可疑，再以新出土材料——金文——以證成其說。下面就此文之論述方法與行文結構做分析。

　　〈周官質疑〉第一個部分為「由文獻記錄分析《周官》為可疑之書」。郭氏推考傳世文獻中對《周禮》一書來歷最早的二條記錄：《漢書‧河間獻王傳》與馬融〈周官傳敘〉[19]，再以此論歷代紀錄的歧異與派衍：

> 據此二書可知《周官》以孝武之世（獻王以武帝元光五年卒）出於河間，乃民閒所獻；旋入祕府。至孝成帝時始為劉歆所箸錄，而有〈冬官〉亡佚之說，以〈考工說〉補之。馬融、班固均去古未遠，而融尤劉歆三傳弟子，其說必是事實。（頁122-123）

15　郭沫若：〈周官質疑〉，郭沫若著作出版委員會編：《郭沫若全集‧考古篇》，卷5。本文引用此篇所標頁數亦為本書之總頁數。

16　錢穆：〈周官著作時代考〉，《兩漢經學今古平議》（臺北市：東大圖書公司，1983年），頁285-434。

17　指受馬克思主義影響的五位中國史學家：郭沫若、范文瀾、呂振羽、翦伯贊、侯外廬。

18　指羅振玉（雪堂）、王國維（觀堂）、郭沫若（鼎堂）、董作賓（彥堂）。

19　郭氏自注云：「賈公彥〈序周禮興廢〉所引，原作『馬融傳』，孫詒讓云『蓋即〈周官傳敘〉之佚文』，今从之。」（頁122）

在肯定馬融〈周官傳敘〉與班固〈河間獻王傳〉所載「必是事實」之後，郭氏對陸德明〈釋文序錄〉、《隋書·經籍志》、杜佑《通典·禮篇》以河間獻王用〈考工記〉補《周禮》的說法，及《後漢書·儒林傳》載孔安國獻《周禮》、楊泉《物理論》說漢武帝以〈考工記〉補《周禮》、〈禮器〉孔穎達《正義》云漢孝文帝使博士作〈考工記〉諸說，批為「繆悠之說」。郭氏對於〈玉藻〉和賈誼《新書》文句與《周禮》相同，提出：

> 蓋安知非《周官》之取材於諸書，或諸書與《周官》之同出於一源耶？（頁128）

後說「同出於一源」，甚有見地，與今日學界視出土戰國楚簡與文獻傳世材料相互同異，故推論有更早之底本，郭氏之見解與此同意。

郭氏如此論敘的目的在於說明：欲由傳世文獻的記錄，對《周官》的成書與真偽做探討，會陷入「疑者自疑，信者自信，紛然聚訟者千有餘年，而是非終未能決」的困境中，郭氏明白指出「良以舊有典籍傳世過久，嚴格言之，實無一可以作為究極之標準者，故論者亦各持其自由而互不相下也。」（頁128-129）由是，必須以新的材料與新的論證方法來探討：

> 余今於前人之所已聚訟者不再牽涉以資紛擾，僅就彝銘中所見之周代官制揭櫫於次而加以玫覈，則其真偽純駁與其時代之早晚，可以瞭然矣。（頁129）

〈周官質疑〉第一個部分可以視為寫作動機與研究方法的自述。第二個部分為全文的主幹，內容為「以金文所載職官論《周官》所載與史實有異」。文中舉出二十則於西周至春秋的金文所載的職官，以出土材料為實錄，論證《周禮》一書為晚出之作，與史實多不相合。二十則條目如下：

1. 卿事寮、大史寮	11. 司射
2. 三左三右	12. 左右戲緐荊
3. 作冊	13. 左右走馬
4. 宰	14. 左右虎臣
5. 宗伯	15. 師氏
6. 大祝	16. 善夫
7. 司卜、冢司徒	17. 小輔與鼓鐘
8. 司工	18. 里君
9. 司寇	19. 有司
10. 司馬	20. 諸侯諸監

其中，以第一則「卿事寮與大史寮」與第十三則「左右走馬」討論篇幅最多。歸納其討論方式有二：

（方式一）先陳列金文，次引古籍所載與各家說法，最後提出自己的看法。

（方式二）先陳列金文，次就金文內容陳述看法，或引古籍參考，最後又補充金文例子。

下面舉二則說明其體例：

例一：「卿事寮與大史寮」：

對於「卿事寮與大史寮」的論述是上述的第一種方式。

（1-1）條列金文中有「卿事寮」與「大史寮」者→〈令彝〉、〈番生敦〉、〈毛公鼎〉

（1-2）條列金文中僅有「卿事」者→〈小子𤔲敦〉、〈頵叔多父盤〉

（2-1）陳述卜辭中亦見「卿事」，引用羅振玉《殷虛書契攷釋》並加以評論

（牽涉之古籍有：《毛詩》、《周禮》及相關注疏、《漢書・古今人表》）

（2-2）引孫詒讓《周禮正義》說「卿士為孤」（〈掌次〉疏）並加以評論

（牽涉之古籍有：《尚書》、《毛詩》、《左傳》及相關注疏）

（3-1）郭氏由〈曲禮〉六大立說，以六大乃古之六卿，即「六事之人」；五官古祇三官：司徒、司馬、司空。並提出「寔則《周官》之確為周制與否，尚大有疑問也」。

（牽涉之古籍有：《尚書》、《毛詩》、《周禮》、《禮記》、《大戴禮記》及相關注疏）

（3-2）郭氏在論六大時，依次論及大士與大史：「大士，余謂當即內史」、「則大史為左史，大士為右史」。

（牽涉之古籍有：《尚書》、《周禮》、《禮記》、《大戴禮記》及相關注疏）

（3-3）提出結論。

郭氏於「卿事寮與大史寮」一則的結論為：

> 卿事寮當指此天官六大，其或別大史于外者，大史正歲年，大師抱天時與大師同車，其位特尊，故別出之，使異于其它之五大。六大均在王之左右，故有左卿士、右卿士之名。六大之上有兼攝群職者，為冢卿，亦即所謂孤。孤若冢卿，可由六大中之一大兼領，自亦仍可稱卿士矣。（頁135）

依其說，「六大」為「左卿士（事）與右卿士（事）」，六人中有一人為「冢卿（即孤）」兼攝群職，這六大或總稱為「卿事（士）寮」。至於大史寮，則未多加論述，其意似以六大中有二史官──「大士（即內史、右史）」與「大史（即左史）」，然大士屬卿事寮，只有「大史」可以別出屬大史寮，至於大士即為史官之屬，何以不屬於大史寮，並沒有清楚地論述。

另外，這一則牽涉到第二則的「三左三右」、第三則的「作冊」、第四則的「宗伯」與第六則的「大祝」。在論「三左三右」時，郭氏輔以《尚書・

顧命》，認為三左三右即〈曲禮〉六大；大士、大宗、大宰為三右，在王之右，大史、大祝、大卜在王之左，為三左。在論「作冊」時提出「作冊乃左史右史之通名」云云。

　　郭沫若在較早的〈令彝令𣪘與其它諸器物之綜合研究〉對卿事寮已有考釋，《兩周金文辭大系考釋》在〈大盂鼎〉注釋亦提到「六大」的看法，此皆可與〈周官質疑〉相參，試引之如下：

> 「尹三事四方，受卿旟寮」：旟與事為一字，〈小子師𣪘〉之「卿旟」，〈毛公鼎〉之「卿旟寮」雖同此作，而〈番生𣪘〉蓋之「卿事大史寮」則作𧇠，藉此可以知之。「三事」乃〈立政〉之「立政（正）：任人、準夫、牧作三事」之任人、準夫、牧……以〈毛公鼎〉及〈番生𣪘〉文按之，鼎曰：「彶（及）茲卿旟寮大史寮于父即尹」，𣪘曰：「王令籍嗣公族卿事大史寮」，則「卿事」之上尚有尹司之人，自不得為冢宰。以其與大史為對，又以其稱寮而言，可知卿事必不止二人。卿事寮之組織，其詳雖不可得而考知，然要非冢宰之謂也。此言王命明保尹正三事四方，授之以卿旟寮，蓋使卿旟寮歸其管轄。[20]
>
> 六大即古之六卿，與劉歆所竄改之《周禮》異撰。六卿之上有總其成者即冢卿，亦稱孤，大抵即由六卿中之一人兼任之。[21]

其以金文內容推論卿事上有尹司之人，卿事寮雖不得其詳，然由尹管轄。上引兩條資料與〈周官質疑〉對於卿事寮與六大的意見雖詳略有別，然內容並無不同。

20　郭沫若：《殷周青銅器銘文研究》（北京市：科學出版社，1961年10月新1版），卷1，頁47-48。

21　郭沫若：《兩周金文辭大系圖錄考釋》（北京市：科學出版社，2002年10月），下冊，頁37。以下本文引用《大系》所標頁數亦同此註出處。

例二:「宰」

對於「宰」的論述是上述的第二種方式。

（1-1）陳列一金文中有「宰」而職司記錄較詳者為代表→〈蔡𣪘〉

（2-1）先就金文提出看法，並引用古籍（含注疏家意見）參照，進而評
論，得出看法「今據此銘，則大宰內宰均稱宰，其職以外內為正對」
（牽涉之古籍有：《周禮》、《禮記》及相關注疏）

（3-1）補充西周銅器銘文中有「宰」者→〈吳彝〉、〈頌鼎〉、〈師湯父
鼎〉、〈望𣪘〉、〈師遽彝〉、〈師兌𣪘〉、〈寰盤〉、〈害𣪘〉，其陳列未
依時代先後

（3-2）補充列國銅器銘文中有「大宰」者→〈齊子仲姜鎛〉、〈歸父盤〉、
〈原父𣪘〉、〈郑大宰簠〉

在對「宰」探討後，郭氏得出的看法為：宰有二，王之左右為太宰，守內宮
者為內宰（文獻或稱宮宰），「其職以外內為正對，則其位階亦當相埒」。

〈周官質疑〉的二十則內容各有輕重，亦間有重要的看法提出來，本文
試整理郭氏指出《周禮》與金文不合或補充《周禮》者如下（上述二例不再
重出）：

「大祝」：「此太祝自當為〈曲禮〉天官六大之一，而非《周官》所云
下大夫也」。

「司卜、冢司徒」：「冢嗣土者大司徒」、「今大司徒亦言冢司徒，則冢
之稱不限于冢宰矣」、「《周官》以大卜屬諸宗伯，又以為下
大夫，凡此均與古器銘文不合者也」、「司徒之官，凡器之較
古者均作嗣土……其所職司之事之可知者，有耤田……有林
衡、虞師、牧人」。

「司工」：「嗣工，司工，凡司空之職彝銘均作嗣工，無作司空者」、

　　　　　　　「以司空而兼司寇，足證司寇之職本不重要，古者三事大夫
　　　　　　　僅司徒、司空，而不及司寇也。」
　　「司寇」：「小臣，《周官》屬司馬，為大僕所領轄。善夫，膳夫，屬
　　　　　　　於冢宰。虎，殆虎賁，屬於司馬。此均與古器不合。」
　　「司馬」：「今據古器，則家司馬亦王所親命」、「《周官》夏官有射
　　　　　　　人、大僕、隸僕、司士、司右之屬，即銘中之僕射、士、大
　　　　　　　小右也」、「觀此，則家司馬之職掌與王之司馬無以異矣」、
　　　　　　　「都司馬、家司馬，均為王臣，則《周官》之都宗人、家宗
　　　　　　　人，與都士、家士，亦必為王臣無疑」。
　「左右走馬」：「《周官》之趣馬其多如此，故其職甚低賤，僅為下
　　　　　　　士。然此與見於《詩》及彝銘者多不合」、「古者校人、僕
　　　　　　　夫、馭夫等蓋均名走馬若騶，猶大史內史之屬之均稱史，大
　　　　　　　宰、小宰、宰夫、內宰之屬之均稱宰也」、「古校人亦名趣
　　　　　　　馬，校人有左右，故趣馬亦有左右，必如是而後始與古器銘
　　　　　　　及古書諧合也」。
　　「師氏」：「師氏之見於彝銘者，乃武職，在王之側近。是則師氏之名
　　　　　　　蓋取諸師戍也」、「即此一職已可斷言《周官》一書塙曾經後
　　　　　　　人竄改也」。
　「小輔　鼓鐘」：「小輔，官名，《周官》所無。吳大澂釋為少傅，近
　　　　　　　是。又鼓鐘與小輔對文，亦是官名」、「霝龠殆《周官》之籥
　　　　　　　師、鼓鐘，鐘師也」。

郭氏舉出此二十則，目的在以周代銅器銘文論證《周禮》與周代官制扞格，
其意固不在西周官制之深究，對於經義亦非所重。不過，這些現在看來不算
新穎的看法，放在當時的學術環境和水準來看，這些是很重要的意見。

　　〈周官質疑〉第三個部分為「提出對《周官》成書時代與過程之推
論」。郭沫若首先批評「《周禮》為周公致太平之跡」與《四庫全書總目‧周
禮敍錄》的意見，認為劉歆的周公剬制之說「亦徒逞肊而已」。接著以「天

地四時配六官」始見於《管子・五行》篇，論云：

> 此固周末學者承五行說盛行之流風而虛擬之傳說，以託諸《管子》者
> 也。《大戴禮・千乘》篇亦言「司徒典春」、「司馬司夏」、「司寇司
> 秋」、「司空司冬」，託為哀公與孔子之問答，此則周末或漢初儒者之
> 所為。今《周官》以冢宰配天、司徒配地、宗伯配春、司馬配夏、司
> 寇配秋、司空配冬，三說雖小有出入，然其用意則同，且為五行說之
> 派演。是則作《周官》者乃周末人也。（頁 184-185）

郭氏有〈金文所無考〉[22]一文已論及「五行」，然由今日視之，其論證多有
不足，以金木水火土為思孟五行，則由馬王堆出土帛書五行（仁義禮智聖）
所推翻，又以〈洪範〉出於孟子之手，亦屬「逞肊」。

　　其論《周官》為周末人所作，相同見解亦見於《中國古代社會研究》：
「《周禮》大約是纂成於晚周的文獻。」[23]、〈釋干鹵〉：「《周禮》乃周末儒
者所述錄。」[24]，說《周禮》為周末／晚周／戰國晚期之書，稱不上創見，
這從宋代以來，已是禮學界的主流說法之一，郭氏〈周官質疑〉一文的特色
在於以金文材料證成此說。

　　郭氏對於《周禮》的成書，提出由荀卿弟子纂集的看法：

> 余謂《周官》一書，蓋趙人荀卿子之弟子所為，襲其師「爵名從周」
> 之意，纂集遺聞佚志，參以己見而成一家言。……作者本無心託之于
> 周公，託之于周公者乃劉歆所為。……《周官》既為劉歆所表彰，且
> 由彼託之于周公，則其舊簡自不能保無竄亂割裂之事，蓋劉歆乃慣于
> 作偽之名手也。（185-186）

其說推《周官》為荀子弟子所作，實無堅確證據。云劉歆將《周禮》與周公
聯繫，乃據馬融〈周官傳敘〉之說，然言《周禮》為劉歆竄亂，則是受今文

---

22 郭沫若著作出版委員會編：《郭沫若全集・考古篇》，卷5，頁81-120。
23 郭沫若著作出版委員會編：《郭沫若全集・歷史篇》，卷1，第三篇第二章，頁235。
24 郭沫若著作出版委員會編：《郭沫若全集・考古篇》，卷5，頁407。

經說的影響。關於劉歆竄亂《周禮》之論，亦見於其考釋銅器銘文的著作中，茲以一九五七年修定出版的《兩周金文辭大系圖錄考釋》[25]為例：

> （〈小盂鼎〉）：六大即古之六卿，與劉歆所竄改之《周禮》異撰。（頁37）
>
> （〈彔戎卣〉）：《周禮·師氏》職文甚釘餖，半敘為師保之師，半敘為師戍之師，其經劉歆改竄為無疑。（頁61-62）
>
> （〈師望鼎〉）：《周禮》大師屬春官為下大夫，小子屬夏官為下士，師氏屬地官為中大夫，大率乃劉歆所編配。（頁80）
>
> （〈揚毀〉）：余意《周禮》舊簡確有其物，特經劉歆竄改編配，故成為今本所有之形制，所言與彝銘多不合，而亦非全不合。故視《周禮》為周公之書者固幻妄，然如康有為輩視《周禮》為全出于劉歆之手者，則又未免視劉歆為超人矣。（頁118）
>
> （〈休盤〉走馬）：（趣馬）《周禮》以為下士者，乃劉歆所為。（頁152 郭氏自注）

其他如〈長安縣張家坡銅器群銘文匯釋〉「備於大左」之註語云：「《周禮》師氏之職合文武而混淆之，乃劉歆所竄亂。」[26]郭氏認為《周禮》原有其書，為荀子弟子所編輯並增以個人意見，傳至西漢劉歆又再改竄，所以郭氏所說的偽是針對前人說《禮》為周公所撰，以及劉歆改竄，這兩個部分，他反對《周禮》全出劉歆一手作偽的看法。

　　要瞭解郭沫若對周代職官的看法，除了〈周官質疑〉一文外，仍應與其各類文章相參看，尤其是銅器銘文考釋的著作，如此方能掌握郭沫若後來修正的看法。例如在「小輔、鼓鐘」一則中，〈周官質疑〉云「小輔，官名，《周官》所無。吳大澂釋為少傅，近是」，後又於書頁的上欄以行書書寫「小輔為鑄師，掌擊鎛」（頁177），做了修正，其一九五八年發表的〈輔師

---

25 《兩周金文辭大系圖錄考釋》於一九三二年出版，並於一九三四至一九三五年間做了增訂，此所據為一九五七年再修訂後出版的本子。

26 郭沫若著作出版委員會編：《郭沫若全集·考古篇》，卷6，頁290。

嫠𣪘考釋〉一文云：

> 今以本𣪘銘勘合，銘言「更乃祖考司輔」可知即屬王命師嫠司小輔時
> 事。器即作於屬世。「小輔」，吳大澂以為「當讀為少傅」(《古籀補》
> 一四‧五)，余前以為「近是」(《大系考釋》一四九)，今案有問題。
> 以本銘勘合，此言「司輔」，並稱嫠為「輔師」，則「輔」當讀為鎛。
> 「輔師」即《周禮‧春官》之「鎛師」也。……鎛師的職責主要管擊
> 鼓。「輔」言「小」者，蓋鼓有大小，或鎛師之職有大小……司輔是
> 管擊鼓的，所以在宣王時代又叫師嫠兼管「鼓鐘」(即鐘師)，業務相
> 近。[27]

在〈周官質疑〉中他同意「小輔」為「少傅」的看法，而在〈輔師嫠𣪘考
釋〉已改為「鎛師」之小者，並認為職司是管擊鼓，則〈周官質疑〉書頁的
上欄以行書書寫「小輔為鎛師，掌擊鎛」應是郭氏於一九五八年以後添註。
鎛師掌擊鎛比擊鼓合理，由此可看出郭氏之前立說不夠嚴謹。

　　上述這類關於職官看法的修正，在郭氏的著作中並不多見，即使在〈周
官質疑〉寫完的三十年後，對於銅器銘文中的職官，郭氏幾乎都沿用他以前
的看法。

三　對郭沫若《周禮》職官研究的評論

　　本節就〈周官質疑〉與郭氏各類銅器銘文考釋及古代史的文章，分成
「研究方法」、「職官考釋」、「關於《周禮》成書與學派」三方面為評論。

（一）關於研究方法的評論

　　民國以前的學者對周代職官的研究因為受限於材料，故都以《周禮》為

---

27 郭沫若著作出版委員會編：《郭沫若全集‧考古篇》，卷6，頁207-208。

依據,《周禮》是古代傳世文獻中,唯一專門記錄周代官制的典籍,前人探討相關職官時,即使能由《尚書》、《毛詩》、《左傳》、《國語》等書中得到一些資料,但是仍不得不依憑《周禮》。《周禮》所載的職官系統具有理想性與各類爭議,不可能是西周職官全面真實的情況,甚至在東周,也不可能有任何國家實行這樣的一個職官架構,雖然歷代研究《周禮》的著作很多,到孫詒讓《周禮正義》印行為止,都擺脫不了材料的侷限性。[28]

新出土材料大量被引用於學術研究,首以宋代金石學著稱,清儒則又為另一高峰,如錢坫證宋人命名之鐘為設,打破前人對於簋和敦錯亂混淆的現象,晚清學者亦常以銅器銘文之曆日推斷其時代,雖結論多不可信,亦不失為新的嘗試。民國以來,最引人注目者,為王國維以卜辭所載商王論《史記‧殷本紀》世系之可信,打破中國古史層累之論。二重證據法成為民國以來研究國學的重要方法。

郭氏是第一位大量考釋銅器銘文的大學者,對於銘文材料極為熟稔,以之研究「西周職官」實是潮流所趨,郭氏能得先機,並提出成果,亦不得不令人佩服。就研究方法來看,當前討論周代職官,以新出土材料結合文獻記載相互參驗,仍為重要的方法。

雖然方法是正確而重要的,但同樣以出土材料為研究,也常會出現不同的結論,這問題的關鍵不在於出土材料本身,而與研究者對材料的詮釋與推論的方式有關。

對西周職官做全面清理與探討的專書首推張亞初與劉雨合撰的《西周金文官制研究》,我們引其文為例:

> 內史未見於殷墟卜辭。在西周早期的銘文中僅見於井侯設和靜鼎兩條材料。從現有材料的認識講,內史是西周新增設的官職,而且是西周昭王以後才出現的。從西周中期以後,內史成了一種較為常見的職官。據銘文材料看,西周中期有十八條材料,西周晚期有七條材料。《尚書‧酒誥》有「太史友、內史友」之載。一般認為,〈酒誥〉是

---

28 雖然清末已有學者由銅器銘文提出對周代職官的意見,但都是隨文札記,未成專文。

西周早期文獻。如果從這種認識出發，當然可以根據〈酒誥〉來證明
內史是周初所設官職。但事實上也存在這樣一種可能性，即〈酒誥〉
雖然在一定程度上保存了西周的原始材料，但它可能經過了昭王以後
歷代文人的加工，所以才出現了昭王以後的職官名內史，這種可能性
也是應該考慮到的。[29]

上面引文由殷墟卜辭及西周早期金文僅有的二條內史，推測內史可能是西周
昭王時新增設的官職，這是依據了出土材料推測傳世文獻材料〈酒誥〉的內
史友可能為後世修改過，當然這樣的推測很具有成立的可能。材料是事實客
觀存在的，出土材料的確比傳世材料更不易為後人更改，自然在論證的引用
上，更有分量。不過，如果我們看到內史的金文材料在西周中期十八條、晚
期七條，就推論西周中期內史特盛，而晚期漸衰落，這樣恐怕就不見得合乎
史實了。據西周早期二條文材料，是否能推論內史在周昭王時才設，猶待斟
酌，所以作者也說「這種認識將來隨著新出土材料的增加，當可得到進一步
的證實或者作必要的修正」[30]，可是對於〈酒誥〉的內史，學界該質疑抑或
引用以說西周早期職官？殷墟卜辭沒出現內史是否受限於材料性質？抑或殷
代沒有內史這樣的史官名稱？研究者是否陷入設定內史為西周昭王後才有的
命題，所以懷疑〈酒誥〉中提到內史友是後人所加工？[31]詮釋材料，提出假
設，驗證學說，是學術研究必經的過程，各種假設和詮釋，常隨著研究者的
角度與視野不同，而得出迥異的結論。

　　〈周官質疑〉和《西周金文官制研究》二者的方法基本是相同的，後者
的論點與成果能較前者完密，除了肇因於材料多寡、處理職官規模的大小之
外，尚有研究者推論與詮釋的進步。同樣是《周禮》和金文所載職官的比
較，《西周金文官制研究》認為相合之處甚多，對於《周禮》持肯定的態

---

29 張亞初、劉雨：《西周金文官制研究》（北京市：中華書局，2004年6月），頁29。
30 同前註。
31 本文認為：關於「內史」的金文材料，只能推論西周昭王時期內史受到周王的重視，
　　不足以推論內史為昭王新設，亦不能推論殷商無內史之職官。

度，也較〈周官質疑〉更有說服力：

> 《周禮》天官六十四官，與西周金文有相同或相近者十九官；地官八
> 十官有二十六官；春官七十一官有十三官；夏官七十四官有二十七
> 官；秋官六十七官有十一官，總計《周禮》三百五十六官有九十六官
> 與西周金文相同或相近，這說明《周禮》中有四分之一以上的職官在
> 西周金文中可找到根據，有如此眾多的相似之處，無論如何不能說成
> 是偶然巧合，只能證實《周禮》一書在成書時一定是參照了西周時的
> 職官實況。[32]
>
> 可以說《周禮》六官的體系與西周中晚期金文中的官制體係大體是相
> 近的，二者雖有名稱及層次的不同，但其內在的聯系則是很鮮明的。[33]
>
> 我們以為對《周禮》一書似有重新認識的必要，對這部書過去一段時
> 間的研究多以否認方面出發，而今後有必要多從肯定方面，援引第一
> 手金文材料，找出其合於西周制度的內容，充分利用它幫助我們開闢
> 西周職官研究的新途徑。[34]

就〈周官質疑〉的研究方法這點來看，對《周禮》的研究史是很大的邁進。
《西周金文官制研究》在前言中指出：

> 他敢于向傳統的信古好古的舊思想猛烈挑戰，指出必須用最可靠的西
> 周銘文材料作為評判《周禮》是非曲直的標準，這無疑是十分正確
> 的，至今仍然值得我們稱道和效法。[35]

這是很中肯的評論，郭氏之後，以金文材料研究周代禮儀及制度，成為一個
重要的方法，對於先秦文化的研究起了很大的推進作用。然而金文材料在與
古籍比對的使用上，也有侷限與詮釋的問題。

---

32 張亞初、劉雨：《西周金文官制研究》，頁140。

33 同前註，頁141。

34 同註32，頁144。

35 同註32，〈前言〉，頁2。

　　要質疑一本書的真偽和時代，用可信度高的材料為論證的依據，是正確的，但是只由一個層面提出質疑，這樣的效力就值得商榷，一件傳世的文件，在流傳過程中，會有錯簡、失簡、注文誤入正文、後人改字等現象，因此能從更多層面來探討、研析，也較能避免角度的侷限。在評論〈周官質疑〉對《周禮》這本書是否成功地達到了質疑的作用，可由兩點來看：其一，若就「《周禮》中有與西周出土金文不合者，故《周禮》視為西周時代作品是值得懷疑的」來分析，的確達到了質疑的效果；其二，若就「西周金文與《周禮》有不合者，故《周禮》非西周時代作品」來分析，就不算是成功的論證，因為要論證此書非西周時代之作品，僅以西周金文為依據，是不夠全面的，畢竟西周金文內容有其情境背景（如冊命、賞賜、軍功等），呈現的面相不夠多。

（二）關於職官考釋的評論

　　今日檢視郭沫若對《周禮》職官研究，不免要考慮到當時的時代背景與研究材料，也不能忽略他的研究目的。當時（一九三二年前後）經學的權威性已漸次降低，以新時代知識分子自居的學者，引入西方思潮，疑古學風在北京學界開始散播，郭沫若接受《周禮》為戰國末年所作又經劉歆改纂的看法，冀由新出土材料提出質疑，因此〈周官質疑〉一文的撰寫，是他完成〈金文所無考〉後，另一篇對於傳世古籍提出質疑的作品，這篇文章的完成，立場明確，先有主張，才尋找資料填補，專注於異而不討論其同。

　　郭氏在寫作〈周官質疑〉時已進行《兩周金文辭大系》的考釋，並且也接近完工的階段[36]，他考釋過的金文數量，在那個時代已屬第一，就這點而言，他是當時最能掌握周代銅器銘文的學者，〈周官質疑〉之作應是在其考釋金文過程發現金文中的職官與《周禮》所記載有出入，於是將金文常見的

---

36 郭沫若在一九三一年三月三十日寫給容庚的信中提到「《金文辭通纂》大體已就，分上下二篇：上編錄西周文，以列王為順……」參見《郭沫若書簡──致容庚》（廣州市：廣東人民出版社，1981年5月），頁94。

職官匯選，撰寫專文。他並未採取以系統性的方式來探討周代職官的問題，僅以選列的方法來處理，這是因為他設定的研究目的不是在《周禮》的全面剖析，對於《周禮》職官的系統化整理與探究，也非郭氏的興趣。因此他著重於二者不同處立說，對於相同處則不多做討論。

郭氏只是企圖由金文所載職官和《周禮》不同來質疑這部書，這樣的功能可以說是「提供輔證」的作用。康有為《新學偽經考》對《周禮》為劉歆偽作的說法，已就傳世文獻提出證據，而郭氏此文的寫作重點則為——補充出土材料的證據。

在郭沫若的銅器銘文考釋著作中，關於周代職官的意見，除了沿用〈周官質疑〉的看法，其他的幾近於「簡略注釋」，點到輒止，均未探其源流派衍之變化。茲舉「卿事寮與大史寮」為例，說明郭氏考釋周代職官的學術趨向與特質：

關於卿事寮與大史寮，郭沫若認為卿士有六位，三左三右，其中大史或可別出，其五位卿士為卿事（士）寮。對於兩寮的形成，沒有多加著墨。學術界對於兩寮關注的重點在「形成與演進」、「職司與寮屬」，郭氏的討論只在於六大和三左三右中哪些是卿事寮、哪些是太史寮。

較早王國維已提出「事」和「史」是一字之分化，卿事和史官有淵源，卿事本由史官分出。[37]這是很具突破性的說法，對於瞭解卿事寮和大史寮的關係也很有啟發性。楊寬根據《左傳‧昭公十七年》記載郯子言及少皞「以鳥名官」的傳說，提出以下的看法：

---

37 王國維云：「古之官名多由史出，殷周間王室執政之官，經傳作卿士（《書‧牧誓》『是以為大夫卿士』、〈洪範〉『謀及卿士』又『卿士惟月』、〈顧命〉『卿士邦君』、《詩‧商頌》『降予卿士』是殷周已有卿士之稱。）而〈毛公鼎〉、〈小子師敦〉、〈番生敦〉作卿事，殷虛卜辭作卿史（《殷虛書契前編》卷二第二十三葉又卷四第二十一葉）。是卿士本名史也，又天子諸侯之執政，通稱御事。而殷虛卜辭則稱御史，是御事亦名史也。又古之六卿，《書‧甘誓》謂之六事。司徒、司馬、司空，《詩小雅》謂之三事，又謂之三有事，《春秋左氏傳》謂之三吏，此皆大官之稱事若吏即稱史者也。」見〈釋史〉，《定本觀堂集林》（臺北市：世界書局，1991年9月），卷6，頁269-270。

原始官職不外乎「天官」和治民之官兩大系統，西周中央政權之所以
分設太史寮和卿事寮兩大官署，當即由此而發展形成。[38]
由王國維和楊寬的研究，對於兩寮的源起可做以下的推論：卿事本為史的一
種稱呼（卿史），後來卿事由史官中分立出來，史官系統仍具有天官的性
質，而治民之事就由卿事系統負責。楊寬又認為太師和太保是一個體系，為
卿事寮的長官，而太史則為太史寮的長官，他的研究如下：

> 西周初期的中央政權，十分明顯，是以太保和太師作為首腦的。太保
> 和太師掌握著朝廷的軍政大權，並成為年少國君的監護者。這種政治
> 上的長老監護制度，是從貴族家內幼兒保育和監護的禮制發展起來
> 的。[39]
> 「師氏」和「保氏」的性質相同，只是保氏守于內，師氏守于外。因
> 為保氏是從保育人員發展成的教養監護之官，師氏原是從警衛人員發
> 展成的教養監護之官。這就是太保和太師官職的起源。[40]
> 太史寮的官長是太史……既是文職官員的領袖，又是神職官員的領
> 袖。其地位僅次於主管卿事寮的太師或太保。[41]
> 西周的中央政權機構，以卿事寮和太史寮為首腦。西周初期由於沿用
> 長老監護制度，卿事寮以太保或太師為其長官，太史寮以太史為其長
> 官。自從東都成周建成，成周曾與宗周同樣設有卿事寮，由召公以太
> 保之職主管宗周卿事寮，周公以太師之職主管成周卿事寮，實行「分
> 陝而治」。……西周中期以後，就不見有太保擔任執政大臣的，但是
> 太師仍然為卿事寮的長官，掌握軍政大權。[42]

38　楊寬：《西周史》（上海市：上海人民出版社，1999年11月），頁327，內容曾於《歷史
　　研究》1984年第1期發表。
39　同前註，頁315。
40　同註38，頁316。
41　同註38，頁325。
42　同註38，頁331。

楊說以三公中的太保與太師源於長老監護制度，西周早期中央政權以太師和
太保為首腦，亦是卿事寮的長官，中期以後僅以太師為長官，太史寮長官為
太史，位在太師和太保之下。這些看法能補郭說之不足，很值得參考。

　　同時提到兩寮的金文有西周晚期的〈毛公鼎〉與〈番生殷蓋〉，毛公和
番生位在兩寮之上，這可以確定最遲到西周晚期職官系統兩寮是清楚分立
的，另外，西周早期的〈夨令方尊〉〈彝〉中清楚地指出朙保被授予管理
「卿事寮」，而職嗣是「尹三事」和「尹四方」，所謂的「尹三事」是指王
朝的重要執務，分別由內服「眔者尹、眔里君、眔百生」執行，而「尹四
方」就是外服四方的諸侯：「侯、田、男」。關於夨器的人物與職司，筆者曾
提出以下的看法：

> 觀〈夨令方彝〉（尊）銘文關於周公子朙保（明保）的嗣職是掌理「卿
> 事寮」，沒有提到大史寮，且銘文的兩位受朙保賞賜的「亢師（亢）」
> 和「作冊夨」，銘文說：「我隹（唯）令女（汝）二人：亢眔夨，奭叴
> （佐）祐（佑）玅（于）乃寮呂（以）乃友事」，亢是師，夨是作冊，
> 銘文中的「我」是朙保自謂，他令亢和夨佐佑他們的寮友，亢和夨是
> 朙保的屬官，亢的職嗣是師，師屬於卿事寮的一員，這一點諸家所說
> 大致相同；夨是作冊，另有〈作冊夨令殷〉[43]……他既為朙公所管，
> 則似當屬卿事寮。但作冊的性質是史官，可見西周的職官制度中，由
> 周天子任命的「卿事」可以統攝百官（包含卿事寮及史官）。……那
> 麼「卿事」系統和「史官」系統是否已是後來各自獨立的「卿事寮」
> 和「大史寮」？或者西周早期大史寮和卿事寮的區分並不明顯（事字
> 由史字分化而來，卿事寮一詞可能本來就是指與史官有關的寮屬）。

---

43 銘文：「隹（唯）王伐楚白，才（在）炎。隹（唯）九月既死霸丁丑，乍冊夨令障宜
　（俎）于王（＝）姜＝，（王姜）商（賞）令貝十朋、臣十家、鬲百人。公尹白
　（伯）丁父既于戍翼嗣气（訖），今敢飄（揚）皇王宦丁公文報……用乍（作）丁公
　寶殷。」〈作冊夨令殷〉和〈夨令尊〉、〈夨令方彝〉都提到其父為「丁公（父
　丁）」，而族徽都是「雟冊」，器皆於一九二九年河南省洛陽邙山馬坡出土，是一人之
　器。

有學者說毛公和番生的獨尊在西周早期是沒有的，其實鬩偈之於西周早期，就如毛公、番生之於西周晚期，西周早期沒有大史寮的資料，這可能是出土資料有限，也有可能是卿事寮是一個泛稱。[44]

關於西周職官中最上層的卿事，本文以為他們來自外服的侯，或內服的伯，他們很可能都是公爵[45]，如周公、𥃝（召）公、毛公、畢公等，這些卿事是周王的卿，地位最尊，他們是周王以下的最高執政團體，其中又有較尊者，如西周成王時的周公和召公、康王時的召公[46]、昭王時的明保，他們或是太師、太保、太史。卿事寮可能是職官的通稱（「史」、「事」為一字之分化，由卿事寮來概括所有職官，並不難理解），因此𥃞器銘文所載昭王時的鬩偈被授予領導卿事寮，其實就是領導所有的職官，隨者時代的發展，職官量不斷增加，系統也更為明顯。史官是西周職官系統中龐大而重要的部分，其由「宗教化」向「宗教－政治化」轉變[47]，而職官也逐漸分工，因此職官

----

44 鄭憲仁：《西周銅器銘文所載賞賜物之研究——器物與身分的詮釋》，收錄於潘美月、杜潔祥主編：《古典文獻研究輯刊》十二編（新北市：花木蘭文化出版社，2011年），下冊，頁262-263。此書原為二○○四年國立臺灣師範大學國文學系博士論文。

45 銘文中稱為公者，未必是公爵，多數是尊稱。

46 朱鳳瀚認為：「自文王始至昭王幾世代中，周王朝主要執政大臣之位是由周、召、畢三世族占據的。但在整個西周早期，三世族權力并非始終穩定如初，而或有起落。……成王初周、召二公曾為王之左右，而在周公故後，王之左右已改為召、畢二公。……我們以為此或與學者所論周、召二家勢力之爭的背景有關，周公卒後，其家族勢力受到當時健在的召公的排擠，故直到召公卒後，約康王晚期，周公後人才又重掌主要執政大臣之權。」見《商周家庭形態研究》（天津市：天津古籍出版社，1990年8月），頁407。

47 陳錦忠對周代史官角色的變化做了以下的論述：「西周史官之所以能夠在實際的政治工作上扮演著位高而權重的角色，除了既有的崇高地位與本身的能力之外，西周的政治結構，在宗教的要素趨於政治化的性格時，對於周政權的政治力量有了強化的作用，更是史官在政治上得以取得位高而權重的一個重要因素。……是故，史官在這種政治結構中，不但未失其原有的崇高地位，反而在宗教政治化的祭政結構中，不僅取得了以宗教威權為基礎的政治權力；同時更促使史官的性格發展為極具政治化的形態。這是史官的性格，發展至有周一代第一階段的轉變。」參見《先秦史官制度的形成與演變》（臺北市：國立臺灣大學歷史研究所博士論文，1980年7月），頁265。

分系更為明確，卿事寮和大史寮的兩系才逐漸成形。[48]

　　本文此處討論所引之金文資料，在〈周官質疑〉一文寫作時，郭沫若都是知道的，其〈周官質疑〉的目的不在深究，所以其討論內容自然不會涉及這個層面。

（三）關於《周禮》成書與學派的評論

1 變動時代的一種學術潮流

　　〈周官質疑〉云：「作《周官》者乃周末人也。」（頁 185）、「蓋趙人荀卿子之弟子所為……纂集遺聞佚志，參以己見而成一家言。」（頁 185），又云「作者本無心託之于周公，託之于周公者乃劉歆所為。」其意為《周禮》成書於戰國末年荀子學派，劉歆將之與周公扯上關係，並且此書已被劉歆「竄亂割裂」（頁 185-186）。

　　郭氏推《周禮》為荀子弟子所編纂，並無堅確證據，若僅由「爵名從周」一點來論證，更流於片面取證，實在難以令人信服。說《周禮》為劉歆竄亂，乃受到今文經學與當時的疑古學風所影響。今文經學在清乾嘉時期逐漸為常州學派（莊存與、劉逢祿等）所重視，清中晚期在龔自珍、魏源的提倡下興盛，一直延續到清末康有為以今文倡變法，今文經學的突起，使得古文經與劉歆被質疑的論點再度為學界重視，康氏主張劉歆為新莽作偽經的說法受到不少學者支持。古史辨時代對於《周禮》的質疑是承接康有為《新學

---

48 關於大史寮的部分，有一點尤應說明。張亞初在〈商代職官研究〉一文中依據卜辭「黍令，其唯大史僚令」（《前》五・三九・八）提出卜辭有大史僚（寮）的記錄（〈商代職官研究〉，收入中國古文字研究會、中華書局編輯部、陝西省考古研究所合編：《古文字研究》（北京市：中華書局，1986年6月），第十三輯，頁89。這段卜辭收於《甲骨文合集》的第36423號甲骨片，「大史」一詞，在卜辭中常作「大事」解釋，此條文例是可以作職官「大史」來看。又《甲骨文合集》第5643號甲骨片有「大史夾令」與36423號「大史寮令」的文例相同，「大史夾」的「大史」是職官名，而夾是人名，那麼「大史寮」也應是職官加上人名「寮」。所以本文認為卜辭中尚未見到「太史寮」這個職官系統的材料。

偽經考》的論點，這些意見刊行於《讀書雜志》、《北京大學國學門週刊》、《國立北京大學國學季刊》等，以錢玄同和顧頡剛為主，錢氏重要的說法如：

> 《周禮》是劉歆偽造的。[49]
>
> 若講偽書底價值，正未可一概而論。亂抄亂說的固然不少，至於《易》之〈彖〉、〈象〉、〈繫辭傳〉，如《小戴禮記》中之〈禮運〉、〈中庸〉、〈大學〉諸篇，如《春秋》之《公羊傳》與《繁露》，如《周禮》，這都是極有價值的「託古」著作。[50]
>
> 辨古書的真偽是一件事，審史料的虛實又是一件事。譬如《周禮》、《列子》雖然都是假書，但是《周禮》中也許埋藏著一部分周代的真制度。[51]
>
> 我以為從制度上看，云出於晚周，並無實據；云劉歆所作，則〈王莽傳〉恰是極有力之憑證：故仍認康氏之論為確。即使讓步說，承認《周禮》出於晚周；然劉歆利用此書以佐王莽，總是無可否認的事實。既利用矣，則大加竄改以適合王莽更法立制之用，當時實有此必要。故今之《周禮》，無論是本有此書而遭劉歆之竄改，或本無此書而為劉歆所創作，總之只能認為劉歆的理想改制而不能認為晚周某一學者的理想政制。若考周代之政制而引用《周禮》為史料，則尤為荒謬矣。[52]

錢玄同認為《周禮》是劉歆偽託古之作，即使可能有一部分是周代的真

49　錢玄同：〈答顧頡剛先生書〉，《古史辨》（臺北市：藍燈文化公司，1987年），冊1，第37篇，頁77。本篇著作時間為民國十二年六月十日，原載於《讀書雜志》第10期。

50　同前註，頁79。

51　錢（疑古）玄同：〈論說文及壁中古文經書〉，《古史辨》，冊1，第54篇，頁23。本篇著作時間為民國15年1月13日，原載於《北京大學國學門週刊》第14期。

52　錢玄同：〈方國瑜標點本《新學偽經考》序〉，《古史辨》，冊5，第254篇，頁46-47。本篇著作時間為民國二十年十一月十六日，原載於《國立北京大學國學季刊》第3卷，第2號。

制度，但不足以引為周代之政制史料。民國二十一年，顧頡剛對於《周禮》辦偽的態度，比起錢玄同的看法，已較肯定此書的價值：

> 我們闢《周官》偽，只是闢去《周官》與周公的關係，要使後人不再沿傳統之說而云周公作《周官》。至於這部書的價值，我們終究承認的。要是戰國時人作的，它是戰國政治思想史的材料。若是西漢時人作的，它便是西漢政治思想史的材料。[53]

古史辨時代，對《周禮》的成書時代探究，仍依據傳世古籍，郭沫若援引金文為據，以不同的材料為論據對前人說法提出新的支撐，為使《周禮》為戰國晚年作品並經劉歆改篡成為定論，同時又提出新的見解，將戰國晚年儒生託古之作的範圍縮小到荀子弟子。這樣的論點沒有堅實的論據，也無嚴謹的推論過程。

與〈周官質疑〉同年發表論作的錢穆在〈周官著作時代考〉一文以傳統文獻考據的研究方法，認為成書的時代為戰國，似屬晉人作品，遠承李悝、吳起、商鞅，參以孟子。郭、錢二人方法有別，對《周禮》成書的時代看法相近，而認定所屬的學派不同。其後一九五四年楊向奎〈周禮的內容分析及其著作時代〉認為《周禮》可能是一部戰國中葉左右齊國的書[54]。一九七九年顧頡剛〈周公制禮的傳說和周官一書的出現〉提出《周禮》為戰國後期齊人作，不成於一人，也不作於一時，亦有後人竄入[55]。一九八〇年徐復觀《周官成立之時代及其思想性格》主張《周禮》出於王莽，劉歆偽撰的看法[56]。一九八八年陳連慶〈周禮成書年代的新探索〉則主張成書年代的上限不早於商鞅變法，下限不晚於河間獻王在位之時，最大的可能是秦始皇帝之

---

53 顧頡剛：《古史辨・序》，冊4，頁18。原載於民國二十一年十二月十九日《大公報・小公園》。

54 楊向奎：〈周禮的內容分析及其著作時代〉，《山東大學學報》1954年第4期，頁1-32。

55 顧頡剛：〈周公制禮的傳說和周官一書的出現〉，《文史》（北京市：中華書局，1979年），第6集，頁1-40。

56 徐復觀：《周官成立之時代及其思想性格》（臺北市：臺灣學生書局，1980年）。

世[57]。一九九一年彭林《周禮主體思想與成書時代研究》認為成書年代不得晚於文景之時，和漢初儒者有關[58]。劉起釪於一九九一年發表〈周禮真偽之爭及其書寫成的真實依據〉[59]、一九九三年發表〈周禮是春秋時周魯衛鄭官制的產物〉提出《周禮》官制與文獻及金文所載西周官制無明顯衝突，推論《周禮》一書實據春秋時代周、魯、衛、鄭四國官制寫成[60]。一九九三年金春峰《周官之成書及其反映的文化與時代新考》則主張秦統一前，入秦的各國學者所作[61]。二〇〇四年沈長雲與李晶〈春秋官制與周禮比較研究——周禮成書時代再探〉提出成書不會早於春秋末葉，當在戰國時期[62]。

　　考證先秦某本古籍成書於哪個時期，在學術上有其重大的意義，也是難度極高的研究工作。先秦留下來的史料有限，若能得到新出土材料的驗證，自然是最理想的研究方式；出土材料的多樣化，未必都能與《周禮》相印證；書中有的，不見得能在出土材料中呈現；出土材料有而不見於書中，也不足以論證這本古籍有問題。如果看到《周禮》中某一制度，除非有清楚可依據的史料記載其創始於何時，否則不能以後世施行此制度來論證前代必無此制度。益以古籍不斷流傳，後人或多或少滲入後世用字與思想，亦不得據此以推翻該本古籍所代表最早時代之價值。

　　現在的學者持平地看待《周禮》，對周公作、劉歆偽作的兩種說法，都不再採信，目前以成書於戰國的說法影響最大，成書於秦至漢初的說法也有支持者。《周禮》一書取材甚廣，其內容所記載能與出土文物相合者頗多，

57 陳連慶：〈周禮成書年代的新探索〉，《中國歷史文獻研究》（武昌市：華中師範大學出版社，1988年），第2集，頁36-50。

58 彭林：《周禮主體思想與成書年代研究》（北京市：中國社會科學出版社，1991年）。

59 劉起釪：〈周禮真偽之爭及其書寫成的真實依據〉，《古籍整理與研究》1991年第6期，頁1-22。

60 劉起釪：〈周禮是春秋時周魯衛鄭官制的產物〉，《中國文哲研究通訊》第3卷第3期（1993年），頁15-22。

61 金春峰：《周官之成書及其反映的文化與時代新考》（臺北市：東大圖書公司，1993年11月）。

62 沈長雲、李晶：〈春秋官制與周禮比較研究——周禮成書時代再探〉，《歷史研究》2004年第6期，頁3-26。

是可證其編寫之時，曾大量參考各種資料，其中西周的史料為數不少，春秋與戰國者亦有相當部分，此書匯集各職官制度，即使其中有憑空構想的部分，但是仍大量地保存先秦珍貴資料，是當代研究先秦文史一部重要的典籍。

　　郭沫若身處變動的時代，對先秦古籍的疑古是一種時代潮流，不僅針對《周禮》，對於《左傳》，郭沫若亦指出有劉歆竄亂者，如〈彝銘名字解詁〉：

> 《國語・魯語》「伐備鐘鼓，聲其罪也」，侵，伐之犆者（《公羊》莊十年《傳》「犆者曰侵，精者曰伐」），故名侵字鐘伯。《左氏》莊二十九年《傳》「凡師有鐘鼓曰伐，無曰侵」，此乃劉歆所竄入也，凡《左氏》言「凡」及解經之語，均非《左氏春秋》本文。[63]

於〈正考父鼎銘辨偽〉亦云：

> 《左傳》文決為劉歆所竄綴無疑。[64]
>
> 知正考父鼎銘為偽託，則知孟僖子之預言亦必為偽託。蓋後之儒者推崇其先師，欲為之爭門望，故託為此言以示光寵。託偽者蓋秦漢間人，以其曾見《莊子》雜篇及〈檀弓〉也。史公未深考，誤錄其文以為史料，劉歆更矯誣，任意改竄以混經典。[65]

這些認為劉歆竄改的看法，若看成《左傳》文句有可疑處，不失為發現問題，足為研究切入點，然以為經劉歆改竄，則顯然缺乏有力的證據，受到廖平、康有為之說與古史辨的疑古學風影響很明顯。

2 學術性格與興趣

　　章玉鈞與譚繼和對於郭沫若的學術性格，做了以下的評論：

> 郭沫若的古文字學研究長於規律性的探討，建立了彝器形象年代學，

---

63 郭沫若著作出版委員會編：《郭沫若全集・考古篇》，卷5，頁254。

64 郭沫若著作出版委員會編：《郭沫若全集・考古篇》，卷6，頁10。

65 同前註，頁15。

長於宏觀性的創見，但在某些具體考據上則略嫌粗疏。在史學研究
上，他長於開拓性的創見，喜歡不斷追求新的東西、新的研究課題，
而在史學的縝密性上、考據的精確性上則往往受到詩人浪漫氣質的妨
礙，很難回頭再就相同的課題作深入的研究。[66]

　　郭氏的論文常有驚人之處，這其中有開創性，也有過於求新求快而產生
的錯誤。在〈周官質疑〉的最後一部分，他提出《周禮》為荀子弟子所編，
企圖提出新的看法，然而此間並未做充分的比對，諸如：政治制度、經濟制
度、宗教思想、語言文字等層面都未列入討論，也沒能提出《周禮》為荀子
學派作品的有力證據，以致於考據的精確性不足，立論新穎而不夠縝密。

　　若就郭氏研究的興趣來分析，他對於經學的興趣並不大，他留意的是古
史，即使後人盛稱他為古文字學大家，然而他研究古文字的目的可由其自敘
中瞭解：

> 我研究殷周金文，主要目的是在研究古代社會。為要達到這個目的，
> 必須做好文字研究工作。這種工作，看來是很迂闊的，但捨此即無由
> 洞察古代的真相。[67]

郭沫若寫有關《周易》、《詩經》以及銅器銘文考釋等文章，都指向於著力探
討殷周的社會的真相，是古史的關注，對於經學的興味是較淡的。〈周官質
疑〉已是他的著作中，經學色彩較濃的作品，然而，郭氏更關注的是《周
禮》的時代與真偽，而不是官制的問題。即使在後來，銅器出土量更多了，
郭氏所寫考釋專文，遇到西周職官亦大多沿用〈周官質疑〉舊說，很少修
正，即使提出修正，也常是點到為止，無意於深切探究。

　　郭沫若的學術性格與興趣使他在古史界（中國上古史）有重要的學術地
位，也促成他在金文考釋的成就。不過，他的學術性格和興趣也著實限制了

---

66 章玉鈞、譚繼和：〈與時俱進的二十世紀中國文化巨人〉，收入中國郭沫若研究會編：
　《郭沫若與二十世紀中國文化》（福州市：福建人民出版社，2002年10月），頁31。
67 郭沫若：〈重印弁言〉，《殷周青銅器銘文研究》，頁1。

他在探討問題時的廣度與深度。他選擇以金文材料來探討《周禮》，對於兩者有相同處，他修正康有為等以《周禮》全出劉歆之手的說法，已有推進，惜未再做探究。至於金文材料和《周禮》不合之處，郭沫若亦未深思，不就兩者不合之可能成因加以分析，乃下定論為荀子弟子所纂、劉歆竄亂，思考之層面廣度不足，而討論之深度也有限。

四　結論

民國初年，向來為中國學術重心的經學如同當時政治社會的轉變，進入變動時代，疑古與整理國故的思潮對《周禮》的檢視也有更新的方法與視野。郭沫若善於用不同的角度與新材料對傳統學術提出新的研究，他是一位公認具有開創性的先驅地位的學者。郭氏在銘文考釋與〈周官質疑〉一文中，都對周代職官提出看法，本文由三個部分探討其研究的成果與重要性：

（一）關於研究方法

傳統禮學對周代職官的研究都以《周禮》為主要依據，參照《尚書》、《毛詩》、《左傳》、《國語》等先秦古籍，這樣的研究有材料的侷限性。

大量引用新出土材料是民國以來學術研究的重要特色，雖然在宋儒與清儒已將研究的領域投向金石學與古文字學，但是提煉出重要學術成果的，則當推羅振玉、王國維、楊樹達、郭沫若、于省吾等清末跨到民國的學者（大多數的作品也都是民國以後發表的），他們的成果對於學術研究起了很大的推進作用。郭沫若以可信度更精確的金文材料研究周代職官，在研究方法上突破了傳統受限於傳世古籍的情況。這樣的方法也是當前研究中國上古相關課題的主要方法之一。

如上所述，採取了最新的方法、選擇較具真實性的材料、突破傳統研究《周禮》的侷限，是郭沫若在周代職官研究方法上的長處。至於未能考慮到金文材料本身的侷限、考慮不夠全面，則是其研究方法的不足處。

（二）關於周代職官考釋

　　〈周官質疑〉列出二十個職官條目，加上其他著作所涉及的周代職官，有三十多個，他提出的意見有三類：一是補充《周禮》之不足，這類是最具建設性的意見；二是說明《周禮》與金文兩者在職官上的歧異，這類意見佔的比例較多，也是他特意發揮之處；三是引用《周禮》注釋金文中的職官，這是他肯定《周禮》職官的部分。

　　整體而論，他對於周代職官的研究並未探尋其源流與演進，而著重於《周禮》歧異處，他所指出的歧異，對於研究先秦官制，提供了重要的參考意見，雖達到「質疑」的效用，然而這在《周禮》一書的探究上，是單方面的切入，不是整體的分析，就質疑全書的真偽方面，論證方式不夠全面。

（三）關於《周禮》成書與學派

　　對於《周禮》成書與學派，郭沫若舉西周金文為證據，反對《周禮》為周公致太平之書的說法，也不同意康有為視《周禮》為全出於劉歆之手的說法，所以他提出該書編纂者為戰國末年荀子弟子的意見。郭氏的意見只是片面取證，未做充分的比對，也缺乏足夠的證據，立論新穎卻不夠縝密，考據的精確性也不足，因此難為學界所從。這是他在周代職官研究上，最大的失誤。

　　整體而言，研究方法及以金文材料對《周禮》職官的補充與考辨，是其長處；過度質疑《周禮》與提出由荀卿子弟編輯成書，是其缺失。在經學變動的時代，郭沫若的這些研究，仍應視為時代潮流的前鋒，也明顯地影響後世的研究。他對《周禮》的批評質疑，表面上看起來是「破」，實際上也是「立」。那個時代學者們對《周禮》的諸多討論，不論是將此書貶為西漢偽書，或提出書中有諸多可信的史料，這些意見建立了《周禮》研究的新途徑，提出新的視野，也使得後人對於此書有更切實的認識，對經學研究有承

先啟後的作用與影響力。今日在評價二十世紀前期的《周禮》研究，郭沫若的意見是不可忽視的。

吳承仕《經典釋文序錄疏證》

周少川
北京師範大學古籍與傳統文化研究院教授

一 引言

　　吳承仕（1884-1939），字檢齋，安徽歙縣昌溪人。父吳恩綬，邑廩生，曾任縣知事，後任京師歙縣會館館長。五歲入倉山源私塾讀書。清光緒二十七年（1901）十七歲，考中秀才。翌年赴南京鄉試中舉人，列第三十九名[1]。光緒三十三年（1907），他在保和殿參加舉貢會考，被取為第一等第一名，點大理院主事[2]。一九一二年出任中華民國臨時政府司法部僉事[3]。一九一四年章太炎大鬧袁世凱的總統府，被囚禁於北京。吳承仕以司法官的身份常往探視，並請教學問，受業章門。次年，將章氏所言錄為《菿漢微言》一書[4]。一九一九年，為呼應章太炎發起的「亞洲古學會」，在北京大學《國故月刊》發表〈王學雜論〉，深受章門師徒讚賞。由此漸無意政事而致力於治學著述。

　　一九二四年，隨著被章太炎稱為「洽聞強識，思辨過人」[5]的《經籍舊

1　其《光緒壬寅補行庚子辛醜恩正科江南鄉試卷》三篇，現保存於安徽歙縣政協。

2　石國柱、樓文釗編：《歙縣縣誌》卷四《選舉志》（1926年），頁63、64。

3　《官紳履歷匯錄》第一集，見莊華峰編纂：《吳承仕研究資料集》（合肥市：黃山書社，1990年），頁29。

4　湯志鈞著：《章太炎年譜長編》（北京市：中華書局，1979年），頁511。

5　〔清〕章太炎：《經籍舊音題辭》，見吳承仕著，張力偉點校：《經典釋文序錄疏證（附經籍舊音二種）》（北京市：中華書局，2008年），頁156。

音辨證》等一批著述問世，吳承仕聲名大振。他離開了供職十餘年的司法部，出任北京師範大學國文系主任，中國大學國學系主任，並先後執教於北京大學、東北大學、北京女子師範大學。在各大學講授《國故概要》、《經學史》、《古籍校讀法》、《說文》、《六書條例》、《三禮名物》等課程。

　　吳承仕的經學造詣極深，著述甚豐。在他短短的二十年治學與教學期間，共撰寫了《經學通論》、《經典釋文序錄疏證》、《國故概要》、《尚書古文輯錄》、《尚書今古文說》、《三禮名物略例》、《喪服變除表》、《三禮名物筆記》、《經籍舊音辨證》、《小學要略》、《六書條例》、《說文講疏》等論著八十四種[6]。其研究範圍涉及經學、諸子、小學、釋道、史學、詩文等領域，尤其在經學上的研究成就最大，堪稱二十世紀上半葉中國的經學大師。

　　吳承仕除了以經學家、小學家、教育家聞名於世之外，他還是一位勇於接受新思想，改造舊學，面向社會的學者。自一九三〇年起，就在他熟悉的同事范文瀾那接觸到《家庭、私有制和國家起源》、《共產黨宣言》。此後又與他的學生，共產黨員齊燕銘、張致祥密切來往，閱讀大量馬列著作，逐步學習和接受社會進化論和馬克思主義的唯物史觀。在新思想的指導下，他一方面從事改造中國大學國學系的課程，一方面運用唯物史觀和辯證法開展對古代經學、文字學的研究，一九三四年以後，撰寫了諸如〈中國古代社會研究者對於喪服應認識的幾個根本觀念〉、〈從說文研究中所認識的貨幣形態及其它〉等一批論文，並打算循此路徑全面展開對三禮名物的新的研究。他的這些成就被後人譽為中國「第一個用馬克思主義觀點研究經學的人」[7]。新思想的召喚和社會運動的激情，促使他創辦了一系列宣傳抗日救亡、紅色思想的雜誌，並於一九三六年秋天加入了共產黨。一九三七年北平淪陷後，他逃難天津。一九三九年在天津染疾，潛回北平治療無效，不幸逝世，終年五十五歲。一九四〇年，延安各界為他舉行了追悼大會，毛澤東、劉少奇、周

6　黃壽祺：〈略述先師吳承仕先生的學術成就〉，《北京師範大學學報》1984年第2期，頁2-10。

7　參見黃壽祺：〈略述先師吳承仕先生的學術成就〉，頁11-12；佚名：〈第一個用馬克思主義觀點研究經學的人——吳承仕〉，《黃山學院學報》2006年第4期，頁168。

恩來、朱德、吳玉章等敬送輓聯和花圈。

吳承仕逝去後，由於長期社會動亂，他的著述未能得到很好地保存和整理，大量著作至今仍未能面世。然而，他作為民國時期經學大師的地位是不可撼動的。本人作為吳承仕長期執教的北京師範大學之後學，撰此小文，對他以《經典釋文序錄疏證》（以下簡稱《疏證》）為代表的經學史研究作一粗淺的闡述，企求認識其經學成就於萬一，並就教於方家。

二　《疏證》的編撰背景與特點

《經典釋文序錄疏證》出版於一九三三年九月，是中國大學國學系叢書中的一部名著。從完成和出版的時間來看，應是吳承仕的經學研究比較成熟的時期。吳氏作為章太炎的入室弟子，學問和聲望與章氏大弟子黃侃齊名，二十世紀三十年代曾以「南黃北吳」並稱。章太炎在他晚年所寫的《新出三體石經考證》中，其他人的論述皆未提及，唯獨引用黃、吳之說，並曾專門致信吳承仕曰：「僕于《石經》古文所不解者數事，得君發明，此一事渙然若冰解矣。」[8]可見他在老師心目中獨特的地位。

在吳承仕治學諸領域中，經學成就是最可稱道的。然而考察他早期的研究成果卻是頗專注於諸子和小學。諸如，一九二一年撰成《經籍舊音序錄》，一九二二年撰成《通語釋詞》，一九二三年撰成《經籍舊音辨證》，以上都屬小學類；一九二三年校《鹽鐵論》，一九二四年撰成《淮南舊注校理》，同時又著手《論衡校釋》，以上則屬諸子學研究[9]。一九二四年八月九日，在章太炎得知吳承仕的治學近況以後，去信對吳氏的治學方向加以指導，函曰：

> 大著近想更富，既有《淮南》舊注校理，又勘《論衡》，功亦勤矣。……足下於學術既能縝密嚴理，所得已多，異時望更為其大者。

8　吳承仕藏：《章炳麟論學集》（北京市：北京師範大學出版社，1982年），頁458。

9　參見黃壽祺：〈略述先師吳承仕先生的學術成就〉，頁1-12。

佛典已多解辨之人，史學則非君素業，以此精力，進而治經，所得必
大。……次則宋明理學，得精心人為之，參考同異，若者為摭拾內
典，若者為竊取古義，若者為其自說，此亦足下所能為。昔梨洲、謝
山不知古訓；芸台、蘭甫又多皮相之談，而亦不知佛說。非足下，誰
定之？[10]

信中對吳氏治學頗加讚賞，然而又及時點撥指示其「更為其大」、「所得必
大」者。這就是先治宋以前經學，再治宋明理學。從廣義上講，後者也仍是
經學的範圍。恩師的諄諄教誨和寄予厚望，猶如黑夜明燈，照亮了吳氏治學
的方向，促使素有經學修養的吳承仕及時地警醒。從此後他的研究物件和著
述成果，可以看出他轉向經學研究的明顯跡象。先是《尚書》學的研究，此
後的三禮名物、《春秋》學研究等等。經過近十年的積累，為撰寫《疏證》
一書奠定了厚實的基礎。因此，章太炎的指導是他撰著《疏證》的重要契
機。

　　吳氏曰：「愚為《序錄疏證》，本欲略明經典源流，為學校講疏之用。」[11]
故《疏證》的編撰還與吳承仕入主中國大學國學系後，振興國學系，改造課
程設置，講授經學史的教學實踐有關。中國大學是一所私立學校，經費緊
張，聘請不到著名的教授，其國學系因此而慘澹經營，課程開設簡單，被人
另眼相看。吳承仕自一九二六年出任國學系主任後，開展了新的課程設置的
改革，編制了正式的教學大綱。大綱把大學四年的課程分為兩個階段，第一
階段為打基礎的階段，著重於博，豐富學生的知識；第二階段為提高的階
段，著重於精，以求發展學生的專長。後來他在〈本系的檢討與展望〉一文
中回顧說：「當初我們在這裏上課，每點鐘兩塊半錢」；「度著那種艱苦的生
活，我們也沒有灰心，只知道在客觀的條件下，漸漸的改變我們的課目，充
實我們的內容，企圖本系的發展。」[12]吳承仕倡導的改革，為國學系帶來了

---

10 吳承仕藏：《章炳麟論學集》，頁415-416。

11 吳承仕著疏證，張力偉點校：《經典釋文序錄》（北京市：中華書局，2008年），頁11。

12 吳承仕：〈本系的檢討與展望〉，《中大週刊》第56期（1934年）。

生機，而他在應付繁忙公務外，也身體力行，親自講授多門國學課程，其中《經典釋文序錄》一課就是系統講述經學史，拓展學生知識面的重要課程。吳承仕選擇疏證和講授《經典釋文序錄》是有原由的。首先，清亡之後，新學滋漫，經學衰微。清世流行的經學餘韻重在小學，以小學論經，或以經師為主，或以典籍為中心，未能系統闡述各時代經學之意義及歷代之變遷。清季雖有皮錫瑞以會通眼光撰述的《經學歷史》，然過於簡略，又未能充分吸收清代經學考證的成果，特別是未能利用清中葉以降新出現的經學新史料，如從敦煌和日本發現的唐殘卷鄭玄《論語注》、從日本發現的皇侃《論語義疏》等等。此外，皮錫瑞《經學歷史》中明顯的今文經學傾向也頗令人詬病。正如章太炎後來給吳承仕的信中所說的：「僕每念近世學校中能理小學者多有，能說經者絕少。然有之，大氐依傍今文，指鹿為馬，然尚不可驟得。」因此，他對吳承仕研究和宣講經學史大為讚賞，認為「此之一線，固不可令絕也」[13]。

　　如何撰寫符合時代需求的經學史新著？吳承仕以南朝末年陸德明所撰的《經典釋文序錄》作為灌注新義的最佳選本。陸德明的《經典釋文》為《周易》以下十二種儒家經典及《老子》、《莊子》共十四部經典注釋音義。全書採集廣博，音義兼解，為後世治經者所宗。其卷一《序錄》記錄了唐以前經學發展沿革的基本線索，記錄了除《孟子》之外的十二部經書的產生、授受源流及相關的經師、典籍，不啻一部簡明的唐前經學史。

　　《疏證》以陸氏《經典釋文序錄》為基礎，採用古文經學家治經的方法。在書中詳徵博引，闡述了群經興衰及經學史變遷，考證了主要人物和典籍，論斷精闢。《疏證》的撰述有以下特點：其一，詳加校勘，吸收了《經典釋文》通志堂本、宋本的優點及盧文弨等清人的一些校勘成果。這些成果在《疏證》行文中時有提及。其二，以章句之法，將《序錄》原文按文意分段疏解，疏解首句常點明原文段意。吳氏在《序錄‧條例》的題解中曰，「此文自述著述體例……相其文勢，自分章段。今本皆隨行直下，總為一

13　吳承仕藏：《章炳麟論學集》，頁508。

篇」。「茲就其文義，析為數章，略加箋記」[14]。於是將《序錄‧條例》分為數段，第一段的疏證文首句曰「此明本書與舊作不同」；第二段的疏證文首句曰「此明五經大義世有常宗，不須具說」；以下皆類此。綜觀全書，這種章句之例則常用在注解長段正文的疏證之中。其三，用考史源之法。陸氏《序錄》多本《漢書‧藝文志》、前四史傳記及舊家諸說。《疏證》追蹤史源，或明《序錄》言之有據，或加以補充辨證，以明是非曲直。如《序錄‧注解傳述人》「周易」首段之後，《疏證》曰：「自『伏羲氏』至『畫八卦』，約《下系》『九事』章文，《藝文志》『易類』亦引之。」[15]指出《序錄》此段敘述，裁自《周易‧系辭下》的內容，與《漢書‧藝文志》易類小序所述相似，以明其來有自。其四，疏解考證之法，此為全書主要形式。《序錄》以「注解傳述人」為闡釋十四部經典產生、授受源流的主體。每部經典為一單元，前為序論，敘述各經淵源、產生、授受、流變，其中兼述歷代經師行跡及典籍流傳；後為目錄，記傳注各部經典的作者、書名、卷數。吳氏《疏證》針對不同內容採用不同方法。對於序論，則以疏通源流，考證史實為主；對於目錄，則以考證作者行狀、典籍真偽、注解書名異同、卷帙分合為主。其五，論斷。徐復觀認為經學史著作「有傳承而無思想，等於有形骸而無血肉」[16]；「只言人的傳承，而不言傳承者對經學把握的意義」，則「經學成為缺乏生命的化石」[17]。《疏證》則既言傳承，又有論斷，從而突破了以往古文經學家治經學史的侷限。書中有許多論斷，如《尚書》學史中論清人丁晏《尚書餘論》辨偽孔傳形成的意義[18]；《詩經》學史論小毛公在毛詩傳授中的作用[19]；《論語》學史中論後出皇侃《論語義疏》本的校勘價值[20]，等等。或糾前人之誤，或申自得之見，從而突顯了《疏證》的學術地位。

14　吳承仕著疏證，張力偉點校：《經典釋文序錄》，頁11。。
15　同前註，頁28。
16　徐復觀：《徐復觀論經學史兩種》（上海市：上海書店，2002年），頁3。
17　同前註，頁164。
18　吳承仕著疏證，張力偉點校：《經典釋文序錄》，頁64。
19　同前註，頁81。
20　同註18，頁134。

這裡還要提出的是,《疏證》出版之後,吳氏在講授過程仍不斷對此書作大量的批註,加以補充,反映出他嚴謹的治學精神。《疏證》以其詳博的材料,深入的論述和獨具特色的編撰方式,為人所稱道。其值得討論的學術價值,歸結為犖犖大端者有二,一是對經學史的梳理,二是對經學史的考訂。

三 《疏證》對經學史的梳理

章學誠在談到校讎群書、條理學術時認為:「將以辨章學術,考鏡源流,非深明於道術精微,群言得失之故者,不足與此。」[21]吳承仕的《疏證》在經學史研究上的重要貢獻之一,則表現在以「辨章學術,考鏡源流」之旨,梳理了古代經學史的先後次第及淵源流變。

(一)對諸經次第的條理辨析

諸經次第的排列,或反映諸經產生的先後,或反映人們接受的次序,從中亦可看出各經在經學史上所處的地位。所以陸德明在《序錄》中專設〈次第〉一章給予闡述,其認為五經六籍「不相沿襲,豈無後先?所以次第互有不同」。吳氏《疏證》在《序錄·次第》的基礎上,進一步推衍為三個層面:一是六經次序;二是十三經中相關經典的次第,如三禮、《春秋》三傳;三是單經中不同注家的先後,如《詩經》魯、齊、韓三家。這是《疏證》辨析諸經次第意義的新發展。

其一,關於六經次第。六經次第,漢前與漢後排列明顯不同。《序錄·次第》曰:「如《禮記·經解》之說,以《詩》為首;《七略》、《藝文志》所記,用《易》居前……今欲以著述早晚,經義總別,以成次第,出之如左。」陸氏述六經次第比較簡略。但他提出一個重要原則,就是以著述早晚

---

21 〔清〕章學誠著,王重民通解:《校讎通義》(上海市:上海古籍出版社,1987年),頁1。

排六經次序。《疏證》進一步注解了《序錄》的觀點，指出「《經解》以《詩》、《書》、《樂》、《易》、《禮》、《春秋》為次」；《七略》、《漢書‧藝文志》「首《易》，次《書》，次《詩》，次《禮》、《樂》、《春秋》」，基本上沿襲了《序錄》的看法。其略有發揮者，引鄭玄《三禮目錄》之說，指出《禮記‧經解》中「六經次第，則隨意為之，不關本篇弘指」，認為《序錄》的六經排序與《七略》、《漢書‧藝文志》相同，「或劉、班亦以著述早晚為次，亦未可知」[22]。平心而論，在六經次第的問題上，《疏證》因當時經學研究的沉悶空氣所限，因循為多，發明甚少。時至今日，有關六經次第的認識可以逐漸明晰了。漢前關於六經次序，不僅《禮記‧經解》如此說，《莊子‧天運》也曰：「丘治《詩》、《書》、《禮》、《樂》、《易》、《春秋》六經。」[23]《詩》、《書》、《禮》、《樂》列在前，因其較早成為西周官學。《禮記‧王制》曰：「樂正崇四術，立四教，順先王《詩》、《書》、《禮》、《樂》以造士。」其排列順序大概因貴族子弟的接受程度而先易後難有關。《易》因占筮問天之具，為王室所秘，不列於學官；《春秋》乃孔子所修。故《易》與《春秋》為儒生所研習，應在孔子之後了。至於漢代對六經的排列，當與漢代《易》學的地位逐步提升有關。到劉向、劉歆父子時，《漢書‧楚元王傳》曰：「歆及向始皆治《易》。」[24]姜廣輝等人從劉向著述及《漢書‧律曆志》收錄的劉歆《鍾律書》、《三統曆》、《三統曆譜》之中，分析了向歆父子重《易》的思想，指出因此《七略》、《漢書‧藝文志》要以《易》為首[25]。《漢書‧藝文志‧六藝略》大序在分析其他五經的意義之後，說：「五者，蓋五常之道，相須而備，而《易》為之原。故曰『《易》不可見，則乾坤或幾乎息矣。』」[26]可見，二劉、班固以重視程度列《周易》

---

22 吳承仕著疏證，張力偉點校：《經典釋文序錄》，頁18。

23 王先謙：《莊子集解》（北京市：中華書局，1954年），頁95。

24 〔清〕班固：《漢書‧楚元王傳》（北京市：中華書局，1962年），頁1967。

25 姜廣輝編：《中國經學思想史》（北京市：中國社會科學出版社，2003年），冊2，頁313-314。

26 〔清〕班固：《漢書‧藝文志》，頁1723。

為首的六經次第，其次第先後只是偶與著述早晚相合而已。

其二，關於三禮、《春秋》三傳次序。此處《疏證》有較多發明。《序錄‧次第》曰：「三禮次第，《周禮》為本，《儀禮》為末，先後可見。」即以三禮次序為：《周禮》、《儀禮》、《禮記》。《疏證》首先分析陸氏之說源於鄭玄注《禮記‧禮器》「經禮三百，曲禮三千」一句。鄭注以「經禮」為《周禮》，〈曲禮〉為「事禮」，即《儀禮》。孔穎達《禮記正義》又秉承鄭、陸之意曰：「《周禮》為本，聖人體之；《儀禮》為末，賢人履之。」接著《疏證》證以反例，指出西晉臣瓚注《漢書‧藝文志》曰「禮經三百，謂冠、婚、吉、凶」，乃以《儀禮》為禮經。朱熹作《儀禮經傳通釋》更倡其義，「自爾更無崇信鄭義者矣」。最後論斷曰：「自周訖漢，蓋以十七篇為《禮》之正經；《周禮》本名《周官》，二戴自為傳記，並非正經之比。」[27]由此定三禮次序為《儀禮》、《周禮》、《禮記》，實為允當。

論《春秋》三傳次序時，《疏證》雖無明確的論斷，但也提出可供辨證的意見。《序錄‧次第》按通常的看法，述三傳次第曰：「左丘明受之于仲尼，公羊高受之于子夏，穀梁赤乃後代傳聞。三傳次第自顯。」《疏證》在引述《漢書‧藝文志》、杜預《春秋左傳集解》疏解三傳次第之說後，又引桓譚《新論》、《禮記‧王制》正義所引鄭玄駁何休等異說以為參證，曰：「此三傳後先之次，而桓譚、鄭玄皆以公羊在穀梁後，疑就著竹帛史言之。」[28]則認同鄭玄「穀梁近孔子，公羊當六國之世」的說法，認為《序錄》言《公羊》在《穀梁》之先，大概以成書的時代而論。

其三，關於《詩經》魯、齊、韓三家。《序錄‧次第》引《漢書‧藝文志》，指出「魯最為近之」，齊、韓詩則「咸非其本義」。《疏證》又辨析齊、韓二家何者稍近，曰：「竊謂齊學之五際六情，本與《易》陰陽、《春秋》災異相次，猶焦延壽之獨得隱士之說也，則齊學實為巨異。」[29]於此有進一步的發明，條列出魯、韓、齊三家與《詩》義由近到遠的次序。

27　吳承仕著疏證，張力偉點校：《經典釋文序錄》，頁23。

28　吳承仕著疏證，張力偉點校：《經典釋文序錄》，頁25。

29　同前註，頁79。

（二）對諸經之學源流演變的論述

　　闡述諸經之學的源流、演變及不同流派之消長，揭示諸經之學在各個時代所取得的成就和認識意義，是《疏證》「辨章學術，考鏡源流」的要旨。書中對各經學術發展史多有闡述，或詳或略，可歸為三端。

　　其一，對各經學術發展脈絡的把握。以《尚書》學為例，自西晉起，統治《尚書》學千餘年的偽古文《尚書》在清代既已成定讞。那麼，今文《尚書》學短暫的發展史就顯得尤為重要。《疏證》從五個方面歸納了「今文《尚書》之傳始於伏生，盛於三家，歇於永嘉之亂」的歷史。其中尤可注意者：一是點明伏生有《大傳》四十一篇、鄭玄所注以及西漢三家遺說的重要性，今存清人輯本，「固治《尚書》者所宜取資也」。二是闡述今文《尚書》學在西漢最為興盛。歐陽氏、大夏侯、小夏侯三家皆有本經、有章句。三家傳授又有九人，各為名家。今文《尚書》立於學官，宣帝時石渠之論則有《尚書》博士的《議奏》四十二篇。而在東漢，今文《尚書》學則流於平淡。至永嘉乃衰滅以盡。三是指出今文《尚書》學的支流。即有夏侯始昌、夏侯勝、劉向父子等的〈洪範〉五行推驗災異一脈。[30]

　　其二，對不同經學流派消長的分析。各經源流，派有所分，流派消長是學脈走向的具體表現，故不可不知。魏晉南北朝時期，是《易》學發展變化的重要階段。王弼吸取玄學思想，以義理闡發《易》學，與鄭玄《易》學為代表的舊學相左，形成勢頭強勁的新流派。《疏證》分析了兩家流派的消長。先是魏晉之際，玄學大行，東晉中興，只置王氏《易》學。至南北朝時期，因「陸澄、王儉等皆謂玄、儒不可偏廢；請置鄭氏」，故二家並立。此後二派互為角逐，「大抵北朝用鄭，南學宗王，至隋則王注盛行，鄭學浸微」。最後因唐孔穎達《五經正義》選用了王弼、韓康伯注，而鄭學衰竭矣。[31]

---

30 吳承仕著疏證，張力偉點校：《經典釋文序錄》，頁55-56。
31 同前註，頁39。

　　其三，揭示學術之流變。學術發展因時而異，在變化中推演。《疏證》
注意了經學史的流變。因而能夠表闡不同時代的發展特徵。仍以《易》學為
例，西漢時期，京房《易》學的出現是一轉折。《疏證》引《漢書·儒林
傳》曰：「成帝時，劉向考《易》說，以為諸家《易說》皆祖田何、楊叔
元、丁將軍，大義略同，唯京氏為異黨。」經分析京氏《易》授受源流，
《疏證》作出結論說：「然則災變之書、隱士之說，要非田生、楊、丁之舊
可知也。」[32]《易》學在東漢末鄭玄時又有一變。鄭玄綜合今古文《易》
學，約之以《周禮》，於是鄭氏《易》學一時風行。縱觀漢至六朝《易》學
的歷史，《疏證》總結為三變：「蓋孟、京《易》行而施、梁丘衰；鄭、王
《易》行而孟、京衰；王氏大行而鄭氏衰。術數之學絀于玄言，於此可以觀
世變矣。」[33]

（三）對經籍流傳的闡釋

　　經學典籍是經學學術與思想的載體。因此闡述經籍產生與流傳的過程，
是分析經學史發展狀況的重要內容。《疏證》對經學典籍流傳的闡釋，突出
表現在以下幾個環節。

　　一是追索經書名稱的由來。經書名稱的由來和確定，反映出人們對經典
認識的程度。《疏證》論「尚書」之名的出現，條列了各種說法。如馬融以
為乃上古有虞氏之書，故曰「尚書」；王充《論衡·正說》以為乃上古帝王
之書；偽孔序以上古之書乃謂「尚書」；鄭玄則認為「尚」字乃孔子所加；
孔穎達《正義》則以為乃伏生所加，眾說紛紜。《疏證》經過一番比較，較
為認同「尚書」乃上古之書的涵義，並指出此名約產生於漢初。《史記·太
史公自序》引司馬談之言，已有《尚書》之稱[34]。至於「毛詩」之名，則據
《漢書》、《後漢書》等史料，指出毛亨作《詩詁訓傳》時，尚無「毛詩」之

32　同前註，頁33。

33　吳承仕著疏證，張力偉點校：《經典釋文序錄》，頁36。

34　同前註，頁52。

名。延至毛萇傳《詩》之時，始題曰《毛詩》[35]，從而說明小毛公在傳播
《詩經》學上的作用。

　　二是分析經書內容的來源。《禮記》本為孔子門生所聞所記，內容龐
雜，後人又多有損益，至漢代方形成大小戴二家《禮記》。然二戴《禮記》
內容又多不相同，其源流所自，說法很多。《疏證》綜核眾說，斷以己意，
分析了二戴《禮記》內容的來源：一為禮家之記，二為樂家之《樂記》，三
為《論語》家之《孔子三朝記》，四為《尚書》家之《周書》，五為諸子中之
儒家，六為道家，七為雜家，八為漢人著作，九為《逸禮》[36]。這些分析為
經學研究者深入認識《禮記》的思想奠定了基礎。

　　三是討論經書的流傳。《周禮》的產生流傳，《序錄》以寥寥數語一筆帶
過。《疏證》爬梳史料，詳細地闡論了《周禮》的產生、發現及流傳之隱
顯。首先，《疏證》以馬融《周官注》輯本為據，認為《周官》六篇乃周代
史官所著。其次，指出秦始皇焚書後《周官・冬官》已亡，時人以〈考工
記〉補之。並引鄭玄《三禮目錄》、《六藝論》之言，以證〈冬官〉乃為漢前
所補。《周官》在壁中發現時已有六篇，批駁漢時才補〈考工記〉或漢時才
使博士做〈考工記〉補之的說法。再次，述漢初得《周官》，成帝時劉向父
子著錄，王莽及東漢章帝時立於學官，此後傳授漸盛的過程。駁何休等人以
為《周官》乃偽書之論[37]。《周禮》的產生歷來各有說法，至今也仍存在爭
議。然吳承仕綜匯史料，詳述其流傳歷史，亦成貢獻於經學史的一家之言。

　　四是辨析典籍傳承中誤傳偽託的原因。釐清經學典籍流程中誤植或偽
託，辨析其緣由，亦是經學史中正本清源的重要工作。以《易》學中京房的
著述而言，其誤傳和偽託的現象就比較突出。僅以《隋書・經籍志》為例，
其經部、子部著錄的京房《易》著多達二十五種，然而絕大多數為誤傳或偽
託。《疏證》分析其根源，一為弟子述師說而冒用師名；二為術數占驗之書
多依託；三為用京房之法推論而假稱京房之名，如《晉災異》一書；四為後

35 同前註，頁80-81。

36 吳承仕著疏證，張力偉點校：《經典釋文序錄》，頁92。

37 同前註，頁89-90。

人所作，傳承者誤認為京房之書，五為本署京房之名而有異議者[38]。

綜上所述，《疏證》以其詳博的徵引和簡明的論斷，從幾個方面梳理了唐前經學史的脈絡。從把握各時代學人對經學內涵認知狀況的角度，部分地達到了「把時代各人物所瞭解的經學的意義，作鄭重的申述」[39]的目的。

四　《疏證》對經學史的考訂

章太炎曾與人評論兩個得意弟子黃侃、吳承仕的治學風格，他說：「檢齋文不如季剛，而為學篤實過之。」[40]《疏證》對於唐前經學史上相關史實的縝密考證，糾正了包括陸氏《序錄》在內的許多著述的謬誤，為經學史研究提供了正確的依據，也反映出吳承仕紮實、精審的治學功夫。

（一）考《序錄》史源

根尋史源是治史的優良傳統。陳垣曾發明史源學，他認為：「讀史必須觀其語之所自出。」對於歷史記載，「非逐一根尋其出處，不易知其用功之密，亦無由知其致誤之源。」[41]吳氏《疏證》對《序錄》的疏解，即特別注意《序錄》敘述的依據和根源，常以「此約」何處文、「此據」何處文的方式，說明《序錄》所本。這樣做，一是為了根據《序錄》的史源，充分展開史料，以便疏解《序錄》文意；二是為了找出《序錄》的原始根依，以便稽考史實，辨明正誤。比如，《序錄・注解傳述人》「尚書」部分，陸氏述漢興以來今文《尚書》授受源流，曰「伏生失其本經」。《疏證》考其史源，乃出自偽孔〈尚書序〉「伏生年過九十，失其本經，口以傳授，裁二十餘篇」云

38　同前註，頁34。

39　徐復觀：《徐復觀論經學史兩種》，頁164。

40　鮑弘道：〈經學大師　革命戰士吳承仕〉，見《文史集萃》（北京市：文史資料出版社，1983年），第一輯，頁164。

41　陳垣：《通鑑胡注表微》（瀋陽市：遼寧教育出版社，1997年），頁81、84。

云。《疏證》論證此乃作偽者妄自稱大，詆毀今文《尚書》，「失其本經」言
過其實，因據《漢書》所載，只是有所殘缺。進而指出陸氏受偽孔序之惑，
採信「失其本經」之說，有失偏頗。[42]

　　又如《序錄‧注解傳述人》的「三禮」部分，敘說禮之義用。《序錄》
曰：「禮教之設，其源遠哉！」《疏證》考其史源，以為若依《禮記‧禮運》
之說，「禮必本於太一」，則禮生於天地未分之前，未免過於玄遠而不實。不
如依《荀子‧禮論》關於先王為養民治民而制禮之說，方為「撢本之論，賢
於《禮運》遠矣」[43]。通過史源的疏解，更為合理地闡明禮教的起源。

（二）考典籍狀況

　　首先是考訂《序錄》文字。《經典釋文》流傳至清，已有多家校正，其
中尤以盧文弨《經典釋文》考證為勝。《疏證》已吸收了盧氏《序錄考證》
的成果。然又有新的補充、考異。如《序錄‧注解傳述人》中談到《易》傳
「十翼」，陸氏自注「解見余所撰□□」，注文有闕。盧文弨曰：「《隋志》：
《周易大義》二卷，陸德明撰。當即指此書。」但是《疏證》認為《舊唐
書‧陸德明傳》稱陸氏「撰《易疏》二十卷」，究竟闕文所指何書還不能斷
定[44]。

　　此後，《序錄》又述施讎傳《易》源流，曰：「後漢劉昆受《施氏易》于
沛人戴賓，其子軼。」《疏證》引《後漢書‧劉昆傳》「子軼傳昆業，門徒亦
盛」，認為：「《序錄》『其子軼』上疑奪『傳』、『授』等字。」[45]

　　《序錄‧注解傳述人》著錄《易》類典籍，在「宋衷《注》九卷」下
注：「字仲子，南陽章陵人，後漢荊州五等從事。」《疏證》查《隋書‧經籍
志》，「五等」作「五業」。然孰正孰誤，前儒盧文弨等不能定是非。《疏證》

---

42 吳承仕著疏證，張力偉點校：《經典釋文序錄》，頁51-52。
43 吳承仕著疏證，張力偉點校：《經典釋文序錄》，頁86。
44 同前註，頁29。
45 同前註，頁30。

以理校之，以《三國志》注引《魏略》「樂詳少好學，五業並受」為證，認為五業乃五經之業，「等」應是「業」字形近之訛[46]。

其次，《疏證》注意考典籍卷帙。如《序錄》、《隋志》、《舊唐書·經籍志》皆記載孟喜有《易章句》十卷，而《漢書·藝文志》記孟氏《章句》僅有二篇，何以後代卷帙反盈於前代。《疏證》認為「疑後世述《孟易》者綴緝為之，非《漢志》之舊」[47]。

復次，考典籍之偽託。《疏證》考古文《尚書》之偽是本書辨偽之大宗。從古文《尚書》興起，到傳承人物，具體篇章，層層考辨，篇幅較多。僅以考證古文《尚書》興起而言，《序錄》述此，多依《漢書·藝文志》，然又有附會和演繹。《疏證》從幾個方面進行考證：一是辨析魯恭王壞舊壁得書的時間。《漢志》曰「武帝末，魯恭王壞孔子宅」，《疏證》認為「恭王卒於元光四年，不得至武帝末」，《漢志》說乃傳聞之誤。二是辨古文《尚書》的卷帙，指出後來偽造的古文《尚書》乃彌合篇卷數，以合《漢志》的記載，用假亂真。三是辨《序錄》所言「安國又受詔為古文《尚書》傳」，注引《漢書·藝文志》云：「安國獻《尚書》傳」；指出此乃陸氏附會之說。《漢書》只言安國獻書，並無孔安國作傳的記載[48]。

除上述之外，《疏證》還有多處辨偽。如指出北宋《崇文總目》記載《子夏易傳》十卷，已非《序錄》著錄的《子夏易傳》三卷，乃唐末張弧偽作；今世流傳的《子夏易傳》又與張弧的偽書不同，已是偽上加偽了[49]。在辨析《詩經》學典籍時，則指出明朝嘉靖間豐坊偽造的《子貢詩傳》一卷，《申公詩說》一卷[50]。

46　同前註，頁40。

47　吳承仕著疏證，張力偉點校：《經典釋文序錄》，頁31。

48　同前註，頁61-62。

49　同註48。

50　同註47，頁74。

（三）考經學人物

　　首先是考證經學典籍的作者。經籍的作者是經學史上的重要座標，只有真實地認識作者，才能準確地理解經籍的內容和思想。孟子曰：「頌其詩，讀其書，不知其人，可乎？」[51]但是由於記載的混亂和流傳過程中有意無意的誤植，經籍作者的混淆常給經學史研究帶來障礙。《疏證》對此也有不少考證，比如《詩經》有大小序，歷來認為乃子夏、毛公所作。然而因《後漢書·衛宏傳》記載的模糊，使後人以為衛宏也是《詩序》的作者之一。衛宏，字敬仲，東漢人。《隋書·經籍志》就說：「《詩序》，子夏所創，毛公及敬仲又加潤益。」《疏證》認為鄭玄與衛宏相隔僅百年，而鄭玄作《詩箋》、《詩譜》卻從未提及衛宏作《詩序》之事。因此《詩序》與衛宏了無關涉。衛宏所作之序，乃自己《詩》學著述的自序[52]。又如《春秋穀梁傳》作者之名，歷來記載混亂。桓譚、蔡邕、應劭說「名赤」，《論衡》作「實」，《七錄》說「名俶」，顏師古注「名喜」，楊士勳疏作「淑」，因此有人認為《穀梁傳》乃前後數人相承而作。皮錫瑞就說：「一人豈有四名，抑如公羊之祖孫父子相傳，非一人乎？」[53]吳氏在《疏證》中以小學之法證之，指出：「赤、俶、淑、實、喜五文聲轉通作，故字異而人同。」[54]即五字因聲轉而相通，皆指穀梁子一人。

　　其次，考經學人物的行跡。《疏證》開篇即以四證考陸德明撰著《經典釋文》的時間。《經典釋文》撰於何時，史無明載，陸德明只是在自序中提到其撰作的時間在「癸卯之歲」，而陸氏卻是身歷陳、隋、唐三朝的人物。歷代學者根據新舊《唐書》本傳及其它史料，推斷出「癸卯之歲」的兩個年代。李燾、桂馥等定為唐貞觀十七年（643），錢大昕、丁傑等定為陳至德元

51　〔清〕焦循：《孟子正義》（北京市：中華書局，1954年），頁428。

52　吳承仕著疏證，張力偉點校：《經典釋文序錄》，頁71。

53　皮錫瑞：《經學通論》（北京市：中華書局，1954年），頁17。

54　吳承仕著疏證，張力偉點校：《經典釋文序錄》，頁104。

年（583），孰是孰非，久未論斷。《疏證》從陸德明在世的大致年限、在唐以前兩為學官的經歷、書中多引南朝人著述的情況、在唐初的學術地位等四方面，力證《經典釋文》應著於陳末的至德元年[55]。至此，吳氏的裁斷便成不刊之論。除此之外，《疏證》書中關於人物行跡的考證還有不少糾謬之功。如《序錄・注解傳述人》在序論《春秋》三傳的最後，述三傳之學興衰過程。其曰：「和帝元興十一年，鄭興父子奏上《左氏》，乃立於學官。」孔穎達《春秋左傳正義》也秉承其辭。《疏證》指出，鄭興之子鄭眾卒於和帝之前的章帝建初八年，而鄭興卒年則更早。此外，和帝崩于元興元年，歷史上也無元興十一年之號，故《序錄》所言乃「錯謬已甚」[56]。

（四）考典章制度

經學史的發展恆與歷代典章制度相關。因而《疏證》對經學史上涉及的相關制度也有一些考證，於此略舉二例，以明其考證所及範圍。一是考「左史記言，右史記事」。此乃《漢書・藝文志・六藝略》在春秋類小序中所言，流傳日久，歷來為論古代史官制度者所本。《序錄・注解傳述人》在「尚書」部分曰：「《書》者，本王之號令，右史所記。」號令本屬言辭，《序錄》所述與《漢志》相反。《疏證》引《禮記・玉藻》「動則左史書之，言則右史書之」一句，又參證《禮記正義》所引北齊熊安生對《玉藻》的疏文，認為《左傳》、《周禮》所記歷史事實，足證《漢志》「左史記言，右史記事」之說，乃傳聞之誤[57]。二是考學官制度。《序錄》記《禮》學立於學官始末曰：「後漢，三禮皆立博士。」《疏證》批駁此說，指出「三禮」名稱至東漢末鄭玄時才有，《序錄》所云，「似謂《禮記》亦立學官矣，說誤。」[58]

---

55 同前註，頁9-10。

56 吳承仕著疏證，張力偉點校：《經典釋文序錄》，頁112。

57 同前註，頁49-50。

58 同註56，頁96。

五　餘論

　　吳承仕完成《疏證》之前，已經開始接觸馬克思主義的著作，但綜觀《疏證》全書的具體內容，他採用的仍是傳統的、最熟悉的古文經學疏通考證之法，亦可見他撰著此書的謹慎。不過吳氏雖用古文經學的治學方法來做經學史研究，但他並不墨守古文經學派的觀點，而是實事求是地吸取了歷代至清末各家各派經學研究的成果，以令人信服的疏證，使該書成為一部獨具特色的經學史名著。當然，吳氏治學雖篤實精密，但《疏證》也有智者之失。此書面世後，吳氏自己多次增加批註補充，但仍存一些疏誤。他的學生任化遠教授曾作校證，其顯著成果已為二〇〇八年中華書局出版的最新點校本所吸收。任氏的校正主要是《疏證》在引用《隋志》、兩《唐志》時，出現的書名或卷數之誤，這可能是吳氏當時引證時的疏忽，也可能是所用版本不精。此外，可能還存在一些小疵，如卷首疏證《經典釋文》自序，考證此書撰著年代時，引《舊唐書·陸德明傳》「陳太建中，太子徵四方名儒，講于承德殿」[59]。今查中華書局本新舊《唐書》，「承德殿」皆作「承光殿」。這些自然是瑕不掩瑜的。

　　總括《疏證》的學術價值，有幾點是值得重視的。一是彙集古代特別是宋以前的大量史料，詳細疏解《序錄》對唐前經學史的敘述，豐富了這一階段經學史的內容。二是綜核眾說，斷以己見，多方面地梳理了唐前經學史的脈絡。三是闡幽釋微，考證精審，糾正了《序錄》及多家論著在經學史上的謬誤，為後人的經學史研究鋪平了道路。

　　上述《疏證》的成就，只是吳承仕在經學史上貢獻的突出者。除此之外，他的經學史研究著述，還有《經學通論》講義六篇，《經典釋文引用書目及眾說考》手稿，《經學受授廢興略譜》殘稿，《治尚書四術》手稿及已發表的《尚書今古文說》等等。這些成果，容俟他日再作繼續深入的研究。

---

59 吳承仕著疏證，張力偉點校：《經典釋文序錄》，頁9。

民國時期香港的經學
——陳伯陶的《孝經說》

許振興

香港大學中文學院副教授

一　導言

　　香港首百年的「英佔時期」，始於一八四一年一月二十六日英國軍隊侵佔香港島，成於一八四二年八月二十九日清朝與英國簽訂的〈南京條約〉，而終於一九四一年十二月二十五日，日本軍隊攻佔香港。[1]這「英佔時期」的百年間，中國經歷了一九一二年一月一日中華民國建國[2]與一九一二年二月十二日清宣統帝（愛新覺羅溥儀，1906-1967）宣佈遜位[3]兩大政治要事。香港處身中、英兩國夾縫間，文化的發展自然深受政治、社會、經濟等相關

1　有關香港首百年「英佔時期」的發展，主要可參看丁新豹：〈歷史的轉折：殖民體系的建立和演進〉，收入王賡武主編：《香港史新編》（香港：三聯書店，1999年7月），頁59-130。

2　有關「中華民國」一名的由來與意義，可參考蔣永敬：〈從三個名詞的微觀角度透視辛亥革命〉，收入林啟彥等主編：《有志竟成——孫中山、辛亥革命與近代中國》（香港：香港浸會大學人文中國學報編輯委員會、香港中國近代史學會，2005年12月），頁25-35。

3　清宣統帝的退位詔，由中華民國臨時政府實業部總長張謇預擬，經清朝內閣總理大臣袁世凱增訂成文。詔書全文，參看中國科學院近代史研究所史料組編輯：《辛亥革命資料》（北京：中華書局，1961年10月），《南京臨時政府公報》，第15號（中華民國元年二月十四日），〈電報〉，頁118。有關詔書的探討，可參考逯耀東：〈對清帝退位詔書的幾點蠡測〉，《中國歷史學會史學集刊》，第6期（1974年5月），頁251-276。

因素的影響。一九一二年遂不容避免地成為個中重要的轉折點。香港著名史
學家羅香林（1906-1978）便將一九一二年至一九四一年定為香港歷史上
「文化建設的階段」[4]。香港的經學發展自亦呈現一番迥異前代的新景象。
陳伯陶（1855-1930）與他的《孝經說》正是個中的見證。

二　認識陳伯陶

　　被譽為東莞歷史上唯一一位文探花的陳伯陶，字象華，號子礪，晚年號
永燾，又號九龍真逸，廣東東莞縣中堂鎮鳳涌鄉人。他在清文宗（愛新覺
羅・奕詝，1831-1861）咸豐五年（1855）出生。曾祖允道、祖夢松、父銘
珪（友珊）三代皆為士人。他先後師從梁章冉、陳澧（1810-1882）習經
學。他的一生，原籍廣東番禺、舉清德宗（愛新覺羅・載湉，1872-1908）
光緒十六年（1890）庚寅進士第一百五十六名、曾獲授翰林院庶起士、官拜
江西提法使、辛亥革命後寓居香港、不再過問政治的張學華（1863-1951）
撰寫的〈江寧提學使陳文良公傳〉稱：

> 公（陳伯陶）少稟庭訓，十歲畢五經。稍長，從陳東塾先生（陳澧）
> 遊，學益進。乙亥（光緒元年，1875）補縣學生，己卯（光緒五年，
> 1879）舉鄉試第一，己丑（光緒十五年，1889）考取內閣中書，充咸
> 安宮教習，館順德李文誠公（李文田，1834-1895）家。壬辰（光緒
> 十八年，1892）成進士，廷試一甲第三人。及第，授翰林院編修。歷
> 充國史館協修、纂修、總纂，編書處纂修，起居注協修，文淵閣校
> 理，武英殿協修、纂修，雲南、貴州、山東鄉試副考官。庚子（光緒

4　羅香林於一九七五年撰寫的〈香港史話序〉將一八四二年至一九七五年的香港歷史分
　　為四個階段：從一八四二年至一九一一年為商埠初建的階段，從一九一二年至一九四
　　一年為文化建設的階段，從一九四一年十二月至一九四五年八月為陷入日治的階段，
　　而從一九四六年至一九七五年則為工商發展的階段。他特別強調香港大學的創立與發
　　展是一九一二年至一九四一年此「文化建設的階段」的主要象徵。參看林友蘭：〈香
　　港史話序〉，《香港史話》（香港：芭蕉書房，1975年9月），頁4。

二十六年，1900），景廟西巡，奔赴行在，請於西安建立陪都，雖未行，世偉其議；旋隨扈回京。乙巳（光緒三十一年，1905）入直南書房，以掩雅稱；退直後，時手一編。纂修國史儒林、文苑傳，博綜條流，考覈精當，繆編修荃孫（1844-1919）極推許之。今史稿告成，兩傳多本於公之手筆也。長沙張文達公（張百熙，1847-1907）議廢科舉，公言學堂龐雜，科舉不宜遽廢，當分科取士以廣登進，文達不能用。丙午（光緒三十二年，1906），學部奏派赴日本考察學務。署江寧提學使，赴任後，崇實學，黜邪說，首以忠義勸導，務端士習。兩署江寧布政使，加二品銜，賞戴花翎。宣統己酉（宣統元年，1909），補授江寧提學使。公先迎養母太夫人在署，至是，送親歸粵。入都陛見，時方屬行憲法，而異黨潛滋，陰謀煽惑。公見時事日非，私憂竊歎，又以母老多病，遂乞終養歸里。辛亥（宣統三年，1911），武昌難作。九月，廣州城陷，黨人蜂起，洶洶欲致，公乃走避香港，奉母居紅磡。尋丁母憂，移居九龍城。九龍，古官富場，為宋帝駐蹕地。公登宋王臺賦詩憑弔，感慨欷歔，署所居曰瓜廬，坐臥一小樓，湫隘人不能堪，布衣芒屨，日行田野中，村人咸知有陳探花。公屏跡隱居，熊希齡（1870-1937）、龍濟光（1868-1925）欲挽之出，皆絕，弗與通；聘修省志，亦不就。著《明遺民錄》以見志，顧於世道人心無日忘也。尤拳拳於故國。……庚午（1930）八月二十日，以病卒於九龍寓邸，春秋七十有六。上（愛新覺羅・溥儀，1906-1967）聞悼惜，賜諡文良。[5]

「滄桑劫換，松菊歸休」[6]、「誓輸肝膽，夙志未酬」[7]正是一輩遭逢國變、

5　陳紹南編：《代代相傳──陳伯陶紀念集》（香港：編者自刊，1997年），張學華：〈江寧提學使陳文良公傳〉，頁31-33。原文誤「《勝朝粵東遺民錄》」為「《勝朝東粵遺民錄》」，今逕改。

6　同前書，桂坫：〈甲辰同人祭文〉，頁34。桂坫原籍廣東南海，舉光緒二十年（1894）甲午進士，曾獲授檢討，官拜浙江候補道、署嚴州府知府。參看孫甄陶：《清代廣東詞林紀要》（臺北市：臺灣商務印書館，1971年10月，頁147）。〈甲辰同人祭文〉為桂

流寓香港的晚清遺老撫今思昔時的心聲。辛亥革命時正值仕途暢順、功名顯
赫的陳伯陶從此避居香港,「託於黃冠,潛心著述,成《孝經說》三卷、《勝
朝粵東遺民錄》四卷、《宋東莞遺民錄》二卷、《明東莞五忠傳》二卷,又輯
《袁督師遺稿》三卷、附《東江考》四卷、《西部考》二卷,又增補陳琴軒
《羅浮志》五卷,重整《東莞縣志》九十八卷,所作詩文有《瓜廬文賸》四
卷、《外編》一卷、《瓜廬詩賸》四卷、《宋臺秋唱》一卷,皆行於世」[8];而
《沙田志》四卷、《葵誠草》一卷、〈九龍真逸七十述哀詩〉一卷、〈崇和高
等小學記〉一卷、〈老子約〉一卷諸作[9]俱聞於後。由於他「性嗜藏書,明清
間野史及萬歷(曆)後諸家奏議別集,收藏特多。晚年遺命以所藏書捐(羅
浮)酥醪觀中,故羅浮有道同圖書館之設,即以其書為基本云。」[10]他的眾
多著述,論者嘗指「其中以《勝朝粵東遺民錄》和《東莞縣志》最有價
值」[11];而「瓜牛結廬,元龍臥樓,箋經教孝」[12]卻最受諸甲辰(光緒三十
年,1904)科同人稱許。他晚年奮筆成書的惟一經學著述——《孝經說》三
卷自是亦應具備不容後人等閒看待的魅力。

三　考究《孝經說》

　　《孝經說》全書三卷,合七萬多字,是民國成立後屏跡隱居九龍城,被
村人尊為「陳探花」的陳伯陶晚年傾力完成的一部畢生唯一成書刊行的經學
著述[13]。他在書末自稱:

　　坫代表方啟華等甲辰同人撰寫的祭陳伯陶文。

7　同前註。

8　張學華:〈江寧提學使陳文良公傳〉,《代代相傳——陳伯陶紀念集》,頁33。

9　同前書,〈陳伯陶生平〉,頁11;《清代廣東詞林紀要》,頁147。

10　《清代廣東詞林紀要》,頁147。

11　楊寶霖:〈陳伯陶傳〉,《自力齋文史農史論文選集》(廣州市:廣東高等教育出版社,
　　1993年10月),頁190。

12　桂坫:〈甲辰同人祭文〉,《代代相傳——陳伯陶紀念集》,頁34。

13　《孝經說》的原稿,原屬賴際熙任教香港大學文學院的中文科一九一六年畢業生李景

　　丙寅（1926）十月端憂多暇，始為此篇，至丁卯（1927）三月書成方寫定。李君瑞琴即取付手民。海濱無書，又年老精衰，不及審訂。有道君子，進而教之幸甚。伯陶記。時年七十三。[14]

全書付梓前，曾經「順德岑光樾（1876-1960）初校，增城賴際熙（1865-1937）覆校」[15]，才由「五華李炳榮印行」[16]。儘管如此，這目前傳世的惟一刊行本除於附錄的〈《孝經說》校誤表〉列明校勘疏略處四十項[17]外，還特別以〈附記〉申明：

　　原稿遇敬避字皆缺筆，因排印局無此種字，校不勝校，故不復出，閱者諒諸。[18]

此書雖於脫稿後已立即刊行，臺灣學者汪中文於二〇〇三年編著《孝經著述考（一）》時仍稱「未見」[19]此書，足見它流通的範圍極為有限。

　　最早將此書列入書目者當推被譽為藏書家的陳伯陶同鄉廣東東莞縣望牛墩人倫明（1875-1944）[20]。他在一九三一年七月至一九四五年七月間參加七十一位學者鼎力撰寫的《續修四庫全書總目提要》[21]時，便特意將陳伯陶

　　康。他於一九四八年自述得此稿的經過，稱陳伯陶「所著《孝經說》則經始於丙寅孟冬，脫稿於丁卯暮春，李瑞琴君為之付梓。當時亦以一部見贈，不意老成凋謝。其著述遺稿每多散佚。歲次庚辰（1940），予偶從書販購得是稿，爰從新裝飾，製匣藏之，藉留文獻之徵，亦有感於忘年交誼，若具見前緣也。」（載陳伯陶撰：《孝經說》，手抄原稿，1927年，書首，不標頁碼）今此稿已歸香港中文大學圖書館藏。

14　陳伯陶撰：《孝經說》（香港：奇雅中西印務，1927年），卷下，頁31下。由於刊行本標明頁碼，本文為方便讀者翻檢，特捨手抄原稿而悉用此刊行本。

15　同前註。

16　同註14。

17　同註14，〈《孝經說》校誤表〉，頁34上-34下。

18　同註14，〈《孝經說》校誤表〉，頁34下。

19　汪中文撰：《孝經著述考（一）》（臺北市：國立編譯館，2003年12月），頁393。

20　參看楊寶霖：〈藏書家倫明〉，載《自力齋文史農史論文選集》，頁192-195。倫明生年據此文所考。

21　參看羅琳：〈整理說明〉，收入中國科學院圖書館整理：《續修四庫全書總目提要・經

的《孝經說》列入該書的〈經部・孝經類〉，稱：

> 《孝經說》三卷（原註：民國十六年〔1927〕香港奇雅鉛印本），陳
> 伯陶撰。伯陶字子礪，廣東東莞人。光緒壬辰進士，以第三人及第。
> 授職編修，外放江寧提學使，署江蘇布政使。以養母告歸不復出。辛
> 亥後，避亂居九龍。伯陶少從陳澧學，告歸後屏絕人事，專心著述。
> 其成是書時年七十三矣。

> 是書分三篇。首篇論《孝經》與《春秋》相表裏，以為《孝經》者，
> 孔子成《春秋》後，因為曾子陳孝道，而曾子之徒記述之。《孝經・
> 鈞命決》云「孔子曰『吾志在《春秋》，行在《孝經》』」，而《孟子》
> 言「孔子成《春秋》而亂臣賊子懼」。傳注作〈孝經注疏序〉，謂「修
> 《春秋》以正君臣父子之法」，說《孝經》「以明君臣父子之行」，最
> 得其旨。《春秋》為亂賊作，實為魯作。魯之君被弒者四，被戕者
> 一，被逐而死於外者一，魯史緯國惡，書薨書卒，亂賊之罪不明，孔
> 子以屬詞以事明之。夫大孝、尊親莫過於舜，而《孝經》不稱舜而稱
> 周公，則為魯作可知。

> 次篇言曾子學行傳授皆本《孝經》。〈開宗明義章〉曰：「身體髮膚，
> 受之父母，不敢毀傷」；「立身行道，揚名於後世，以顯父母」。曾子
> 一生即守此數語，以之自省其身，且以之教門弟子。《論語》、《孟
> 子》、大小《戴》所記可證也。推之《論語》，夫子言一貫，曾子解之
> 以「忠」、「恕」。忠即一，恕即貫，故曾子之論孝亦以一貫明之，〈本
> 孝〉、〈立孝〉諸篇可證也。推之《大學》一書，為曾子所作。《中
> 庸》雖述自子思，而子思學於曾子，故二書皆本忠恕一貫及《孝經》
> 大義為之。

> 末篇論《孟子》本《孝經》以闢楊、墨。按《孟子》外書有說《孝
> 經》一篇，漢儒貫、董及鄭康成《禮記坊記注》所引皆外書之文，是
> 孟子之學出於曾子，而又傳《孝經》者也。陳澧《東塾讀書記》言，

部》（北京市：中華書局，1993年7月），頁1-5。

《孟子》七篇多與《孝經》相發明，按之信然。孟子言楊、墨無父無君，蓋實有所見。雖楊、墨書亦言仁義忠孝，要皆詖淫邪遁之詞。篇末言孟子雖斥楊、墨，世不之信。漢興，《孝經》始出，與《論語》、《孟子》同置博士，而漢之諸帝自孝惠後，諡皆先孝，蓋明孝治天下之道。光武中興，令虎賁士皆習《孝經》，而漢制又復使天下誦《孝經》。三代以還，於斯為美。逮至末季，邪說復起，路粹奏孔融與白衣禰衡跌蕩放言，云父之於子，當有何親？論其本意，實為情欲發耳。子之於母，亦復奚為，譬如寄拘瓶中，出則離矣。而向栩則謂遣將於河上，北向讀《孝經》，賊自當消滅，蓋有激之言也。其後曹操竟公然下令，求所謂不仁不孝而有治國用兵之術者，遂啟夷狄亂華之禍云云。伯陶蓋見於今日邪說有甚於路粹所云，而學士大夫翼然倡率，又不僅孔、禰一、二人。然則神州陸沉，詎止如典午之禍已耶！其寄慨之意深矣。[22]

他雖依據《孝經說》原書三卷的編排，順序闡釋卷上「論《孝經》與《春秋》相表裏」[23]、卷中「言曾子學行傳授皆本《孝經》」[24]與卷下「論孟子本《孝經》以闢楊、墨」[25]的要旨，然介紹的焦點卻集中於卷下的「闢楊、墨」。由於陳伯陶的解說嘗稱：

漢興，《孝經》始出。文帝時，復與《論語》、《孟子》同置博士（原註：見《法言》宋咸注）；而漢之諸帝，自孝惠後，諡皆先孝，蓋深明以孝治天下之道。光武中興，投戈講藝，令虎賁士皆習《孝經》；明帝繼之，於是期門、羽林、介冑之士無不通《孝經》者；而漢制又復使天下誦《孝經》。三代而還，於斯為美。

逮於末季，邪說復起。《後漢書・孔融傳》稱路粹枉狀奏融，謂融

---

22 同前註，〈經部・孝經類〉，頁835-836。

23 《孝經說》，卷上，頁31下。

24 同前註，卷中，頁1上。

25 同註23，卷下，頁1上。

「與白衣禰衡跌蕩放言，云『父之於子，當有何親？論其本意，實為
情欲發耳。子之於母，亦復奚為？譬如寄物瓶中，出則離矣』」。粹之
奏，蓋曹操使為之，然必此之邪說，當時甚熾，故歸其獄與融與衡。
〈獨行傳〉稱向栩為侍中，會張角作亂，栩謂「遣將於河上，北向讀
《孝經》，賊自當消滅」，亦有激之言。其後操復下令，謂「吳起貪
將，母死不歸。然在魏，秦人不敢東向；在楚，三晉不敢南謀」，因
求所謂「負污辱之名，見笑之行，不仁不孝，而有治國用兵之術」
者。兩漢孝治，因是掃地無遺，遂啟夷狄亂華之禍。
《孝經》言要君無上，非聖無法，非孝無親，此大亂之道。觀魏、
晉、六朝間，篡弒相尋，陸沉莫挽，斯言驗矣。然自唐而後，聖學昌
明，無君無父之說寖熄。不謂歐風東靡，今日復有煽楊、墨之淫辭，
拾路粹之誣語，以欺惑愚眾者。世無孔、孟，孰為懼亂賊、正人也
乎？曾子曰：「其少不諷誦，其壯不論議，其老不教誨，亦可謂無業
之人矣。」
蒙不幸，少壯之時，不知諷誦論議，及茲垂老，又以海濱無徒，末由
教誨。今為此說，大類讀《孝經》於河上，亦自笑其迂也。韓文公
曰：「空言無施，雖切何補？」姑存之以教子孫，庶少塞曾子之責也
乎？[26]

他遂將陳伯陶晚年撰著是書的原委定性為志在「寄慨」[27]。陳鐵凡則援據
《孝經說》原文，印證陳伯陶的論析源出於他的老師陳澧。他以《孝經說》
詳細演繹《東塾讀書記》「《孟子》七篇中，多與《孝經》相發明者」[28]一說
為陳伯陶「發明其師之緒論，極為深切」[29]的證據。《孝經說》的演繹為：

---

26 同註23，卷下，頁30上-31下。
27 《續修四庫全書總目提要・經部》，〈經部・孝經類〉，頁835-836。
28 陳澧著，楊志剛編校：《東塾讀書記（外一種）》（香港：三聯書店，1998年7月），頁
　5。
29 陳鐵凡：《孝經學源流》（臺北市：國立編譯館，1986年7月），頁279。

《東塾先生讀書記》云：「《孟子》七篇中，多與《孝經》相發明者。」《孝經》曰：「非先王[30]之法服不敢服，非先王之法言不敢道，非先王之德行不敢行。」《孟子》曰：「子服堯之服、誦堯之言、行堯之行。」亦以服、言、行三者並言之。《孝經・天子章》曰「刑於四海」，〈諸侯章〉曰「保其社稷」，〈卿大夫〉章曰「守其宗廟」，〈庶人章〉曰「謹身」。《孟子》曰：「天子不仁，不保四海；諸侯不仁，不保社稷；卿大夫不仁，不保宗廟；士庶人不仁，不保四體。」似亦本《孝經》也。世俗所謂不孝者五，惰其四支，不顧父母之養云云，正與「謹身節用，以養父母」相反，亦可以為《孝經》之反證也。

蒙按《孝經・士章》曰：「故以孝事君則忠，以敬事長則順。」又〈廣揚名章〉曰：「事親孝，故忠可移於君；事兄悌，故順可移於長。」而《孟子》曰：「入以事其父兄，出以事其長上，可使制梃以撻秦、楚之堅甲利兵矣。」此本《孝經》之義申言之也。

《孝經・事君章》曰：「進思盡忠，退思補過。」又〈卿大夫章〉曰：「非先王之法言不敢道。」而《孟子》曰：「事君無義，進退無禮，言則非先王之道者，猶沓沓也。」此本《孝經》之義反言之也。

《孝經・開宗明義章》曰：「先王有至德要道，以順天下。」又〈廣要道章〉曰：「教民親愛，莫善於孝；教民禮順，莫善於悌。」又〈廣至德章〉曰：「君子之教以孝也，非家至而日見之也。教以孝，所以敬天下之為人父者也；教以悌，所以敬天下之為人兄者也。」而《孟子》曰：「道在邇而求諸遠，事在易而求諸難。人人親其親、長其長，而天下平。」此本《孝經》之義約言之也。

又〈開宗明義章〉曰：「身體髮膚，受之父母，不敢毀傷，孝之始也。」又曰：「夫孝始於事親。」而《孟子》曰：「事孰為大？事親為大。守孰為大？守身為大。不失其身而能事其親者，吾聞之矣；失其

---

30 《孝經說》原文誤「先王」為「先生」（卷下，頁2上），今據《孝經》原文逕改。參看〔唐〕唐玄宗注，〔宋〕司馬光指解，〔宋〕范祖禹說、陳伯南校刊：〈卿大夫章第四〉《重刊孝經詳解》（香港：陳樹桓刊印，1955年11月），頁6。

身而能事其親者，吾未之聞也。孰不為事？事親，事之本也。孰不為守？守身，守之本也。」此本《孝經》之義廣言之也。

《孝經・喪親章》曰：「生事愛敬，死事哀慼，生民之本盡矣！死生之義備矣！孝子之事親終矣！」而《孟子》曰：「養生者不足以當大事，惟送死可以當大事。」此本《孝經》之義，注重言之也。

《孝經・聖治章》曰：「人之行莫大於孝，孝莫大於嚴父，嚴父莫大於配天，則周公其人也。」而《孟子》稱舜曰：「孝子之至，莫大乎尊親；尊親之至，莫大乎以天下養。為天子父，尊之至也；以天下養，養之至也。」此本《孝經》之義，各極言之也。

《孝經・孝治章》曰：「治家者不敢失於臣妾，而況於妻子乎？」又古文〈閨門章〉曰：「妻子臣妾，猶百姓徒役也。」而《孟子》曰：「身不行道，不行於妻子；使人不以道，不能行於妻子。」此本《孝經》之義，推本言之也。觀此諸文，其殆即《孟子》之說《孝經》歟？[31]

但歸根究柢，《孝經》標榜「孝始於事親，中於事君，終於立身」[32]，「故以孝事君則忠，以敬事長則順。忠順不失，以事其上，然後能保其祿位，而守其祭祀，蓋士之孝也」[33]才是吸引身為晚清遺民的陳伯陶在「國難家屯，情不能已」[34]，「中興誠渴盼，河清恐難俟，鄉人欲壽我，在我惟祈死」[35]的暮年歲月裡仍傾力「少塞曾子之責」[36]的主要誘因。

陳伯陶畢生效忠清廷，雖「竄海濱，困辱在泥滓」[37]，還不時心繫遜位

31　《孝經說》，卷下，頁2上-3下。

32　《重刊孝經詳解》，〈開宗明義章第一〉，頁2。

33　同前書，〈士章第五〉，頁8。

34　陳伯陶：〈七十述哀一百三十韻〉《陳文良公集》（香港：學海書樓，2001年），頁286。

35　同前註。

36　《孝經說》，卷下，頁31下。

37　〈七十述哀一百三十韻〉，《陳文良公集》，頁283。

的清帝。他的〈七十述哀一百三十韻〉自稱：

> 庚申七月，余附溫毅夫副憲肅獻方物。壬戌十月，上大婚，余入京叩
> 賀，報效一萬洋圓。初五日，上召見，賜坐，談一時許。上言近力行
> 節儉，余因誦《老子》三寶，曰慈、曰儉、曰不為天下先之說，並敷
> 陳其義。上歎以為格言。既出，命宮監扶下階。上旋賜御容一方及紫
> 禁城騎馬。復令貝勒載濤、朱少保益藩傳諭留直內廷。余以老辭歸，
> 時上賜高宗御用七寶金盒及御書「玉性松心」扁額一方。[38]

他對故國的懷思，更每藉偕諸寓港遺老「躑躅於宋臺（宋王臺）遺址」[39]，
「輒興異代相感之思」[40]而稍得紓解。《宋臺秋唱》與《宋臺圖詠》的相繼
成書便是最佳的證明。[41]因此，他藉編撰《孝經說》以「寄慨」，實際只是
借他人酒杯澆自己的胸中塊壘。

四　結語

　　自民國成立以來，「清季翰苑中人、寓港者無慮十餘輩，或以文鳴，或
以學顯。」[42]陳伯陶便是此輩寓港遺民中輩分與官職較高的一位。他與香港
的淵源更可追溯至一八九八年他代表清廷參與將九龍半島北部、新界及離島
大片土地租借予英國九十九年的〈拓展香港界址專條〉簽署儀式。[43]每當他

---

38 同前書，〈七十述哀一百三十韻〉，頁285。

39 李景康：〈紀賴太史等保全宋王臺遺址〉，載氏撰：《李景康先生詩文集》（香港：學海
　　書樓，2003年），頁24。

40 同前註。

41 參看蘇澤東編：《宋臺秋唱》（廣東：粵東編譯公司刊本，1917年）；蘇澤東編：《宋臺
　　秋唱》，（東莞：莞城驛前街福文堂刊本，1922年）。有關陳伯陶與宋王臺的關係，可
　　參看鍾寶賢：〈宋末帝王如何走進九龍近代史？〉，載趙雨樂、鍾寶賢主編：《九龍城》
　　（香港：三聯書店，2001年5月），頁1-43。

42 羅香林〈故香港大學中文學院院長賴煥文先生傳〉，收入賴際熙撰、羅香林輯：《荔垞
　　文存》（香港：學海書樓，2000年），頁165。

43 參看《代代相傳——陳伯陶紀念集》，頁51。

徘徊寓居的九龍城，流連於宋帝駐蹕的宋王臺，百感交集自是意料中事。他
不願形役於英國人治下的文教機構亦是合於情理的抉擇。因此，他藉《孝經
說》申明《春秋》大義、痛斥無父無君的思想正是一眾遺老的心聲剖白。這
難怪該書深得諸甲辰科同人的推許。同屬寓港晚清遺民的光緒二十九年
（1903）癸卯榜本科二甲第二十五名進士區大典（1877-1937）[44]特為此書
撰寫的〈孝經說後序〉正是同道者惺惺相惜的肺腑言，稱：

> 予夙嗜經學，晚年尤篤好《易經》、《孝經》、《中庸》三書。竊以《易
> 經》者，天道之會歸也；《孝經》者，人道之會歸也；《中庸》者，天
> 人學之會歸也。……前輩陳君子礪，邃經學，性純孝，著《孝經說》
> 上、中、下三篇，開宗明義，揭先聖傳經救世之旨，中序曾子、子
> 思、孟子諸賢之學本先聖，以黜墨氏，而於近代之非孝無親，尤為深
> 惡而痛絕。噫！是何先得我心也！抑以為經學不明，異學斯熾，孟氏
> 言經正則庶民興，斯無邪慝。獨居深念，思以管蠡之見，薈萃《易
> 經》、《孝經》、《中庸》三書，所言天人之故，仁孝之原，少明古聖賢
> 垂教之旨，庶邪說暴行，或少戢其風，前輩其亦將引為同調乎？敬序
> 簡末，以誌仰止。[45]

民國時期香港的經學便是藉著此輩寓港晚清遺民鍥而不捨的口述筆耕，留下
了質、量遠超前代的一眾著述。「此間原不食周薇」[46]、「遺民猶哭宋皇臺」[47]
已是他們諸著述的基本主調。《孝經說》正是個中一例。這大抵應是治經者
另一層次的「經世致用」。

44　《清代廣東詞林紀要》，頁149。

45　《孝經說》，卷下，區大典：〈孝經說後序〉，頁32上-33上。

46　蘇澤東編、潘小磐跋：《宋臺秋唱》（香港：方仲琛刊本，1979年，本文採此本），卷
　　下，真逸（陳伯陶）〈得寓公九月五日滬上漫成用和潛客韻二律次原韻奉寄〉，頁3下。

47　同前註，卷下，真逸（陳伯陶）〈九龍山居作〉，頁1上。

圖一　《孝經說》手稿本

記中屬注引孔子曰吾志在春秋行在孝經謂孔子之德
緯書家言要必有所傳授故漢人說經多引之鄭康成禮
就志在春秋行在孝經邢昺御製序疏及徐彥此雖
經春秋屬商孝經屬參又云孔子在庶德無所施功無所
之行在孝經孝經鉤命決云孔子曰吾志在春秋行在孝
孝經緯曰孔子云欲觀我襃貶諸侯之志在春秋紫人倫
之竹帛者也
孝經者孔子成春秋後因為曾子陳孝道而曾子之徒著
　孝經說上篇此篇論孝經與春秋相表裏
孝經說卷上　　　　　　　　　　東莞陳伯陶著

圖二　《孝經說》刊行本

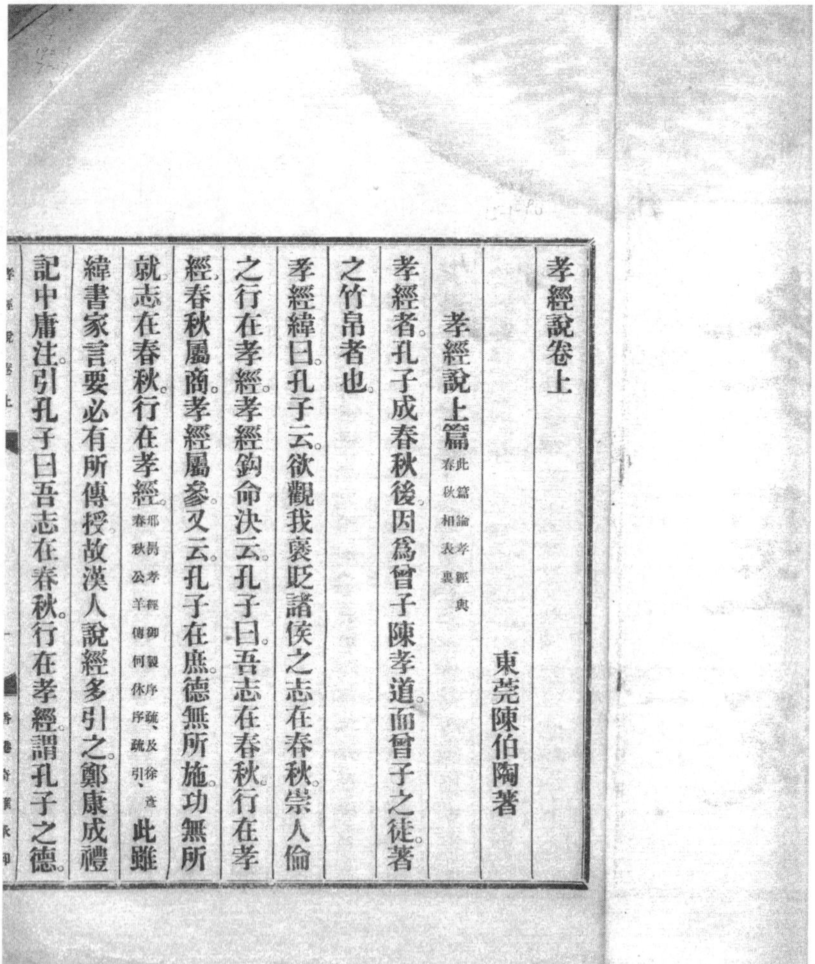

孝經說卷上

孝經說上篇 此篇論孝經與春秋相表裏

東莞陳伯陶著

孝經者孔子成春秋後因爲曾子陳孝道而曾子之徒著

之竹帛者也。

孝經緯曰孔子云欲觀我褒貶諸侯之志在春秋崇人倫

之行在孝經孝經鈎命決云孔子曰吾志在春秋行在孝

經春秋屬商孝經屬參又云孔子在庶德無所施功無所

就志在春秋行在孝經 春秋公羊傳何休序疏及徐彦孝經邢昺序疏引

緯書家言要必有所傳授故漢人說經多引之鄭康成禮

記中庸注引孔子曰吾志在春秋行在孝經謂孔子之德

劉師培〈白虎通義源流考〉辨

周德良

淡江大學中國文學系副教授

一　前言

　　自元代成宗大德年間（1297-1307）重新鏤板《白虎通》之後，世人始有文本藉以對照還原東漢章帝之「白虎觀會議」面貌。此後，清代盧文弨重新校刊《白虎通》（1784），周廣業考證書名，莊述祖以「卷帙」與「事蹟」兩項考證此書，《白虎通》逐漸受到重視。至陳立於道光壬辰（1832）九月出版《白虎通疏證》，全面注釋考證《白虎通》文本，《白虎通》之內容性質日益顯明。時至清末民初，仍有劉師培多篇文章校訂《白虎通》文句，而〈白虎通義源流考〉一篇，則是劉師培多方參考前人成果，並提出自己考證《白虎通》之唯一代表作品。本文乃以劉師培〈白虎通義源流考〉一篇為論述中心，闡釋與辯論劉師培之考證過程及其成果，以彰顯〈白虎通義源流考〉在研究《白虎通》之歷史價值與意義，並反映民國初期研究東漢白虎觀會議與詮釋《白虎通》文本之視域觀點。

　　本文論述之要點與程式有三：首先，概述東漢白虎觀會議之緣起背景及元大德本《白虎通》文本之刊行過程，以此兩項做為本文討論之基礎對象；其次，闡釋〈白虎通義源流考〉之論證內容與過程；最後，以劉師培之研究成果為標的，商榷劉師培考證之得失。此外，為避免論述上之混淆，本文擬以雙箭頭之書名號「《白虎通》」，標示元大德本之文本；至於其他與白虎觀會議相關之文獻資料，一概以單引號標示各別指稱。

二　白虎觀會議與會後成書

　　劉師培〈白虎通義源流考〉論文宗旨，主張元大德本之《白虎通》，應
正名為「白虎通義」，以還原歷史真相。此一看似單純之改正書名，其中所
涉及之問題頗為繁複，原因癥結，乃在於史料記載白虎觀會議事件始末固然
詳盡，但是對於會議文獻之定名，卻異常疏略；尤其是此書在當時不為世人
所見聞，導致後世史書目錄記載莫衷一是。[1]

　　一般說法，《白虎通》文本（或稱「白虎通義」、「白虎通德論」）乃是東
漢章帝召開「白虎觀會議」之相關資料文獻。[2]《後漢書‧章帝紀》載章帝
建初四年（79）曰：

　　　十一月壬戌，詔曰：「蓋三代導人，教學為本。漢承暴秦，褒顯儒術，

1　洪業云：「所以不僅許慎馬融不能得其書而讀之，且蔡邕鄭玄並不曾舉引。」〈《白虎
　通》引得序〉，《白虎通引得》（北京市：燕京大學圖書館引得編纂處編，1931年），頁
　9。

2　中國大百科全書總編輯委員會：《中國大百科全書》（上海市：中國大百科全書出版
　社，1992年3月），「中國歷史卷」「白虎觀會議」（Balhuguan Hulyl）條釋：「東漢章帝
　時召開的一次討論儒家經典的學術會議。……章帝建初四年（79），依議郎楊終奏
　議，仿西漢石渠閣會議的辦法，召集各地著名儒生于洛陽白虎觀，討論五經異同，這
　就是歷史上有名的白虎觀會議。這次會議由章帝親自主持，參加者有魏應、淳于恭、
　賈逵、班固、楊終等。會議由五官中郎將魏應秉承皇帝旨意發問，侍中淳于恭代表諸
　儒作答，章帝親自裁決。這樣考詳同異，連月始罷。此后，班固將討論結果纂輯成
　《白虎通德論》，又稱《白虎通義》，作為官方欽定的經典刊布于世。」頁17。網際網
　路「維基百科」（Wikipedia）：「白虎通，古書名，又稱《白虎通義》、《白虎通德論》。
　東漢漢章帝建初四年（79）朝廷召開白虎觀會議，由太常、將、大夫、博士、議郎及
　諸生、諸儒在白虎觀（洛陽北宮）陳述見解，『講議五經異同』，意圖彌合今、古經學
　異同。漢章帝親自裁決其經義奏議，會議結論作成『白虎議奏』，由班固寫成《白虎
　通義》一書，簡稱《白虎通》。《白虎通》是以今文經學為基礎，初步實現了經學的統
　一。蔡邕曾獲賜「白虎議奏」。清代陳立寫有《白虎通義疏證》。」全文引自：
　http://zh.wikipedia.org/w/index.php?title=%E7%99%BD%E8%99%8E%E9%80%9A&varia
　nt=zh-tw。此二例或可代表現代學界對於《白虎通》文本之普遍共識。

建立《五經》，為置博士。……中元元年詔書，《五經》章句煩多，議
欲減省。至永平元年，長水校尉儵奏言，先帝大業，當以時施行。欲
使諸儒共正經義，頗令學者得以自助。孔子曰：『學之不講，是吾憂
也。』又曰：『博學而篤志，切問而近思，仁在其中矣。』於戲，其
勉之哉！」於是下太常，將、大夫、博士、議郎、郎官及諸生、諸儒
會白虎觀，講議《五經》同異，使五官中郎將魏應承制問，侍中淳于
恭奏，帝親稱制臨決，如孝宣甘露石渠故事，作白虎議奏。[3]

此即所謂「白虎觀會議」之緣起。此會議首先由魏應制問，太常以下及諸
生、諸儒等，參與講議《五經》同異，再命淳於恭記錄上奏講議結果，最後
由章帝「稱制臨決」，此過程一如西漢宣帝甘露三年（51 B.C.）之石渠故
事。因會議在白虎觀，故議奏名之曰「白虎議奏」，李賢（651-684）注曰
「今《白虎通》」，《隋書》始以「白虎通」稱之。可知，「白虎通」一辭，乃
是以地名書。《後漢書・儒林列傳》亦有記載白虎觀會議之事，曰：

> 建初中，大會諸儒於白虎觀，考詳同異，連月乃罷。肅宗親臨稱制，
> 如石渠故事，顧命史臣，著為通義。（卷七十九上，頁 2546）

因章帝「顧命史臣，著為通義」，故《新唐書》以降，遂有稱「白虎通義」
者。此外，《後漢書・班固傳》又載：

> （班）固自以二世才術，位不過郎，感東方朔、楊雄自論，以不遭
> 蘇、張、范、蔡之時，作〈賓戲〉以自通焉。後遷玄武司馬。天子會
> 諸儒講論《五經》，作《白虎通德論》，令固撰集其事。（卷四十下，
> 頁1373）

此處明載「令固撰集其事」，作「白虎通德論」，故《崇文總目》亦以此稱
之。下列簡圖，方便說明。

3　〔劉宋〕范曄著，〔唐〕李賢等注：《後漢書》（北京市：中華書局，1965年5月），卷
　　3，頁137-138。

書籍	類別	名稱	卷、篇數	作者
《隋書》	卷三十二〈經籍志·五經總義〉	《白虎通》	六卷	
《舊唐書》	卷四十六〈經籍志·七經雜解〉	《白虎通》	六卷	漢章帝撰
《新唐書》	卷五十七〈藝文志·經解〉	《白虎通義》	六卷	班固等
《崇文總目》	卷一〈論語類〉	《白虎通德論》	十卷，四十篇	班固撰
《通志》	卷六十三〈藝文略〉	《白虎通》	六卷，十四篇	班固
《直齋書錄解題》	卷三〈經解〉	《白虎通》	十卷，四十四門	班固撰
《宋史》	卷二百二〈藝文志·經解〉	《白虎通》	十卷	班固
《文獻通考》		《白虎通德論》	十卷	
《四庫全書總目》	卷一百十八〈子部·雜家類〉	《白虎通義》	四卷，四十四篇	班固撰

　　由於《後漢書》記錄白虎觀會議之文獻語焉不詳，因此，後世目錄類書對此會議文獻之著錄，便有不同名稱，且對此會議文獻之不同稱謂，是否指涉同一資料，亦未可知。至於此會議資料文獻，則於會議百年之後，方為繆襲（186-245）所引述；[4]而《白虎通》文本全貌之問世，更在千百年之後。

　　元代大德九年（1305）四月，張楷為《白虎通》重新鏤板作序曰：

　　　《白虎通》之為書，其來尚矣。群書中多見其引用，然不知出於何

4　《南齊書·禮志》載繆襲引《白虎通》之例曰：「又郊日及牲色，異議紛然。……繆襲據〈祭法〉，云天地騂犢，周家所尚，魏以建丑為正，牲宜尚白。《白虎通》云：『三王祭天，一用夏正。』所以然者，夏正得天之數也。」〔梁〕蕭子顯：《南齊書》（北京市：中華書局，1972年），卷9〈禮上〉，頁120。

代？誰氏之手？考之載籍，始於漢建初中，淳于恭作《白虎奏議》。
又〈班固傳〉作《白虎通德論》，唐〈藝文志〉亦載班固等《白虎通
義》六卷，此其所自歟！平生欲見其完書，未之得也。余分水監，歷
常之無錫，有郡之耆儒李顯翁晦識余於官舍，翌日攜是帙來，且云：
州守劉公家藏書舊本，公名世常，字平父，迺大元開國之初行省公之
子魯齋許左轄之高弟，收書不啻萬卷，其經史子集，士夫之家亦或互
有，惟此帙世所罕見。郡之博士與二三子請歸之於學，將鏤板以廣其
傳，守慨然許之。今募匠矣，求余識於卷首，余謂：是書韜晦於世，
何止數百歲而已。一旦顯於是邦，殆亦有數而然邪？以郡守之博古廣
文，暨諸生之好事，俱可嘉尚，於是乎書。大德九年四月旦日，東平
克齋張楷序。[5]

張楷詳細記載「元大德本」刊印始末。當時李顯翁持州守劉世常家藏書善本
《白虎通》，見張楷於官舍，東平郡守並慨然許之，以此書鏤板重印，時在
元代大德九年（1305），此即「元大德本」。[6]

　　清代盧文弨（1717-1795）於乾隆四十九年（1784）九月校刻《白虎
通》，撰「元大德本跋後」曰：

案：古書不宜輕改，此論極是。……特初就何允中《漢魏叢書》本校
訂付雕，於其語句通順者，不復致疑。後得小字宋本、元大德本參

---

5 〔漢〕班固等撰：《白虎通》（臺北縣：藝文印書館，1969年《百部叢書集成》據《抱
　經堂叢書》本影印），頁1。本文以下稱此為「抱經本」。

6 中華本《白虎通疏證》中「出版說明」，言：「現在存世的最早版本是元大德五年無錫
　州學刻十卷本，後來的主要版本有……按各本雖分卷不同，實際內容無大差異。」
　〔清〕陳立撰・吳則虞點校：《白虎通疏證》（北京市：中華書局，1994年8月），頁
　3。若依此論，則元大德本《白虎通》最早應指元大德五年（1301）。考之明嘉靖元年
　遼陽傅鑰刊本《白虎通德論》二卷，及萬曆年間程榮編輯之《漢魏叢書》（吉林大學
　出版社，1992年，據明萬曆新安程氏刊本影印）所輯《白虎通德論》上（十七篇）、
　下（二十七篇）二卷，皆附：「白虎通德論序，元大德九年張楷序」及「題白虎通德
　論，大德乙巳嚴度序」兩篇，本文依據張楷、嚴度作序所記之年（1305）為準。

校，始知何本間有更改之處，因亟加刊修，以還舊觀，書內不能改
者，具著其說於補遺中。(頁1)

盧文弨校刻《白虎通》，是就何允中《漢魏叢書》本校訂，然於付雕之際，
始見南宋以前「小字宋本」(或稱「小字舊刻本」)及元大德本，[7]但因其所
校刻本即將付梓，遂捨棄此二本，其校刻仍依《漢魏叢書》元大德本之重印
本。而其所刻之版本與小字宋本相參校，間有更改者，具著其說於「補遺」
之中，此即《抱經堂叢書》所收之《白虎通》。

三　劉師培〈白虎通義源流考〉

(一)劉師培研究《白虎通》之視域

劉師培(1884-1919)，字申叔，號左盦。依《劉申叔遺書》收錄所得，
劉師培在世三十六年間，著作共七十四種，[8]涉獵領域以國故學術為重心，
兼及學校教育教材，並有詩文創作，其治學成果可謂豐碩。蔡元培(1867-
1940)感歎：「向使君委身學術，不為外緣所擾，以康強其身而盡瘁於著
述，其成就寧可限量？惜哉！」[9]劉師培研究《白虎通》之相關著作，依各
篇發表時序，計有：

〈白虎通德論補釋〉(《國粹學報》第七十二至七十四期，一九一○年十一月

7　抱經本《白虎通》，〈校刻白虎通序〉：「(《白虎通》)元、明以來，訛謬之相沿者，幾
　　十去八九焉。梓將畢工，海寧吳槎客又示余小字舊刻本，其〈情性〉篇足以正後人竄
　　改之失，蓋南宋以前本也，與其餘異同，皆於補遺中具之。此書流傳年久，間有不可
　　知者闕之，然要亦無幾矣。」頁1。

8　《劉申叔遺書》(南京市：江蘇古籍出版社，1997年)。「劉申叔先生遺書總目」分
　　為：甲類，羣經及小學者二十二種；乙類，學術及文辭者十三種；丙類，羣書校釋二
　　十四種；丁類，詩文集四種；戊類，讀書記五種；己類，學校教本六種；凡遺書共七
　　十四種。

9　蔡元培著：〈劉君申叔事略〉，收入《劉申叔遺書》，頁18。

至一九一一年一月）

〈白虎通義源流考〉（《國粹學報》第七十四期，一九一一年一月；《四川國學雜誌》第七期；《雅言》第四期）

〈白虎通義斠補二卷・附：白虎通義闕文補訂〉（《國粹學報》第七十五、七十六期，一九一一年二月、三月）

〈白虎通義定本〉（存三卷）（《四川國粹雜誌》第八、十期，一九一三年四月二十日、六月二十日）

以上前三篇發表於民國前一、二年五個月間（1910年11月-1911年3月），後一篇則跨越至民國二年發表。[10]劉師培研究《白虎通》範圍，基本上仍以校補文句為主，故《遺書》將其歸為「羣書校釋」類。〈白虎通義源流考〉一文，乃以「正名」為宗旨，論文考證東漢白虎觀經學會議及會議文獻等相關問題，主張以「白虎通義」之名稱《白虎通》文本，始能「名符其實」，還原歷史文獻之真實面貌。本篇適可代表劉師培反映當時研究《白虎通》之觀點與階段性成果之總整理。

劉師培雖然主張正名「白虎通義」，然而第一次公開發表研究《白虎通》之文章〈白虎通德論補釋〉，乃是以「白虎通德論」稱之，可惜劉師培本篇只是補釋文句，並未說明稱「白虎通德論」之理據。相隔不過兩月，劉師培便改稱「白虎通義」，並且反對有「白虎通德論」之名。〈白虎通義源流考〉曰：「若〈固傳〉所云《白虎通德論》，海寧周氏疑為二書，謂『德論』之上，挩書『功』字。」（頁1123）因此，推究劉師培改稱之原因，可能來自於周廣業之考證結果。

周廣業（1730-1798）考證〈班固傳〉所記「白虎通德論」一名不實。《白虎通》「白虎通序」引周廣業之言：

> 周廣業曰：〈班固傳〉所稱「白虎通德論」，與「白虎通」異名，而章懷無注，宋《崇文總目》始用為標題。……竊疑通德二字本不連讀，

---

10 此外，尚有〈白虎通義佚文考〉，此篇仍以《北堂書抄》為底本，勘訂莊述祖斠補未備之文，其寫作日期不可考。

乃是「白虎通」之外別有「德論」，非一書也。李善《文選注》引班
固〈功德論〉曰「朱軒之使，鳳舉於龍堆之表」，是論不見全文，豈
范氏所指即此，而脫「功」字歟？其言不類說經，或亦四子講德之
流，而史誤為連及歟？且古人講解經義，並謂之通，是書列隋〈經籍
志〉，亦曰《白虎通》。……宋儒《孝經》、《爾雅》等疏，亦有引作
「白虎通義」者；而「白虎通德論」之名，自《崇文》後，元、明刊
本率以標題，殆失之不考。[11]

周廣業考證〈班固傳〉之「作《白虎通德論》」，及至《崇文總目》以「白虎
通德論」為標題，其實是一個誤會。周廣業依《文選注》引班固〈功德論〉
之文章，雖然不見〈功德論〉全文，然而，卻足以證明班固有作〈功德論〉
之文。既然「白虎通德論」只見〈班固傳〉，而《崇文總目》之前亦無以此
稱之，因此，〈班固傳〉中所謂「作《白虎通德論》」，乃是「德」字上脫
「功」字，應改成「作《白虎通》、〈功德論〉」。周廣業之考據固然珍貴，然
而周廣業卻據以增一「功」字，而保留「通」字，如此，雖然否定有「白虎
通德論」之名，卻產生另一問題，即：班固所撰集之白虎觀會議文獻，豈不
有「白虎通」與〈功德論〉兩種不同性質之作？

　　周廣業之考證，及其後續所遺留之問題，劉師培解釋曰：

> 其與《白虎通》聯詞者，建初講議，漢為殊典，既備稱制臨決之盛，
> 宜有令德記功之書，故《通義》著其說，〈功德論〉誌其事。（頁
> 1123）

劉師培以為，白虎觀會議既是一大盛事，會議討論成果固應有編著，而其事
跡宜有令德記功之文，因此，〈班固傳〉加一「功」字後，「白虎通」指會議
文獻，而〈功德論〉則是專門記載並贊頌此一歷史事跡之文章。劉師培更進
一步推論：

11　抱經本《白虎通》，頁2-3。

　　觀夫《通義》之纂，范言「顧命史臣」，而撰集〈功德論〉，僅見〈固
　　傳〉，是則《通義》非一人所成，著論乃孟堅之筆。且固於經術，非
　　丁、桓、李、賈之倫，惟以文學冠寮案，《通義》出于眾，論成於獨，
　　固其宜矣。（頁1123）

依「白虎通義」、〈功德論〉兩文之不同性質而言，「白虎通義」乃眾人講議
《五經》同異之文獻，講議經學，班固不如丁鴻、桓郁、李育、賈逵等人，
故「白虎通義」非成於一人之手；而〈功德論〉「審繹其文，靡涉說經，亦
匪韻詞，蓋雍容揄揚，等於王充〈宣漢〉之篇，而奉詔撰書，又符陸賈《新
語》之作」，[12] 讚頌記事之文學，方是班固專長，故〈功德論〉乃出於班固
之筆。因此，劉師培斷定，自宋代《崇文總目》以降，凡以「白虎通德論」
標示者，皆屬錯誤。[13] 在此需稍加留意，劉師培雖然採取周廣業之考證證據，
藉以推翻「白虎通德論」之名；但是，周廣業加一「功」字，等於間接證實
有「白虎通」之名，劉師培堅持「白虎通義」之名，故仍不滿意其結果。

（二）莊述祖與孫詒讓論點

　　劉師培之宗旨目標，乃在正名白虎觀經學會議之文獻資料為「白虎通
義」，而劉師培由「白虎通德論」變更為「白虎通義」之過程，原因大概來
自於莊述祖與孫詒讓兩者之啟發。

　　莊述祖從「白虎通義」之卷帙與事跡兩項考證，以為章帝命史臣所作之
「通義」，其實是今之《白虎通》，而李賢注「白虎通義」以為「白虎通」，
並不正確。[14] 就卷帙而言，莊述祖以為「白虎通」乃是指稱會議之議奏彙編

12　〈白虎通義源流考〉，頁1123。

13　〈白虎通義源流考〉曰：「迄今宋代，修輯《崇文書目》，據〈固傳〉之訛本，合二書
　　為一題，由是『通義』之文，易為『通德論』，而撰集之人，又僅屬固，自小字本、
　　大德本以下，所標悉同，循名責實，毋乃舛乖。」頁1123。

14　〈白虎通義攷〉曰：「案：〈儒林傳〉云：『命史臣著為通義』，即今《白虎通義》也。
　　議奏隋、唐時已亡佚，注以為今《白虎通》，非是。」頁4。

之全文，而「白虎通義」是議奏全文之略本。莊述祖推論，《隋志》之「白虎通」與《崇文總目》之「白虎通德論」，皆是指「白虎通義」，而且「白虎通義」之卷數與篇數，甚至其〈爵〉、〈號〉以至〈嫁娶〉之篇目，乃後人編纂而成，並非當時原貌。[15]莊述祖考證蔡邕（133-192）〈巴郡太守謝版〉中有「詔書前後，賜石鏡匳《禮經素字》、《尚書章句》、《白虎議奏》合成二百一十二卷」之語，[16]以為「白虎通義」與「白虎議奏」有別。莊述祖推論：

> 案《禮古經》五十六卷，《今禮》十七卷，《尚書章句》歐陽、大、小夏侯三家，多者不過三十一卷，二書卷不盈百，則《奏議》無慮百餘篇，非今之通義明矣。[17]

莊述祖比對會議文獻總成之「白虎議奏」，在蔡邕之時，至少百篇以上，而今之「白虎通義」只有四十三篇（《白虎通》之〈三綱〉、〈六紀〉合為一篇），「白虎通義」與「白虎通」實指兩事。因此，莊述祖主張，元大德《白虎通》文本應正名為「白虎通義」，而「白虎通」乃是指白虎觀會議未經整飭之「議奏」原始文獻，兩者詳略不同，不得混淆。

　　莊述祖且從「事跡」部分，考證《白虎通》文本內容與史料記載兩者間之相應問題。依〈章帝紀〉詔書所記，「如孝宣甘露石渠故事」，石渠閣會議與白虎觀會議，兩會同屬於以天子下召諸儒參與討論之會議，藉由會議討論之形式，以解決學術之紛爭，且白虎觀會議乃是有意仿效石渠閣會議之方

---

15 抱經本《白虎通》附莊述祖之〈白虎通義攷〉曰：「古書流傳既久，字蝕簡脫，會有好事者表章之，亦不過存什一於千百而已，故卷數篇數皆減於昔，惟《白虎通義》不然。《隋志》、《唐志》六卷，而《崇文總目》則有十卷，《崇文》目四十篇，而今本則有四十三篇，文雖減於舊，而篇目反增於前，是〈爵〉、〈號〉以至〈嫁娶〉，皆後人編類，非其本真矣。」頁2。

16 〔漢〕蔡邕：《蔡中郎文集》（臺北縣：藝文印書館，1969年《百部叢書集成》影印《十萬卷樓叢書》本），卷八，頁3。《蔡中郎集》（臺北市：臺灣中華書局，《四部備要・集部》據《海原閣校刊本》校刊），王昶考證蔡邕作〈巴郡太守謝版〉當於中平六年，見附「中郎年表」，頁6。

17 〈白虎通義攷〉，頁2。

式，故「白虎通」在形式上理應與石渠佚文相當。然而，莊述祖考證曰：

> 今所存本凡四十四篇，首於〈爵〉，終於〈嫁娶〉，大抵皆引經斷論，卻不載稱制臨決之語。[18]
>
> ……《論語》、《孝經》、六藝並錄。傳以讖記，援緯證經，自光武以《赤伏符》即位，其後靈臺郊祀，皆以讖決之，風尚所趨然也。故是書論郊祀、社稷、靈臺、明堂、封禪，悉隳括緯候，兼綜圖書，附世主之好，以繩道真，違失六藝之本，視石渠為駁矣。夫通義固議奏之略也。[19]

莊述祖從《白虎通》文本之中，發見其「引經斷論」、「不載稱制臨決之語」，及《白虎通》文本夾述《論語》、《孝經》與六藝並錄，同時雜以「讖記之文」，致使《白虎通》「以繩道真，違失六藝之本」。凡《白虎通》文本所呈現之內容性質，與章帝詔書旨意不符，且迥異於石渠佚文等不相應之現象，莊述祖完全歸於「通義固議奏之略也」。

孫詒讓（1848-1908）完全同意莊述祖考證「議奏」與「通義」固屬兩書之卷帙問題，[20] 且在此一立論之上，從西漢石渠閣會議之事證，強化證成莊述祖之考據。孫詒讓於與莊述祖篇名相同之〈白虎通義考〉曰：

> 竊謂建初之制，祖述甘露，議奏之作，亦襲石渠，白虎議奏雖佚，其卷帙體例，要可以石渠議奏推也。《漢書‧藝文志》《書》九家內議奏四十二篇、《禮》十三家內議奏三十八篇、《春秋》二十三家內議奏三十九篇、《論語》十二家內議奏十八篇、《孝經》十三家內《五經雜議》十八篇，共五部百五十五篇。石渠舊例，有專論一經之書，有雜論《五經》之書，合則為一帙，分則為數家，……白虎講論，既依石

---

18 〈白虎通義攷〉，頁2。

19 〈白虎通義攷〉，頁7。

20 孫詒讓〈白虎通義考〉曰：「議奏與通義本屬兩書，特同出於白虎觀耳。今考議奏、通義卷數，多寡懸殊，莊氏謂非一書，其說是矣。」《國粹學報》第五年第二冊第五十五期（1909年）（臺北市：文海出版社，1970年2月），頁2114。

渠故事，則其議奏必亦有專論一經與雜論《五經》之別，今所傳通
議，蓋白虎議奏內之《五經雜議》也。……晉、宋以後，議奏全帙漸
至散佚，而《通義》一編，析出別行，僅存於世，展轉傳迻，忘其本
始。於是存其白虎之名，昧其雜議之實，或以通義該議奏，或以議奏
疑通義，皆考之不審，故舛誤互見矣。[21]

孫詒讓認為，白虎觀會議在形式上既是有意仿效西漢石渠閣會議之模式，其
會議議奏之作，亦當仿效石渠閣會議編列之議奏形式。依〈漢志〉所記，石
渠閣會議有專論一經與雜議《五經》之書，而白虎觀會議「既依石渠故
事」，故「必亦有」專論一經與雜議《五經》之書。然而，石渠議奏雜議
《五經》已亡佚，專論一經者僅存《石渠禮論》；而白虎觀會議則是專論一
經者全部亡佚，碩果僅存雜議《五經》之「通義」。孫詒讓認為，今之《白
虎通》文本即是白虎觀會議之「五經雜議」，因此，以「白虎通」或「白虎
議奏」之名名今之《白虎通》易生歧義，皆不可取；而當以「白虎通義」之
名名之，以別於「白虎議奏」，以符合其「雜議《五經》」、「通義」之實。

　　孫詒讓認為，白虎觀會議既是仿傚石渠閣會議之模式，依此類推，則石
渠閣會議有《五經雜議》，白虎觀會議「必亦有」「五經雜議」，而《白虎
通》即是由白虎觀會議總成之「五經雜議」部分。至於《白虎通》文本體例
與史料記載不盡相符之問題，孫詒讓如此解釋：

　　……諸經議奏既各有專書，雜議之編，意在綜括群經，提挈綱領，故
　　不以經為類，而別立篇目。且文義精簡，無問答及稱制臨決之語，與
　　專論一經之議奏，體例迥別。[22]

孫詒讓認為，《白虎通》既是「五經雜議」之作，其體例不與專論一經者
同。因此，《白虎通》此一「雜議之編」，「意在綜括群經，提挈綱領」，不以
一經為類別，故無問答論辯者之名及辯論過程，更無章帝稱制臨決之語。孫

21　孫詒讓：〈白虎通義考〉，頁2114-2116。
22　孫詒讓：〈白虎通義考〉，頁2115-2116。

詒讓之考證，似乎使《白虎通》內容與史料記載不相應之問題，暫時得到合理之解釋。

（三）劉師培正名「白虎通義」

如前所述，莊述祖比較「白虎議奏」與《白虎通》之卷帙，考證「議奏」為會議文獻全本，而「通義」為會議全本之略本，故「議奏」與「通義」乃指兩種不同之文本；而孫詒讓以〈漢志〉石渠議奏目錄為根據，類推《白虎通》乃是歸屬於諸「議奏」中之「五經雜議」部分。劉師培雖然同意《白虎通》應正名為「白虎通義」，但其所持理據，異於莊、孫兩氏，並且反對兩氏之考證結果。[23]劉師培曰：

> 夷考諸儒講議之際，……是則所奏之文，必條列眾說，兼及辨詞，臨決之後，則有詔制，從違之詞，按條分綴，《通典》所引《石渠禮論》，其成濩也。然上稽班志，石渠論經，均稱《奏議》，則〈章紀〉所云《議奏》，殆即淳于所奏，漢章所決之詞歟？若夫《通義》之書，蓋就帝制所題之說，纂為一編。何則？所奏匪一，以帝制為折衷，大抵評騭諸說，昭騭而從，或所宗雖一，而別說亦復並存，裁准既定，宜就要刪。故〈儒林傳・序〉又言「顧命史臣，著為通義」也。（頁1122）

劉師培以為，白虎觀會議之議論程式與帝制臨決，應如《石渠禮論》所記載之形式過程。因此，白虎觀會議結束之後，所有呈奏章帝之文獻，稱為「議奏」，而後章帝依「議奏」內容，加以評騭裁准，最後由史臣依章帝「稱制臨決」之結果，要刪「議奏」而成「白虎通義」。故「通義」之特色，即在

---

23 劉師培曰：「昔在漢章之世，集諸儒於白虎觀，講論《五經》同異，所纂之書，其名歧出。〈章紀〉謂之《議奏》，〈儒林傳〉稱為《通義》。近儒究心錄略者，陽湖莊氏別《通義》於《奏議》之外，謂與《議奏》為二書；瑞安孫氏列《通義》於《奏議》之中，謂即《奏議》之一類。以今審之，二說均違。」頁1122。

於「以帝制為折衷」，裁准要刪「議奏」之最後定論，亦即所謂：「蓋就帝制所趯之說，纂為一編。」劉師培此說，既符合史書記載，又折衷莊述祖之說。

劉師培進一步澄清孫詒讓之考證，曰：

> 然《通義》所有之文，均《議奏》所已著，《通義》之於《議奏》，采擇全帙，亦非割裂數卷，裁篇別出，如石渠《五經》雜議也。故〈班固傳〉中，稱為「撰集」，體異於舊謂之撰，會合眾家謂之集，按詞審實，厥體乃章。（頁1122）

劉師培認為，既然「通義」屬「就帝制所趯之說，纂為一編」之作，則「議奏」與「通義」，在內容上與篇卷上，應有全詳與約略之別。因此，〈班固傳〉中稱「撰集」者，乃是標示「通義」之體例，迥異於會議結束後，最初未經章帝「稱制臨決」之「議奏」原始全文。「通義」乃是采擇「議奏」之文，裁准要刪之最後定論，故「通義」並非割裂「議奏」之數卷，而裁篇別出。劉師培此說，不僅修正莊述祖部分論點，而且反對孫詒讓將「通義」視為有別於專論一經之「雜議五經」之說。

劉師培分析「白虎通義」與「議奏」之異曰：

> （「通義」）或以深沒姓名為誚，不知此書雖撰，《議奏》仍復並存，故桓、靈之際，伯喈守巴，仍拜帝賜。蓋詳者可以戢群說之紛，約者所以暴朝廷好尚，離以並美，誼仍互昭。嗣則《議奏》泯湮，惟存《通義》，而歧名孳生。（頁 1122-1123）

劉師培推測，史臣班固集合眾家之說，依章帝「稱制臨決」所得，綜合整理撰成「通義」，因此「通義」不記會議程式及發言者之姓名。然而，當時為保存會議講議之原始面貌，故於「通義」完成之後，依然保留「議奏」之完整文獻，以供後人檢索比對。時至東漢中平六年（189），蔡邕獲賜百卷以上之「白虎議奏」，即是當時會議之「議奏」全帙。其後，由於「淳於所奏」全文之「議奏」亡佚，僅存「以帝制為折衷」之「通義」，後世不查，遂將

「通義」誤認以為「議奏」，眾說由此紛紜。劉師培曰：

> 夫《石渠禮論》，均載立說者姓名，……今所傳《通義》四十餘篇，
> 體乃迥異，所宗均僅一說，間有「一曰」、「或云」之文，十弗踰一，
> 蓋就帝制所可者筆於書，並存之說，援類附著，以禮名為綱，不以經
> 義為區，此則《通義》異於《議奏》者矣。（頁1122）

劉師培認為，《白虎通》雖以定於一說為體例，然而文本之中，亦偶有「一
曰」、「或云」、「或曰」並存異說之文，此部分乃是章帝稱制臨決時，所批准
之不同意見。此部分雖佔全書不足十分之一，但足以顯示，「通義」、「不以
經義為區」，而是「以禮名為綱」。從另一現象而言，《石渠禮論》皆詳載立
說者姓名，皆有定論，而「通義」則不記發言者之姓名，相容並蓄其他異
說，「通義」既「以禮名為綱」，則當然「不以經義為區」為目的；故《白虎
通》文本之性質，實與白虎觀會議「講議《五經》同異」之目的迥異。劉師
培之考證，不僅符合史料文獻記載，同時亦兼顧《白虎通》文本之內容性質。

四　辨〈白虎通義源流考〉

　　劉師培考證結果，以為白虎觀會議之後有兩種文獻：所謂「議奏」，即
指會議講議經義之全文，其後遂賜蔡邕而亡佚；而「通義」，係指經章帝稱
制臨決之後，采擇「議奏」之結果，即是目前流行之《白虎通》，故《白虎
通》應還原正名為「白虎通義」。劉師培考證之重點證據，似乎能有效化解
《白虎通》文本與白虎觀會議部分不相應之問題；但同時亦透露出存在於
《白虎通》文本與史書記錄間一些異樣端倪。以下分三點辨證劉師培之考證
成果。

（一）正「白虎通德論」之訛傳

　　上述周廣業之考證，以為〈班固傳〉所稱「白虎通德論」，乃是脫一

「功」字，應為「白虎通、功德論」。劉師培僅接受周廣業之證據，同意無所謂「白虎通德論」之名，但同時反對有「白虎通」一名之結論。劉師培曰：

> 迄于宋代，修輯《崇文書目》，據〈固傳〉之訛本，合二書為一題，由是「通義」之文，易為「通德論」，而撰集之人，又僅屬固，自小字本、大德本以下，所標悉同，循名責實，毋乃舛乖。（頁1123）
> 近則餘姚盧氏，始削「德論」，然僅稱為「通」，文亦弗備。（頁1123）

劉師培認為，自《崇文書目》以降，凡稱「白虎通德論」者，皆是將會議之編著「白虎通」與班固記其事之文「功德論」，兩者混為一題，此事固屬謬誤；而且，盧文弨校刻《白虎通》時，乃將「白虎通德論」削減為「白虎通」，此舉亦非妥切。[24] 由此不難看出，劉師培採取周廣業之證據，否定「白虎通德論」之名，並可以間接證實班固有編著白虎觀會議之文獻，即「白虎通義」。

《後漢書‧章帝紀》載「作白虎議奏」，李賢注：「今《白虎通》。」關於「白虎通」之名，張心澂曰：

> 《四庫提要》曰：「《隋書‧經籍志》載《白虎通》六卷，不著撰人。……」……《後漢書》固本傳稱：「……」又〈儒林傳〉序言：「……」唐章懷太子賢註云：「即《白虎通義》。」是足證固撰，後乃名其書曰《通義》。《唐志》所載，蓋其本名，《隋志》刪去義字，蓋

---

24 劉師培所稱之「餘姚盧氏」，應是指盧文弨。然而，盧文弨〈元大德本跋後〉中曰：「……由是觀之，《白虎通》亦猶是也。間有不安，盡從其舊。」且案語於卷云：「古書不宜輕改，此論極是。今刻於其甚訛者，據他書之文改正，亦必明注本文及何書所引，不敢憑臆奮筆，猶斯志也。」抱經本《白虎通》，頁1。盧文弨校刻《白虎通》之態度如此，豈有逕自削改書名之理？若劉師培批評盧文弨逕自將「白虎通德論」削減為「白虎通」，則不知其所據為何？

　　流俗省略。[25]

張心澂以為「白虎通義」乃是本名,《隋志》之「白虎通」減去「義」字,
乃是流俗省稱之名,兩者異名而同實。按張心澂之考證所得,若「白虎通」
是「白虎通義」之流俗省稱,則「白虎通義」應在《隋志》之前便已使用稱
呼,〈儒林傳〉謂「顧命史臣,著為通義」,便是記載當時會議文獻最原始之
見證,而劉師培主張還原「白虎通義」之名,便是持之有故,言之成理。

　　劉師培且從「白虎通義」與「功德論」兩文之不同內容性質申論,以為
「通義著其說,功德論誌其事」,故兩文之性質雖非相同,但皆是出於班固
之手。劉師培此番解釋,雖然使周廣業之考證更為合理,然而,〈班固傳〉
載曰:

> 及肅宗雅好文章,固愈得幸,數入讀書禁中,或連日繼夜。每行巡
> 狩,輒獻上賦頌,朝廷有大議,使難問公卿,辯論於前,賞賜恩寵甚
> 渥。固自以二世才術,位不過郎,感東方朔、楊雄自論,以不遭蘇、
> 張、范、蔡之時,作〈賓戲〉以自通焉。後遷玄武司馬。天子會諸儒
> 講論《五經》,作《白虎通德論》,令固撰集其事。(卷四十下,頁
> 1373)

依〈班固傳〉文義脈絡而言,此段乃是讚揚班固之文章長才,班固並依此長
才而得章帝之寵幸。因此,上文「作《白虎通德論》」,應指班固奉詔記白虎
觀會議之事,其中「白虎」,乃是標記事件之時間與空間,猶如〈章帝紀〉
所稱「作白虎議奏」;而「通德論」則是指此篇文章之性質名稱。雖然,「白
虎通義」與會議有其內在關聯性,然而,如劉師培所言「《通義》出於眾」,
則此段文義脈絡之中,出現與班固文章才能無關、而是出於諸儒講論之「通
義」,則顯得突兀。再者,劉師培既採取周廣業之證據,藉以推翻「白虎通
德論」,卻又預設「白虎通義」之名,進而反對有「白虎通」之結論,造成
解讀史料此段之窒礙,而劉師培對於此一問題,則未有下文。

---

25 張心澂:《偽書通考》(臺北市:明倫出版社,1971年2月),頁840。

　　且依周廣業之考據，《文選》卷五十五「連珠」類，陸士衡〈演連珠五十首〉，第四首云：「金碧之巖，必辱鳳舉之使。」[26]李善注：「班固〈功德論〉曰：『朱軒之使，鳳舉於龍堆之表。』」所謂「連珠」者，蓋指人臣奉詔之作，其文體辭麗而約，文義說事達旨，使閱覽者易看而可悅，歷歷如貫珠，故謂之「連珠」。[27]此類文體，正如劉師培稱班固〈功德論〉之文，「蓋雍容揄揚，等於王充〈宣漢〉之篇，而奉詔撰書，又符陸賈《新語》之作」；故〈班固傳〉稱「令固撰集其事」，應是章帝詔班固撰記白虎觀會議之事件，以為歷史見證。此事固然與白虎觀會議有對應關係，但是班固之〈功德論〉實與講論《五經》之「白虎通」，明是兩事；並且，「白虎通德論」只見於〈班固傳〉，而周廣業考證「作《白虎通德論》」，增「功」字為「作《白虎通》、〈功德論〉」，並不符合文義脈絡，徒增「白虎通」一名，橫生枝節。

　　考《說文》曰：「通，達也。從辵甬聲。」[28]段注：「他紅切，九部。」《說文》曰：「功，以勞定國也。從力工聲。」（頁 705）段注：「古紅切，九部。」而《宋本廣韻》，「通」字，「他紅切」，「功」與「公」音同，「公，通也，……古紅切」，[29]「通」、「功」同屬平聲東韻，兩字疊韻；又《韻鏡校注》，「通」屬舌音次清一等音，「公」屬牙音清一等音，[30]兩字聲母相近；「通」與「功」兩字音近。本文依此推論：〈班固傳〉中所稱「作白虎通德論」，應改為「作白虎〈功德論〉」，「通」、「功」兩字乃是音近而訛。如此，則〈班固傳〉所述「作白虎〈功德論〉」，回歸指涉班固受章帝之令而撰

26　〔梁〕蕭統編，〔唐〕李善注：《文選》（臺北市：華正書局，1987年9月），頁761。

27　《文選》，卷五十五「連珠」類，下引「傅玄敘連珠曰：所謂連珠者，興於漢章之世，班固、賈逵、傅毅三子，受詔作之。其文體，辭麗而言約，不指說事情，必假喻以達其旨。而覽者微悟，合於古詩諷興之義，欲使歷歷如貫珠，易看而可悅，故謂之連珠。」頁760。

28　〔漢〕許慎著，〔清〕段玉裁注：《說文解字注》（臺北市：黎明文化公司，1989年9月），頁72。

29　〔宋〕陳彭年等重修：《宋本廣韻》（臺北市：黎明文化公司，1989年），頁27-31。

30　龍宇純：《韻鏡校注》（臺北縣：藝文印書館，1989年），頁36。

集其事之作：「白虎」記其時與地，而「功德論」即是誌其事之文。此一考訂，既符合周廣業引李善注之證據，證實班固作〈白虎功德論〉，疏通〈班固傳〉之語意脈絡，同時可以避免徒增「白虎通」之名所產生之無謂困擾。若此，則《崇文總目》以降所謂「白虎通德論」之名稱，便無所本。

（二）離析「議奏」與「通義」為兩本

　　上述莊述祖考證蔡邕〈巴郡太守謝版〉，以為「白虎議奏」在蔡邕之時，至少百篇以上，而今之「白虎通義」只有四十三篇，「則《奏議》無慮百餘篇，非今之通義明矣」。劉師培在莊述祖之論證基礎上，進一步說明，白虎觀會議所有呈奏章帝之講議文獻，稱為「議奏」，而章帝依「議奏」內容「稱制臨決」，其後交由班固纂集「議奏」而成「通義」；故「議奏」之「詳者可以殽群說之紛」，而「通義」之「約者所以暴朝廷好尚」，「議奏」與「通義」，兩者有詳約之別，而且，兩者「離以並美，誼仍互昭」，皆有其特色與價值。故「通義」與《議奏》仍復並存」，而「議奏」於「桓、靈之際，伯喈守巴，仍拜帝賜」，「嗣則《議奏》泯湮，惟存《通義》，而岐名孳生」矣。因此，劉師培極力正名「白虎通義」，以還原歷史真象，顯然是受莊述祖考證之影響。

　　然而，考之東漢時期記錄著作之載體材料，主要有兩種：一是竹簡，一是縑帛。《說文》曰：「卷，厀曲也。」（頁435）「篇，書也。」「簡，牒也。」（頁192）段玉裁注曰：「書，著也。箸於簡牘者也，亦謂之篇。古曰篇，漢人亦曰卷。卷者，縑帛可捲也。」（頁192）大致而言，「篇」、「卷」，皆是漢代計量著作載體之單位名稱，東漢前期，「篇」、「卷」兩名可以互稱。[31] 然而，竹簡修長，易於寫字；而縑帛寬廣，利於繪圖，故在使用上，

---

31 以《漢書・藝文志》所載書籍為例。《易》類十三家全以篇計，合為「二百九十四篇」；《書》類九家有篇有卷，亦合為「四百一十二篇」；《詩》類六家全以卷計，合為「四百一十六卷」；凡「六藝」類一百三家多以篇計，故合為「三千一百二十三篇」。此外，「諸子」類百八十九家，四千三百二十四篇；「詩賦」類百六家，千三百一十八

撰述者因著作之性質而有不同選擇。然而,「縑貴而簡重」,縑或簡,使用者
既限於少數,且使用上仍嫌不便。至元興元年(105),蔡倫「用樹膚、麻頭
及敝布、魚網以為紙」,「蔡侯紙」廣受世人歡迎,天下「自是莫不從用
焉」。[32]因此,《隋書・經籍志》載「《白虎通》六卷」,六「卷」是計量載體
之單位,此乃是書寫工具與載體改良後必然之趨勢;至《崇文總目》始稱
「《白虎通德論》十卷,四十篇」,其十「卷」指載體之計量單位,四十
「篇」則指著作意義之計量單位,殆無疑義。

　　蔡邕〈巴郡太守謝版〉明載「賜石鏡奩《禮經素字》、《尚書章句》、《白
虎議奏》合成二百一十二卷」,若莊述祖考證無誤,則蔡邕受賜之「白虎議
奏」當在百卷以上。然而,元大德本《白虎通》有四十三篇,莊述祖既知
《白虎通》四十三篇乃是著作意義之單位,[33]卻又將蔡邕〈巴郡太守謝版〉
所言之「白虎議奏」百「卷」以上改稱「篇」,進而混淆計量單位之「篇」
與意義單位之「篇」,而由此得出:百篇以上之「白虎議奏」與四十三篇之
《白虎通》,兩者必不相同。此乃是類比不當所產生之謬誤。然而,莊述祖
由此臆測白虎觀會議有百篇以上之「白虎議奏」,與略本之「白虎通義」四
十三篇兩種,結論是:「通義固議奏之略也。」換言之,莊述祖之考證,只
能證成蔡邕受賜之「白虎議奏」當在百卷以上,但不能依此證明:百卷以上
之「白虎議奏」與「白虎通義」四十三篇(今《白虎通》)兩者必不相同;
其次,莊述祖亦無法有效論證除「白虎議奏」之外,尚有「白虎通義」存
在。莊述祖此一考證雖非精當,卻影響孫、劉兩氏之判斷極為深刻。

篇,悉以篇計;而「數術」類百九十家,二千五百二十八卷,悉以卷計。以上所載圖
書有篇有卷,而〈藝文志〉則總計「大凡書,六略三十八種,五百九十六家,萬三千
二百六十九卷」,可知在當時,「篇」、「卷」兩種名稱可以相通,皆是圖書之計量單
位。

32 《後漢書・蔡倫列傳》曰:「自古書契多編以竹簡,其用縑帛者謂之為紙。縑貴而簡
重,並不便於人。倫乃造意,用樹膚、麻頭及敝布、魚網以為紙。元興元年奏上之,
帝善其能,自是莫不從用焉,故天下咸稱『蔡侯紙』。」卷78,頁2513。

33 〈白虎通義攷〉曰:「《崇文》目四十篇,而今本則有四十三篇,文雖減於舊,而篇目
反增於前,是〈爵〉、〈號〉以至〈嫁娶〉,皆後人編類,非其本真矣。」頁2。

　　至於白虎觀會議後之「議奏」或者「通義」，為何未能即時公佈，推行於當時，導致「所以不僅許慎、馬融不能得其書而讀之，且蔡邕、鄭玄並不曾舉引」之不合理現象，[34] 莊述祖曰：

> 石渠既亡逸，而白虎議奏當時已頗珍秘，晉以來學者罕能言之，使後之人，概無以見兩代正經義、屬學官之故事。[35]

莊述祖解釋白虎觀會議之後百年內，世人所以不知有「白虎議奏」者，乃是由於「白虎議奏」僅止於觀內收藏，並未對外公開，故不僅當時世人不知有其書，甚至「晉以來學者罕能言之，使後之人，概無以見兩代正經義、屬學官之故事」。莊述祖此說頗為矛盾。依章帝召開白虎觀會議之目的，乃在「欲使諸儒共正經義，頗令學者得以自助」，若會議之後有如「白虎議奏」或「白虎通義」等文獻資料，即時刊立，意猶未及，豈會如此「珍秘」？以致當時碩士鴻儒不能得其書而讀引，導致「晉以來學者罕能言之」？

　　即使莊述祖之考證堪虞，劉師培仍依莊述祖之考證，主張白虎觀會議之文獻，有全詳之「議奏」與約略之「通義」兩種。「通義」是采擇「議奏」之結論定本，「詳者可以戢群說之紛，約者所以暴朝廷好尚」，因此，「議奏」與「通義」在體例上必有所別。劉師培稱：「是則所奏之文，必條列眾說，兼及辨詞，臨決之後，則有詔制，從違之詞，按條分綴，《通典》所引《石渠禮論》，其成濾也。」《石渠禮論》即是「議奏」之體例。[36]「通義」既不同於「議奏」，而《白虎通》即是「白虎通義」，則《白虎通》與《石渠禮論》體例不同，「故〈班固傳〉中，稱為『撰集』，體異於舊謂之撰」，乃是自然而合理之事。劉師培並依此而反對孫詒讓將「通義」視為「割裂數卷，裁篇別出」之「議奏」部分，如石渠閣議「五經雜議」之類。

34　洪業：〈《白虎通》引得序〉，頁8-9。

35　〈白虎通義攷〉，頁7。

36　〔漢〕戴聖著，〔清〕洪頤煊撰集：《石渠禮論》（臺北縣：藝文印書館，《百部叢書集成》，經典集林卷三）。〔唐〕杜佑著，王文錦等點校：《通典》（北京市：中華書局，1992年6月），其中亦分散記載石渠閣議內容條文。

　　劉師培反對孫詒讓將「通義」視為「割裂數卷，裁篇別出」之「議奏」部分，並非無理。由於孫詒讓亦同意且接受莊述祖之考證，認定《白虎通》與「白虎議奏」分屬兩書。然而，孫詒讓併以〈漢志〉所記石渠閣議奏類推：「白虎講論，既依石渠故事，則其議奏必有專論一經與雜論五經之別。今所傳通義，蓋《白虎議奏》內之《五經雜議》也。諸經議奏既各有專書，雜議之編意在綜括群經，提挈綱領，故不以經為類而別立篇目。且文義精簡，無問答及稱制臨決之語，與專論一經之議奏體例迥別。」然而，〈漢志〉中之《五經雜議》之內容已無可考，孫詒讓何如證明石渠《五經雜議》必然是「提挈綱領」、「文義精簡」？而且「五經雜議」為何不必問答論辯及稱制臨決之語？孫詒讓又如何知道石渠《五經雜議》無問答論辯及稱制臨決之語？孫詒讓明知石渠《五經雜議》之體例已不可考，卻以意推之，以為雜議者隱括經義，標舉閎旨，故不載問答者。[37] 孫詒讓之意不難理解：蓋孫詒讓以《白虎通》之體例推斷石渠議奏之《五經雜議》；換言之，孫詒讓乃以《白虎通》之「實」，證石渠《五經雜議》之「虛」，又以其石渠《五經雜議》之「虛」，明《白虎通》之「實」，構成一種論證循環。劉師培雖然反對孫詒讓將「通義」視為「割裂數卷，裁篇別出」之「議奏」部分，但是，劉師培以為「議奏」與「通義」不同，故《白虎通》之體例自是有別於《石渠禮論》，此說實又與孫詒讓之考證結果，有相同嫌疑。

　　即就〈儒林傳〉文義脈絡而言，所謂「大會諸儒於白虎觀，考詳同異，連月乃罷。肅宗親臨稱制，如石渠故事，顧命史臣，著為通義」，其中，「石渠故事」所指仍然是「大會諸儒於白虎觀，考詳同異，連月乃罷，肅宗親臨稱制」之會議程式；而「顧命史臣，著為通義」之「通義」者，應是指「講議《五經》同異」之會議宗旨，依然是指「議奏」，而不應是偏指會議文獻之「雜議五經」部分。孫詒讓以為「顧命史臣，著為通義」，即是「白虎議奏」中之「五經雜議」；此種「以偏概全」之特稱方式，頗不尋常；且若孫

---

37 孫詒讓於文中言：「《五經雜議》，雜論《五經》者也。……而石渠論經，劉向校定，或錄其奏於篇首，故誤題其名也。其書未見援引，體例無可考，以意推之，似繫隱括經義，標舉閎旨，不與《禮論》載問答者同。」〈白虎通義考〉，頁2115。

詒讓以為《白虎通》即是白虎觀「五經雜議」，則孫詒讓應正名為「五經雜議」，或「白虎雜議」，又何必苦持「通義」之名？

　　劉師培堅持正名「白虎通義」之另一事證，乃是借引莊述祖〈白虎通義攷〉「事蹟」類〈蔡邕傳〉「上封事」之考據，證明「通義」之名實出於漢儒。劉師培曰：

> 今考伯喈封奏云：「孝宣會諸儒於石渠，章帝集學士於白虎，通經釋義，其事優大。」是則石渠、白虎均有《通義》，「通」以通經為旨，「義」取釋義為名，名稱既出於漢儒，遵守宜訖於百世。（頁1123）

劉師培引蔡邕文章，[38]以為東漢之時，儒生即以「通義」之名，指稱石渠閣、白虎觀會議之文獻，「『通』以通經為旨，『義』取釋義為名」，此名稱既漢儒所本有，且相傳沿襲千百年，後人宜遵守舊例。然而，依蔡邕之文義，「其事」應指石渠閣、白虎觀兩會議，所謂「通經釋義」，亦應指兩會「講議《五經》同異」之會議性質，故蔡邕曰「通經釋義，其事優大」。且考之《漢書・藝文志》所錄石渠閣會議文獻，不過「議奏」、「雜議」兩種，尚無「通義」之名。[39]因此，縱使石渠、白虎兩會議均有文獻留存，亦具有「通經釋義」之作用，劉師培引蔡邕文獻，並未能增強正名「白虎通義」之有效性；然而，劉師培舉此考證，卻已經觸及到《白虎通》文本之內容性質實與白虎觀會議之宗旨目標之相應關係。

　　除此之外，尚有一層問題。假使白虎觀會議之後，有會議完整記錄之

---

38 《後漢書・蔡邕傳》載東漢靈帝：「時頻有雷霆疾風，傷樹拔木，地震、隕雹、蝗蟲之害。又鮮卑犯境，役賦及民。」靈帝於熹平六年七月（177），「制書引咎，詔羣臣各陳政要所當施行」，於是蔡邕上封事，文章中列「謹條宜所施行七事」（頁1992）。劉師培所引蔡邕之文，即出於所舉其中第五事者。

39 《漢書・藝文志》卷十三，著錄石渠閣會議之資料有：《書・議奏》四十二篇（原注曰：「宣帝時石渠論。」）；《禮・議奏》三十八篇（原注曰：「石渠。」）；《春秋・議奏》三十九篇（原注曰：「石渠論。」）；《論語・議奏》十八篇（原注曰：「石渠論。」）；《五經雜議》十八篇（原注曰：「石渠論。」）；共五部一百五十五篇。〔漢〕班固撰：《漢書》（北京市：中華書局，1982年），頁1701-1723。

「議奏」，與班固依章帝稱制臨決「議奏」而成之「通義」，既然「詳者可以
覈群說之紛，約者所以暴朝廷好尚」，則蔡邕當時受賜之書應為「通義」，豈
會是會議之「議奏」？

（三）揭示文本性質與會議宗旨不相應

東漢建初元年（76），楊終上疏舉西漢宣帝「博徵群儒，論定《五經》
於石渠閣」之事，建議章帝「宜如石渠故事，永為後世則」。[40]建初四年
（79），章帝下詔太常以下及諸生、諸儒會白虎觀，「講議《五經》同異」，
「如孝宣甘露石渠故事」。蔡邕謂石渠閣、白虎觀兩會之事，在謀「講議
《五經》同異」之「通經釋義」，故「其事優大」；莊述祖引蔡邕之文，僅是
用以說明白虎觀會議之事蹟；至劉師培則直接以「通經釋義」正名「白虎通
義」，證明「通義」之名，其來有自。

劉師培既然肯定石渠閣與白虎觀兩會具有同質性，並且相信兩會均有會
議文獻，因此，劉師培必須說明《白虎通》文本之內容性質與白虎觀會議之
宗旨兩者之關係，猶如《石渠禮論》文本相應於石渠閣會議，方能使「白虎
通義」之正名主張得到合理性。劉師培曰：

> 夫《石渠禮論》，均載立說者姓名，……今所傳《通義》四十餘篇，
> 體乃迥異，所宗均僅一說，間有「一曰」、「或云」之文，十弗踰一，
> 蓋就帝制所可者筆於書，並存之說，援類附著，以禮名為綱，不以經
> 義為區，此則《通義》異於《議奏》者矣。（頁 1122）

劉師培發見，《白虎通》與《石渠禮論》兩種文本明顯不同。在文本形式方
面，有二項明顯差異：第一，《石渠禮論》之中，每則條文均記錄會議之發
問者、發言人之名，及每位發言者之內容，並詳細記載與會諸儒間相互論難

40　《後漢書‧楊終傳》曰：「終又言：『宣帝博徵群儒，論定《五經》於石渠閣。方今天
　　下少事，學者得成其業，而章句之徒，破壞大體。宜如石渠故事，永為後世則。』於
　　是詔諸儒於白虎觀論考同異焉。」卷48，頁1599。

之過程。而《白虎通》只有問答內容，全書從未記載發言者之姓名，亦無與
會者相互論辯之過程記錄。第二，《石渠禮論》以問題為中心，與會者針對
問題提出見解，而討論過程之中若歧出另一問題，亦可由與會者提出，一併
討論；會議最終之結論，或是宣帝詔制，或是與會諸儒達成共識，皆是由討
論過程中產生，且必擇其中一說以為定論。《白虎通》通例只是一問一答，
但是仍然有「一曰」、「或云」之類，並存二說之實。相較於《石渠禮論》，
《白虎通》無記錄會議細節及並存之說二種差異，劉師培解釋，「通義」乃
是「蓋就帝制所可者筆於書」，「援類附著」而已，故《白虎通》雖不同於
《石渠禮論》體例，即不違悖章帝之旨，甚至是帝制所許可者。

　　在文本內容方面，「講議《五經》同異」乃是石渠、白虎兩會之共同議
題與目的。《石渠禮論》內容以討論《禮》一經為主，辯論大抵專注於經文
同異之說，亦只限於講論經義為範圍，完全符合會議宗旨。而《白虎通》之
內容，則是明顯以立建禮制為主，解釋當時名物制度方是本書用心所在，而
引述《五經》之文句，乃淪為建立禮制之注腳，故劉師培判斷《白虎通》之
內容是：「以禮名為綱，不以經義為區。」

　　再就《白虎通》引述典籍之文句與次數觀察，粗估《白虎通》文本引述
典籍，凡十類，共五百九十五則。各類典籍佔全書引述之總數比例如下：
《詩》類：五十八則（9.74%）；《書》類：七十九則（13.27%）；《禮》類：
二百三十一則（38.82%）；《易》類：二十則（3.36%）；《春秋》類：一百一
十四則（19.15%）；《孝經》類：九則（1.51%）；《論語》類：五十一則
（8.57%）；《爾雅》：一則（0.16%）；《管子》：一則（0.16%）；「讖緯」類：
三十一則（5.21%）。[41]《白虎通》引述典籍次數比例，以立體直條圖示之：

---

41 以上所引《白虎通》引述典籍之種類與次數，詳細數據請參閱周德良著：《白虎通暨
　 漢禮研究》（臺北市：臺灣學生書局，2007年），頁43-50。

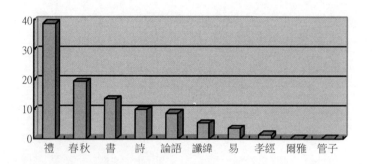

此一統計數據，對應劉師培之考證，有以下二點意義：第一，《白虎通》引述典籍之中，屬《禮》類為最大宗，幾佔總數四成（38.82%），形成一套結構完整之「禮樂制度」之「國憲」，顯示《白虎通》文本性質乃是「以禮名為綱」。其次，除《五經》之外，《白虎通》亦引述《論語》、《孝經》、《爾雅》、《管子》等非《五經》之典籍文句，甚至「讖緯」一類，亦有百分之五之份量。由此可知，《白虎通》文本引述典籍之對象，不以《五經》為限，亦即「不以經義為區」。

劉師培明白指出，《白虎通》與《石渠禮論》兩種文本，不論就形式或內容，皆有明顯相異之處。特別是劉師培拈出《白虎通》文本「以禮名為綱，不以經義為區」之性質，是研究《白虎通》最具開創性之剖析與見解。事實上，以抱經本《白虎通》四十三篇三百一十一章為例，無論就其篇章名義及其成書體例而言，現代學者普遍同意：《白虎通》文本不僅具有規模組織，甚至具有「國憲」、「法典」之性質。然而，劉師培為使《白虎通》文本與《石渠禮論》、章帝召開白虎觀會議宗旨等不相應問題，得到合理疏解，乃將所有問題完全歸咎於「《通義》異於《議奏》者」所造成之誤差。

五　〈白虎通義源流考〉成果與問題

元大德本《白虎通》問世以來，逾七百年矣！學者研究之初，主要致力於增補闕文與文句校刊等工作，至莊述祖從「卷帙」與「事跡」兩項考證，將《白虎通》視為「白虎議奏」之略本；及孫詒讓正視《白虎通》文本之中

雜議《五經》之事實，進而將《白虎通》視為「白虎議奏」中之一部分；
莊、孫兩氏之說，雖皆有可議之處，但兩說對於《白虎通》文本性質之探
究，亦有所助益；劉師培〈白虎通義源流考〉一文，則是彰顯探究《白虎
通》文本性質，對於研究《白虎通》文本與白虎觀會議兩者關係乃迫切需
要。〈白虎通義源流考〉全文主旨極力綰合《白虎通》文本與白虎觀會議之
諸多不相應關係，結論以為白虎觀會議之後，有文獻兩種，所謂「議奏」全
文之「白虎通」，隨賜蔡邕之後而亡佚，而元大德本之《白虎通》，乃是采擇
「議奏」而成之「通義」本，故應正名為「白虎通義」。雖然劉師培囿於莊
述祖之考證，但是劉師培顯然更重視會議之宗旨程式與《白虎通》文本之對
應關係，其見解尤有超越前人之處。特別是劉師培舉出：《白虎通》不似
《石渠禮論》均有記錄發言者之姓名，故《白虎通》文本無法呈現「講議
《五經》同異」之會議宗旨與形式；此外，《白虎通》之中有「一曰」、「或
云」、「或曰」之文，並存異說，充分顯示，《白虎通》「不以經義為區」，而
是「以禮名為綱」。雖然劉師培固執於「正名」「白虎通義」，然而，其特殊
洞見，卻已提供後世研究《白虎通》內容性質些許線索，同時預示後世研究
《白虎通》及東漢白虎觀會議可能形成之轉折。

　　自東漢章帝召開「白虎觀會議」，至今已逾一千九百三十三年（79-
2008）。依史書所載，章帝建初四年之詔書，明白宣示「《五經》章句煩多，
議欲減省」，同時「欲使諸儒共正經義，頗令學者得以自助」。因此，就白虎
觀會議之宗旨，乃是冀望透過諸儒「講議《五經》同異」之會議手段，解決
當時「《五經》章句煩多」之經學問題。就會議程式而言，係採取「諸儒共
正經義」之方式，最後結論由章帝親稱制臨決，藉此會議達到「講議《五
經》同異」之目的。而這種以天子召開討論經學問題之會議，乃是仿效西漢
宣帝甘露年間之石渠故事。因此，若欲推論假設白虎觀會議可能產生之文獻
資料，其內容性質：當以討論經學相關問題為宗旨，以西漢甘露石渠故事為
模仿對象，以「講議《五經》同異」為方法與目的。換言之，後世學人嘗試
以「白虎通」、「白虎通義」或「白虎通德論」等任何名稱，欲「正名」《白
虎通》文本之時，必須先說明《白虎通》與白虎觀會議，甚至與西漢石渠閣

會議及其《石渠禮論》，在式形與內容方面有其必然相對應之關係，如此，始能合乎史書對白虎觀會議之記載與論述，而其「正名」始有正當性與合理性。

洪業〈白虎通引得序〉辨

周德良
淡江大學中國文學系副教授

一　前言

　　哈佛燕京學社（Harvard-Yenching Institute）是一九二八年美國哈佛大學與中國燕京大學合作成立，致力於東亞和東南亞推進人文學科和社會科學之高等教育。[1]一九三〇年學社著手編纂中國古代典籍引得（Sinological Index Series），洪業（1893-1980）擔任引得編纂處主任。洪業言：「或謂一國文化之升降，往往可以其出版品之數量為比例。余謂出版品之有資實學與否，往往可以其有無引得為測。」[2]先後撰寫〈白虎通引得序〉（1931）、〈儀禮引得序〉（1932）、〈禮記引得序〉（1936）、〈春秋經傳引得序〉（1937）與〈杜詩引得序〉（1940）等，〈白虎通引得序〉即是洪業為燕京大學圖書館編纂《白虎通》引得而作，民國二十年（1931）五月八日完成。[3]本篇雖是洪業第一篇引得序文，篇幅最短，亦非代表之作，[4]但卻有重大成果。

1　燕京大學（Yenching University）建立於一九一九年，由美國與英國等四所基督教教會聯合於中國北京開辦之大學，一九五二年先後併入北京、北京清華與中國人民等大學。

2　洪業：〈引得說〉，劉夢溪主編：《中國現代學術經典》（石家庄市：河北教育出版社，1996年），《洪業·楊聯陞卷》，頁24。

3　洪業：〈白虎通引得序〉（燕京大學圖書館引得編纂處編，1931年）。

4　陳毓賢於《洪業傳》載：「洪業寫的〈禮記引得序〉贏得法國銘文學院的讚賞，榮獲一九三七年度的茹理安獎金。但很多學者卻認為洪業〈春秋經傳引得序〉一文更優異。」（臺北市：聯經出版公司，1992年），頁179。又，《中國現代學術經典·洪業·楊聯陞卷》收錄〈儀禮引得序〉、〈禮記引得序〉、〈春秋經傳引得序〉、〈杜詩引得

　　東漢章帝詔開白虎觀會議距今（79-2010）已逾一千九百餘年，後世史
書記載書名，或曰「白虎通」、「白虎通義」、「白虎通德論」，名稱不同；記
載作者，或不載撰者，或稱章帝，或謂班固，未有定論；至於篇數問題，或
稱六卷、十卷、十二卷、四卷，亦未有定數。自元大德本《白虎通》
（1305）問世以來七百餘年，世人始有完整文本一窺《白虎通》究竟。洪業
〈白虎通引得序〉一反傳統基本論述，質疑《白虎通》文本之真實性，在研
究《白虎通》及其相關領域之歷程中，具有指標意義。本文即以洪業〈白虎
通引得序〉為題，探討序文之論述宗旨，並商榷其論證結果。本文論述次
序，悉依洪業序文：首先，說明《白虎通》與白虎觀會議之關係；其次，闡
釋洪業序文之理據與結論；最後，辨論洪業序文之理據與結論。唯須說明，
本篇論文重點旨在辨論洪業序文之是非得失，討論範圍僅就洪業序文所涉及
之問題加以分析釐定；至於洪業序文所衍生之問題，乃至於《白虎通》之真
偽問題，礙於篇幅，略而不論。[5]

二　《白虎通》與白虎觀會議

　　洪業序文前二段，論述史書記載《白虎通》之差異性，及白虎觀會議與
會議討論所得之名稱問題，並引述前賢對於名稱問題之各自見解。

　　傳統舊說以為「白虎通」，抑或「白虎通義」、「白虎通德論」是東漢章
帝召開白虎觀會議之文獻資料。[6]然而，洪業序文開宗明義即指證，歷來史

　　序〉，獨缺本篇。

5　關於《白虎通》之真偽問題，請參考周德良著：《白虎通暨漢禮研究》（臺北市：臺灣
　　學生書局，2007年），及〈環繞《白虎通》文本之諸問題〉，《孔孟學報》第81期
　　（2003年），頁243-275。

6　中國大百科全書總編輯委員會：《中國大百科全書》（上海：中國大百科全書出版社，
　　1992年3月），「中國歷史卷」「白虎觀會議」（Baihuguan Hulyi）條釋：「東漢章帝時召
　　開的一次討論儒家經典的學術會議。……章帝建初四年（79），依議郎楊終奏議，仿
　　西漢石渠閣會議的辦法，召集各地著名儒生于洛陽白虎觀，討論五經異同，這就是歷
　　史上有名的白虎觀會議。這次會議由章帝親自主持，參加者有魏應、淳于恭、賈逵、

書記載《白虎通》文本之相關資料，互有相左之處。依洪業所舉史書來源，簡表如下：

書籍	類別	名稱	篇卷	作者
《隋書》	卷三十二〈經籍志・五經總義類〉	《白虎通》	六卷	
《舊唐書》	卷四十六〈經籍志・七經雜解類〉	《白虎通》	六卷	漢章帝撰
《新唐書》	卷五十七〈藝文志・經解類〉	《白虎通義》	六卷	班固等
《崇文總目》	卷一〈論語類〉	《白虎通德論》	十卷，四十四篇	班固撰
《四部叢刊》	影印元大德九年（1305）重刊宋監本	《白虎通德論》		漢玄武司馬臣班固奉詔纂集

史書記錄，離異如此，洪業言：「然則書之名為白虎通耶？白虎通義耶？白虎通德論耶？著者為章帝耶？班固耶？班固等耶？其卷數為六抑為十耶？」（頁1）

　　案：《後漢書・章帝紀》建初四年（79）曰：

班固、楊終等。會議由五官中郎將魏應秉承皇帝旨意發問，侍中淳于恭代表諸儒作答，章帝親自裁決。這樣考詳同異，連月始罷。此后，班固將討論結果纂輯成《白虎通德論》，又稱《白虎通義》，作為官方欽定的經典刊布于世。」頁17。網際網路「維基百科」（Wikipedia）：「白虎通，古書名，又稱《白虎通義》、《白虎通德論》。東漢漢章帝建初四年（79）朝廷召開白虎觀會議，由太常、將、大夫、博士、議郎及諸生、諸儒在白虎觀（洛陽北宮）陳述見解，『講議五經異同』，意圖彌合今、古經學異同。漢章帝親自裁決其經義奏議，會議結論作成『白虎議奏』，由班固寫成《白虎通義》一書，簡稱《白虎通》。《白虎通》是以今文經學為基礎，初步實現了經學的統一。蔡邕曾獲賜「白虎議奏」。清代陳立寫有《白虎通義疏證》。」全文引自：http://zh.wikipedia.org/w/index.php?title=%E7%99%BD%E8%99%8E%E9%80%9A&variant=zh-tw。此二例或可代表現代學界對於《白虎通》文本之普遍共識。

詔曰：「……中元元年詔書，《五經》章句煩多，議欲減省。至永平元
年，長水校尉儵奏言，先帝大業，當以時施行。欲使諸儒共正經義，
頗令學者得以自助。……」於是下太常，將、大夫、博士、議郎、郎
官及諸生、諸儒會白虎觀，講議《五經》同異，使五官中郎將魏應承
制問，侍中淳于恭奏，帝親稱制臨決，如孝宣甘露石渠故事，作白虎
議奏。[7]

章帝下詔開會，會議由魏應制問，太常以下及諸生、諸儒等，參與「講議
《五經》同異」，再命淳於恭記錄上奏講議結果，最後由章帝親「稱制臨
決」。因會議在白虎觀召開，故議奏名之曰「白虎議奏」，李賢（651-684）
注曰：「今《白虎通》。」[8]《隋書》以降，始以「白虎通」稱之。此外，《後
漢書·儒林列傳》載曰：

建初中，大會諸儒於白虎觀，考詳同異，連月乃罷。肅宗親臨稱制，
如石渠故事，顧命史臣，著為通義。[9]

章帝親臨稱制，又「顧命史臣，著為通義」，故《新唐書》以降，以「白虎
通義」之名稱本次會議資料。再者，《後漢書·班固傳》載曰：

天子會諸儒講論《五經》，作《白虎通德論》，令固撰集其事。[10]

此處載明「令固撰集其事」，「作『白虎通德論』」，故《崇文總目》以此名稱
之。可見《後漢書》記載會議之事明確，但是對於會議所產生之相關文獻，
卻前後不一，語焉不詳。

洪業指出：「范氏之文，已自相矛盾；此後世目錄彼此離異所由起
也。」因《後漢書》記載會議與資料，各有出入，導致後世史書目錄記載適

7　〔劉宋〕范曄著，〔唐〕李賢等注：《後漢書》（北京市：中華書局，1965年），卷3，
　　頁137-138。
8　同前註。
9　《後漢書》，卷七十九上，頁2546。
10　《後漢書》，卷四十下，頁1373。

從不一，形成一書多名之現象。有鑑於此，清世學者多所解釋，洪業序文引述其中三說。

其一，周廣業（1730-1798）。洪業言：

> 解者或據李善《文選注》（卷五十五，陸機〈演連珠〉，第四首）曾引班固《功德論》，而疑固所撰有《白虎通》及《功德論》二書，《後漢書》乃漏功字。此周廣業之說也。（頁1）

案：《抱經堂叢書》本《白虎通》（本文以下稱此為「抱經本」。）盧文弨〈白虎通序〉中引周廣業之言：

> 周廣業曰：……竊疑通德二字本不連讀，乃是《白虎通》之外別有《德論》，非一書也。李善《文選·注》引班固《功德論》曰：「朱軒之使，鳳舉於龍」，堆之表是論，不見全文，豈范氏所指即此，而脫「功」字歟？其言不類說經，或亦四子講德之流，而史誤為連及歟？且古人講解經義，並謂之通，是書列《隋·經籍志》，亦曰《白虎通》。[11]

周廣業考證《文選·注》引班固《功德論》之文，故班固必有「功德論」之作。《後漢書》既記「令固撰集其事」，「作『白虎通德論』」，而班固已作「功德論」，故《後漢書》謂「作『白虎通德論』」，其中乃脫一「功」字，「通德」二字不相連及，而是指「白虎通」與《功德論》二部著作。因此，周廣業推翻有「白虎通德論」之稱，而且間接承認，並且證實有「白虎通」之名。

其二，莊述祖（1750-1816）。洪業言：

> 或據蔡邕〈巴郡太守謝表〉「詔書前後賜石鏡奩《禮經素字》，《尚書章句》，《白虎議奏》合成二百一十二卷」一語，更從而減去《禮》

---

11 〔漢〕班固等著：《白虎通》（臺北縣：藝文印書館，1969年《百部叢書集成》據《抱經堂叢書》本影印），頁2-3。

《書》卷數，遂疑《白虎議奏》卷數當在一百以上，不與《白虎通義》為一書；而《白虎通議》者，乃章帝命史臣所撰《白虎議奏》之略耳。此莊述祖之說也。（頁1-2）

案：「抱經本」莊述祖〈白虎通義攷〉曰：

案：〈儒林傳〉云：「命史臣著為通義」，即今《白虎通義》也。議奏隋唐時已亡佚，注以為今《白虎通》，非是。[12]

依莊述祖考證，章帝命史臣所作之「通義」，其實是今之《白虎通》；並批評李賢注「白虎議奏」即是「白虎通」，其實並不正確。莊述祖考證東漢蔡邕（133-192）〈巴郡太守謝版〉中有「詔書前後，賜石鏡奩《禮經素字》、《尚書章句》、《白虎議奏》合成二百一十二卷」之言，[13]依此推論曰：

案《禮古經》五十六卷，《今禮》十七卷，《尚書章句》、歐陽大、小夏侯三家，多者不過三十一卷，二書卷不盈百，則《奏議》無慮百餘篇，非今之通義明矣。[14]

莊述祖認為，蔡邕之時有百篇以上之「白虎議奏」，而「白虎通義」中有四十四篇，因此，「白虎通義」只是議奏全文之略本，與議奏全文實是二本。章帝命班固撰集其事即是「白虎議奏」，即是「白虎通」全文，此議奏當有百篇以上，且在隋唐之時已亡佚；而今本《白虎通》即是章帝顧命史臣所作之「白虎通義」，二者不可混淆。

其三，孫詒讓（1848-1908）。洪業言：

---

12 抱經本《白虎通》，頁4。
13 〔漢〕蔡邕：《蔡中郎文集》（臺北縣：藝文印書館，1969年《百部叢書集成》影印《十萬卷樓叢書》本），卷八，頁3。王昶考證蔡邕作〈巴郡太守謝版〉當於中平六年，見《蔡中郎集》（臺北市：臺灣中華書局，《四部備要·集部》據《海原閣校刊本》校刊），附「中郎年表」，頁6。
14 抱經本《白虎通》，頁2。

或謂〈唐志〉之劉向《五經雜義》即《漢志》《石渠議奏》中之一部
分；更援之為例，而斷《白虎議奏》之外別無《白虎通義》一書；
《白虎通義》者，乃《白虎議奏》中之《五經雜議》而已。此孫詒讓
之說也。（頁2）

　　案：孫詒讓亦認為《白虎通》應正名為「白虎通義」，但是理據與莊述
祖迥異。孫詒讓〈白虎通義考〉曰：

竊謂建初之制，祖述甘露，議奏之作，亦襲石渠，白虎議奏，雖佚其
卷帙，體例要可以石渠議奏推也。《漢書・藝文志》《書》九家內議奏
四十二篇、《禮》十三家內議奏三十八篇、《春秋》二十三家內議奏三
十九篇、《論語》十二家內議奏十八篇、《孝經》十三家內《五經雜
議》十八篇，共五部百五十五篇。石渠舊例有專論一經之書，有雜論
五經之書，合則為一帙，分則為數家，……白虎講論，既依石渠故
事，則其議奏必亦有專論一經與雜論《五經》之別，今所傳通議，蓋
白虎義奏內之《五經雜議》也。……晉宋以後，議奏全帙漸至散佚，
而《通義》一編，析出別行，僅存於世，展轉傳迻，忘其本始。於是
存其白虎之名，昧其雜議之實，或以通義該議奏，或以議奏疑通義，
皆考之不審，故舛誤互見矣。[15]

孫詒讓認為，白虎觀會議既有意仿效西漢石渠閣會議之模式，其會議成果，
亦當仿效石渠閣編列之議奏形式；石渠閣會議既有專論一經與雜議《五經》
之書，依此類推，白虎觀會議「必亦有」專論一經與雜議《五經》之書。今
本《白虎通》內容雜議《五經》，依此判斷，即是白虎觀會議之「五經雜
議」者，至於白虎觀會議之「專論一經」者，則推測已全部亡佚。因此，孫
詒讓主張，《白虎通》應正名為「白虎通義」，以別於會議全本之「白虎議
奏」，突顯《白虎通》文本「雜議《五經》」與「通義」之實質內容。

---

15 孫詒讓：〈白虎通義考〉，《國粹學報》第五年第二冊第五十五期（1909年）（臺北市：
　　文海出版社，1970年），頁2114-2116。

　　周廣業等三者之考證方法，多以史書文獻交叉比對，理據不同，結論亦各有異。洪業認為：「以上三說，雖各不同，然皆有意為范氏解紛，皆認今之所謂《白虎通》者，乃白虎觀會議之產品，而班固所撰集者也。」（頁2）周廣業三者之基本論述，有一致之基本共識，即：今本《白虎通》乃東漢白虎觀會議之資料彙編，由班固撰集而成。三者研究目的，著重在正名《白虎通》，及其與白虎觀會議之名實關係，旨在為《白虎通》文本與史料文獻互有齟齬之處，尋求合理之解釋。洪業對於三者之研究方法及其主張，未置可否，卻對三者所持之共識，提出別開生面之見解。洪業言：

> 今讀《白虎通》，疑其書非班固所撰，疑其非章帝所稱制臨決者，疑其為三國時作品也。（頁2）

洪業質疑今之《白虎通》文本，並非如史書所載：班固所撰、章帝稱制臨決，而是三國時期之作品。洪業此項指證，並非如傳統探討《白虎通》文本與白虎觀會議間之名實問題而已，而是將問題提升到《白虎通》文本真偽之考證領域，推翻傳統對於《白虎通》之基本論述。

三　洪業〈白虎通引得序〉

　　清代對於《白虎通》之研究，著重在書名問題，及《白虎通》與白虎觀會議之關係，即使有涉及文本考證，亦多旨在正名書名與會議性質之目的。自盧文弨（1717-1795）校刻《白虎通》之後，對於《白虎通》文本深入且全面之疏證研究，陳立（1809-1869）可謂先鋒。陳立感歎疏證《白虎通》困難之一曰：

> 況其舊入祕書，久同佚典，毛公古義，莫遇司農，楊子元文，誰為沛國，是以魯魚互錯，亥豕交差，同〈酒誥〉之俄空，若〈冬官〉之闕略。雖餘姚校正，略可成書，武進補遺，差堪縷述，然亦終非全璧，

祗錄羽琰，而欲披精論于殘編，捃微旨于墜簡，其難四也。[16]

陳立認為，白虎觀會議之後，《白虎通》文本並未及時公諸於世，反而庋藏祕書，會議之資料文獻形同亡佚。至今雖有餘姚盧文弨之校補，但終非是原本面目，至於白虎觀會議後之完整文獻，恐已灰飛煙滅，不可復原。陳立之感歎，僅止於文本之不全，或是秩序有誤，尚未觸及《白虎通》「真偽」問題。

相較於前賢研究成果，洪業序文探究《白虎通》真偽問題與屬性關係，明確指出《白虎通》：「疑其書非班固所撰」、「疑其非章帝所稱制臨決者」、「疑其為三國時作品」，無疑是篇翻案文章。

（一）疑其書非班固所撰

洪業質疑《白虎通》非班固所撰，主要理據有二。其一：

> 固所為文，見兩漢書中；此外，《文選》，《北堂書鈔》，《藝文類聚》等書，亦頗多徵引。觀其行文氣韻，大不與《白虎通》相類。（頁2）

洪業比較班固已有之著作，其行文氣韻與《白虎通》不相類似。

其二，洪業引《白虎通》卷一下〈禮樂篇〉「帝王禮樂」一節，「《禮記》曰：『黃帝樂曰咸池，……』合曰大武者，天下始樂周之征伐行武」[17]之文為例，推論：「《白虎通》據《漢書》及《稽耀嘉》之注；而注《稽耀嘉》者，又曾據《漢書》也。」（頁4）考證各書先後秩序，「由是觀之，《禮記》最先，《樂緯》次之，《漢書・禮樂志》又次之，《樂緯》注更在其後，而《白虎通》最後也。」（頁4）因為上述四項文獻中，「要以《白虎通》之解釋，為最圓整周密」。（頁4）因此，洪業質疑：

---

16 〔清〕陳立：《白虎通疏證》（臺北市：廣文書局，1987年5月據光緒元年春淮南書局刊影印），頁1-2。

17 抱經本《白虎通》，頁3。

> 使二書皆為固一手所撰，何其文之不同耶？若《漢書》之成在《白虎
> 通》之後，固何為自捨圓整之解釋？若《白虎通》之出寔在《漢書》
> 之後，則其所解釋制樂一段，不僅較《漢書》為周密，而且皇帝稱制
> 親決勅撰之說也，著《風俗通》之應劭何故又全襲《漢書》之文而不
> 用《白虎通》之說？（頁5）

若《漢書》與《白虎通》皆為班固所撰，則兩者同述一事，為何不同文？其
次，若《白虎通》成書在前，《漢書》在後，則《漢書》何以不用較為圓整
之解釋？若《漢書》在前，《白虎通》在後，則東漢末應劭著《風俗通》
時，卻捨棄圓整論述之《白虎通》，而全襲《漢書》之文？因此，洪業更進
一推論：「可見《白虎通》之出，不僅在《漢書》之後，而且在《風俗通》
之後矣。」（頁5）

　　《白虎通》既鈔引讖緯者甚多，則撰注讖緯者之生卒生，當有助於考證
《白虎通》可能成書年代。《隋書‧經籍志》載：「《樂緯》三卷，宋均
注。」又曰：「宋均、鄭玄並為讖律之注。」因宋均置於鄭玄之前，理應是
鄭玄前輩，則此乃是河內太守之宋均。洪業質疑此太守「彼以循吏著名，何
暇為讖緯作注？」（頁5）故《隋志》載注《樂緯》之宋均，另有其人。孔
穎達疏《詩經‧鄘風‧定之方中》言注《樂緯‧稽耀嘉》者為宋均，[18]李善
注《文選》引《樂緯‧動聲儀》二則，復引其注，前後各稱注者為宋衷、宋
均，[19]故宋均與宋衷乃同一人也。而陸德明《經典釋文‧敘錄》，陳壽《三

---

18 孔穎達疏《詩經‧鄘風‧定之方中》曰：「故《樂緯‧稽耀嘉》云：『狄人與衛戰，桓
　公不救於其敗也，然後救之。』宋均註云：『救謂使公子無虧戍之。』」《詩經》，
　〔漢〕毛公傳，鄭元箋，〔唐〕孔穎達等正義：《十三經注疏本》（臺北縣：藝文印書
　館）頁115。

19 《文選》第六卷，左思（太沖）〈魏都賦〉：「延廣樂，奏九成，冠韶夏，冒六莖。」
　一段，李善注曰：「《樂動聲儀》曰：『帝嚳樂曰六英，帝顓頊曰五莖，舜曰大韶，禹
　曰大夏。』宋衷曰：『六英，能為天地四時六合也，五莖，能為五行之道立根本
　也。』」〔梁〕蕭統編，〔唐〕李善注：《文選》（臺北市：華正書局，1987年），頁
　105。又，第十七卷傅毅（武仲）〈舞賦〉：「夫咸池六英，所以陳清廟，協神人
　也。」，李善注曰：「《樂動聲儀》曰：『黃帝樂曰咸池，顓頊樂曰五莖，帝嚳樂曰六

國志》，裴松注《三國志》，之《後漢書・劉表列傳》，[20]及王粲〈荊州文學記〉等，是宋忠、宋衷亦同一人也。洪業認為：「按晉惠帝諱衷，故史籍或稱仲子，或改為忠，或改為均云爾。」（頁 5-6）因此，注《樂緯》者，即是注《隋書・經籍志・詩緯》十八卷，魏博士宋均也；而宋均本名即是宋衷也。洪業曰：

> 《白虎通》鈔襲宋衷之緯注甚多，前僅舉其一耳。宋衷在班固之後，百有餘年，班固何能鈔襲宋衷乎？

洪業確認《白虎通》鈔襲宋衷之注文，而班固又先於宋衷百餘年，則班固如何鈔襲宋衷之文而成《白虎通》？因此，洪業推論《白虎通》並非出於班固之手。

（二）疑其非章帝所稱制臨決者

依《後漢書》所載，白虎觀會議乃是東漢章帝下詔太常以下及諸儒生，講議《五經》同異，會議所得文獻，最後由章帝親「稱制臨決」，因此，會議資料理應與當時典章制度相應或相近似。洪業言：

> 且一代之經說，往往與其時之典章制度有關，倘《白虎通》足以代表章帝稱制臨決之論，何其又與漢制往往不合耶？（頁6）

如果白虎觀會議如《後漢書》載：「帝親稱制臨決」，則會議資料《白虎通》之文本內容，應與當時典章制度一致或近似；否則，必然造成學術意見與現行政策相左，且章帝主政與稱制臨決互異之矛盾現象。因為洪業查考《白虎通》文本之典章制度有與當時漢制不符之證據，因此懷疑《白虎通》並未經過章帝稱制臨決之程式。

英。』宋均曰：『能為天地四時六合之英華也。』」（頁247）。
20 《後漢書・劉表列傳》卷七十四下，曰：「建安元年，遂起立學校，博求儒術，綦母闓、宋忠等撰立《五經》章句，謂之後定。」（頁2421）。

　　洪業舉《白虎通》「三年一禘」為例，說明《白虎通》主張與現行漢制不一致。洪業在文中附文解釋：

> 此語不見今本《白虎通》，陳立《白虎通疏證》卷十二，《續經解》
> 本，頁六下據《舊唐書》卷二十六《禮儀志》開元二十七年太常議所
> 引補。劉師培，〈白虎通義闕文補訂〉，《國粹學報》，第七卷，第一
> 冊，第七十五期，謂陳所補者誤，引慧琳《一切經音義》卷九十七
> 【大正《大藏》本第五十四卷，頁九一二，格下】所引「三年一袷五
> 年一禘」駁之。余謂陳是而劉非。（頁6）

「三年一禘」之文，為今本《白虎通》所無，陳立疏證時，「據《唐書·禮
儀志》開元二十七年太常議所引補」。[21]陳立所補，雖遭劉師培反駁，卻得
到洪業支持。洪業引《禮緯稽命曜》中已有「三年一袷，五年一禘」之說，
且《後漢書·張純傳》、[22]《後漢書·祭祀志》亦有明證，[23]可證「三年一
袷，五年一禘」乃是當時流行之說；然而，《白虎通》卻有「三年一禘」之
文？洪業推論：

> 縱白虎觀討論時，諸生中有為三年一禘之說者，章帝又何必從之？倘
> 從其說，又何故不改漢祭之制，而許慎之《說文》又謂周禮三年一袷
> 五年一禘耶？（頁6）

換言之，若白虎觀會議有人倡「三年一禘」之說，此說既與章帝政制不同，

21　《白虎通疏證》，卷12「宗廟」，頁673。

22　《後漢書·張純傳》卷三十五載：「（建武）二十六年，詔純曰：『禘、袷之祭，不行
　　已外矣。「三年不為禮，禮必壞；三年不為樂，樂必崩。」宜據經典，詳為其制。』
　　純奏曰：『禮，三年一袷，五年一禘。……漢舊制三年一袷，……故三年一袷，五年
　　一禘。……斯典之廢，於茲八年，謂可如禮施行，以時定議。』帝從之，自是禘、袷
　　遂定。」（頁1195）。

23　《後漢書·祭祀志》第九復述建武二十六年詔問張純之事。並載：「上難復立廟，遂
　　以合祭高廟為常。後以三年冬袷五年夏禘之時，但就陳祭毀廟主而已，謂之殷。」
　　（頁3194）。

必遭章帝否決；若章帝同意「三年一禘」之說，則章帝理應修改漢代祭祀之禮。然而，《後漢書》未言「三年一禘」，繼起之許慎作《說文》依然沿用「三年一祫，五年一禘」之說；[24]可見，終章帝之世，未有「三年之禘」之說。因此，洪業判斷，《白虎通》實未經章帝稱制臨決也。

（三）疑其為三國時作品

　　洪業推論今本《白虎通》是三國時期之作品，確切年代是在東漢末獻帝建安十八年（213）至魏齊王正始六年（245）之間。洪業所持理據有二：其一，洪業舉《白虎通》〈考黜篇〉為例，解讀《白虎通》文本內容，反應漢末魏初之時代背景。〈考黜篇〉：

> 禮說九錫：車馬、衣服、樂則、朱戶、納陛、虎賁、鈇鉞、弓矢、秬鬯，皆隨其德可行而賜。（頁 6-7）[25]

元大德本以前，「禮說」作「禮記」，盧文弨校刊《白虎通》下注曰：「禮說舊作禮記。案此皆《禮緯含文嘉》之文，當作禮說。」[26]意即：《禮記》無「九錫」之說，而《含文嘉》則有之，故盧文弨依《含文嘉》改「記」作「說」。陳立《白虎通疏證》亦曰：「說舊作記，盧改。……此《禮含文嘉》文也。」[27]洪業承其說，並且指出：「彼既鈔《含文嘉》之文矣，自當更鈔其宋衷之注」。（頁 7）洪業舉《詩・大雅・旱麓》孔疏引宋衷之注：

> 進退有節，行步有度；賜之車馬，以代其步。言成文章，行成法則；賜以衣服，以表其德。動作有禮，賜之納陛，以安其體。長於教訓，

---

24 《說文》曰：「禘，諦祭也，從示帝聲。《周禮》曰：五歲一禘。」〔漢〕許慎著，〔清〕段玉裁注：《說文解字注》（臺北市：黎明文化公司，1974年），頁5-6。又：「祫，大合祭先，親疏遠近也，從示合。《周禮》曰：三歲一祫。」頁6。

25 抱經本《白虎通》，卷3上，頁8。

26 同前註。

27 《白虎通疏證》，卷7，頁357。

內懷至仁；賜以樂則，以化其民。居處脩理，房內不潒；賜以朱戶，以明其別。勇猛勁疾，執義堅彊；賜以虎賁，以備非常。亢揚威武，志在宿　衛；賜以斧鉞，使得專殺。內懷仁德，執義不傾；賜以弓矢，使得專征。慈孝父母，賜以秬鬯，以祀先祖。（頁7）[28]

洪業並注釋說明《曲禮》孔疏及《公羊傳》莊西元年徐彥疏，兩者所引大致相同，唯次序稍異；並且以為，宋衷之注「未與曹魏之歷史背景全合」。洪業又續引《三國志·魏書》卷一，建安十八年（213）獻帝策封曹操為魏公，加九錫之文曰：

以君經緯禮律，為民軌儀，使安職業，無或遷志；是用錫君大輅戎輅各一，玄牡二駟。君勸分務本，稼人昏作，粟帛滯積，大業惟興；是用錫君袞冕之服，赤舄副焉。君敦尚謙讓，俾民興行，少長有禮，上下咸和；是用錫君軒縣之樂，六佾之舞。君翼宣風化，爰發四方，遠人革面，華夏充實；是用錫君朱戶以居。君研其明哲，思帝所難，官才任賢，羣善必舉；是用錫君納陛以登。君秉國之鈞，正色處中，纖毫之惡，靡不抑退；是用錫君虎賁之士三百人。君糾虔天刑，章厥有罪，犯關干紀，莫不誅殛；是用錫君鈇鉞各一。君龍驤虎視，旁眺八維，掩討逆節，折衝四海，是用錫君彤弓一，彤矢百，玈弓十，玈矢千。君以溫恭為基，孝友為德，明允篤誠，感於朕思；是用錫君秬鬯一卣，珪瓚副焉。……（頁7-8）[29]

洪業形容此段文字是：「如此好事！如此妙文！」「撰《白虎通》者，那得不理？」故《白虎通》勦襲其文，解九錫之義如下：

能安民者，賜車馬。能富民者，賜衣服。能和民者，賜樂則。民眾多者，賜朱戶。能進善者，賜納陛。能退惡者，賜虎賁。能誅有罪者，

---

28 《詩·大雅·旱麓》，頁560。
29 〔晉〕陳壽：《三國志·魏書》（臺北市：鼎文書局，1978年），卷1，〈武帝紀第一〉，頁39。

賜鈇鉞。能征不順者，賜弓矢。孝道備者，賜秬鬯。（頁8）[30]

「撰《白虎通》者」不僅鈔《魏書》之文，亦好用宋衷之注，故復鈔襲如下：

> 以其進止有節，德綏民；路車乘馬，以安其身。言成章，行成規；卷
> 龍之衣服，表顯其德。長於教誨，內懷至仁；則賜時王樂，以化其
> 民。尊賢達德，動作有禮；賜以納陛，以安其體。居處修治，房內有
> 節，男女時配，貴賤有別；則賜朱戶，以明其德列。威武有矜，嚴仁
> 堅強；賜以虎賁，以備非常。喜怒有節，誅伐刑刺；賜以鈇鉞，使得
> 專殺。好惡無私，執義不傾；賜以弓矢，使得專征。孝道之美，百行
> 之本也；故賜以玉瓚，使得專為賜也。（頁8）[31]

洪業據此研判，《白虎通》既鈔襲宋衷之緯注，又仿傚《魏書》九錫之策
文，事證已「瞭若指掌」。雖然緯注與策文不知孰為先後，然而，既已知策
文在建安十八年，則《白虎通》之作，必在此時之後矣。正因為《白虎通》
成書距白虎觀會議之後一百三十餘年（79-213），因此造成「所以不僅許慎
馬融不能得其書而讀之，且蔡邕鄭玄並不曾舉引也」（頁9）之特殊現象。

　　其二，洪業認為《白虎通》之出，可能在魏齊王正始六年（245）之
前。洪業引《南齊書·禮志》卷九上，建元元年，王儉議郊殷之禮中，載：
「繆襲據祭法，云天地騂犢，周家所尚，魏以建醜為正，牲宜尚白。《白虎
通》云：『三王祭天，一用夏正，所以然者，夏正得天之數也。』」[32]證明魏
繆襲引《白虎通》之文。依《魏志·劉劭傳》卷二十一，裴松之注引《文章

30　抱經本《白虎通》卷3上，頁8。

31　抱經本《白虎通》曰：「以其進止有節，行步有度；路車乘馬，以代其步。言成文
　　章，行成法則；賜以衣服，以表其德。長於教誨，內懷至仁；賜以樂制，以化其民。
　　居處修治，房內不泄；賜以朱戶，以明其別。尊賢達德，動作有禮；賜以納陛，以安
　　其體。勇猛勁疾，執義堅強；賜以虎賁，以備非常。抗揚威武，志在宿衛；賜以鈇
　　鉞，使得專殺。內懷仁德，執義不傾；賜以弓矢，使得專征。孝慈父母；賜以秬鬯，
　　使之祭祀。」卷3上，頁9-10。字句或有出入，論述大致相同。

32　〔梁〕蕭子顯：〈禮志〉，《南齊書》（臺北市：鼎文書局，1978年），卷9上，頁120。

志》曰:「襲字熙伯,辟御史大夫府,歷事魏四世。正始六年,年六十卒。」既然繆襲見引《白虎通》之文,而繆襲卒於正始六年,故《白虎通》之出,必不晚於此時。

由於洪業質疑今本《白虎通》非班固所撰,非經章帝稱制臨決,則今本《白虎通》與東漢白虎觀會議之關係屬性為何?洪業如是說明:

> 夫蔡邕之時(初平三年,192,卒)尚有《白虎議奏》,卷數逾百。倘其後有好事者,用其材料,更撮合經緯注釋,而成《白虎通義》,殆非難事。玩其文義,不似有意偽托班固,疑更有好事者,附會而歸之于固,晉宋而後,引者遂多耳。(頁9)

洪業依莊述祖考證所得,研判在蔡邕(133-192)之時有逾百卷之「白虎議奏」;其後有好事者用此「白虎議奏」以為材料,附加其他經緯注釋,而成「白虎通義」,即是今本《白虎通》。至於《白虎通》「行文氣韻」與班固不同,顯示「好事者」不似有意模仿班固,其目的旨在將「其他經緯注釋」假藉於《白虎通義》之中;洪業懷疑「更有好事者」,將此書附會而歸之於班固之名。

洪業認為,因為《白虎通》是三國之作品,故「不足以代表東漢中葉之經說」,但卻肯定此書是「研究漢末魏初經說之絕好材料」。(頁 9)既然此書已非當時原貌,則書名之「正名」問題已無關緊要。洪業言:

> 謂之《白虎通引得》者,非謂原書之名必為「白虎通」三字而已。《孫考》據俗稱《風俗通義》為《風俗通》之例,而定其原名必為《白虎通義》,論頗近是。然魏晉以來簡稱既久,無妨仍用焉。(頁9)

《白虎通》既是三國時作品,「白虎通」三字諒非白虎觀會議之原名。洪業引孫詒讓考《風俗通義》為《風俗通》之例,研判《白虎通》原名必是「白虎通義」,而「白虎通」不過是「白虎通義」之「流俗省略」而已,[33]由於

---

33 張心澂曰:「《四庫提要》曰:『《隋書·經籍志》載《白虎通》六卷,不著撰人。……』……唐章懷太子賢註云:『即白虎通義,』是足證固撰,後乃名其書曰

「白虎通」之名自魏晉以來簡稱既久，故引得之名「無妨仍用」。

四　辨〈白虎通引得序〉

洪業序文質疑《白虎通》非班固所撰、非章帝所稱制臨決者、係屬三國時作品，此一論斷，仍有諸多疑點，值得商榷。

（一）辨「《白虎通》非班固所撰」

洪業研判《白虎通》非班固所撰，主要理據有二：一，《白虎通》行文氣韻與班固已有之著作不相類似。二，《白虎通》與班固所著之《漢書》多不同文；而且，《白虎通》既鈔襲宋衷之緯注甚多，則班固如何能鈔襲百年之後之宋衷之文？因此，《白虎通》非班固所撰。對於理據之一，于首奎於《兩漢哲學新探》反駁言：

> 因為《白虎通》是班固根據白虎觀會議中的五經雜議材料編寫的，「行文韻氣」當然會與《漢書》中由他本人撰寫的文章、傳記不同，這是理所當然的。根本不能作為否定《白虎通》是班固編寫的根據。[34]

于首奎認為，《白虎通》乃是班固根據白虎觀會議決議而寫，是會議資料彙編，故其書之行文氣韻不似班固所撰之文章、傳記，此乃理所當然之事，洪業不得據此而否定《白虎通》非班固所撰。因此，洪業揭示此一特殊事證，不能做為《白虎通》非班固所編寫之證據。然而，因為有此一特殊事證，于首奎更不能以此做為肯定《白虎通》是班固編寫之證明。換言之，由於《白虎通》被視為白虎觀會議之資料彙編，故就「行文氣韻」之判斷而言，即使《白虎通》與班固其他作品明顯不同，仍不足以做為判斷是否為班固編寫之

《通義》。《唐志》所載蓋其本名，《隋志》刪去義字，蓋流俗省略。」《偽書通考》（臺北市：明倫出版社，1971年2月），頁840。

[34] 于首奎：《兩漢哲學新探》（成都市：四川人民出版社，1988年），頁227。

證據。

　　其次，就《白虎通》與宋衷之關係而言，《白虎通》鈔襲宋衷之注者多，洪業主張：「《禮記》最先，《樂緯》次之，《漢書‧禮樂志》又次之，《樂緯》注更在其後，而《白虎通》最後也。」對此，于首奎則認為：

> 《白虎通》中所引用的某些資料，是否一定就是宋衷的《樂緯》注？是否在后漢中期，就絕對沒有這類材料，恐怕還不能做出這樣的論斷，讖緯迷信早在前漢中、後期就興盛起來，并經封建統治者大力提倡，得到廣泛傳播。再說，宋衷對《樂緯》的注釋材料，也肯定不會完全是他本人創造的，而一定要引用前人的一些資料。[35]

于首奎推測，宋衷之注若非原創，則必有所本，《白虎通》與宋衷之注縱有雷同之處，亦只能視為二書所引出處相同或相似，無法以此論斷《白虎通》必然是引用宋衷之注。於首奎之說，乃是合理之懷疑，意即：洪業之主張，只是理上之可能，但未必然如其所言。縱使《白虎通》之解釋較他書為圓整周密，亦不必然是晚出於他書作品，尤其是以此斷言《白虎通》必然鈔襲宋衷之緯注，仍有商榷餘地。而且，洪業舉《白虎通‧攷黜》篇「禮說九錫」為例，證明《白虎通》不僅鈔襲宋衷之緯注，又仿傚《魏書》九錫之策文；實則，洪業引述論證有失完整。

　　案：《白虎通‧攷黜》篇曰：「禮說九錫：車馬、衣服、樂則、朱戶、納陛、虎賁、鈇鉞、弓矢、秬鬯，皆隨其德可行而賜。」《白虎通》稱車馬、衣服等九種賜物為「九錫」。[36] 洪業引《魏書》獻帝策封曹操為魏公文，「以君經緯禮律，為民軌儀，使安職業，無或遷志；……」前有「又加君九錫，其敬聽朕命」之文，[37] 可見策文亦稱為「九錫」，而洪業未引。

35　《兩漢哲學新探》，頁227。

36　抱經本《白虎通》卷3上「考黜」分：「摠論黜陟」、「九錫」、「三考黜陟義」、「諸侯有不免黜義」共四章。

37　《三國志‧魏書》卷1：「又加君九錫，其敬聽朕命。以君經緯禮律，為民軌儀，使安職業，無或遷志；是用錫君大輅戎輅各一，玄牡二駟。……」（頁39）。

　　至於《禮含文嘉》亦稱「九錫」。明孫瑴編《古微書》載《禮含文嘉》曰：

> 禮有九錫：一曰車馬，二曰衣服，三曰樂則，四曰朱戶，五曰納陛，六曰虎賁，七曰弓矢，八曰鈇鉞，九曰秬鬯，皆所以勸善扶不能。[38]

孫瑴注曰：「宋均註云：諸侯有德，當益其地不過百里，後有功，加以九賜。進退有節，行步有度，賜以車馬；……」，[39]清趙在翰《七緯》、馬國翰《玉函山房輯佚書》、黃奭《通緯》亦皆記「九錫」；[40]可見《禮含文嘉》稱制為「九錫」。

　　考「九錫」之稱制，西漢已有。《漢書》卷六，武帝紀載：

> 元朔元年冬十一月，詔曰：「公卿大夫，所使總方略，壹統類，廣教化，美風俗也。夫本仁祖義，襃德祿賢，勸善刑暴，五帝三王所繇昌也。朕夙興夜寐，嘉與宇內之士臻於斯路。……」有司奏議曰：「古者，諸侯貢士，壹適謂之好德，再適謂之賢賢，三適謂之有功，乃加九錫；不貢士，壹則黜爵，再則黜地，三而黜爵地畢矣。……今詔書昭先帝聖緒，令二千石舉孝廉，所以化元元，移風易俗也。不舉孝，不奉詔，當以不敬論。不察廉，不勝任也，當免。」奏可。[41]

顏師古注曰：「應劭曰：『一曰車馬，二曰衣服，三曰樂器，四曰朱戶，五曰納陛，六曰虎賁百人，七曰鈇鉞，八曰弓矢，九曰秬鬯・此皆天子制度，尊之，故事事錫與，但數少耳・』……師古曰：『總列九錫，應說是也・進賢一錫，瓚說是也。』」可見武帝之時，即有「九錫」之稱制。此外，卷九十九上〈王莽傳〉陳崇稱王莽功德，奏曰：

---

38 〔明〕孫瑴編：《古微書》，收入上海古籍出版社編：《緯書集成》（上海市：上海古籍出版社，1994年），頁253。

39 同前註。

40 《緯書集成》，《七緯》，頁868；《玉函山房輯佚書》，頁1229；《通緯》，頁1744。

41 〔漢〕班固著，〔唐〕顏師古注：《漢書》（北京市：中華書局，1982年），頁166-167。

> 臣聞功亡原者賞不限，德亡首者不檢。是故成王之於周公也，度百里
> 之限，越九錫之檢，開七百里之宇，兼商、奄之民，賜以附庸殷民六
> 族，大路大旂，封父之繁弱，夏后之璜，祝宗卜史，備物典策，官司
> 彝器，白牡之牲，郊望之禮。[42]

陳崇奏書提及「九錫」之法，因會呂寬事起而作罷。其後，〈王莽傳〉元始
四年載：

> 是歲，莽奏起明堂、辟雍、靈臺，為學者築舍萬區，作市、常滿倉，
> 制度甚盛。……羣臣奏言：「昔周公奉繼體之嗣，據上公之尊，然猶
> 七年制度乃定。夫明堂、辟雍，墮廢千載莫能興，今安漢公起于第
> 家，輔翼陛下，四年于茲，功德爛然。公以八月載生魄庚子奉使，朝
> 用書臨賦營築，越若翊辛丑，諸生、庶民大和會，十萬並集，平作二
> 旬，大功畢成。唐虞發舉，成周造業，誠亡以加。宰衡位宜在諸侯王
> 上，賜以束帛加璧，大國乘車、安車各一，驪馬二駟。」詔曰：
> 「可。其議九錫之法。」[43]

羣臣推崇王莽輔翼漢室之功，奏請平帝封賜，而平帝則是主動下詔研議「九
錫」之法，賜安漢公王莽。可見，在西漢之時，已有「九錫」之法制。[44]至

---

42 《漢書·王莽傳》，卷99上，頁4062。
43 《漢書·王莽傳》，卷99上，頁4069-4070。
44 《漢書·王莽傳》曰：「五年正月，祫祭明堂，諸侯王二十八人，列侯百二十人，宗
室子九百餘人，……於是莽上書曰：『臣以外屬，越次備位，未能奉稱，……』詔
曰：『可。唯公功德光於天下，是以諸侯、王公、列侯、宗室、諸生、吏民翕然同
辭，連守闕庭，故下其章。諸侯、宗室辭去之日，復見前重陳，雖曉喻罷遣，猶不肯
去。告以孟夏將行厥賞，莫不驩悅，稱萬歲而退。今公每見，輒流涕叩頭言願不受
賞，賞即加不敢當位。方制作未定，事須公而決，故且聽公。制作畢成，羣公以聞，
究于前議，其九錫禮儀亟奏。』於是公卿大夫、博士、議郎、列侯張純等九百二人皆
曰：『聖帝明王招賢勸能，德盛者位高，功大者賞厚。故宗臣有九命上公之尊，則有
九錫登等之寵。今九族親睦，百姓既章，萬國和協，黎民時雍，聖瑞畢溱，太平已
洽。帝者之盛莫隆於唐虞，而陛下任之；忠臣茂功莫著於伊周，而宰衡配之。所謂異

東漢獻帝始有：「夏五月丙申，曹操自立為魏公，加九錫。」[45]至於《詩·大雅·旱麓》孔疏引宋衷之注則曰：

> 案：《禮緯含文嘉》上列九賜之差，下云四方所瞻，侯子所望。宋均注云：進退有節，行步有度；賜之車馬，以代其步。言成文章，行成法則；賜以衣服，以表其德。動作有禮，賜之納陛，以安其體。長於教訓，內懷至仁；賜以樂則，以化其民。居處脩理，房內不淫；賜以朱戶，以明其別。勇猛勁疾，執義堅彊；賜以虎賁，以備非常。亢揚威武，志在宿衛；賜以斧鉞，使得專殺。內懷仁德，執義不傾；賜以弓矢，使得專征。慈孝父母，賜以秬鬯，以祀先祖。是其九賜之事也。[46]

上述《禮含文嘉》皆作「九錫」，至宋均之注則稱「九賜」，其稱與《白虎通》、《魏志》皆不同。

「九錫」之法，自西漢以來便有此稱制，《禮含文嘉》亦稱「九錫」，《白虎通》引述亦作「九錫」，而《魏志》獻帝策封曹操亦稱「九錫」。然而，孔疏引宋衷注《禮含文嘉》曰：「是其九賜之事也」，實與《禮含文嘉》稱謂不同。雖然，洪業極力舉證《白虎通》鈔襲宋衷注之痕跡，然而，卻缺漏兩者使用之稱制不同。若《白虎通》鈔襲宋衷注文，豈會在關鍵之稱制上與宋衷不同？因此，洪業指「《白虎通》鈔襲宋衷之緯注甚多」，進而推論《白虎通》更在宋衷之後，此說與事實不盡相符。

（二）辨「《白虎通》非章帝所稱制臨決者」

洪業舉《白虎通》「三年一禘」為例，說明《白虎通》「與漢制往往不

時而興，如合符者也。謹以六藝通義，經文所見，《周官》、《禮記》宜於今者，為九命之錫。臣請命錫。』奏可。」卷99上，頁4070-4072。

45 《後漢書·獻帝本紀》，卷9，頁387。

46 《詩·大雅·旱麓》，卷16之3，頁560。

合」，證明《白虎通》並非章帝所稱制臨決之書。于首奎反駁認為，《白虎通》所以與當時漢制不合，「可能是因為古書長期輾轉傳抄，增益失損，有些材料魚魯互錯，亥豬交差，這可以說是一種『難免』的『正常』現象。」[47]由於于首奎之立場與孫詒讓一致，肯定《白虎通》乃是白虎觀會議之產物，所以將《白虎通》文本與當時漢制不合之現象，歸咎於故書傳鈔所產生之謬誤。[48]于首奎如此解釋，固屬臆測，無從稽核真偽。

洪業認為，「一代之經說，往往與其時之典章制度有關」，並且斷言《白虎通》所論「何其又與漢制往往不合」。洪業引《後漢書·張純傳》卷三十五（洪業作「卷六十五」），光武帝建武二十六年（50）曰：

> 二十六年，詔純曰：「禘、祫之祭，不行已久矣。『三年不為禮，禮必壞；三年不為樂，樂必崩』。宜據經典，詳為其制。」純奏曰：「禮，三年一祫，五年一禘。《春秋傳》曰：『大祫者何？合祭也。』漢舊制三年一祫，毀廟主合食高廟，存廟主未嘗合祭。元始五年，諸王公列侯廟會，始為禘祭。又前十八年親幸長安，亦行此禮。禮說三年一閏，天氣小備；五年再閏，天氣大備。故三年一祫，五年一禘。……斯典之廢，於茲八年，謂可如禮施行，以時定議。」帝從之，自是禘、祫遂定。[49]

張純稱「三年一祫」固屬漢代舊制，主張建議「三年一祫，五年一禘」，光武帝從其奏，自是禘、祫已有定論。洪業引《禮緯稽命曜》稱已有其文。

案：《禮緯稽命徵》曰：「三年一祫，五年一禘。經紀所論禘祫與祫祭，

47　《兩漢哲學新探》，頁227。

48　于首奎言：「（孫詒讓）他認為《白虎通議》是建初的原名，『通德論』是六朝人的改題，《白虎通》則是《白虎通義》的簡稱。而《白虎通義》原是班固根據《白虎議奏》中的《五經雜議》部分編寫的。……我們認為，孫詒讓之說，是比較合理的。……周、孫、莊氏之說雖然不同，但是，他們卻都一致認為，《白虎通》是白虎會議的產物。它是由班固撰寫的。」《兩漢哲學新探》，頁225。

49　《後漢書·張純傳》，卷35，頁1195。

其言鮮矣。」[50]《古微書》、[51]《緯書》、[52]《七緯》、[53]《諸經緯遺》、[54]《玉函山房輯佚書》、[55]《緯攟》、[56]《通緯》、[57]等諸緯書集成皆曰：「三年一祫，五年一禘」。（《緯書集成》及《南齊書・禮志》皆引《禮緯稽命徵》，[58]洪業稱《禮緯稽命曜》，應是訛誤）張純謂「元始五年，諸王公列侯廟會，始為禘祭」，然而，考《漢書・平帝紀》元始五年則稱「祫祭明堂」，[59]可知張純已經混同禘、祫二祭，因此李賢注曰：「今純及司馬彪並云『禘祭』，蓋禘、祫俱是大祭，名可通也。」[60]光武帝既感歎禘、祫之祭，不行已久，且不知二祭之制，故下詔張純「宜據經典，詳為其制」，而張純既主張「三年一祫」，又混同禘、祫二祭之名。即使建武二十六年「禘、祫遂定」，然而至章帝詔開白虎觀會議止，事隔近三十年（50-79），無法確定《白虎通》稱「三年一禘」之說，必然與「其時之典章制度」不同。

況且，《春秋左傳・僖公》經八年曰：「秋七月，禘於大廟，用致夫人。」杜預注曰：「禘，三年大祭之名。」正義曰：「釋天云禘大祭也。言其大於四時之祭，故為三年大祭之名，言每積三年而一為此祭也。……三年一禘」；[61]《宋書・禮志》記晉安帝義熙二年六月孔安國引御史中丞範泰之議

50　〔元〕陶宗儀編：《說郛》，《緯書集成》，頁115。

51　《古微書》引《禮稽命徵》，頁255。

52　《緯書》引《禮緯・稽命徵》，頁755。

53　《七緯》引《禮稽命徵》，頁875。

54　《諸經緯遺》引《禮稽命徵》，頁1057。

55　《玉函山房輯佚書》引《禮緯稽命徵》，頁1233。

56　《緯攟》引《禮稽命徵》，頁1489。

57　《通緯》引《禮稽命徵》，頁1756。

58　《南齊書・禮志》卷9上，頁118。

59　《漢書・平帝紀》卷12，元始五年曰：「五年春正月，祫祭明堂。諸侯王二十八人、列侯百二十人、宗室子九百餘人徵助祭。禮畢，皆益戶，賜爵及金帛，增秩補吏，各有差。」頁358。

60　《後漢書・張純傳》，卷35，頁1196。

61　《十三經注疏・春秋左傳正義・僖公》（臺北縣：藝文印書館，1981年）卷13，頁216。

曰：「三年一禘」[62]；《隋書‧禮儀志》曰：「三年一禘，五年一祫，謂之殷祭。」[63]而《舊唐書‧禮儀志》太常議曰：

> 禘祫二禮，俱為殷祭，祫為合食祖廟，禘謂禘序尊卑。……又按《禮緯》及《魯禮禘祫注》云，三年一祫，五年一禘，所謂五年而再殷祭也。又按《白虎通》及《五經通義》、許慎《異義》、何休《春秋》、賀循《祭議》，並云三年一禘。何也？以為三年一閏，天道小備，五年再閏，天道大備故也。此則五年再殷，通計其數，一祫一禘，迭相乘矣。今太廟禘祫，各自數年，兩岐俱下，不相通計。……求之禮文，頗為乖失。[64]

禘、祫二禮，俱為殷祭，一祫一禘，或一禘一祫，二禮循環交替，或許禘、祫二名可互通也。誠如洪業所言：「禘祫之釋，歷代爭辯，治絲而紛」（頁6），而《禮緯稽命徵》曰：「三年一祫，五年一禘。經紀所論禘祫與禴祭，其言鮮矣。」禘、祫二制既未有定論，而張純建議又自相矛盾，且張純建議距白虎觀會議三十年，洪業以「三年一禘」之例證明《白虎通》所論「何其又與漢制往往不合」，效力稍嫌不足。

　　其次，假設《白虎通》是白虎觀會議之彙編資料，而白虎觀會議之宗旨是「講議《五經》同異」，會議討論之議題，固然可能與其時之典章制度有關，但會議講論結果是否必然與其時之典章制度一致？白虎觀會議之討論，乃是以統一經說為目的，非以當時制度為基準；若《白虎通》須經章帝稱制臨決，章帝亦不必然執著於當時之典章制度，而反對會議討論經說之結果。換言之，縱使《白虎通》與現行制度不同，章帝未必然因現行制度與會議結論不合而反對會議結果；反之，《白虎通》是否藉此對現行制度進行改革而

62　〔梁〕沈約：〈禮志〉，《宋書》（臺北市：鼎文書局，1975年），卷16，頁453。

63　〔唐〕魏徵、長孫無忌等著：〈禮儀志〉《隋書》（臺北市：鼎文書局，1975年），卷7，頁131。

64　〔後晉〕劉昫等著：〈禮儀志〉，《舊唐書》（臺北市：鼎文書局，1989年），卷26，頁997-998。

提出建言，亦無不可能。因此，洪業以「三年一禘」論證《白虎通》與當時制度不同，進而證明「《白虎通》非章帝所稱制臨決者」，理由亦不充分。

　　附帶一提，《白虎通・考黜》篇沿用西漢以來「九錫」之稱，至《魏志》獻帝策封曹操亦稱「九錫」，然而宋衷注《禮緯含文嘉》則不依《白虎通》，而改稱「九賜」，故洪業舉引此例，無法確定《白虎通》必然鈔襲宋衷注文而必在建安十八年之後。總之，縱使《白虎通》之「三年一禘」，與其「所論與漢制往往不合」，既無法證明「《白虎通》非章帝所稱制臨決者」。雖然洪業主張《白虎通》非章帝所稱制臨決者之理由不足，然而，揭示《白虎通》文本與漢制往往不合之現象，仍值得持續關注。

（三）辨「《白虎通》為三國時作品」

　　洪業舉證《白虎通》鈔襲宋衷緯注之痕跡，「已瞭若指掌」，故《白虎通》之出，其必作於獻帝策封曹操為魏公加九錫之建安十八年（213）之後；又《白虎通》初次被繆襲見引，故《白虎通》必出於正始六年（245）之前。因此，洪業斷定《白虎通》為三國時作品。正因此《白虎通》為三國時作品，所以造成「不僅許慎馬融不能得其書而讀之，且蔡邕鄭玄並不曾舉引」之特殊現象。

　　若《白虎通》是三國時作品（213-245），則《白虎通》與白虎觀會議之關係屬性為何？洪業既已知蔡邕之時尚有卷數逾百之「白虎議奏」，而蔡邕卒於初平三年（192），則此一證據顯然與其所推測之時間衝突。因此，洪業假設：蔡邕之後有好事者，利用蔡邕之「白虎議奏」為底本，更撮合經緯注釋，而成「白虎通義」；然而此「好事者」又不似有意偽作，於是洪業再假設一「更有好事者」，附會於班固之名，而成《白虎通》。換言之，洪業依然肯定《白虎通》仍白虎觀會議之文獻資料，只是其中摻雜後人損益材料編纂而成。[65]雖然《白虎通》「不足以代表東漢中葉之經說」，但卻是「研究漢末

---

65 林麗雪亦有類似見解：「要而言之，白虎通本屬五經雜義之書，每一經說，文意自

魏初經說之絕好材料」。（頁9）至於白虎議奏之原始檔與好事者之雜揉成分，洪業則未予置評。

洪業序文看似解決許多環繞於《白虎通》文本之諸多問題，然而，洪業所假設之「好事者」，及《白虎通》與白虎觀會議之關係，仍存有疑點。

案：白虎觀會議之宗旨原則在「講議《五經》同異」，然而此「好事者」，既用「白虎議奏」「更撮合經緯注釋」，又「兼用今古，雜揉讖緯」，顯然違背章帝詔開白虎觀會議之宗旨。再者，白虎觀會議之詔開緣起，乃因「《五經》章句煩多，議欲減省」，然而此「好事者」，卻「兼用今古，雜揉讖緯，但求其博，不厭其亂」，（頁9）造就《白虎通》如「此般經說一種之《爾雅》《說文》也」，（頁9）足見此「好事者」之作法，適與白虎觀會議之宗旨背道而馳。若「好事者」用「白虎議奏」之材料時，不知「白虎議奏」為何物，則此「好事者」乃愚者也；若知「白虎議奏」為何物，仍用其材料，更撮合經緯注釋，兼用今古，雜揉讖緯，則此「好事者」是誣者也；洪業所假設之「好事者」，非愚則誣也！洪業既已發現《白虎通》非班固所撰，非章帝所稱制臨決，通書已非當時舊貌，然而洪業假設二種「好事者」，用以解釋《白虎通》文本與史書記載所以不符之原因，理由不免牽強，又無從考核。

其次，洪業既採信莊述祖之考證，咸信「蔡邕之時尚有《白虎議奏》，卷數逾百」，又假設「好事者」使用「白虎議奏」，再加以「撮合經緯注釋」而成「白虎通義」，「白虎通義」流俗省稱即是「白虎通」。但是，洪業既肯定「蔡邕之時尚有《白虎議奏》」，卻又主張《白虎通》「其必作於建安十八年之後」，如此則產生一個疑問，即：白虎觀會議之後如果有蔡邕所謂之「白虎議奏」文獻存世，則白虎觀會議之後至蔡邕過世百餘年間（79-192），為何「不僅許慎馬融不能得其書而讀之，且蔡邕鄭玄並不曾舉引」？洪業所發見之特殊現象，依然無法從洪業之考證中得到合理之解答。

足，前後行文，不必相屬；又經隋唐兩朝禁絕讖緯，舊入秘書，久為佚典，舛誤遺漏，乃至增刪改纂，在所難免。」〈有關白虎通的著錄及校勘諸問題〉，《孔孟月刊》第25卷第4期（1986年12月），頁34。

最後，章帝詔開白虎觀會議乃因「《五經》章句煩多，議欲減省」，會議目的「欲使諸儒共正經義，頗令學者得以自助」，若有蔡邕所謂「白虎議奏」，則宜當及時公諸於世，頗令學者得以自助，豈會百餘年間無人聞問？考之《後漢書》，記其事者詳，而載其書則略，若會議之後有任何形式之文獻資料存留，則史書為何只記其事，未載其書？此外，白虎觀會議後四年，章帝於建初八年（83）詔曰：

> 《五經》剖判，去聖彌遠，章句遺辭，乖疑難正，恐先師微言將遂廢絕，非所以重稽古，求道真也。[66]

白虎觀會議後四年，章帝依然感歎《五經》「章句遺辭，乖疑難正」，此詔是否意味著：四年前「講議《五經》同異」之白虎觀會議，並未有會議資料公諸於世？否則，當時太常博士與碩學鴻儒從未提及此書？縱使有所謂「白虎通」、「白虎通義」或「白虎議奏」公諸於世，顯然並未達到「欲使諸儒共正經義，頗令學者得以自助」之預期成效；否則，以統一經說為目的之「白虎通」，通行四年之後，章帝為何依然質疑「《五經》剖判，去聖彌遠，章句遺辭，乖疑難正」？換言之，洪業若採認蔡邕之時即有卷數逾百之「白虎議奏」，或是肯定白虎觀會議後存有任一形式之文獻資料，而為「好事者」利用其材料，兼用雜揉而成《白虎通》，則洪業應說明解釋：為何白虎觀會議後百年間無人聞問？並且，「欲使諸儒共正經義，頗令學者得以自助」之重大學術資源，為何百年之後，獨厚蔡邕一人？

下列簡表，顯示《白虎通》與白虎觀會議兩者之時間關係與歷史記錄。

---

66 《後漢書·章帝紀》，卷3，頁145。

時間	歷史記錄
東漢 建初四年 （79）	《後漢書・章帝紀》：「於是下太常，將、大夫、博士、議郎、及諸生、諸儒會白虎觀，講議《五經》同異，使五官中郎將魏應承制問，侍中淳於恭奏，帝親稱制臨決，如孝宣甘露石渠故事，作白虎議奏。」 《後漢書・儒林列傳》：「建初中，大會諸儒於白虎觀，考詳同異，連月乃罷。肅宗親臨稱制，如石渠故事，顧命史臣，著為通義。」 《後漢書・班固列傳》：「天子會諸儒講論《五經》，作《白虎通德論》，令固撰集其事。」
中平六年 光熹元年 （189）	蔡邕〈巴郡太守謝版〉：「詔書前後，賜石鏡奩《禮經素字》、《尚書章句》、《白虎議奏》合成二百一十二卷。」
魏 正始六年 （245）	魏繆襲引《白虎通》云：「三王祭天，一用夏正。所以然者，夏正得天之數也。」（《南齊書・禮志》）
元 大德九年 （1305）	李顯翁持劉平父家所藏是書善本見張楷，東平郡守並允然以此書鏤板重印。（張楷《白虎通》序） 今錫學得劉守平父家藏《白虎通》善本，繡梓以廣其傳。（嚴度《白虎通》序）
清 乾隆四十九年 （1784）	盧文弨所校刻之《白虎通》，乃就何允中之《漢魏叢書》元大德本之重印本。（盧文弨「校刻《白虎通》序」） 《白虎通義》乃「白虎議奏」之略本，故《白虎通義》與「白虎通」實指二事。（莊述祖〈白虎通義攷〉）
光緒元年 （1875）	《白虎通》十二卷，五十篇（陳立《白虎通疏證》）
民國 二十年 （1931）	《白虎通》為「偽作」：「疑其書非班固所撰」，「疑其非章帝所稱制臨決者」，「疑其為三國時作品」。（洪業〈《白虎通》引得序〉）

列表說明如下：

東漢建初四年（79）：《後漢書》最早記載白虎觀會議之緣起。

東漢中平六年光熹元年（189）：白虎觀會議之後，「白虎議奏」之名，初見於蔡邕〈巴郡太守謝版〉。

魏正始六年（245）：《白虎通》文本首次被繆襲引用。

元大德九年（1305）：李顯翁持劉平父家所藏《白虎通》善本見張楷，郡守允然以此善本《白虎通》鏤板重印，開始廣為流傳。

清乾隆四十九年（1784）：盧文弨就元大德本之重印本校刻《白虎通》。莊述祖著〈白虎通義攷〉。

清光緒元年（1875）：陳立著《白虎通疏證》。

民國二十年（1931）：洪業著〈《白虎通》引得序〉。

五　結論

　　由此不難看出洪業〈白虎通引得序〉論述重點與用心所在。洪業既已看出《白虎通》之行文氣韻「非班固所撰」，且其典章制度與漢制往往不合，應「非章帝所稱制臨決者」。但礙於蔡邕時有卷數逾百之「白虎議奏」，及魏繆襲引《白虎通》文本之事證，故極力蒐羅《白虎通》文本與宋衷緯注相似處，證明《白虎通》鈔襲宋衷之注文，由此推論《白虎通》「為三國時作品」，以此解釋：「所以不僅許慎馬融不能得其書而讀之，且蔡邕鄭玄並不曾舉引」之特殊現象。又因為《白虎通》文本「更撮合經緯注釋」，「兼用今古，雜揉讖緯」，因此，洪業又假設二種「好事者」：前者用「白虎議奏」之材料，撮合經緯注釋而成「白虎通義」，後者則將「白虎通義」附會而歸之於班固之名。然而，洪業之考證與推論，既無法解釋白虎觀會議後百餘年間無人聞問會議資料之疑竇；考證《白虎通》鈔襲宋衷之說，仍有諸多商榷餘地；至於假設「好事者」「用其材料，更撮合經緯注釋」而成《白虎通》，缺乏有效事證而流於臆測。總之，洪業縱使發現環繞於《白虎通》之諸多疑點，並且試圖尋求解答，然而，洪業終究又落入「皆認今之所謂《白虎通》

者，乃白虎觀會議之產品」之傳統窠臼中，仍未能合理解答自己所發現之問題。

　　民國以前，除陳立疏證《白虎通》外，學者研究《白虎通》之重點，大多圍繞版本校讎，闕文補遺，及書名、作者與篇卷數目等議題。在以《白虎通》為東漢白虎觀會議之任一形式之資料文獻之前提下，學者極力綰合《白虎通》文本與史書記載不相應之問題：無論是周廣業考證班固撰寫「白虎通」與《功德論》二書、莊述祖視《白虎通》為「白虎議奏」之略本、或孫詒讓以為《白虎通》乃「白虎議奏」中之「《五經》雜議」，仍無法解決環繞《白虎通》文本之諸問題，治絲益棼。民國初期，唯洪業能獨具隻眼，揭示《白虎通》與史書記載不相應問題，大膽斷言《白虎通》：「疑其書非班固所撰」，「疑其非章帝所稱制臨決者」，「疑其為三國時作品」。雖然洪業三項結論之論證過程仍留有破綻，尚待補述；然而，其考證成果與揭示研究方向，在研究《白虎通》之歷程中，留有不可抹滅之印記。

變動時代的經學

——從周予同讖緯研究的視角考察

梁秉賦

新加坡南洋理工大學孔子學院院長

一　引言

　　清季末年到民國初年，在中國歷史上是一段大變動的時期。反映在學術領域上的重大變化，就如我們所熟知的，乃是西學的引進以及中國傳統的知識結構和學術系統，無論是在內容或形式上，都漸次被融攝入以西方近、現代學術分科為框架的新學體系之中。對作為中國傳統學術中堅的經學研究而言，其地位逐漸被邊緣化，其固有的內容甚至被分解、歸併入諸門現代學科之中。[1] 本文嘗試以讖緯研究為切入點，從此一層面窺探經學研究在這變動時代中的發展概況。

1　據左玉河的研究，在清末張之洞即嘗試以「中學為體、西學為用」的構想，將中國固有的學術門類（如經學、史學、諸子學和詞章學）與從西方引進的學術門類並陳互列。張氏這套新學模式雖然仍「將中國學術最重要之經學置於最高地位」，但它「實際上是按照西方近代分科設學原則及近代學科體系和知識系統配置中西學術」，也就是說「中學（其實）是納入了西學體系」之中。到了民初，蔡元培更以近代學科的觀念來詮釋中國傳統的四部之學。他所進行的實是「按照西方近代知識分類系統來統分中國傳統知識之嘗試」。對於經學，蔡元培的具體看法是：「《書》為歷史學，《春秋》為政治學，《禮》為倫理學，《樂》為美術學，《詩》亦美術學……，《易》如今之純正哲學」。見左玉河：《從四部之學到七科之學——學術分科與近代中國知識系統之創建》（上海市：上海書店，2004年），頁282-329。

民國初年，最早對讖緯作較為系統之研究的學者，有周予同（1898-
1981）和顧頡剛（1893-1980）。周氏在一九二六年即發表了〈緯書與經今古
文學〉，[2] 接著又繼於一九三三和一九三六年分別發表了〈讖緯中的孔聖與他
的門徒〉[3] 以及〈讖緯中的「皇」與「帝」〉。[4] 顧氏則先於一九三〇年在其頗
有影響的〈五德終始說下的政治和歷史〉一文中，論及讖緯。[5] 其次於一九
三五年出版的《漢代學術史略》中，闢有專章討論讖緯。[6] 顧頡剛是古史辨
的領軍人物，他以整理國故之名，對經典的神聖和傳統的權威，提出質疑，
梳理古史脈絡，其功過學界已多有討論。周予同與當時疑古及釋古的時代思
潮，其實亦頗有同氣相援的關係，這一點尤其可以從其讖緯研究中看得出
來。本文擬對此作一初步的觀察與討論。

二　周予同讖緯觀的基本論點

　　周予同的讖緯觀有三項值得注意的基本主張：其一，讖、緯異名而同
實；其二，從學理來說，讖緯是上古陰陽家思想的支流遺裔；其三，讖緯之
學是漢代整體儒學的一部分，兩漢宗今文、古文的學者以及混淆今、古界線
的學者對讖緯都有一種真誠的信仰。周氏在〈緯書與經今古文學〉中，首先
對「讖」和「緯」的概念加以界說。他認為，在「廣義」的層面上，這二者
「一樣泛指當時一切講術數占驗的文字，以及非文字的口說」。但在「狹

2　本文原刊《民鐸》雜誌第7卷第2號（1926年2月）；後收入朱維錚編：《周予同經學史
　　論著選集（增訂本）》（上海市：上海人民出版社，1996年），頁40-69。

3　本文原刊《安徽大學月刊》第1卷第2期（1933年3月）；後收入《周予同經學史論著選
　　集》，頁292-321。

4　本文原刊《暨南學報》第1卷第1期（1936年）；後收入《周予同經學史論著選集》，頁
　　422-476。

5　本文原刊《清華學報》第6卷第1期（1930年6月），重加修改後，收入1935年初版的
　　《古史辨》冊5；見顧頡剛編著：《古史辨》冊5（上海市：上海古籍出版社，1982
　　年），頁404-630。

6　本書原由上海亞細亞書局一九三五年出版，後來在一九五五年再版時改名為《秦漢的
　　方士與儒生》。

義」的層面上，「緯」及「讖」二詞則各有特指的意涵。前者「專指與六經
的關係稍為密切的『七緯』而言」，後者則「專指當時所謂的『河圖』、『洛
書』。定義雖有廣、狹之分，不過，周予同的結論是：「緯、讖、圖、書、
中候、符命、籙，雖然含義各有異同，但同是陰陽家的支裔，同是儒家與方
士混合的產品，同含有宗教的迷信氣息。」[7]這表明，對周氏而言：「讖」和
「緯」在根本的性質上是一樣的，兩者雖異名而同實。其名之所以異，在於
一者與方士的淵源較深，另一者則與儒生的關係稍密。然而，「讖」和
「緯」之所以在本質上是相同的，關鍵就在它們乃是儒生與方士合流之後，
造作出來的文獻。如果讖、緯可視為一體的材料，那讖緯之書又是怎樣產生
的？也就是說，儒生與方士之學為什麼會合而為一？周氏以為，直接導致緯
書產生的「近因」，是由於秦、漢時期有「經生與方士的揉合」。他引夏曾佑
之說，解釋五經家與方士之所以會「混合」為一體，是因為兩家之學，一主
「尊君」、一主「長生」，而二者皆「同為王者之所喜」；經生與方士遂因
「相妒」而「各盜敵之長技，以謀獨擅」，於是「二家之揉合成焉」。他並且
指出，「誦法孔子的儒生與方士的混合，在秦代已開始」。到了西漢時期，則
董仲舒、李尋、京房等都是「五經家混合於方士之例」。[8]

　　周予同雖然認同夏曾佑讖緯的產生是導因於：「五經家與方士的揉合」
之說，但他對這個問題，其實有更為深入的看法。因為促使二者因「相妒」
而「各盜敵之長技」，進而揉合為一，充其量只能是個誘因。原本的兩家要
揉合成一體，必須還是要有一定的基礎或條件，方成其可能的。周予同認
為，經生與方士之學與術之所以能匯流，實是有著更為深遠和內在的原因
的。我們看到，周氏指出「讖」、「緯」，及其種種稱謂之所以異名而同實，
乃在於它們雖然含義各有異同，但從學理來說，卻「同是陰陽家的苗裔」之
故。這也就是說，他認為這些材料所傳的術藝、學說是有一個共同的源頭
的，那就是「古代陰陽家的思想」。春秋以後，古之道術演變成了百家之

7　周予同：〈緯書與經今古文學〉，《周予同經學史論著選集》，頁42-45。

8　周予同：〈緯書與經今古文學〉，《周予同經學史論著選集》，頁54-56。

學。周予同對這一學術變遷的理解是，諸家的學問雖自成體系，卻都還與上古原人的思想，有著絲絲縷縷的關係。他認為，方士之術自然與古代陰陽家的學問有直接的淵源，實際上儒家之學亦與之有藕斷絲連的關係。方士與儒生相互靠攏之後，終能水乳交融，正是由於在兩家自為一體的學問體系中，實共存並有源自古代陰陽家的因素的緣故。周氏指出，「在春秋以前，陰陽家專言數術鬼神，集原人思想的大成，實握有支配全社會民眾的權威」。但自周代中晚以後，陰陽家的思想則「一變而入孔、墨，再變而為方士、經生、黃老」。如此說來，儒、墨、道實皆同出於古代陰陽家。然而，三家雖出同源，它們之間後來為什麼又會有各自互異的發展？周予同如此解釋：道家的老子是「就哲學的見地，反對數術鬼神」的，儒家的孔子則「以自成其中庸的折衷的灰色態度，取數術而捨鬼神」，而墨家的墨子則「捨數術而取鬼神」。不過，「道家反對陰陽家而未竟全功，而儒家、墨家，則僅為陰陽家的修正者或妥協者」。諸家的取捨雖各有所偏，但不能忽略的一點，是它們學說的底蘊之中，實都存有或多或少的鬼神、術數思想。所以，到了「秦、漢之間，除墨家流為遊俠一派外，如五經家、如黃老家，都是冒孔、老的招牌，宣傳陰陽家的思想，而與所謂的『方士』者一鼻孔出氣」。這就是方士與經生之所以能合流的根本原因。周予同甚至據而推斷：「假設孔子絕對的、分毫不妥協的排斥數術，則方士化的緯書，或決不至假借儒家的招牌，而自附於六經之後。」[9]照這樣說來，則儒生會與方士合流，從而使讖緯得以成為六經之羽翼，歸根究底實由於遠在秦、漢以前儒家的創始者及其傳人，未能徹底的抗拒上古「陰陽家的遺毒」之緣故。儒學的體質內正是因為從一開始就具有言天人災異的成分，所以後來五經家與方士的匯流，才能如此自然地水到渠成。

　　儒生與方士在漢代既已界線難分，讖緯之學因此自然是兩漢儒學完整的一部分。周予同於是指出，西漢「今文學所謂的天人相與之學，所謂的陰陽災異之談，其實都是讖緯的『前身』或『變相』，齊學就是方士學」。而發展

9　周予同：〈緯書與經今古文學〉，《周予同經學史論著選集》，頁52-54。

至東漢,「古文學家及混淆今古文學者,其對於讖緯也有相當的信仰」。因為,「劉歆是古文學的開創者,賈逵是古文學大師,尚信賴讖緯」。此外,「混淆今古文學家法的,首推鄭玄,而鄭玄對於讖緯,不僅不排擯,而且為之註釋」。[10]可知,在周予同的想法中,讖緯並不是專屬今文學的家說而已,它乃是古文學家,以及「混淆今古文學者」所共用、共創的學術資源。

三　周予同讖緯觀所反映的學術認知

　　周予同的讖緯觀,折射出來的,其實是他對傳統經學所持有之研究立場和主張。要對這個說法有比較清楚的瞭解,需要先對他所提的議題之思想背景,有所認識。首先,關於「讖」和「緯」到底是異名異實,還是異名同實的討論,便不只是一個簡單的名詞定義之辨的問題而已,而是一個體現著更為深刻的學術取向的議題。「讖」、「緯」之名雖起源甚早,但在清代乾隆年間,四庫館臣開始把「讖自讖、緯自緯,非一類也」,這樣一個將讖緯一分為二的觀念加以深化。四庫館臣是這樣地理解所謂的「讖緯」的:他們認為這一出自秦、漢年間的文獻資料,其內容當中有一部分得以相當肯定地認為,是與儒家的經術甚有關係的文本,故可以將之定名為與「經」相對應的「緯」。其餘的部分為什麼不能稱之為「緯」?四庫館臣指出,那是因為這些部分的內容「漸雜以術數之言」,或「益以妖妄之辭」的緣故;他們並且把讖緯書中這些不能目之為「緯」的部分稱為「讖」。[11]這樣的兩分法,便把原本應該是同為一體的一批文獻資料,依其內容涉及術數之學的程度深淺,以及論說中的理性和虛妄成分之多寡,作為判別標準,區分為「讖」與「緯」。發展至嘉慶、道光年間,把「讖」、「緯」看成是性質有別的一套材料的這一觀點,有了更進一步的演化。此時的經師學人,一方面把讖緯之中被目為內容「駁雜」而「多妖妄之言」的那一部分,歸屬為方士之流的作

10　同前註,頁57-59。
11　《欽定四庫全書總目》:「經部六・易類六・附錄易緯八部案語」,見《景印文淵閣四庫全書》(臺北市:臺灣商務印書館,1983年),冊1,頁158。

品，另一方面則又把其中之「醇」者視為出自西漢大儒之手的儒家經說。更有意思的是，這一時期的清代學人當中，甚至還有認為讖緯中「最醇」、「最精」的內容，乃是出自於孔子或七十子等周代儒宗之手的說法。[12]由此可知，自清代中葉以來，素稱為「讖緯」的這一文獻材料，其內容有「醇」、「駁」之分的觀念，在學人的思想中已頗為普遍。對清儒而言，這一想法的自然引申，便是讖緯之中有一部分的內容是「有資經術」的，所以需要注重珍惜；而另一些內容則由於所傳載的，並非孔門體系的學問，所以無需太認真對待。到了清代末葉，今文、古文的認同壁壘漸嚴的時候，「讖」和「緯」到底是異名同實，還是並非一類的問題，又有了另一個層面的發展。今文學者一般皆力主「讖」、「緯」有別。比如康有為就認為「文辭淺俗、顛倒舛謬」的「讖」，乃是王莽、劉歆為了「盜天下」故「易聖經」而造作出來的；只有「緯」才是「孔門弟子支流遺裔」所傳承下來的真經義。[13]皮錫瑞則以為，「圖讖是與經義不相涉的方士之書」，只有在「緯」之中才「多漢儒說經之文」。[14]總之，今文學家主張「讖」、「緯」有別的原因，是以前者為背離儒門真義的異端學說，而後者則是儒家的正統經說。但是，古文學家則認為所謂的「讖緯」、「緯書」或「讖學」，雖然名稱各有不同，其實在內容上都是一樣的，它們之所以是性質相同的材料，就因為皆同為出自方士之手的文獻，劉師培即持此說。[15]

　　可見，清季以來學人對「讖緯」或「讖」、「緯」的名稱及意涵的看法差異，其實是與其學術認知或學派立場密切相關的。嘉慶、道光年間的學人之所以會把讖緯在內容上作有醇、有駁之劃分，進而把緯書中所謂最為醇正的

12 拙作〈清代經師的讖緯觀〉對此有較為詳細的討論，收入彭林編：《清代經學與文化》（北京市：北京大學出版社，2005年），頁387-408。

13 康有為：〈鄭康成篤信讖緯論〉，《萬木草堂遺稿》（臺北市：成文出版社，1976年），頁8-9。

14 皮錫瑞：《經學歷史》（北京市：中華書局，1981年），頁106、108-109。

15 劉師培：〈讖緯論〉，《國粹學報‧文篇》第5冊第6期（乙巳，1905年），頁6b-9a。關於清末今文與古文學家的讖緯觀，拙作〈清末民初學人的讖緯觀〉有較為詳細的討論，收入《中國經學》（桂林市：廣西師範大學出版社，2007年），第2輯，頁342-356。

內容，目之為孔門真傳的經義，是與他們「由東京典章制度，以進於西京微言大義」之志業，即對上古絕學的求索心切至有關係的。[16]清末的今文學家之所以主「讖」、「緯」有別，實亦基於守持門戶之需。康有為認為讖緯之中含有假孔學和真孔學兩部分，其目的在於把前者說成是讖，然後將之與西漢宗古文學者掛鉤，以藉之在打擊對手的同時，也彰顯今文學之為儒門正宗。皮錫瑞雖不敢如此極端，卻仍然必須堅持，讖緯之中存有「合於」儒家經義或與之並不「相涉」的兩端。他之所以需要作這樣的區分，是為了替兩漢治今文學者與讖緯之學糾葛難分的關係，作合理化的處理。至於沒有今文門戶需要守持的劉師培，自然可以把「讖」和「緯」視為一體來看待，並乾脆俐落地把它們都當成方士而非儒生的文獻。因為他要據此而作的進一步申論，是齊學乃方士學，治齊學的西漢經生所以是真方士假儒生，只有治魯學的古文學家才是儒門正統的傳人。[17]明乎此，則我們回頭去看周予同「讖」、「緯」異名同實的論述，就得以揣摩出其時代意涵。周予同認為「緯」和「讖」（甚至包括圖、書、中候、符命、籙等），雖然名稱、含義各有異同，但見於這些各別載體之中的內容，其本質是並無二致的。那是因為它們「同是陰陽家的支裔，同是儒生與方士混合的產品，同含有宗教的迷信氣息」的緣故。這樣的說法，實際上是對清代以來儒者的經說，特別是今文和古文學者的學術主張，都各有針砭的。讖緯既然指的是在本質上「同含有宗教的迷信氣息」的一套材料，那四庫館臣強以其談論術數或災異之說的程度深淺，來將之一分為二的處理，其實是沒有多大意義的。所以，嘉慶、道光以來的學人繼而把讖緯中某一部分被認為是最「醇」，也就是最沒有非理性成分的內容，目之為傳自先秦儒宗的經說，也就是一個在錯誤的基礎上的立論了。晚清主今文學者之所以要辨分「緯」與「讖」，其用心實在於指出，傳習「緯」的西京大儒與秦、漢之際造作「圖讖」的方士還是有所區別的。基於同樣的心理，古文學家之所以要說「讖」、「緯」雖異名卻同實，目的便在於

---

16 詳〈清代經師的讖緯觀〉，《清代經學與文化》，頁387-408。

17 詳〈清末民初學人的讖緯觀〉，《中國經學》，第2輯，頁342-356。

否定齊學，從貶抑學術對手來突顯自家學說的正統性。但我們看到，周予同強調的是，秦、漢以來方士與儒生已經界線難分，兩家之學實已揉合為一體。「讖緯」便是儒生與方士合流以後，共同創造出來的產品。他並且還指出，兩漢經師不論是治今文、古文或相容今、古文者，對這套充滿宗教迷信色彩的文獻，非但都絕不排斥，甚至一致的熱情擁抱。我們若是以周予同的讖緯觀來作管中窺豹，則不難看出周氏的經學訓練雖然是直承晚清今、古文學家而來，[18]但其經學研究卻是與他的這些前賢的旨趣迥然不同的。清季以來的學人在讖緯觀上的分歧，其原因乃是本於經義的爭論。從經學的傳統而言，通經是為了致用的。社會與人倫之「用」，因時、因勢、因事之異，而必繁複多端。因此，儒生因為取向各有所偏，其所「通」之經義也因而是多方而沒有絕對的。周予同之治讖緯，對諸家之說皆有所評議，其目的似在嘗試綜理出一真相。所謂真相，其實就是一種近乎絕對（周氏自己稱之為「客觀」）的解說。然而，經說的爭議是只能歸結為正統與異端之分，而非真理與謊言之別的。周予同經學研究的旨趣之有異於清儒，正在於此。值得再作追問的是，作為民國學人的周予同之所以會和清代經師在學術認知上有如此顯然的差異，是自身的治學眼界，還是時代的風尚使然？

四　周予同讖緯觀所反映的時代意識

　　生於變動時代的周予同，在進行經學研究時，其實是有著頗為強烈的時代意識與自覺的。他曾這麼說道：

> 經學研究的現階段就是「超經學的研究」。所謂超經學，就是要超漢、宋學，超今、古文學之經學的研究。再詳細點說，就是知道經學有漢、宋學的不同，知道經學有今、古文學的不同，然而不受它們的拘束。這所謂不受拘束，並不是治經不談「家法」，而是以「家法」

18　周氏十八歲時考入北京高等師範學院國文部，在此讀了五年書，求學時期曾師從錢玄同。

　　或學派為基礎而否定了它，超越了它，而到了一個新的階段。用現代
術語來說，他是今、古文學與漢、宋學的「揚棄」。[19]

可見他是有意識的要摒棄今、古與漢、宋之學的藩籬，用一種超越「家法」
的眼光和高度來治經的。周氏不但以此自許，並且把它視為他這一代的經學
研究者的時代任務。因為，這是中國「經學研究的現階段」所應當進行的工
作。所以，他會把持有「這樣的研究觀點的學人們，在近年來，漸漸的增多
了」的情況，視為「國內文化界比較可喜的現象」。他更高調地把具有這樣
的治學立場的學者，稱為「超經學的經學家」。因為「他們不是漢學家，也
不是宋學家；不是經今文學派，也不是經古文學派，他們（是）懂得舊有一
切經學學派而能跳出舊有一切經學派的經典研究者」。[20]至此我們得以了
解，周予同自身的讖緯研究，正是這種「超經學研究」立場的傳神體現。

　　然而，我們必須看到的是，不受舊有的一切經學學派的拘束，其實只是
周予同進行經學研究時所強調的立場而已。持守著這一立場來展開的「超經
學的研究」，是為了朝向一個崇高的目標前進的，那就是在「否定」和「超
越」了家法之後，開創出經學研究的「一個新的階段」。這是一個怎樣的嶄
新的歷史階段？它又需要以怎樣的手段來達至？這些問題，周予同都有非常
具體的想法。他這樣說道：

　　　　現在研究經典，至少應該負起兩種使命；一是積極的，將經典當作一
　　　　種文化遺產，分部的甚至分篇的探求它的真面目，估計它的新價值，
　　　　使它合理的分屬於學術的各部門。……另一種可稱為消極的，就是探
　　　　求中國經典學所以產生發展和演變之社會的原因，揭發它所含的宗教
　　　　毒菌，暴露它在政治上的作用……。這兩種研究工作的路線，就表面
　　　　上看似乎不同，但實質上是一致的。簡明地說，就是以治史的方法來

19　周予同：〈怎樣研究經學〉，本文原刊《出版周刊》新195、196期（1936年8月22、29
　　日）；後收入《周予同經學史論著選集》，頁627-635，引文見頁633。
20　周予同：〈治經與治史〉，本文原刊《申報·每週增刊》第1卷36號（1936年）；後收入
　　《周予同經學史論著選集》，頁621-626，引文見頁623。

治經。所以中國經學研究的現階段，決不是以經來隸役史，……也不
是以經和史對等地研究，……就是清末章學誠所叫出的「六經皆史」
說，在我們現在研究的階級上，也仍然感到不夠；因為我們不僅將經
分隸於史，而且要明白地主張「六經皆史料」說。……史料是客觀的
社會的歷程所遺留下來的紀錄，而史是這些客觀的紀錄透過了史學家
的主觀的作品！明瞭了這一點，那麼中國史學對經學的關係，不僅如
成語所說「附庸蔚為大國」，而且實際上日在「侵食上國」了。明顯
地說，中國經學研究的現階級是在不循情地消滅經學，是在用正確的
史學來統一經學。[21]

這一段話讓我們完全明白，周予同的想法便是：把過去的經學論著當成歷史
的材料來看待。這麼做的目的，是要將它們原來穿上的外衣剝下，「揭發它
所含的宗教毒菌，暴露它在政治上的作用」。原來周氏認為，舊有的經師之
傳疏、見於經典之中的義理，其實都是具有一定的社會與政治目的的理論，
是為某一特定的目標服務的意識形態。所以他所謂要「不循情地消滅經
學」，就是把舊有的經說解構。這麼一來，記載在經典之中的文字，就會成
為「社會的歷程所遺留下來的客觀記錄」，而不再是迷惑人們的視線，蒙蔽
人們的思想的學說。當代學者們也就得以把這些從經典之中分部、分篇還原
出來的資料，拿來作為「學術的各部門」的研究材料。周予同把這樣的經學
研究稱之為「以治史的方法來治經」。由此可知，這便是周氏主張在「中國
經學研究的現階級[段]」應當使用的研究方法；而這一治學方法所欲達至的
目的，便是把經學「統一」於史學之中。

　　至此我們得以瞭解，讖緯之書到底是不是先秦或兩漢儒家所傳的文獻？
是出自經生，還是方士之手的材料？「讖」、「緯」是異名同實，還是異名異
實所引發出來的，齊學、魯學，今文、古文之經義的正統、異端之辨，這些
為傳統經學家所關注的課題，已不是周予同研究讖緯時的問題意識之所在。
因為對他而言，這些經說或經典其實都只是在表達一種「主觀」的看法而

────────────────

21 同前註，頁622-623。

已。他所關注的，是如何把這些編織起來的帷幕，加以解卸拆除，從而將經
書的內容整理成客觀的史料。這就是為什麼周予同致力於指出漢代的今文、
古文，或橫跨今、古文界線的學者，對讖緯其實都有一種真誠的「信仰」。
因為他看到的是，這些各有立場的經學流派，其實都一樣是在古代社會的文
化母體之中孕育出來的，所以「同含有宗教的迷信氣息」。周氏經學研究的
重心，遂不再糾纏於在他眼中這些實際上只是一丘之貉的經學流派之間，孰
是孰非的爭論，而是把焦點集中於「探求中國經典學所以產生發展和演變之
社會的原因」。因此，我們看到，周予同除了指出儒學的真假非但與信不信
讖緯是絲毫無關的之外，為瞭解釋方士與儒生最終何以合流、讖緯為什麼會
是漢代儒學整體的一個局部，他耗費很大的力氣在嘗試說明，從先秦發展至
兩漢的整個儒家學統，其實還是從「春秋以前，專言數術鬼神的陰陽家」脫
胎而來的。由此可見，周氏讖緯研究之用心與寄意之所在，乃是由兩漢上溯
至先秦，再從商、周進至太古時代的整個上古史的重構。他並不滿足於辨析
讖緯與有漢一代的經生和方士之間的思想聯繫，而是更循此申論儒、墨、道
諸家之學的得失利弊，再進而上溯出於周代中、晚的諸子之學與集原人思想
之大成的上古陰陽家或疏、或密的學理淵源。他的論述，已不只是著眼於瞭
解讖緯的內容而已，其所展現的眼界，是由此擴及對整個古代思想史的緣
起、承傳和轉合、流變之探討。這樣的經學研究，其重心實已非經義的探
研，而是歷史真相的求索。因此，周予同的讖緯觀象徵著的，是與康有為、
皮錫瑞、劉師培等人的經學思想截然有別的一種學術認知。它代表的，是民
國學人與清代經師之間的一道歷史轉折。

　　但我們需要格外注意的一點，是周予同雖然高唱「用史學來統一經
學」，並倡議當前應該作的，是把前者與後者的關係，顛覆成「附庸蔚為大
國、侵食上國」的新局面，但他這裡所指的史學，其實並不是經、史、子、
集這四部之學中的「史」，也就是傳統學問與知識體系意義上的史學。周氏
以下的說法或可為證：

　　　依我的意見，經學研究的較高段的工作可分為兩方面，一是綜合的記

述的工作，一是分析的解釋的工作。所謂綜合的記述的工作，第一是
經學史的著撰，第二是各經經義異同攷的著撰，第三是經學與中國其
他學問關係論的著撰。……所謂分析的解釋的工作，就是對於所謂
「經學」再作一度的化驗。我平素稱這為「經學之定量分析」或「經
學之定性分析」。……（比如）《儀禮》裏的〈冠禮〉，是否如《禮
記・冠義》所解釋的這樣堂皇？在頭髮上表示社會成員的加入盟式，
是否和其他民族在生殖器施行割禮是同一意義？（又比如）喪禮中的
許多自然和祖先崇拜的儀式，是否如《禮記》各篇所說的所以勸孝行
仁？是否不是出發於原始社會的有鬼論？將儒家倫理的外衣從經典本
身上剝脫下來，用最新最近的宗教學、民俗學、文化人類學的觀點，
窺探中國上古社會的真相，這不是經典的較高級的分析工作嗎？總
之，簡略些說吧，以「史」的觀點來治「經」，以社會科學的見地，
發掘經典裏的沉埋的材料。[22]

我們看到，當周予同要「發掘經典裏面沉埋的材料」時，他是把「以『史』
的觀點來治『經』」和「以社會科學的見地」這兩條綱目並舉的。所謂「社
會科學的見地」，便是運用當時被目為最為先進的「宗教學、民俗學、文化
人類學」的學科理論及方法，來「窺探中國上古社會的真相」。依靠著這樣
的方法，周予同這一代的經學研究者，所以要試圖為經學作「定量」或「定
性的分析」；並由此而從經典中，發掘出諸如中國先民所奉行的古儀是否和
世界其他民族「在生殖器施行割禮」的做法上，是否具有「同一的意義」這
樣的歷史知識。很清楚的，這是西方現代學科的研究方法。它的確可以由此
讓人們從經典中覓得新知識，然而必須意識到的是，這一種治學方法是以探
求所謂「客觀」真理為目標的。中國傳統士人研治史學，則是以「通古今之
變」為鵠的，其治學意旨乃在於「資治通鑒」。所以，我們應該注意，不要
被周予同用「附庸」與「大國」的比喻，來對他所要完成的「中國史學對經
學的關係」之志業的形容所誤導。周氏用的是古書的典故語言，但他所謂的

---

22 周予同：〈怎樣研究經學〉，《周予同經學史論著選集》，頁634-635。

經學、史學卻絕非傳統學術意義下的「經、史之學」，而是民國學人經過新時代的洗禮後，所接受的西方知識系統中的現代學術。這也就解釋了，他為什麼對傳統史學家要「將經分隸於史」的「六經皆史」說，仍還是感到不滿意的。因為，這樣梳理出來的歷史，仍然是以傳統史家的思想取向過濾出來的，所以難免還是體現著舊有學人的「主觀的作品」。很自然的，在周予同的想法中，只有以「社會科學的見地」從「經典中發掘出來的材料」，才得以視之為「客觀的史料」。

五　餘論

　　我們從〈緯書與經今古文學〉一文的議論，已可窺見周予同早於一九二〇年代，即已在經學研究的立場與主張上，顯現出選擇走上一條與前賢並不一樣的學術道路之自覺。這樣的志向與抉擇，除了個人的因素外，更是受時代的感召而來。二十世紀的二十與三十年代之際的中國學術界，在「疑古」之風的激盪下，研究古代歷史，尤其是對固有觀念加以解構的研究，一時蔚為大潮。周予同在一九三〇年代，於讖緯研究上，繼有〈讖緯中的孔聖與他的門徒〉，以及〈讖緯中的「皇」與「帝」〉之作。這兩篇作品，亦都烙有深刻的時代印痕。前者把讖緯中關於孔子及其弟子的種種神話描述，作了一個簡明的整理，其主旨便在於以讖緯為例，讓人們瞭解在舊有的文獻之中，古代的聖人是如何被扛上了神壇的。周予同在解釋本文的寫作宗旨時，這麼說道：

> 無疑的，孔子問題是兩漢以來中國文化的核心問題。孔子問題不解決，則中國現在文化的動向無法確定。然而這也是無疑的，兩漢以來的孔子只是假的孔子而不是孔子的真相。至少，這可以說的，兩漢以來的孔子只是已死的孔子；他隨著經濟組織、政治現象與學術思想的變遷，而換穿著各色各樣的奇怪的服裝。……現在發表這篇文章，命意也不過是在看看兩漢間孔子所穿著的怪裝……，同時希望研究原始

宗教的謠俗學者，對於這裏所搜集的材料加以注意。[23]

　　周氏很早就已經意識到，孔子在古代經典中的形象是經學研究中的一個大課題，因為「孔子是經書的中心人物」。所以，自古以來「學統不同，宗派不同」的經學家對於孔子「各具完全不同的觀念」。[24]周予同對這個經學領域中的大問題，原本即有意把它作為自己計劃撰寫的「《孔學演變史》一書中的一章」。[25]我們看到，當周氏有系統的介紹經典中的孔子形象時，他所意在揭示的，是兩漢經書中的孔子如何地被「穿上怪服裝」。同樣的，他對保存於讖緯之中的「三皇」與「五帝」的資料作整理時，其寫作的重點，也在於理清這些傳說人物是怎樣被神化的。可知周予同對自己所作的經學研究，是有著明確的定位的。他曾這樣闡述：

> 年來國內治中國古代史的，大致可歸納為四派：一、泥古；二、疑古；三、考古；四、釋古。泥古一派……鄙意疑古和釋古都應該有先驅的工作，考古也應該有輔助的工作。這工作便是將中國舊有的神話、傳說和舊史作一度分期的研究，看中國的歷史是怎樣積累地造成的。譬如讖緯，假使我們斷定是兩漢的產物；那末，緯讖裏的神話和傳說便可認為是兩漢以前的民俗學或宗教史上的可珍貴的材料，而我們的所謂『正史』怎樣地受這神話和傳說的影響，也可了然。這樣，疑古派的辨偽的爭論，和釋古派的社會決定的爭論，都可以省下一部分無謂的浪費的氣力，而考古派也正可以依據地下的遺物和這紙上的分析工作相呼應。我現在想先就讖緯做一種嘗試的工作，……我希望這嘗試的方法和所彙輯的材料能引起國內治古史的、治宗教學的以及治民俗學的學者們的注意。……我這工作是將這些神話和傳說還原於它所產生或流傳的時代，而看它怎樣影響到所謂正史和影響正史到怎

---

23 周予同：〈讖緯中的孔聖與他的門徒〉，《周予同經學史論著選集》，頁292。

24 周予同：《經今古文學》（上海市：商務印書館，1926年），後收入《周予同經學史論著選集》，頁1-39。

25 同註24。

　　樣的程度。[26]

　　在讖緯中刻意被神、聖化的權威人物，其形象的魅力與威力，原是有著特殊的功能的，這便是經典與經說的經世致用。在古代的傳統社會中，這乃是一種經天緯地的巨大作用。然而我們看到，到了民國初年，致力於經學研究的學人，卻是以甘為進行「疑古、釋古、考古」研究的史學家，作「先驅、輔助的工作」而自許的。影響所及，經書的內容也難怪要變成僅供可堪治古史的、治宗教學的，以及治民俗學的學者們「注意的材料」而已。

---

26 周予同：〈讖緯中的「皇」與「帝」〉，《周予同經學史論著選集》，頁422。

變動時代的經學
——從顧頡剛的讖緯觀考察

梁秉賦

新加坡南洋理工大學孔子學院院長

一 引言

　　顧頡剛生於一八九三年，成長於「清代漢學的中心——蘇州」，並且是「屬於吳中著姓」的一戶人家的子弟，從小在父親與祖父的教導下，接受「很嚴厲的家庭教育和私塾教育」。[1]及長，又求學於舊學與新學相容並蓄的北京大學，得以受教於章炳麟、胡適、錢玄同等人。之後，活躍於一個「受了時勢的誘導，知道我們既可用了考古學的成績作信史的建設，又可用了民俗學的方法作神話和傳說的建設」的時代。[2]顧頡剛的學術，正是這轉舊折新的「變動時代」的一個代表。顧氏以「古史辨」，「爆得大名」，由於兩漢思想在上古歷史研究中自有的地位，經學問題自然也成為他學術研究中的一項重點，比如《古史辨》第五冊便是討論「今古文問題」的專輯。

　　顧頡剛自承，一九一三年他考進北京大學預科的第二年，首度聽了章炳麟的演講之後，「佩服極了」，從章氏的「言論中認識學問的偉大」，並瞭解到王闓運、廖平、康有為等提倡「孔教」的今文學家都是一班「別有用心」的「妄人」，以至對他們的「通經致用」非常不以為然。當時的顧頡剛，因

---

[1]　顧頡剛：〈自序〉，《古史辨》（上海市：上海古籍出版社，1982年），冊1，頁8、10。

[2]　顧頡剛：〈自序一〉，《中國上古史研究講義》（臺北市：文史哲出版社，1989年），頁1-2。

此「願意在經學上做一個古文家」。[3]但當他後來讀了康有為的《新學偽經
考》之後，「知道（了）它的論辨的基礎完全建立於歷史的證據上」，於是開
始對於今文家「平心了不少」。接著，再讀《孔子改制考》，又對康氏「這般
的敏銳的觀察力不禁表示十分的敬意」。這時候，他才認識到，「古文家的詆
毀今文家大都不過為了黨見」。之後，他更因為看到章炳麟「不勝正統觀念
的壓迫」，「屢屢動搖了薄致用重求是」的這個「基本信念」，而對後者的
「愛敬之心更低落了」。[4]此時的顧頡剛已開始意識到，章氏其實只是「一個
從經師改裝的學者」，因為「許多地方都可證明他的信古之情比較求是的信
念強烈得多，他看家派重於真理」。[5]然而，顧頡剛卻也坦承，他雖然「傾心
於長素先生的卓識」，但「對於今文家的態度總不能佩服」。原因就在於，他
覺得今文學家其實是「拿辨偽做手段，把改制做目的，是為運用政策而非研
究學問」的。比如，他們為了「自己的方便」，為求達到目的，竟然連「雖
是極鄙陋的讖緯也要假借了做自己的武器而不肯丟棄」。顧頡剛是以斷定，
今文學家實也是由於有預設的立場，因而「把政策與學問混而為一，所以在
學問上也就肯輕易地屈抑自己的理性於怪妄之說下面」。[6]

　　這些讀書得來的思索，使顧頡剛在念大學的時候，已經對傳統學問最為
講究的「家法」、「家學」觀念有了深深的警戒之心。他曾在自己的治學筆記
中，對「舊時士大夫之學」的「統系」為什麼始終不能成為一「科學之統
系」，直指其癥結即是：「各守其家學之壁壘而不肯察事物之會通」。他指出
傳統學問之弊，就在於「以為師之所言即理之所在，至於寧遠理而不敢背
師」。這就造成，「學術之不明，經籍之不理，皆家學為之也」。顧頡剛由此
領悟，「今既有科學之成法矣，則此後之學術應直接取材於事物，豈有家學
為之障乎！」從那時起，他便把「舍主奴之見，屏家學之習」，將學術上的

3　同註1，頁23-26。

4　同註1，頁26。

5　同註1，頁27。

6　同註1，頁43。

所有問題「一歸於科學」，作為「余之志也」。[7]大學畢業之後，顧頡剛「始
見錢玄同先生」。他回憶在兩人之交往中，後者「屢屢」向他「提起今、古
文問題」。可見，錢玄同對今、古文兩家之學是頗有一番見解的。他認為，
「今文家與古文家的說話，都是一半對、一半不對；不對的是他們自己的創
造，對的是他們對於敵方的攻擊」。因此他教導顧頡剛，「要用了今文家的話
來看古文家，用了古文家的話來看今文家，如此他們的真相就會給我們弄明
白」。這些話，對原本既對「黨見」、「家法」極有戒心的顧頡剛起了發聾振
聵的作用，使他「眼前一亮，知道了倘使不用信仰的態度去看而用了研究的
態度去看，則這種迂腐的和偽造的東西，我們正可利用了它們而認識它們的
時代背景」。[8]

由此可知，顧頡剛後來發展出「古史辨」的大事業，他年輕時即已悟得
的「棄家法於不顧，而一切直接取材於事物」的治學法，可以說正是啟迪其
學術生命的原點。換句話說，顧頡剛雖從章炳麟、康有為而來，但他之所以
能超越他們，正是因為他矢志要做的是一名無須為壁壘所累的學者，而不是
有門戶需守持的經師。我們從顧頡剛的論著之中，當然能肯定他確是一位已
跨越前清經學界之藩籬，「看真理重於家派」的現代學人。然而，顧頡剛畢
竟是一位在經學極盛的思潮中浸淫過來的學人，他雖有極強的科學研究法的
意識，但舊學中的一些成法、成見到底有沒有在他身上留下些許時代的印
痕？本文擬以顧氏的讖緯研究為焦點，進行初步的觀察。

二　顧頡剛的讖緯觀

顧頡剛在其《中國上古史研究講義》中對讖緯有相當系統的討論，因此
我們除了能以之為據，來認識顧氏對這一套文獻的理解以外，還得以從其讖
緯觀中窺探他對漢代經學研究上的一些大問題的看法與主張。顧頡剛一九二

7　同註1，頁31-32。

8　顧頡剛：〈自序二〉，《中國上古史研究講義》，頁14。

九年受燕京大學之聘，任國學研究所研究員，兼歷史學系教授。這本「講
義」便是他於這一年的十月至翌年六月之間，為當時在燕大所開的「中國上
古史研究」這門課所編撰的。本文即以《中國上古史研究講義》中對讖緯的
討論為本，來觀察顧頡剛在經學研究上的一些觀點。[9]我們可以把焦點集中
在對以下三個問題的討論來認識顧頡剛的讖緯觀。

第一：「讖」與「緯」有無異同？

現在我們已習於以「讖緯」一詞來指稱輯成於漢人之手的這一套文獻，
然而事實上自漢代以來，人們是曾或以「讖」或以「緯」來名之的。而且，
就其名稱與性質之關係而言，「讖」與「緯」到底是異名同實？還是異名異
實？明、清以來，經師學人對此是迭有爭論的，而他們在這個問題上的不同
立場，其實折射出來的是經學研究上更為深刻的時代議題。[10]對於這個問
題，顧頡剛首先指出：「緯是解經的書，是演經義的書」，而「讖是預言」，
「與經則可以說沒有關係」。[11]依此來看，顧氏似是主「讖」、「緯」有別
的。而其判別二者的標準，便是緊扣著其與經學的關係而言的。對顧頡剛而
言，後者之所以有異於前者，乃是因為它本質上當屬經學範疇的文獻。因

---

9 在顧頡剛的著作中，曾對讖緯這一課題作專章或專節討論的，除了這本「講義」之
   外，尚有作於稍後的《漢代學術史略》（一九五〇年代再版時定名為《秦漢的方士與
   儒生》）。顧氏的《中國上古史講義》，以「現在公認的古史系統是如何組織而成的」
   這一問題為中心，把自《詩經》、《論語》以來，到《白虎通》、《潛夫論》等先秦至東
   漢年間成書的文獻，作一通盤之考察，以期瞭解「這二三千年之中的史說曾起過什麼
   樣的變動」。由於他在本書中討論讖緯時，是將展現在這一套材料裡的思想，放置在
   見之於這許多文獻中的古史觀念如何經歷「承前啟後」的發展變化，這一宏觀的視野
   之下來考察的，是以頗能集中反映他對讖緯在整個思想史脈絡中的位置之思考。《秦
   漢的方士與儒生》全書的二十二章中，雖有三章專論「讖緯」，但除了並沒有更新的
   見解以外，其學理深度亦頗不及《講義》中所論者。
10 對於這個問題的討論，可參閱拙作：〈清代經師的讖緯觀〉，收入彭林編：《清代經學
   與文化》（北京市：北京大學出版社，2005年），頁387-408。
11 顧頡剛：《中國上古史研究講義》，頁245。

為，「經為直的絲，緯為橫的絲」，顧名思義可知「緯，（本）是對經而言的」。然而，顧頡剛對傳世的這一套讖緯文獻的總體判斷則是：「『讖』與『緯』在名義上雖有分別，而實際上卻沒有什麼嚴密的界限」。[12]為什麼顧頡剛要在肯定這套卷帙繁浩的讖緯之書其實在內容上是頗為統一、並無大異的同時，仍然強調從名稱上來講，「讖」、「緯」是本當有別的？那便是因為顧頡剛的思想是有個前提的。在他最根本的觀念之中，正統的解釋經書的文獻，如傳記、注疏，其內容是不能太離奇怪誕的。要不然，它們就不能算是正宗的經學文獻。因為守持著這樣的一種認知，所以顧頡剛認為這一套解經的文獻既然以「讖緯」為名，那本當在其中存有離奇（讖）與不離奇（緯）的經說這兩大部分。但當他對讖緯的文本作直接的檢視的時候，卻發現：「緯」（作者按：顧氏此「緯」概指整體讖緯書而言）的「說經多屬非常異義，太不循軌道」，以致「與『故訓傳』的性質不同」。[13]這就是顧頡剛為什麼會在指出從讖緯的整體內容看，實難以從中區分出解經「循軌道」的「緯」與「非常異義」的「讖」的同時，又要畫蛇添足似的再特意申明從名稱上來看，「緯」與「讖」在性質上是應當深有分別的原因。

第二：讖緯出於何時？

關於這個問題，顧頡剛的看法是：「讖的起源甚早」，比如《史記・趙世家》中的「趙讖」、《史記・秦始皇本紀》中的「秦讖」即是。[14]到了西漢，由於有「方士和儒生的鼓吹，使得讖書在社會上更增加勢力」。[15]然而，「緯書確是王莽、光武以後起來的」，[16]它裡面的「材料大部分是東漢初期的」。所以，顧頡剛認為：「我們可以在讖緯書中抽出它們所記載的古史，而觀察

---

12 同註11，頁245。

13 同註11，頁245。

14 同註11，頁245-247。

15 同註11，頁248。

16 同註11，頁251。

東漢初期的人的古史觀念」。[17]顧氏是基於什麼觀察而作出這樣的判斷的？
首先他指出，《漢書・藝文志》中「可以說（是）沒有緯書（的）」。其次，
《七略》之中亦「不收」這一類文獻。他以為，劉向、劉歆之所以「不錄讖
緯書」，「沒有別的原因，只因那時沒有這種東西」。顧頡剛因此認定，讖緯
書「這種東西是在向、歆父子校書之後才出現的」。[18]那為什麼「這種東
西」會出現於此時？顧氏認為，那是因為：「王莽和光武帝既均以圖讖得
國，故那時的預言的讖書就像春草一般地怒茁起來」。尤其是光武帝「即位
之後，尊信圖讖，宣佈於天下，利用了皇帝的威力去強迫一班人信從圖
讖」。[19]於是，讖緯便自此大行於天下。得到這個結論之後，顧頡剛再據此
否定關於讖緯之起源的某些傳統的看法。他說：「把這些東西移到孔子及前
漢時亦不可信」，因為：「零碎的『讖』固然早已有之，但其具有緯的形式，
以書籍之體制發表之者，當始於王莽之後」。[20]此外，他尚指出：「『緯』的一
名，西漢人從未提起，（故）其起於東漢（之）時，是絕「無疑義」的。[21]
這是顧氏在讖緯研究上的一個極具意義的觀察。他指出，原本以「讖」為
名、出現較早、與經說沒有關係、並以零零散散的形式見聞於世的預言，到
了王莽之後、光武之時，已變為具有書籍的完整體制，又與經傳之學發生聯
繫、且在名稱上也已改為「緯」的文獻了。當然，我們現在已很清楚，光武
時期「讖緯」初立時其實還並未徑直以「緯」來指稱這套文獻的。把「圖
讖」稱為「緯」，是自鄭玄才開始的。[22]此外，我們也看到顧頡剛論讖緯之
起源時，有時稱其為「讖」、「讖書」或「圖讖」，有時又稱「緯」。他在指稱
這一套文獻時，往往又似乎是三名並用的。雖然如此，我們仍可察覺，顧氏

17　同註11，頁270。

18　同註11，頁268-269。

19　同註11，頁249。

20　同註11，頁269。

21　同註11，頁269。

22　關於「讖」的名稱出現在「緯」之前這點，今人雖頗有論及，黃復山對此則有極為詳
　　細的論證，見黃復山：《漢代《尚書》讖緯學述》（臺北縣：花木蘭文化出版社，2007
　　年），頁56-71。

之論述還是有一基本脈絡的，那就是他相信在王莽和光武時期始見的「這種東西」，當時的人們在造作它時，是有意以「緯」來名之的。他以為，原來起源更早，先秦時期已然有之的一套專講預言的材料，雖經方士與儒生的大力鼓吹，在西漢也蔚為一股勢力，卻始終仍以「讖」為名。唯有成於東漢初期的這一套文獻，在以原來零星的「讖」為底本衍輯為一富有體制的文本之餘，尚於其「讖」之舊名以外，特意以與「經」相對應的「緯」這一名稱，來確指這一套文獻。

第三：讖緯是屬於今文學家還是古文學家的文獻？

讖緯書「是哪一學派的產物」？關於這個問題，顧頡剛是知道「近來頗有爭論」的。他指出，崔適曾說「緯書為古文支流，今文家不應闌入」，但「以古文家自任的章炳麟則又排斥緯書為今文家的荒謬思想的結晶」。那顧氏本人的看法又是怎樣的？他說：「照我看來，則它的思想是今文家的，它的五德系統是古文家的」。[23]這確實有點令人費解。顧頡剛既然是從讖緯的「思想」上界定這一套文獻是屬於今文學家系統的文獻，那在漢代思想文化中具有基殿作用的「五德系統」說，難道不屬於界定師法家說的「思想」因素？怎麼會用了古文家的「系統」之後，又在「思想」上仍屬於今文家的？這個矛盾我們將在下文再討論，這裡先繼續瞭解顧氏是如何推導出這樣的見解的。其實，顧頡剛是從內證與外證兩方面的線索，來判定讖緯是今文學派的產物的。首先，他認為蘊藏於這一套文獻之中的思想，「確實是今文家的嫡系」，那是「因為董仲舒、京房、翼奉、劉向一班大師的思想莫不如此」。所以，從這一班今文儒宗的「思想出發，應當匯成這樣大的一個尾閭」。[24]其次，他看到當緯書在王莽、光武兩朝興起以後，「那時只有頭腦清醒的古文學家反對它，以它為夭妄，自己的古文學裡不收進這些東西」。他留意

---

23 顧頡剛：《中國上古史研究講義》，頁312。
24 同前註，頁312。

到，縱覽史籍，「實際上反對讖緯的只有東漢初年桓譚、鄭興、賈逵一班人」。[25]由於這一班人乃是不屬於今文經學陣營的人物，因此顧氏以為他們之攻擊讖緯亦足以從反面證明，這一套文獻自然是屬於與他們在學術上處於對立面的今文學派的東西。其實，顧頡剛在讖緯書到底是哪一個學派的產物這一問題上，還有更進一步的闡釋。他甚至認為，古文學的成立，實與讖緯的勃興有關。因為桓譚、鄭興、賈逵這一班人，正是由於「在他們之世剛是讖緯極盛的時候，（所以）有創立一個古文學派而與之角立的需要」。[26]如此說來，則對顧頡剛而言，古文學派的成立，乃是由於受到讖緯勢盛之刺激而來的。如果讖緯是為古文學家所反對的「思想」，那為什麼今文學派陣營的人物，在製作緯書的時候，卻又要用上古文學派的「五德系統」？顧頡剛的解釋是：「它所以用古文家的五德系統，乃是因為東漢開基之時早已遵從了古文的學說而定為火德了，火德是漢家的功令，作緯書的人為了要遵守功令，便不得不跟了古文家的系統跑了」。[27]

　　綜合以上所述，我們可以將顧頡剛對讖緯的理解梳理如下。首先，他認為讖緯是在王莽、光武帝時期，才開始出現的一種具有完整體制的釋經文獻。其次，他判定這一套文獻依其「思想」而言，應屬今文學家的作品。此外，他又察覺，由於讖緯「說經」的內容「多屬非常異義，太不循軌道」，因此為古文學家所反對。不過，他又發現，今文學家在製作讖緯時，卻又用上了屬於古文學說的「五德系統說」。他們之所以如此，是因為當時這一套系統已被皇室定為「功令」的緣故。我們可以不必懷疑，顧頡剛對讖緯之書的這一理解，確實是他「直接取材於事物」，從文獻、文本的證據上推演而來的觀察。然而，我們也不能否認，他的這一套讖緯觀的確存在著一些明顯的矛盾。因為顧氏既然指出，見之於讖緯之中的以漢為火德的這一「五德系統」說，是東漢在「開基之時」就已選擇遵從了的「古文的學說」，以至今文學家造作讖緯時亦不得不援引為說，那麼至少在前漢末季，所謂的「古文

---

25 同註23，頁251。

26 同註23，頁251。

27 同註23，頁312。

經學」應當已是自成一派的學說了。但是他在分析讖緯之起源時，卻又說桓
譚、鄭興、賈逵等這些東漢大儒，是因為看到當時「讖緯極盛」，所以才意
識到需要「創立一個古文學派」，來與今文陣營「角立」的。照後一種說法
說來看，則雖然當時不乏因為「頭腦清醒」而選擇與今文學對立的「一班
人」，但其實時至東漢初，是尚未有一個已成氣候的「古文學派」的。就算
是有，也應該還僅在「創立」當中而已。所以，若是從讖緯之製作與出現這
一點，來看今文學派與古文學派的成立與對峙之問題，那顧頡剛的論述顯然
是存在著矛盾的。他雖然在分析讖緯的源起時，表明至遲在東漢之初，已有
了今文、古文之壁壘。但縱使在兩漢之際，真的是已有所謂的今文與古文之
陣營的話，顧氏的讖緯觀卻同時又透露出，二者之間其實並不是那麼家法門
禁森嚴的。因為，假若造作讖緯者的確為「今文學家」的人物，顧頡剛讓我
們看到的是，他們並不忌諱借用「古文學派」的理論來為自己的學說張目。
不但今文學家如此，顧頡剛也說，那些「頭腦清醒」的古文學家，「為了要
立《左傳》也肯援引圖讖中的帝宣以證成《左傳》中的少皞，又肯援引《赤
伏符》裡的『四七之際火為主』以證成《左傳》中的漢為堯後之說」。[28]這
不禁要讓我們質疑，到底在東、西漢之際，是否確有個今文、古文壁壘分明
的局面。細讀顧頡剛的讖緯觀，不難察覺，他在這個問題上的確是有些模稜
兩可的。所以，他一方面表示古文學乃是要到桓譚、鄭興、賈逵等人因為見
到「讖緯極盛」，才為了要與之抗衡而發展出來的；另一方面，又說明早在
王莽的時代，一個後來的東漢皇朝亦必以之為「功令」的，「以漢為火德的
五德系統」的「古文家說」就已被創造出來了。

　　見於顧頡剛讖緯觀中的這一個矛盾，看似難解，其實乃是其來有自的。
我們若是加以深入分析，將能看到，顧頡剛雖然在經學課題的研究上，已有
意識地摒棄了束縛著前代經師的「家學之障」，進而跨出現代學人「直接取
材於事物」，從文獻、文本的客觀證據上推闡論說的一大步，但前清學術傳
統中留下來的一些根深蒂固的既有觀念，可能卻還殘留在他的思想之中，不

28　同註23，頁251。

自覺地影響著他的判斷。以下，試為之論。

三　晚清經師的讖緯觀

　　要對顧頡剛的讖緯觀有更為深入的瞭解，必須先對清代晚期的經師學人在這個問題上的討論有所認識。在此，我們可以康有為和劉師培的論說為代表，加以說明。

　　康有為於一八九一年刊行《新學偽經攷》之前，曾著有〈鄭康成篤信讖緯論〉一文，指責鄭玄之失。他寫道：

> 近人開口輒言讖緯，此不辨黑白之言也。七經緯者三十六篇，云孔子所作。今以何休公羊註所引《禮》徵之，皆在緯中，而與西漢大儒伏生《尚書大傳》、董仲舒《春秋》、劉向之說合，凡今學家之說，皆合。此雖非孔子所作，亦必孔門弟子支流餘裔之所傳也。其所以有怪瑋之說者，蓋時主不信儒，儒生欲行其道，故緣飾其怪異之說。自江都為純儒，而閉陰求陽，土龍改雨，已挾異術行之；而符瑞篇以改麟為太平之兆，則緯書之說，其來已遠。張衡以為緯起哀平之間，衡尚誤緯為讖，未知本來也。自餘睦弘、夏侯勝、李守翼□□，皆以占驗動人主，令霍光嘆儒術之可貴，亦立國者神叢狐鳴之類。《傳燈錄》載佛二□八祖，皆能以咒語治毒蛇猛虎鬼神，今□教喇嘛猶行之，皆藉以行教者。後世儒術尊明，誠覺前人之迂怪，而未識創始之難也。不然，黃老之後，繼之以佛，儒學其能興哉。若讖書，《隋志》謂三十篇，自初起至於孔子九聖所增衍，實不知劉歆王莽所偽作，以盜天下，易聖經，張衡所謂起於哀平間者也。其書與緯皆相刺謬，與今學悖馳，《隋志》所謂文辭淺俗，顛倒舛謬，疑世人造偽之。光武圍於其俗，以圖讖興，正定五經，皆命從讖。後漢今學，皆有師法，莫不尊師而信緯，亦尊王而並用讖。王璜、賈逵、桓譚、尹敏之徒非之者，則古學家自立之說，因攻今學之緯，並攻其讖。夫讖之淺俗不足

　　攻，緯則淵源彌遠，可不攻也。鄭君並為之注。鄭君之注緯，宜也。
　　其注讖，為時所惑也。鄭君之學，揉合今古，故並注讖、緯。自古學
　　大行於六朝，二千年來，無能別今學古學之真偽者，徒見緯之怪瑋，
　　因與讖並為一談而攻之。宋、明攻鄭學，則以康成信讖緯為毀訾。近
　　時尊鄭，則又欲並其信緯之美而回護之。二家聚訟如一丘之貉，皆未
　　足知鄭學，更不足知學之本原也。[29]

康氏此文有一鮮明的主張，即肯定鄭玄為「緯」作注釋是「宜」，但卻非議
他於此同時又為「讖」作注，則是「為時所惑」。康有為之所以有這樣的看
法，是因為他堅信「緯」和「讖」是有不同的。其分別，就在於前者是承載
「真」孔學的文本，而後者所傳則是「偽」的儒術。見之於「緯」之中的內
容，所以能被肯定為正宗的儒門學說，依康有為之見，那是因為它與西漢大
儒及東漢今文學大師的學說都相應契合的緣故。所以，他認為我們雖然不至
於要極端到相信「緯」必是孔子親手所作的，但把它們認定為晚周「孔門弟
子支流餘裔所傳」下來的文本，應該是沒有問題的。至於「讖」就不一樣
了，康有為直指它是王莽、劉歆為了盜取天下，而不惜改易聖經，從而偽造
出來的文本。所以「讖」才會「文辭淺俗，顛倒舛謬」，在內容上是以與
「緯皆相刺謬」，更「與今文（相）悖馳」。除了文字與內容之外，在時間
上，「讖」也要到哀帝和平帝年間始見，這也是它為莽、歆所假造的旁證。
然而，康有為也不否認，在「緯」中面的確存有一些「怪異之說」。但他的
解釋是，因為當時「時主不信儒」，所以儒生為了要使其道得行，不得不以
神道設教的方法，將一些較為怪異的說法引入經說，所以才會造成在孔門真
傳的學術中亦雜有些許不經之談。但康氏強調，先秦儒生與在漢代傳孔門嫡
學的今文學家僅僅是把這些怪異的說法以為「援飾」而已。也就是說，
「緯」的主體內容仍為儒門真傳的學問。以我們今天對讖緯的認識，當然知
道康有為把「讖」視為王莽、劉歆所「偽造」的文獻之說法是與歷史事實不
符的。然而，基於我們對康氏學術立場的瞭解，自然也不會對他為什麼會作

---

29 康有為：《萬木草堂遺稿》（臺北市：成文出版社，1976年），頁8-9。

出這樣的議論感到驚訝。說穿了，康有為將「讖緯」一分為二，認清「緯」
與「讖」之別，目的是很明確的，那就是要「別今學古學之真偽」，通過辨
識出真孔學與假孔學，從而揚今文、抑古文。可知，康氏的讖緯觀與他的
「黨見」是有著很密切的關係的。

　　劉師培則於一九○五年，在《國粹學報》上也發表過一篇〈讖緯論〉。
原文頗長，現節錄其與本文之討論有關的段落於下：

　　粵在上古，民神雜糅，祝史之職特崇，地天之通未絕。合符受命，乃
　　馭宇而作君。持門運機，即指天而立教。故禱祈有類于巫風，設教或
　　憑乎神道。唐虞以降，神學未湮。玄黿錫禹，鳦鳥生商，降及成周，
　　益崇術數。保章司占星之職，洪範詳錫疇之文。舊籍所陳，班班可
　　考。王室東遷，庉言日出。狸首射侯於洛邑、雉鳴啓瑞於陳倉、趙襄
　　獲符於常山、盧生奏圖于秦關。推之三戶亡秦、五星聚漢。語非徵
　　實，說或通靈。蓋史官失職，方技踵興。故說雜陰陽，仍出義和之職
　　守，而家為巫史，猶存苗俗之餘風。是為方士家言，實與儒書異軌。
　　及武皇踐位，表章六經。方士之流，欲售其術，乃援飾遺經之語，別
　　立讖緯之名，淆雜今文，號稱齊學。大約齊學多信讖緯，魯則不信讖
　　緯。故玉帶獻明堂之制，兒寬草封禪之儀。卦氣、爻辰，京氏援之占
　　《易》，五行災異，中壘用以釋《書》。經學之淆，至此始矣。乃世之
　　論讖緯者，或謂溯源于孔氏，或謂創始于哀平。吾謂讖緯之言，起源
　　太古。然以經淆緯，始於西京；以緯儷經，基於東漢。故圖書秘記，
　　不附六藝之科。翼、李、京、睦，弗列儒林之傳。劉略班書，彰彰可
　　據。及光武建邦，兼崇讖緯，以為文因赤制、字別卯金，乃帝王受命
　　之符，應炎歷中興之運，遂謂歷數在躬。實唐虞之符籙，陰嬉撰考，
　　亦洙泗之微言，尊為秘經，頒為功令。讖以輔緯，緯以正經。而儒生
　　稽古，博士釋經，或注中候之文，或闡秘書之旨。故麟經作注，何休
　　詳改制之文；虎觀論經，班固引微書之說。緯學之行，于斯為盛。[30]

30 劉師培：〈讖緯論〉，《國粹學報・文篇》第五冊第六期，乙巳年（1905），頁6b-9a。

康有為對「讖」、「緯」嚴分界限，但我們看到，劉師培顯然並沒有在這一點上多費心思，認為讖緯之書有作如此之區分的必要。其原因，乃是由於在劉氏的認知中，「讖緯」這一套文獻，其實傳承著的是一個自成一體，並且有著一個完整的學統譜系的學術。它上承巫史之術，下接方士之學。他指出，在「民神雜糅、地天之通未絕」的唐虞上古時代，祝史、巫師「憑乎神道而設教」，從而發展出一門溝通天人的術藝。到了商、周時期，這門學問進而演化為王官之學的一支，井然有序地體現於比如「保章司占星之職，洪範詳錫疇之文」等職務、文獻之中。上古的社會與政治秩序後來雖步入了分崩離析的過程，但支撐這一社稷架構的學術並沒有潰散，因為有方士陰陽家把這套源自上古的學問傳接了過去。所以雖然出現了「史官失職」的惡境，然而「方技踵興」，遠古傳下來的學術之大體並沒有遭遇破壞，以致到了漢代，方士又得以將這門學問兜售與皇帝。不過，當這門「憑乎神道而設教」的學術由方士傳於漢廷時，劉氏說明，它是刻意以攀附「經」書的「讖緯」為名而登場的。

劉師培指出，「方士之流」在漢武帝「表彰六經」的年代，把他們的技藝假扮成儒術，並且「援飾遺經之語，別立讖緯之名」，進而以所謂的「齊學」之名魚目混珠，躋身儒生的行列，最後竟以此陰陽術數之書「混淆」了真儒家的經典。換句話說，在劉氏眼中，在漢代以「齊學」為標榜者，其實並非真正的儒生，因為他們的學術主體並不是傳自先秦孔門的正宗儒學。這就是翼奉、李尋、京房、眭弘不列〈儒林傳〉的原因。我們若加以細心推敲，不難察知劉師培詳述陰陽家的學術淵源，進而點出方士與「讖緯」之書的關係，其實是與康有為之區分「讖」與「緯」有著異曲同工之妙的。其用心，即在於指出「讖緯」這一套傳載「方士家言」的文獻，「實與儒書異軌」。他雖然沒有借區分「讖」與「緯」，來直接褒貶「古文學」與「今文學」，但劉師培強調「讖緯」是方士陰陽家而不是真儒生的文獻，還是意在指出「多信讖緯」的「齊學」，其實傳習的並非晚周以來的孔門正宗學術，唯有「不信讖緯」的「魯學」，修習的才是真孔學的典籍。由此可見，在劉氏的讖緯觀中，其實也一樣蘊含著一個以門戶之分來認識漢代學術的思想框

架的。

　　同樣的一套讖緯文獻，康有為與劉師培對它的理解竟可相去如此，可知問題的癥結，就在「家派」或「黨見」上面。有了這樣的認識，我們得以回頭再對顧頡剛的讖緯觀作一審視。

四　思考與觀察

　　我們至此已能明白，清末以來的經師們對「讖」、「緯」之間有無異同？讖緯之書出於何時？以及讖緯到底是古文學家還是今文學家的文獻？等問題的思考，雖不能否認有其一定的客觀判斷，但或許亦必須承認，這些不同的主張也是或隱或顯地受著他們固有的學術傾向所影響的。那以一名現代學人自許，有意識要跨越這些前賢的顧頡剛在這方面的表現又如何？我們看到，顧頡剛瞭解，讖緯這一套文獻基本上是光武時期的人，把原先流傳於世的零碎材料，經過用心的整編以後匯為一體的文本。通過對讖緯的直接研究，顧氏得出讖緯的總體內容「多屬非常異義，太不循軌道」，因此它是一套與「故訓傳」頗有差異的「說經」材料的結論。所以他據此主張不必再落入舊時經師因「讖」、「緯」之名有別，而誤以為它們之間必有嚴密的界限之巢臼。[31] 這確是顧頡剛逾越前人之處。所以，他雖深受康有為的影響，但並沒有像康氏那樣，一方面為了替今文學曲為掩護，另一方面為了攻擊古文學而堅持必把讖緯作兩分判別的處理。相反的，顧頡剛認為讖緯的內容是具有統一性的這一看法，倒還是與劉師培將之視為方士陰陽家所承自上古的，溝通天人之學的觀點接近或同調的。這可說是他不受家法所囿，一切以證據說話的明證。然而，我們卻又看到，在作出這樣的觀察的同時，顧氏仍然不忘強調，從「名義上」來講，「讖」和「緯」應當是有分別的。其分別，就在

31　「讖自讖、緯自緯」，讖、緯應當是異名異實的這一觀點，是自四庫館臣以來，清代
　　學人的主流看法。可參閱前引拙作：〈清代經師的讖緯觀〉，《清代經學與文化》，頁
　　390-399。

於「緯」本當是「循軌道」來「解經、講經」的書，而「讖」則是有異於「故訓傳」專以荒誕不經之言來比附經書的文獻。其實，既已知道讖緯之書的實質內容「多屬非常異義」，又何必執著於它本當被名為「讖」或「緯」？康有為是為了要辨識出作偽的古文學家，與傳承真孔學的今文學家，才強分「讖」與「緯」的。他的讖緯觀因此是受其「黨見」所左右的。顧頡剛雖矢志破除門戶之蔽，但仍拘泥於要為「讖」、「緯」作正名之辨，這是不是「門派」、「家法」的框架尚存於他的思想中的一種不自覺的顯現？

對於讖緯出於何時？成於何人之手？我們看到，清代經生對這個問題的議論也與他們的學派認同意識密切相關的。劉師培以為，所謂的讖緯其實是喬裝成儒生的方士，在經學初立的年代把他們的學術借儒經之名妝點出來的文本。這一看法折射出來的，恐怕仍是古文、今文，魯學、齊學，孰為正統孰為異端之爭的思維。康有為則更為妙哉，直以「讖」為王莽、劉歆假造之偽經，來反襯「緯」與前漢大儒及「後漢今學」的師法、家說之正與真。我們看到，顧頡剛對前代學人具有代表性的這兩種看法並沒有毫無保留的盲從，而是有一己的思索與取捨的。他從文獻這一直接的證據中，發現讖緯的材料的確是屬於被後世目為所謂「今文」學的嫡傳思想。但他也同時公允地指出，所謂的「古文」學陣營的人物，其實在他們的文獻之中也不乏讖緯的材料。顧氏沒有接受康有為「讖」是王莽、劉歆所造偽的經說，這一具有強烈「黨見」意識的觀點。相反的，他認為無論名之曰「讖」或「緯」，讖緯乃是不折不扣的今文學家的文本。因此，我們可以相當肯定，顧頡剛的讖緯觀確實是以「看真理重於家派」，「用研究」而非「信仰」的「態度」得來的見解。不過，除了這些較為直接的顯明之處，我們若是對顧氏讖緯觀中更為隱潛的層面再作挖掘，也許還可以啟發更深一層的思考。我們看到，顧頡剛在肯定讖緯是今文學家的文獻的同時，也鄭重其事地指出，在讖緯被製作出來的過程當中，它的造作者卻有意地借用了一個原屬和他們處在對立面的學術陣營的理論。那就是，古文學家「定漢為火德」的「五德系統」。顧頡剛自己對他的這一「發現」是頗為自得的。然而，這一論點實透露出，他還是確信在王莽、光武之際，當時的學術界是真實地存在著一個有今文學、古文

學兩股勢力相互對立的局面的。這就讓我們看到，顧氏固然已經能「直接取材於事物」，不為「家學之障」所累，但就在一關鍵處他似乎還是沒有跳出前代學人的局限。那就是囿限在一個以正、反兩個陣營的對立，來詮釋與理解漢代學術文化的思想框架中，來進行他的思考分析。齊學、魯學，今文、古文的兩分法，似乎仍是顧氏揮之不去的時代印痕。這可能便是造成我們在上文所分析的，顧頡剛的讖緯論述中為什麼會出現那樣的一個矛盾的原因。當然，這僅是白璧微瑕，不掩顧氏在古史研究上的大成就。然而，處在新、舊時代的銜接點上的顧頡剛，其讖緯觀中反映出來的這一時代烙印，也許亦足以作為此變動時代中的經學研究的一記註腳。

五　餘論

顧頡剛自己曾經說過，他對學術史上「漸變」與「突變」的問題，是有所思考的，尤其讀了錢穆寫的〈劉向、歆父子年譜〉，更讓他在寫作〈五德終始說下的政治和歷史〉時，「得到了很多的方便」。[32] 然而，我們看到，顧氏在他的這一篇力作之中，仍然完全採納康有為一切起於王莽、劉歆一時之造偽的主張。而且，後來他在面對錢氏針對這一點所作的批評：「從漢武帝到王莽，從董仲舒到劉歆，也只是一線的演進和生長」，而不會是「一番盛大的偽造和突異的改換」時，[33] 仍然不為所動。顧氏甚至對此再作回應，解釋西漢末年的學術，「所以突變的原因」，堅持清代今文家「揭發」的這「一段騙案」，「大體自是不誤」的。[34] 我們當然不會認為，顧頡剛如此堅持，是為了替清末的今文學派持守門戶。那我們又要怎樣解釋顧氏在這一點上卻又似乎不那麼「一切歸之於科學」，從文本文獻的直接證據來作學術判斷了？

---

32 顧頡剛：〈五德終始說下的歷史和政治〉，《古史辨》（上海市：上海古籍出版社，1982年），冊5下編，頁483。

33 錢穆：〈評顧頡剛五德終始說下的歷史和政治〉，《古史辨》，冊5下編，頁621。

34 顧頡剛：〈跋錢穆〈評顧頡剛五德終始說下的歷史和政治〉〉，《古史辨》，冊5下編，頁631-632。

是不是因為顧頡剛雖然有很強的科學研究法的意識，但卻仍然未能完全擺脫晚清以來，慣於以今文、古文兩分判別的理解來認識漢代學術的思想框架？本文的析論，或許能為這個問題的思考，提供多一個層面的參考。

編者簡介

總策畫

林慶彰

　　臺灣臺南人，一九四八年生。東吳大學中國文學研究所碩士、國家文學博士。現任中央研究院中國文哲研究所研究員、東吳大學中國文學系兼任教授。專研經學、日本漢學、圖書文獻學。著有《明代考據學研究》、《明代經學研究論集》、《清初的群經辨偽學》、《學術論文寫作指引》、《中國經學研究的新視野》、《偽書與禁書》等十餘種。主編有《經學研究論著目錄》、《日本研究經學論著目錄》、《清領時期臺灣儒學參考文獻》、《日據時期臺灣儒學參考文獻》、《民國時期經學叢書》、《經學研究論叢》、《國際漢學論叢》等五十餘種。另有學術論文兩百餘篇。

蔣秋華

　　四川省遂寧縣人，一九五六年生。國立臺灣大學中國文學研究所碩士、博士。現任中央研究院中國文哲研究所副研究員，國立臺灣大學中國文學系、淡江大學中國文學系兼任副教授。專研《尚書》學、《詩經》學。著有《二程詩書義理求》、《宋人洪範學》、《沈括──中國科學史上的座標》等書。主編有《晚清經學研究目錄》、《李源澄著作集》、《張壽林著作集》等書。另有〈焦廷琥《尚書申孔篇》初探〉、〈韓愈詩之序議考〉、〈劉克莊商書講義析論〉、〈顧棟高《尚書質疑》撰作小考〉等學術論文數十篇。

分冊主編

范麗梅

　　國立臺灣大學中國文學研究所博士，美國芝加哥大學東亞語言暨文化學系博士後研究，現任中央研究院中國文哲研究所助研究員。研究領域集中在先秦兩漢經學與思想史、出土文獻與古文字學。主要著作有《郭店儒家佚籍研究──以心性問題為開展之主軸》、《簡帛文獻與《詩經》書寫文本之研究》，以及學術論文數十篇。

臺灣高等經學研討論集叢刊　　0502005

變動時代的經學與經學家──民國時期（1912-1949）經學研究

總 策 畫　林慶彰、蔣秋華
主　　編　范麗梅
責任編輯　蔡雅如

發 行 人　陳滿銘
總 經 理　梁錦興
總 編 輯　陳滿銘
副總編輯　張晏瑞
編 輯 所　萬卷樓圖書股份有限公司
排　　版　浩瀚電腦排版股份有限公司
印　　刷　百通科技股份有限公司
封面設計　斐類設計工作室

發　　行　萬卷樓圖書股份有限公司
　　　　　臺北市羅斯福路二段 41 號 6 樓之 3
　　　　　電話 (02)23216565
　　　　　傳真 (02)23218698
　　　　　電郵 SERVICE@WANJUAN.COM.TW
大陸經銷　廈門外圖臺灣書店有限公司
　　　　　電郵 JKB188@188.COM

ISBN 978-957-739-871-0
2014 年 12 月初版
定價：22000 元（全七冊不分售）

如何購買本書：

1. 劃撥購書，請透過以下郵政劃撥帳號：
　　帳號：15624015
　　戶名：萬卷樓圖書股份有限公司
2. 轉帳購書，請透過以下帳戶
　　合作金庫銀行 古亭分行
　　戶名：萬卷樓圖書股份有限公司
　　帳號：0877717092596
3. 網路購書，請透過萬卷樓網站
　　網址 WWW.WANJUAN.COM.TW
大量購書，請直接聯繫我們，將有專人為您
服務。客服：(02)23216565 分機 10

國家圖書館出版品預行編目資料

變動時代的經學與經學家：民國時期
（1912-1949）經學研究 / 林慶彰，蔣秋華總
策畫. -- 初版. -- 臺北市：萬卷樓，
2014.12
　　冊；　公分. --（經學研究叢書. 臺灣高等
經學研討論集叢刊）

ISBN 978-957-739-871-0(全套：精裝)
1.經學 2.文集
090.7　　　　　　　　　　　　103008278